KB090281

PCB & SMT 불량해석

(사) 한국마이크로조이닝연구조합
한국산업기술연구원
PSP 경영/기술연구소

공저 - 장동규 신영의 박사옥 최명기
신현필 이어화 남원기

NODE MEDIA
노드미디어

| 머리말 |

PCB & SMT 불량 해석 발간에 즘하여

PCB 및 SMT 관련 업무에 종사하시는 구독자 여러분 안녕하십니까?

저자는 그동안 PCB 및 SMT 관련해서 여러분의 도움을 받아 기술 서적을 출간해왔습니다. PCB HAND BOOK을 시작으로 PCB관련 기술서적 5종류 SMT 관련 기술서적 2종류 PCB & SMT 시장, 기술서적은 2006년부터 매년 발행을 해왔습니다. 발간한 기술 서적을 중심으로 한국 산업기술연구원에서 매월 저자가 직접 강의를 해왔으며 수강자들로부터 현장 실무 업무에 많은 도움이 되었다는 평을 듣곤 했습니다.

그러나 항상 아쉬움이 있었던 사항은 현장에서 발생하는 불량에 대한 원인, 대책에 대해서는 명확한 기술서적이 부족했던 것입니다. 저자는 현직에 있으면서 연구, 분석했던 불량 해석에 관련 자료에 대해서 이번 기회에 새로 정리하여 편집을 하면서 불량 관련 기술서적을 발간하게 된 것입니다. 또한 PCB불량개선 정보라면 수소문하여 정보재공 하느라고 노력했으며 일부는 일본서적의 내용 및 규격을 이용하기도 하였습니다. 이용된 내용에 대해서 머리말을 통해 죄송하며 감사표현 드립니다.

기술서적에서 편집된 내용은 가상적인 원인 대책보다는 실제로 현장에서 3현2원 (현장, 현물, 현실 / 원리, 원칙) 에 의한 원인 대책서로 현장업무를 개선하는데 많은 도움이 되리라 믿습니다. 실제로 현장에서는 발생하는 품질문제(불량발생)에 대한 원인 대책을 수립하는 것은 중요하지만 고객으로부터 발생하는 불만(CLAIM & COMPLAINT)이 없어야 합니다. 그러기 위해서는 모든 품질관리 및 품질보증은 결과보다 과정을 중요시하며 개선 또는 개혁을 하지 않으면 안 됩니다.

불량분석은 회사의 4M관리에 따라 차이가 있을 수 있으며 기술내용은 일반적인 사항임을 말씀드립니다. 불량통계 단위도 %에서 PPM으로 변경해야하고 현재 불량률이 50,000PPM이라면 30,000PPM까지는 공장개선이 필요하며 29,000PPM까지는 도전하려면 개혁이 필요한 것입니다. 즉, 50,000PPM에서 30,000PPM까지 20,000PPM까지 낮춘 관리는 전사원이 개선의지를 갖추면 목표관리가 가능하지만 30,000PPM에서 29,000PPM까지 1,000PPM 낮춘 목표를 달성하려면 각자 개인이 개혁을 해야만 달성 될 수 있다는 의미입니다. [참고 : PPM(PART PER MILLION)]

이번 PCB & SMT 기술서적이 편집부터 발간되기까지는 현직에 있을 때 많은 ENGINEER들의 DATA를 인용했으며 지면을 통하여 감사드립니다. 또한 (사)마이크로조이닝 연구조합의 회장님, 부회장님, 운영위원님들의 많은 도움이 있었으며 기술서적을 출간해주신 NODE MEDIA 박승합사장님께 감사드립니다.

끝으로, PCB & SMT 불량해석을 구독하시다 의문사항이 있으시면 다음 연락처로 문의 해주시기 바랍니다. 또한 기술서적을 기준으로 한국 산업기술연구원에서는 저자가 직접 매월 강의를 하고 있으니 많은 관심바랍니다.

연락처 : 02) 2624-2332

장동규 배상

| 목차 |

제 4 장 적층두께산출 / 99

제 5 장 이물질 & 먼지 / 105

제 6 장 OPEN & SHORT / 137

제 7 장 NICKs ON PATTERN / 167

제 8 장 BBT찍힘 / 193

제 21 장 공정별 불량 / 255

제 22 장 BARE-BOARD 신뢰성 TEST 현황 / 493

제 23 장 ASSEMBLY BOARD TROUBLE / 501

제 24 장 ASS'Y BOARD 후 문제점 대책 / 567

제 25 장 PCB가 SMT 품질에 미치는 영향 / 573

1. 전자기기 & 전자부품 & 재료 & PCB 실장기술의 진화

1-1. 전자기기 & 전자부품 & 재료 & PCB 실장기술의 진화

		제1세대 ~1960년	제2세대 1960 ~ 1970년	제3세대 1970년 ~ 1980년
사회적 배경		대량생산	고도경제성장	성(省)에너지
Leading산업		섬유산업	조선산업/철강산업	자동차산업
Electronics산업		1960년대 이전까지, 전자기기는 Radio를 중심으로 생산되었다. 그리고 1970년대까지 Television, 1980년대는 VTR		
설계사상		내구성	안정성	
주요 전기제품		Radio	Black White Television	VTR
개별동향	Television	−	흑백 Television	Color Television
	Camera 일체형 VTR/DVC	−	−	−
	Digital camera	−	−	−
	Personal Computer	−	−	−
	휴대전화	−	−	−
	통신파주수			~10 MHz
부품	능동부품	진공관	TRANSISTOR	IC / DIP, SIP
	수동부품	수동부품	Long Lead가 있는 대형고압부품	Axial부품 / Radio부품 / 부품 Size : 3.2×1.6mm / Taping화 / Taping화
	2차 전지	납축전지	납축전지/니켈 카드늄 전지	
	회로부품	금속새시(Sash)	편면 프린트 배선판	양면 프린트 배선판 / Flexible 프린트 배선판
재료	PASTE	Solder Resist	비 부식성 납	
	Resist Ink/ 층간절연		내Solder Mask	UV견화형 Solder Mask
	적층판	적층판	종이Phenol CCL	종이 Epoxy CCL / Glass Epoxy CCL / FLEXIBLE CCL
생산형태		소종다량생산	중종중량생산	다종중량생산
		자산생산		
실장방법	실장의 합리화	노동집약형	점(点)의 합리화	선의 합리화
	실장의 형태	수동 삽입 실장	반자동삽입실장	자동 삽입 실장
	실장기	Conveyor Line	Axal삽입 실장기	Radio삽입 실장기
	접합형태	수동 Soldering	SOLDER POT SOLDERING	DIPPING & FLOW
품질보증개선		수입검사/출하검사		출하검사
		소집단활동		

		제4세대	제5세대	제6세대	제7세대
		1980 ~ 1990년	1990 ~ 2000년	2000년~2009년	2010~
사회적 배경		경박단소	다양화, 다기능	고성능, 고기능환경조화	융합시대
Leading산업		전자산업	반도체산업	IT산업	IT산업
Electronics산업		1980년 이후 전자기기는 PORTABLE화되기 시작하여 1990년부터 경박단소화가 본격 시작됐고 2000년부터는 전자산업의 융합화와 자동차 + IT산업 전개됨			SMART 산업
설계사상		경박단소화	경박단소화/분해용이성	환경배려, 재활용성	환경, 저단가
주요 전기제품		VTR	Camera일체형 VTR, DVC	휴대전화, SMART PHONE, SMART PAD	SMART TV SMART PHONE SMART PAD
			Note BOOK Computer	Digital Camera	
개별동향	Television	Color Television		박형TV (액정·PDP·LCD·LED 3D, SMART TV AMOLED)	테두리 없는 TV
	Camera 일체형 VTR/DVC	중량2,600 → 700g	중량700 → 500g	중량500 → 300g	
	Digital camera	-	정지화면 (30-100만 화소)	정지화면 (100만 화소) 동영상	
	Personal Computer	DeskTOP → Lap Top PC	Lap → 노트북 PC	Lap Top → 미니노트북 PC NET BOOK, TABLET PC 스레이트	울트라 PC
	휴대전화	중량>300g,400g	중량 300g,100g 200-100cc	중량 300g,100g 57g-100cc이하	
통신파주수		10-100MHZ	1-10Ghz	10Ghz~	
부품	능동부품	LSI	VSLI	System LSI	
		FP, SOP, QFP	CC, TAB, BGA	CSP, FC, SIP, PoP, CoC	
	수동부품	Chip 부품, 이형부품			
		3.2×1.6→1.6×0.8mm	1.6×0.8→0.6×0.3mm	0.6×0.3→0.4×0.2mm,0.2×0.1mm	
	2차 전지	니켈 카드늄 전지	니켈수소전지/리튬 이온전지	리튬이온전지/연료전지	
	회로부품	다층 프린트 배선판	박판 다층 프린트 배선판	다층FPC, Flex-Rigid, 기능기판, EMBEDDED,OPTICAL	
			BUILD-UP 프린트 배선판	Bump접속법 프린트 배선판 /Ink-jet법 프린트 배선판	
재료	PASTE		Pb Free 용 Solder Paste	SAC(98.8/0.7/0.5) → 저COST	
	Resist Ink/ 층간절연	액상 Photo Solder Resist	Build up 용 층간절연재료	Flex-Rigid용 층간절연재료	
	적층판	Composite CCL	내열 Glass Epoxy CCL	Halogen Free Glass Epoxy CCL	
		Mass Laminstion	저유전율 CCL	Halogen Free 동박있는 절연 Sheet	
		Glass Polyimide CCL	동박이 있는 절연 Sheet	2층 FPC/Package용 재료	
생산형태		변종변량 생산	다종소량생산	변종소량생산/Flexible 생산	고적요구상품 맞춤생산
		자사생산/OEM생산	자사생산/OEM생산 /ODM생산	전면(全面)생산위탁	
실장	실장의 합리화	면의합리화(A)	입체의 합리화(CIM)	Cell생산방식에 의한 합리화	PRESS PIN
	실장의 형태	자동장착실장	고밀도장착실기	고속고기능 Module실장	
방법	실장기	이형부품삽입실장	다기능실장 장착기	Film실장기/내부실장기	
		Chip부품 장착기			
	접합형태	Multi Wave식 분류식 Soldering, Reflow Soldering	질소봉입 Soldering COB	Pb Free Soldering	
품질보증개선		품질보증	품질보증/ISO9000	환경품질/ISO4001	
			TQM	6∂	

1-2. 프린트 배선판용 재료의 변천

■ 일본 PCB 사례

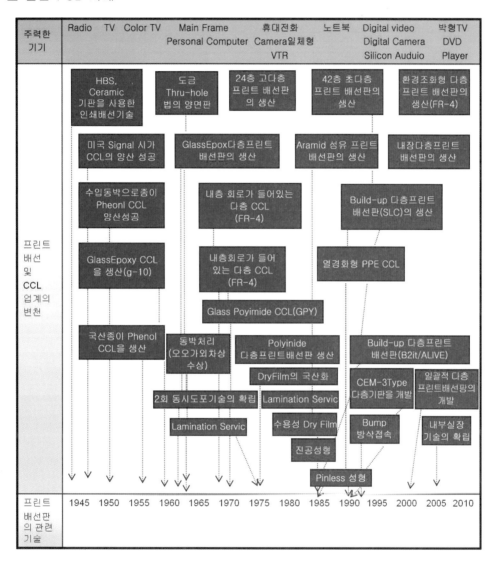

1-3. PCB 진화

세대	구분	년도	유형	내용
1	세계	1960	단면기판	1. SINGLE SIDE 2. PHENOL 수지 사용
	한국	1965		
2	세계	1960년 중반	양면기판	1. DOUBLE SIDE 2. GLASS EPOXY 사용
	한국	1968		
3	세계	1970	다층기판	1. MULTI-LAYER PCB
	한국	1985		
4	세계	1970년대 말	복합다층기판	1. BUILD-UP 기판
	한국	1996년		
5	세계	2000년대	반도체형 기판	IC PACKAGE SUBSTRATE
	한국	2002		
6	세계	2000년 대	내장형 기판	1. EMBEDDED DEVICE PCB 2. 1차 수동소자(R.C.L) 3. 2차 능동소자(IC등)
	한국	2008년 현재 개발 중		
7	세계		광PCB	ELECTRICAL OPITCAL PCB
	한국	개발 중		
8			MFB	MULTI-FUCTIONAL MLB
			SIB	SYSTEM INTERGRATION INTOBOARD

1-4. PCB 신뢰성 시험평가 및 불량분석 항목

1. 성능평가 및 환경시험

NO	항목	내용
1	내전압 시험 절연저항측정	1. 부품 또는 시스템 절연 물질 전기적 전압한계를 측정하기 위해 수행되며 교류 전원을 이용하는 경우를 내전압 시험이라 하고 직류 전원을 이용하는 경우 절연저항 시험이라고 함. 2. 내전압 시험의 경우, 전기제품의 안전평가 방법으로 흔히 활용되며, 절연저항시험의 경우, 직류용 커패시터의 주요 특성평가 항목이다. ▶ 효과 : PCB의 경우 교류 및 직류전원 회로를 이용하므로 이러한 전기특성은 ① 솔더부 파괴 ② 단선검출 ③ 오염에 의한 누설 전류를 검사하는 목적이다.
2	이온 마이그레이션 측정	1. 고온고습환경에 의한 PCB 패턴의 절연저항 열화를 확인하기 위해 사용한다. 2. 회로에 누전이 발생하거나 선간 절연 결함을 촉진시키는 요인은 ① PCB위의 metal line간에 수분 흡수나 결로 ② 인쇄회로기판의 온도 변화 ③ 강/약 편향 전계인가 ④ Metal line간의 거리 ⑤ Halogen, Akali 등의 다른 이온이 PCB상에 부착 등이 있다. 3. 중요성 증대 ① 전자제품의 소형화로 인한 배선 폭의 감소/높은 수준의 기능부여 및 다층화 ② 노트북 및 전화기 등 제품의 소형화로 인한 휴대가 가능해짐에 따라 환경조건의 가혹화 ③ 환경오염 규제로 인한 세척방법 변경으로 Flux에 의한 이온이동의 가능성 증대
3	항온항습 및 HAT	1. HAST-HIGHLY ACCELERATION STRESS TEST 2. 고온고습 환경을 모사하기 위해서 항온항습 챔버 및 HAST 챔버가 사용되며 HAST 챔버를 이용할 경우, 100℃ 이상에서도 습도시험을 수행할 수 있다. 이온 마이그레이션(Ion migration) 장비와 연동하여 사용할 경우 각 단자간 절연저항을 지속적으로 관측할 수 있다.
4	열충격 시험	PCB상의 또 다른 불량모드로는 전기적으로 연결 되어야 할 부분의 저항이 증가되어 단선을 일으키는 현상이 있을 수 있다. 이는 주기적인 온도 변화에 의한 솔더 접합부(Solder Joint)에 크랙(Crack)이 발생하는 경우가 있을 수 있다. 이와 같은 현상을 재현하기 위해 열충격 시험기를 활용 할 수 있다.
5	리플로우	최근 활용되고 있는 무연솔더(Pb free solder pasTer)의 경우, 융점(melting point)이 종래의 유연솔더(Pb solder)보다 30℃ 이상 높으므로 리플로우 과정 중 PCB가 노출될 수 있는 최고 온도는 종래보다 상승되었다. 이와 같은 리플로우에 의한 고온 내성을 평가하기 위한 것이다.
6	TDR	1. TIME DOMAIN REFLECTOMETRY 2. 전자제품의 소형화 및 제품의 동작주파수 상승에 따라, 종래와 달리 PCB 상의 배선 impedance 설계가 중요한 요소가 되었다. 기존에는 배선은 단락 혹은 단선 정도의 개념으로 평가 가능하였으나, 최근 배선의 특성 임피던스가 중요한 설계요소로 부각되었고, 이에 따른 평가 장비로 TDR 이 있다. TDR이란 신호 입력부에 펄스를 인가하여 반사되어 오는 신호의 위상 및 시간을 통해 선로의 특성을 정의할 수 있는 장비이다.

2. 물성분석

NO	항목	내용
1	TMA	1. THERMO-MECHANICALANALYZER 2. 열기계적분석기(TMA)는 재료의 선팽창계수 및 유리전이온도 측정하는 장비이다. 인쇄회로기판 제조에 사용되는 여러 가지 재료들의 선팽창율이 크게 차이나게 되면 사용 환경에서 회로 불량이 야기될 수 있다. 이러한 문제점을 제거하기 위하여 인쇄회로 기판 설계 단계에서 서로 유사한 선팽창율을 가지는 재료를 선정하게 되며, 이때 열기계적분석기를 이용하여 재료의 선팽창계수를 측정하는 상호 비교하게 된다.
2	TAS	1. THERMALANALYSIS SYSTEM DSC, TGA 2. 인쇄회로기판 제조에 사용되는 고분자 재료들의 열적 성질을 시차주사열량계(DSC), 열중량분석기(TGA)를 이용하여 측정할 수 있다. 인쇄회로기판의 사용온도 범위에서 인쇄회로기판 재료가 녹을지 아니면 열분해 될지를 확인할 수 있으며, 설계 단계뿐만 아니라 불량 원인분석 단계에서 폭넓게 활용될 수 있다.
3	NALOINDENTER	NALOINDENTER를 이용하면 다층박막으로 구성된 인쇄회로기판의 각 층에 대하여 경도나 탄성률과 같은 기계적 물성을 평가할 수 있다. 불량부위와 정상부위의 국부적인 물성변화도 측정이 가능하다. 인장시험과는 다르게 각 층을 따로 제거하지 않고도 물성을 평가할 수 있기 때문에 편리하게 사용이 가능하며 내스크래치성이 층간접착력에 대한 정상적 평가도 가능하다.
4	DMA	1. DYNAMIC MECHANICALANALYZER 2. 인쇄회로기판 제조에 사용되는 고분자 재료들의 유리전이온도와 탄성률에 대한 측정이 가능하다. 점탄성 거동을 보이는 고분자물질의 온도나 주파수에 따른 탄성률의 변화를 통해 유리전이온도의 측정도 동시에 이루어진다.

3. 비파괴 분석

NO	항목	내용
1	X-RAY CT	X-RAY CT는 대상제품을 여러 각도에서 X-RAY로 투시하여 얻은 영상을 조합하여 3차원의 영상으로 구현하는 장치로 도선의 단락이나 손상, 비 아나 TH이 완전히 채워지지 않는 경우를 지칭하는 냉납, 잘못 설계된 도선이나 부품패드 등과 같은 결함을 분석하기 위해 많이 사용하는 장비이다.
2	초음파 장비	초음파 장비는 초음파가 시험체내를 투과할 때 투과, 반사, 감쇄 회절이 되며 이때의 초음파 거동을 측정 분석하여 재료의 물리적 특성, 결함 특성을 평가하는 장비로 X-RAY CT와 함께 비파괴분석에서 사용되는 장비이다. 특히 면상결함 분석에 많이 사용된다.

4. 자료구조 분석

NO	항목	내용
1	광학현미경 실측현미경	1. 인쇄회로기판은 동박적층판(copper clad laminate)에 노광, 현상 도금 등의 공정을 거쳐 회로를 형성하게 된다. 인쇄회로 기판의 회로형성과정에서 발생한 불량 원인을 규명하기 위하여 일차적으로 불량부위를 광학현미경이나 실측현미경으로 불량 현상을 파악하게 된다. 2. 인쇄회로기판에 장착되는 전자부품들이 소형화됨에 따라 불량부위 확인에 광학현미경이 중요한 역할을 하고 있다. 다양한 불량원인들 중 도금두께의 차이에 의한 불량으로 추정되면 인쇄회로기판 단면을 촬영하여 도금두께를 비교할 수 있으며 덴드라이트 성장이나 금속 마이그레이션과 같은 외부결함을 검출하는데 주로 이용된다. 그림2(a)는 불량이 발생한 인쇄회로기판의 단면절개 후 광학현미경 확대촬영결과를 보여주고 있다.
2	SURFACE MAPPING MICROSCOPE	Surface mapping microscope는 레이저를 사용하여 비접촉식으로 시료 표면의 3차원 형상을 측정할 수 있는 장비이다. 주된 용도로는 표면거칠기와 표면 모폴로지 분석 등이며, 인쇄회로기판에 있어서는 미세회로 형성 불량의 확인에 응용 할 수 있을 것이다.
3	FE-SEM/EDS	광학현미경으로 관측할 수 없는 미세형상은 전자주사현미경(SEM)으로 관측할 수 있다. 인쇄회로기판에 있어서 도금층의 오염으로 인하여 솔더링에 방해를 받게 되는 경우가 있는데 아주 작은 오염부위를 전자주사현미경으로 확인할 수 있으며 X선 형광분석기(EDS)로 그 성분을 분석 할 수 있다. FE-SEM/EDS 이 주로 이용되는 분야는 다음과 같다. ① 기판표면오염 ② 컨포멀코팅을 잘 제거하면 기판표면과 컨포멀코팅사이의 불순물 검출 가능 ③ 기판상의 관심불순물 물질 : Cl,F,S,Na,Br ④ 땜납부상의 관심불순물 물질 : S, O, Cu, Au, Al, Zn
4	UV-VIS SPECTROMETER	자외선 분광분석기는 190~170㎚의 파장영역에서 분석대상 물질의 반사율, 투과율 및 흡수율을 측정하는 장비이다. 다양한 응용분야에 적용될 수 있으며, 인쇄회로기판 제조에 있어서 도금액 농도 분석 및 환경규제 대상 유해중금속인 6가크롬의 정량분석에 이용되고 있다.
5	AAS 원자 흡광광도계	원자흡광광도계는 기체상태 원자에 적당한 복사 에너지를 가할 때 발생하는 흡수현상을 기초로 한 무기원소 분석장비로써, 인쇄회로기판제조에 사용된 재료의 성분을 정량분서거 하는데 응용할 수 있다. 유럽연합의 RoHS 규제대상 유해죽금속인 Hg, Cd, Pb의 정량분석에 이용되고 있으며 유사한 방법으로 각종 유해중금속 분석에 이용될 수 있다.
6	FTIR	유기화합물의 Functional group을 확인하여 화합물의 구조를 분석하는 장비로써 인쇄회로기판제조에 사용된 유기화합물의 정성분석에 활용될 수 있다. 인쇄회로기판 제조에 있어서 솔더링을 방해하는 원인 중 한 가지로 도금층의 오염을 들 수 있다. 도금층 오염 성분 중 금속 및 무기성분은 SEM/EDX를 활용하고, 유기물에 의한 오염의 경우에는 FT-IR을 이용하여 오염성분을 확인할 수 있다.
7	PARTICLE COUNTER & SIZE ANALYZER	용액에 분산된 입자의 평균입자크기 및 입자크기 분포를 측정하는 장비로써, 인쇄회로기판 자체를 분석대상 물질로 적용되는 경우는 거의 없으나 인쇄회로기판 제조과정에서 도금용액의 이물질의 입자크기 분포를 측정하여 도금액 불량 판단에 응용할 수 있다.

2. PCB 물류관리

2-1. 지침사항

1. 탑차운행
   ① 탑차의 행선지를 선임자에게 보고한다.
   ② 탑차의 정기점검을 기록 관리한다. (차계부 작성)
      – 엔진오일, 냉각수, 연료, 브레이크작동 상태 등
   ③ 탑차의 운행 속도를 준수한다. (시속 50km)

2. 리프트 사용방법
   ① 리프트는 저속으로 작동한다.
   ② 리프트의 부착된 리모컨사용을 정확히 숙지한다.
   ③ 리모컨 사용 방법

상 : 리프트가 위로 올라감
하 : 리프트가 아래로 내려감
전 : 리프트가 위로 90도 접힘
후 : 리프트가 아래로 수평유지

   ④ 탑 옆문은 고정 장치로 결속한다.

– 옆문이 흔들리지 않게 고정한다.
– 대차 걸림 턱을 사용한다.

3. 대차 고정방법

① 대차는 고정버클을 이용하여 고정한다.

② 고정된 대차는 안전한지 좌우로 흔들어 확인한다.

4. 제품 적재방법

① 제품은 적정적재 표시선을 넘지 않는다.

② 제품이 파손되지 않게 board를 대고 단단히 밴딩

③ 상품 상·하차 시 대차는 그림과 같이 한다.

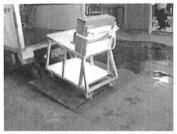 

상차   하차

5. 대차 관리요령

① 대차관리는 주 2회 이상 점검한다.

② 바퀴 마모상태 점검

③ 바퀴 유동성을 점검하고 윤활유를 적절하게 뿌려준다.

④ 바퀴 잠금장치 확인

⑤ 대차 파손여부 확인

6. 간지삽입

① 제품 입·출고 및 이동 시 간지 1PNL당 1개씩 삽입

② 간지는 제품 사이즈에 맞는 간지 사용

③ 작업 전까지 간지 제거 금지

④ 사용한 간지는 사이즈별로 보관

7. 제품취급

① 제품 낱개로 이동 시 두 손으로 이동

② 제품 적재 시 20PNL씩 적재

③ 제품 내부에 지문이 남지 않도록 외곽을 이용하여 이동하고, 제품 이동 시 반드시 면장갑 사용

8. 조치사항

① 제품 입고 시 수입검사 후 기스 및 불량 발견 시 전 공정에 통보 조치한다.

② 공정 진행 중 기스 및 불량 발생 시 확인 가능한 표시를 한 후 작업진행

③ 아나우메(HOLE 메꿈) 제품에 잔기스 및 지문자국 발생 시 정면 1회 실시 후 출하

9. 이상 발생 시 대처요령

① 사고발생 시 당황하지 말고 가까운 사람에게 도움을 청한다.

② 제품은 수입검사를 통해 불량과 양품을 구분 관리한다.

③ 사고 발생 경위를 담당 관리자에 보고한다.

④ 사고 발생 경위를 품질팀에 보고한다.

⑤ 보고완료 후 품질팀 지시에 따른다.

⑥ 항상 제품의 중요성을 인식한다.

2-2. 관리내용

항목		해당 제품	내용	비고
간지 삽입 방법	플라스틱 간지	3.2T 미만 14층 이하 제품	PNL이동 대차로 25PNL당 플라스틱 간지 삽입 후 제품 이동	샘플표면 검사 실시
	스폰지 간지	3.2T 이상 14층 이상 제품	1PNL씩 스폰지 간지 사용 후 후공정 이동 후판 제품 후판대차에 1PNL식 삽입 후공정 이동	전량표면 검사 실시
		기타 특별관리 모델		
DEB 작업방법 검사방법		3.2T 이하 전제품	간지 제거 시 디버링 전용대차에 제품을 올린 후 1PNL씩 간지 제거	샘플표면 검사 실시
		3.2T ~ 6.2T 전제품	투입부터 수취까지 2인1조 작업	전량표면 검사 실시
DES 작업방법 검사방법		2.7T이하 전제품	디스미어 랙크에 40PNL씩 로딩	샘플표면 검사 실시
		2.7T ~ 3.2T 전제품	디스미어 랙크에 20PNL씩 로딩	전량표면 검사 실시
		3.2T ~ 6.2T 전제품	디스미어 랙크에 10PNL씩 로딩	전량표면 검사 실시
PNL후 처리 작업 방법 검사방법		1.6T이하 제품	25PNL단위로 간지삽입	전량 표면검사 실시(검사자)
		2.7T이하 제품	25PNL단위로 간지삽입	
		3.2T이하 제품	25PNL단위로 간지삽입	
기타				

항목		해당 제품	내용	비고
간지 삽입 방법	종이 간지	1) 2.4T 미만 12층 이하 제품	후공정 이동 시 1PNL당 전량 간지 삽입	전량표면 검사 실시
	스폰지 간지	1) 2.4T 이상 BPL 제품	1PNL씩 스폰지 간지 사용 후 후공정 이동 후판 제품 후판대차에 1PNL씩 삽입 후공정 이동	전량표면 검사 실시
		2) 14층 이상 전제품		
		3) 외층 COPPER 1/3 OZ 제품		
		4) 기타 특별 관리 모델		
면취 작업 방법		1.6T 이하 전제품	자동면취 작업방법	
		2.0T ~ 2.5T 전제품 (457 * 598)	2인 1조 자동면취 작업방법	
		2.7T ~ 4.0T 전제품	수종면취 작업방법	수동면취 후 수세 및 두께측정
		4.0T 이상 전제품	컷터로 칼질작업	수동면취 후 수세 및 두께측정
밴딩 작업방법		1.6T 이하 전제품	20PNL씩 밴딩작업	
		2.0T~2.4T 전제품	15PNL씩 밴딩작업	
		3.2T 제품	10PNL씩 밴딩작업	
		3.2T 이상 제품	5PNL씩 밴딩작업	
		대형후판제품	후판전용 대차사용	
검사방법		1.6T 이하 전제품	10PNL씩 취급	면취 및 각인 작업 후 검사를 하기 위한 제품 이동 시 취급 방법
		1.6T~ 2.4T 이하 제품	5PNL씩 취급	
		2.5T 이상 제품	1PNL씩 취급	
기타			대기제품이나 NG제품 등도 반드시 우물(井)로 밴딩을 실시하며 밴딩 M/C 은 작업 시 직전과 식사 후 청소를 실시한다.	

※ PCB 제조회사 환경에 따라 물류관리를 정하고 위의 내용을 기준으로해서 물류관리 표준서를 작성하면 됨

1. 제품처리 / 진행방안

① 각 공정에서 자주검사 실시 후 표면기스 발생 시 QA에 통보 후 조치

② 불량/재처리 제품은 현공정에서 불량처리 후 후공정 인계

③ 제품의 LOT관리는 작업카드와 동일시 작업진행

2. 협조사항

① 작업 전에는 밴딩줄/간지/비닐포장을 제거 하지 말 것.

② 재품은 SIZE별로 적재할 것.

③ 로다/언로다시 제품취급은 25PNL씩 이동 할 것.

④ 간지사용은 1PNL씩 삽입 및 제거 할 것.

⑤ 제품이동 시 취급문제(탑차/밴딩기/대차적재)발생 → 영업사원교육

⑥ 공정작업 후 제품 추수 릴 때 주의할 것(BOX.대차 랙크에 올릴 때)

⑦ 밴딩은 井로 실시할 것.

⑧ 간지를 삽입 및 제거 시 기스발생

⑨ 제품이동의 표준량 적재 후 이동 → 룰 준수

⑩ 불량한 간지(오염/파손/구부러짐)는 즉시 폐기처분 할 것.

⑪ 해당공정의 품질 교육실시가 절대적 필요(장갑착용/교환/취급교육)

    – 용역작업자

    – 탑차기사 및 영업사원

    – 취급이 습관, 표준화시까지 반복교육이 필요

  ※※ 공정작업 및 제품 이동시 품질목표 의식생활화 ※※

2-3. 동도금 공정물류(FLOW)

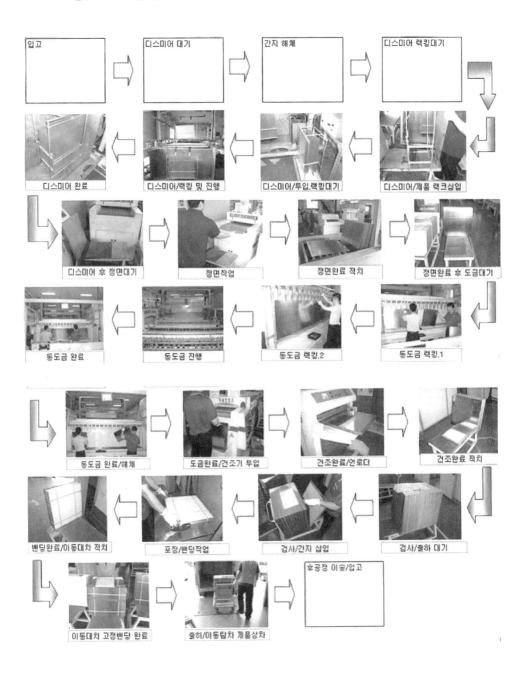

입고 ⇨ 디스미어 대기 ⇨ 간지 해체 ⇨ 디스미어 랙킹대기

디스미어 완료 ⇦ 디스미어/랙킹 및 진행 ⇦ 디스미어/투입,랙킹대기 ⇦ 디스미어/제품 랙크삽입

디스미어 후 정면대기 ⇨ 정면작업 ⇨ 정면완료 적치 ⇨ 정면완료 후 도금대기

동도금 완료 ⇦ 동도금 진행 ⇦ 동도금 랙킹.2 ⇦ 동도금 랙킹.1

동도금 완료/해체 ⇨ 도금완료/건조기 투입 ⇨ 건조완료/언로더 ⇨ 건조완료 적치

밴딩완료/이동대차 적치 ⇦ 포장/밴딩작업 ⇦ 검사/간지 삽입 ⇦ 검사/출하 대기

이동대차 고정밴딩 완료 ⇨ 출하/이동탑차 제품상차 ⇨ 후공정 이송/입고

2-4. Back B/D 제품 적지 표준

1. 적치 요령

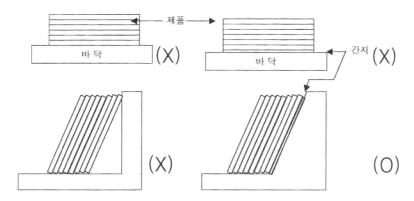

2. 판넬은 외층 수직 적치가 기본(이동시 수직적치)

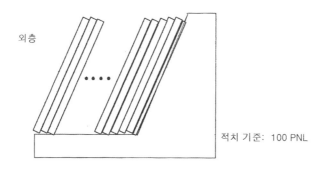

3. 간지 사용 기준(간지 : Cushion지 사용)

외층(2.4t미만):20PNL 마다 사용

외층(2.4t이상):10PNL 마다 사용

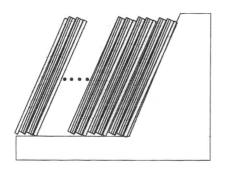
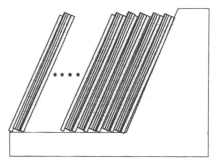

3. PCB 검사

3-1. PCB 공정별 주요검사항목

NO	공정	검사항목
1	공통	1. SCRATCH 2. 모서리 깨짐 3. BURR
2	적층	1. 적층 후 두께 2. DENT 3. OXIDE(BROWN & BLACK)미처리 4. COPPER 두께 5. PRE-PREG 두께
3	DRILL	1. HOLE 누락 2. HOLE 편심 3. SCRATCH로 인한 표면 EPOXY 노출 4. TAPE 잔사
4	CU, PLANTING	1. 미 도금 2. VOID 3. SMEAR
5	IMAGE	1. DRY FILM 밀착 2. NICK ON PATTERN (OPEN, SHORT, SLIT, NODULE, PINHOLE 등) 3. 회로 동도금 상태 없어짐 4. LINE & SPACE & PITCH
6	PSR	1. PSR INK 도포상태 2. PAD위 (SMC, QFP, BGA, LAND) PSR INK 번짐상태 및 뭉침 3. PSR 미현상에 의한 HASL 처리안됨 4. 표면 INK떨어짐(PEEL-OFF) 5. 표면 백화상태 6. PSR 편심으로 INK 올라탐 7. 정전기로 인한 회로 이탈
7	MARKING	1. 식자처리 안됨 2. UL MARK 확인 3. MARKING 상태 (번짐, 올라탐, 지워짐) 4. MARKING 편심 5. MARKING 누락

NO	공정	검사항목
8	외형가공	1. V-CUT 상태 2. MIXING HOLE 상태 3. 연배열제품 부러짐 4. 모서리깨짐 발생 5. 단자제품 면취상태 6. ROUTER 가공불량 7. 2차 DRILL 가공불량
9	표면처리	1. 표면처리에 따른 색깔구분 2. 두께 3. 하지부분(동박) 노출 4. DEWETTING
10	HOLE	1. HOLE 속 PSR INK 잔사 2. HOLE 속 VOID 3. HOLE 속 동보임 또는 AU제품 4. HOLE FLUX 상태 5. HOLE 속 막힘 (HOLE 누락 또는 HASL 막힘) 6. SOLDER BALL 상태 7. VIA-HOLE PLUGGING 처리 8. VIA-HOLE TENTING 처리
11	최종검사	1. PCB 표면 COLOR (PSR INK COLOR, 표면처리구분) 2. BARE BOARD TEST 실시여부 LINE 확인 3. 연 배열상태 (V-CUT & MIXING HOLE) 4. 표면에 부착된 이물질 5. 부적합품 재처리 후 마무리 (TAPE 등) 6. 특이사항
12	출하검사	1. 기능검사 위주 2. 육안검사 또는 SAMPLING 실시 3. 승인원 유무확인 4. 승인원이 있을 시 필히 승인원 확인 　　작업지시표 내용확인 5. 표면처리(AU, FLUX, HASL), 단자면취 등 　　외각 SIZE CHECK 6. 규격관리에서 지시된 도면을 가지고 CALIPER로 CHECK 7. FLIM 대조 8. MARKING FLIM으로 식자상태 대조 REVISION CHECK 9. 업체별, 모델별, REV NO확인. HOLE SIZE 10. HOLE 도면에 의한 PIN GAUGE로 HOLE SIZE별 확인 　　기타 11. 특별한 요구가 있는 사항은 업체별 별도 검사

3-2. 완제 PCB, 수입검사 및 신뢰성 검사내용

1. 수입검사

일반 RIGID PCB기준(1.6T 기준)

NO.	검사항목		SPEC
1	INCOMING INSPECTION(G-2)		AQL 0.65
2	HOLE SIZE		SPEC 범위에 들 것
3	DIMENSION		SPEC 범위에 들 것
4	BOARD THICKNESS		±10%
5	HOLE ROUGHNESS		MAX. 25μm
6	HOLE PLATING THICKNESS		MIN. 25μm
7	ANNULAR-RING		MIN. 50μm
8	TRACE		±20μm
9	PSR INK THICKNESS (PATTERN EDGE 기준)		MIN. 3μm
10	PSR DAM		떨어짐 없을 것
11	MARKING		누락 없고 식별 가능
12	V-CUT (1.6T)		0.4mm±0.1mm
13	표면처리(OSP)		0.5μm
14	BOW & TWIST(IPC SPEC)		대각선 길이 0.7% 이내 일 것
15	외층검사	CRITICAL DEFECT	OPEN/SHORT HOLE 속 VOID
16		NORMAL DEFECT	회로 NICKS PSR PAD 올라탐 및 편심 SILK PAD 올라탐
17		MINOR DEFECT	미세한 SCRATCH
18	신뢰성 TEST		SOLDERABILITY
19	FINAL RESULT		

2. 신뢰성 검사

NO	Test Item	Test Method	Spec
1	Bonding Test	After wire soldering land Pull the wire tensile tester	0.83kg/2.34㎟
2	Solder Thermal Stress	Baking(135℃ 1hr), Solder Float(288℃, 10sec)	No Crack, Delamination, Barrel Crack, No Separation, Void
3	Solder Mask Thickness	After Cross-Section	Min5.0㎛
4	Annular Ring	After Cross-Section	Inner(Min25㎛), Out(Mln50㎛)
5	Solderability	Solder Float (245℃, 3 ~ 5sec)	Wetting Min 95%
6	Withstand voltage test	DC 500V 60SEC	No Spark, discharge
7	Thermal Shock	−65℃/+125℃ (15min, 100cycle)	Resistance Change Ratio 20%
8	Surface Insulation Resistance	DC500v, 30sec	Min 500㏁

3-3. 적층 검사기준서

■ 검사범위 : ① 파괴(에칭)검사 범위-초도 및 조건 변경 후 5Lot까지 2Pnl/Lot검사
　　　　　　　　(들뜸, Resin, 미분리, 밀착)

　　　　　　② 두께검사 범위-층간 접착제 Prepreg사용 전 모델 5Pnl(각 2point)
　　　　　　　　/Lot검사 허용기준-모델별 기준값 ±15㎛

　　　　　　③ 일반검사 범위-20Pnl/Lot

공정명	불량명	불량원인	검사기준	비고
Hot Press	RESIN	층간접착제 물성 및 Hot Press 조건	통상 0.3mm이내	최대 1mm (모델별 기준에 한 함)
	두께	원자재 누락, 추가 및 자재혼입	모델별 기준값 ±15㎛	
	들뜸	적층 H/P조건	없을 것	
	지문	방진장갑 미착용	없을 것	
	구김 꺾임	취급불량	없을 것	
	산화	습도 및 열에 의한 발생	육안상 연한 경우 또는 부분산화 허용	
	이물 및 DENT	각종 이물	비전도성:3EA이상의 도체에 걸리지 않을 것 GND부위 부풀어 오름이 0.1mm이하, 길이 10mm이하 일 것	
			전도성:PT의 걸침이 없을 것 GND부위 부풀어 오름이 0.1mm이하, 길이 10mm이하 일 것	
	주름	H/P조건 및 접착제 돌출 시 및 취급 발생	육안상 미세할 것	
	스크래치	작업자 취급 부주의	깊이가 없을 것	미세한 경우 허용
	층간 틀어짐	가이드 홀 쏠림 및 가접 Lay-Up 작업 시	MAX100㎛이내	BUILD UP제품은 MAX50㎛이내
		내층 노광 및 내층 적측 수축편차		
	부자재 누락	LAY-UP작업 시 작업자 MISS	제품표면 돌기발생 없을 것	
	회로 뒤바뀜	LAY-UP작업 시 작업자 MISS	없을 것	

	분리부 미분리	H/P조건 및 표면 유기물 잔존	분리부 검사 시 미분이 없을 것	
	층간 밀착력	H/P조건 및 접착 층 표면처리 부족	층간 벌어짐이 없을 것	
Baking	산화	열산화	육안상 연한 경우 부분산화 허용	타발부위 허용
	이물 및 DENT	각종이물	비전도성:3EA이상의 도체에 걸리지 않을 것 GND부위 부풀어 오름이 0.1mm이하, 길이 10mm이하 일 것	
			전도성:PT의 걸침이 없을 것 GND부위 부풀어 오름이 0.1mm이하, 길이 10mm이하 일 것	타발부위 허용
	구간 꺾임	작업자 취급 부주의	없을 것	타발부위 허용
	주름	작업조건	분리부 및 제품에 주름발생 없을 것	타발부위 허용

* 제품 이상 발생 시 업무 FLOW
 - 1Lot당 동일불량 10%이상 발생 시 부적합보고서 발행 전 공장 불량 발생 시 Feedback조치(전수선별 실시)후
   작업진행
 - PNL 불량기준 : PNL당 10% 이상의 동일불량 PCS 발생 시 불량처리

3-4. 일반 PCB, 검사기준서

No.	항목	ASSEMBLY사	PCB사
1	외관	수입검사 품질표준	
2	치수	a 도면상의 전치수 항목 (도면표준 참조)	
3		b 중요치수항목 (수입검사 품질표준 참조) → Cpk 1.33 이상일 것.	dimension cp측정 - 10Hr tap 두께 측정 - 3Hr
4	Bow & Twist	PCB 대각선 길이의 0.7% MaxA~C - MinA~C PCB 총 길이의 1.0%이내	총길이의 0.7%이내 대각길이의 0.7%이내
5	Board thickness variation	 |B-A| < 50μm |C-A| < 45μm	無 - Microsection
6	Thickness of inner layer Cu	1/2 oz - 12μm이상 1 oz - 25μm이상 2 oz - 56μm이상	無 - Microsection
7	S/R thickness	 5μm이하이면 불량(단, 회로 끝(b) 동이 노출불허)	패턴 위 최소 두께가 7μm 이상
8	Plating thickness	무전해 도금(3POINT) 0.03μm ~ 0.3μm	Au : 0.03μm이상, 0.08μm이하 Ni : 3.0μm이상, 7μm이하
9	Via hole inspection	 1/2 oz - 33μm이상 1 oz - 46μm이상 2 oz - 76μm이상 A/B × 100 ≥ 60%(T.P)	無 - Microsection 당사에서는 T.P는 순수 도금 두께만을 측정하나, S사는 동박 두께를 포함한 수치로 기록됨
10	Cu plating & pattern width	 A/B × 100 ≥ 70%(Pattern) 85%(Pad)	無 - Microsection Etch factor = 2 t/(A-B)

No.	항목	ASSEMBLY사	PCB사
11	Registration of inner layer	A≥75㎛	無 -Microsection
12	Plating adhesion test	230℃Solder dipping(10sec) → Tape test → inspection 박리가 Pad 면적 10%이하	Tape Test 도금이 떨어짐이 없어야 함
13	Solderability	습도 95% 환경에서 8Hrs방치 flux dipping(5 sec) 230℃Solder dipping(5 sec) Clean the sample with IPA Pad면적의 95%이상일 것	245℃±5℃에서 4±0.5초간 float soldering 한다. 랜드 면적의 95% 이상 – 항온 항습조 필요
14	Break down VOLTAGE	0.1 ~ 0.13mm – 100v 0.13 ~ 0.25mm – 200v 0.40 mm ~ – 1000v	DC 1kV에서 60초간 시험방전 및 불꽃이 일어나서는 안 된다.
15	Resistance between layer to layer	1분간 Charge전압 인가 후 Resistance 측정 0.08 ~ 0.20인 경우 → 1×10^8Ω at100v 0.2~ → 5×10^8Ω at500v	無 – test coupon의 수정 필요
16	Resistance between area on the layer	0.10 ~ 0.13-1×10^8Ω at100v 0.13 ~ 0.25-5×10^8Ω at100v 0.4~ –5×10^8Ω at500v	DC 500V에서 60초간 시험저항 500㏁ 이상 될 것
17	Thermal shock	−55℃, 125℃, 30min간 → 10cycle ↓ visual inspection #1 ↓ plating adhesion test #12 ↓ resistance measurement #15 ↓	영하65℃ ~ 120℃ 조건하에서 3시간 이상 시험 delamination, open 등이 발생하지 않을 것
18	Solder dip test	260℃ solder pot, 10sec → same as #17	288℃±5℃ solder에 10sec 3 cycle 회 dipping test 실시
19	Hot temperature storage	85℃ 96hr → same as #17	無 – Thermal chamber
20	Low temperature storage	−40℃ 96hr → same as #17	無 – Thermal chamber
21	WHTS	60℃ 95% RH, 96hr	無 – 항온 항습조 필요
22	Humidity temperature	25℃, 65% RH, 2hr → 25℃, 40% RH, 1hr → 65℃, 90% RH, 2hr → → 10 cycle	無 – 항온 항습조 필요

3-5. LCD 검사기준서

1. 제조공정

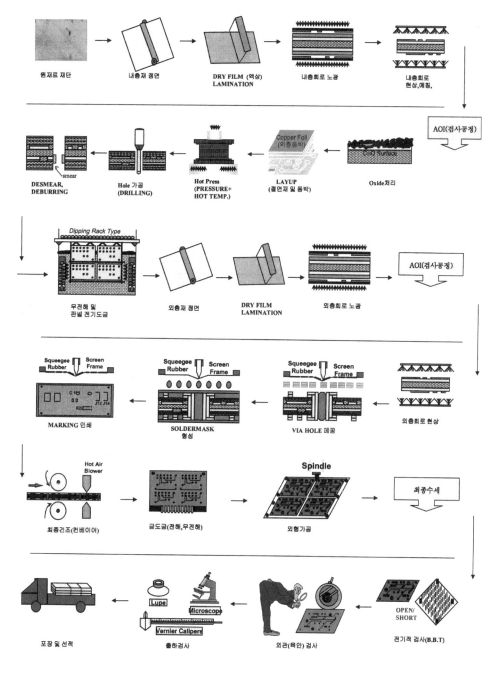

원재료 재단 → 내층재 정면 → DRY FILM (액상) LAMINATION → 내층회로 노광 → 내층회로 현상,에칭,

AOI(검사공정)

DESMEAR, DEBURRING ← Hole 가공 (DRILLING) ← Hot Press (PRESSURE+ HOT TEMP.) ← LAYUP (레연재 및 동박) ← Oxide처리

무전해 및 판넬 전기도금 → 외층재 정면 → DRY FILM LAMINATION → 외층회로 노광 → AOI(검사공정)

MARKING 인쇄 ← SOLDERMASK 형성 ← VIA HOLE 메꿈 ← 외층회로 현상

최종건조(컨베이어) → 금도금(전해,무전해) → 외형가공 → 최종수세

포장 및 선적 ← 출하검사 ← 외관(육안) 검사 ← 전기적 검사(B.B.T) / OPEN/SHORT

2. 검사기준서

공정	항목	사진 & 그림	검사기준	판정기준	A.Q.L
기 본 사 양	Logo 인쇄		매 PCB마다 주문업체 LOGO 및 Model, P/No, Designed **기본사양으로 기입할 것**		외관 : S-3(2.5%) 치수 : 3/Lot당
	기본 Silk 인쇄		**ℜ** : UL Mark GSEP : 협력사 Mark MO2 : Type 94V-0 : 난연 등급 년/월/일 기록 - 일자 관리 통합 **기본사양으로 기입할 것**	기본 Silk 인쇄 有 : OK 無 : NG Silk 번짐 혹은 Silk 손상 글자의 형태만 구분 가능하면 OK	각 **협력사 최종** 외관:전수검사 치수:자체기준 각 **협력사 출하** 외관:G-ⅠⅠ(0.65%) 치수:10/Lot당 ※ 공정 중 E/T는 전수검사 少 실시
		0744-월 0744-화 0744-수 0744-목 0744-금 0744-토 0744-일 			
	PCB Array 상태 표기		Kit 단품 내부에 PCB Array CAVITY 상태 표기 (기본 사양) Dummy부 관리번호 (①,②,③,④...권장사항) **기본사양으로 기입할 것**		
	PCB층 구분 표기		외곽 Dummy 부위에 층 표기가 되어 있을 것. (선택 사양)	PCB 층 구분 표기 (판정기준 아님)	

공정	항목	사진 & 그림	판정 기준	A.Q.L
Drill 공정	Via Hole 편심	Land 편심에 의한 Hole 터짐 Pattern 과 Hole이 만나는 부분	Via Hole 有 : OK 無 : NG Via Hole편심 & 목단선의 불량 명 : Via Hole 터짐	외관:S-3(2.5%) 치수:3/Lot당

	Via Hole 누락	Hole 누락의 유,무	Via Hole 터짐이
			없을 시
			OK
			
			단, 육안 판단이
			어려울 경우 상위
			선임자에게 보고하
			여 현미경으로 확
			인 후 판단 할 것.
			
			※ Via Hole은 빛
			  을 통과해서는
			  안되며
			  꼭 Hole내부는
			  막혀있어야 함
			  (Ground부 포함)
				각 협력사 최종
				
				외관:전수검사
				치수:자체기준
				
				각 협력사 출하
				
				외관:G-Ⅱ(0.65%)
				치수:10/Lot당
				
				※ 공정 중 E/T는
				  전수검사 少
				  실시

공정	항목	사진 & 그림	판정 기준	A.Q.L
Drill 공정	Guide Hole 편심 및 Size		Guide Hole 有 : OK 無 : NG Guide Hole편심 & size의 불량 명 : Guide Hole 치수 NG *Guide Hole Center 간 거리 및 Hole Size는 상하좌우 어느 쪽이든 편심 없을 것 승인원내의 space 공차 내에 만족할 것	
	Guide Hole 막힘		·육안검사 이상 점 발생 시에 少 치수 측정 - 치수 측정 결과로 판정 *PCB 전 Hole 內 SILK 및 Burr 이물 절대 불허 공정 장비상 Error 발생함. Drill 가공 누락으로 Hole이 막혀 있는 형태 막혀있으면 무 조건 NG	외관:S-3(2.5%) 치수:3/Lot당 각 협력사 최종 외관:전수검사 치수:자체기준 각 협력사 출하 외관:G-‖(0.65%) 치수:10/Lot당 ※공정 중 E/T는 전수검사 少 실시

공정	항목	사진 & 그림	판정 기준	A.Q.L
도금 공성	잔여 동		·Pattern 위 허용 안됨 　단, S/R 수정 시에는 허용 ·Pattern과 Pattern 사이의 　1/3 이내일 때 허용 ·잔여동이 유동성을 지니고 　있으면 NG ·육안검사 이상 점 발생시에 　少 치수 측정 　- 치수 측정 결과로 판정 ·동박 잔사GND Dummy 　PAD 부 허용함. 　Dummy부 O/S에 대해 pad 　2개까지 허용 　단, PAD 폭 이내 　- 과다한 동박잔사는 고객 　　과 협의	외관:S-3(2.5%) 치수:3/Lot당 **각 협력사 최종** 외관:전수검사 치수:자체기준 **각 협력사 출하** 외관:G-||(0.65%) 치수:10/Lot당 ※공정 중 E/T는 　전수검사 少 실시
	돌기 결손 Pin Hole Dent		·A(돌기), B(결손), 　C(Pin Hole) 　- TCP PAD부 기준 ·A = Pattern(Pad) ~ Pattern(Pad) 　사이의 1/2 이내일 때 　허용 ·B = 길이(L)는 PAD 길이의 　1/3이내 허용됨. 　폭(W)는 PAD의 폭의 　1/3이내 허용됨. ·C = Pattern(Pad) ~ Pattern(Pad) 　사이의 1/3 이내 일 때 　허용 ·단, 각TAB Pad부에 3Point 　까지 허용됨. 　Dummy PAD부 결손, 　돌기 허용됨.	

공정	항목	그림 & 사진	판정 기준	A.Q.L
D/F 회로	OPEN		·없을 것 (실 Pattern: 1Point도 허용되지 않음 TCP Pad Dummy: 허용)	외관:S-3(2.5%) 치수:3/Lot당
	SHORT		·없을 것 (실 Pattern: 1 Point도 허용되지 않음 TCP Pad Dummy: 허용)	**각 협력사 최종** 외관:전수검사 치수:자체기준 **각 협력사 출하** 외관:G-ll(0.65%) 치수:10/Lot당 ※공정 중 E/T는 전수검사 少 실시
PSR 인쇄	표면 이물	[그림 1] [그림 2]	[그림1]현상 액 잔사 이물 ·Bottom면 만 허용됨 ·TOP면 3point이내, 크기 10mm × 10mm 이내 로 실장 PAD부는 제외함. 단, 묻어 나오지 않으면 허용 [그림2] Film 자국 이물 ·Bottom 면 허용 ·실장부 : Name pen 뭉침 없을 時 허용 단, 부품 단자 부, PAD 부 절대 불허함	외관:S-3(2.5%) 치수:3/Lot당 **각 협력사 최종** 외관:전수검사 치수:자체기준
	이물		·2 Pattern 걸친 이물은 1 Point도 허용 안되 나 이 이물을 절단 후 S/R수정 작업을 하면 허용 (도전성 이물일 경우) (단, Ground 부위는 크기에 관계없이 허용하 며, Pattern에 실오라기성 이물은 허용 함. – 단자부는 절대 불허)	**각 협력사 출하** 외관:G-ll(0.65%) 치수:10/Lot당 ※공정 중 E/T는 전수검사 少 실시

공정	항목	사진 & 그림	판정 기준	A.Q.L
PSR 인쇄	뭉침		·뭉침 부 크기는 5㎜×5㎜ 이내 허용 　뭉침 부 개수는 3Point 이하 허용 ·뭉침으로 인한 신호 Pattern 확인 안될 　時 NG. ·뭉침 內 이물 확인 시 NG 단, Source PCB 경우 TPC PAD부 10㎜ 이내는 불허함(TOP, Bottom면)	외관:S-3(2.5%) 치수:3/Lot당
	그림 삽입 S/R 편심	 PSR 편심으로 인한 동 노출	·S/R 올라 탐 없을 것. ·부품 실장 부 및 TCP PAD부 올라탐 불허 ·인접 Pattern의 동 노출 불허 ·TEST Point에 한해 고객과 협의 후 결정	각 협력사 최종 외관:전수검사 치수:자체기준 각 협력사 출하 외관:G-Ⅱ(0.65%) 치수:10/Lot당 ※공정 중 E/T는 　전수검사 少 　실시

공정	항목	사진 & 그림	판정 기준	A.Q.L
PSR 인쇄	동 노출	[그림 1] [그림 2]	·Top면: Pattern위 동노출(크기에 상관없이 NG) 단, S/R수정 시에는 OK(Ground부 동일) ·Bottom면: Pattern부 동 노출 절대 불허 (크기에 상관없이 NG) 단, S/R 수정 시에는 OK Ground부 2×2㎜ 5EA까지 허용 ·[그림 2]에서와 같이 Bare PCB Dummy 부에 동 노출 時 허용 됨. ※ S/R 수정 시 PCB 두께 관리 철저히 할 것 TCP Pad 상단 화살표 이내 동 노출 無 TCP Pad 상단 화살표 이내 S/R 수정 불허	외관:S-3(2.5%) 치수:3/Lot당 **각 협력사 최종** 외관:전수검사 치수:자체기준 **각 협력사 출하** 외관:G-II(0.65%) 치수:10/Lot당 ※공정 중 E/T는 전수검사 少 실시
	S/R 들뜸		·Top면: S/R 들뜸은 일부 허용 ·Bottom면 – Pattern부 Tape Test 실시하여 동 노출 없을 것(발생 시 수정할 것) – Ground부위는 동 노출 기준으로 함 단, Tape Test 실시하여 동 노출 없을 것 동 노출 발생 시 S/R 수정 할 것 ※ Delamination은 사전 고객과 협의 할 것. Delamination 신뢰성 TEST 지급 확인 요청 사항임 → Reflow 후 이상 무 일 때 OK판정 함 ·도금 들뜸 절대 불허	

공정	항목	사진 & 그림	판정 기준	A.Q.L
PSR 인쇄	SR 변색	[그림 1] [그림 2]	[그림 1] 회로 변색 불허 [그림 2] Bottom면 GND부만 허용 단순 변색 OK 물에 의한 변색 OK 단자부에만 얼룩 없으면 가능 얼룩 수준 심할 경우 사전 신고	외관:S-3(2.5%) 치수:3/Lot당 **각 협력사 최종** 외관 : 전수검사 치수 : 자체기준
	스퀴지 자국		·GND 부 허용함 ·Pattern 부 동 노출 발생 時 불허 함 ·Edge부위 Skip 허용함	**각 협력사 출하** 외관:G-||(0.65%) 치수:10/Lot당 ※공정 중 E/T는 　전수검사 少 　실시
PSR 인쇄	SR Skip		·Top면: Pattern 위 동 노출 (크기에 상관없이 NG-PSR 수리 OK) ·Bottom면: Pattern부 동 노출 절대 불가 (크기에 상관없이 NG) 단, PSR 재처리 수리가능 時 사전 고객 　과 협의 要 ※ S/R 수정 시 PCB 두께 관리 철저히 할 것	외관:S-3(2.5%) 치수:3/Lot당 각 협력사 최종 외관 : 전수검사 치수 : 자체기준
	S/R 미 현상		·미 현상 없을 것 (0.1㎜ POINT도 허용 안됨) - 금도금 단자부(Pad & Land)	각 협력사 출하 외관:G-||(0.65%) 치수:10/Lot당 ※공정 중 E/T는 　전수검사 少 　실시

공정	항목	사진 & 그림	판정 기준	A.Q.L
PSR 인쇄	Silk 번짐		·Slik 번짐 및 결손에 의하여 글자의 형태를 알아 볼 수 없을 경우 불허 Marking 번짐 Silk 식별 가능 時 허용 (육안 식별 기준) ·Silk 누락 절대 불허 ·단, 사고성 누락일 경우 사전 고객과 협의 할 것	외관:S-3(2.5%) 치수:3/Lot당 **각 협력사 최종** 외관:전수검사 치수:자체기준
			·Silk 번짐으로 인하여 금도금 단자에 올라탐은 절대 불허(Land & Pad) ·Silk 누락 절대 불허 단, 사고성 누락일 경우 사전 고객과 협의 할 것.	**각 협력사 출하** 외관:G-ll(0.65%) 치수:10/Lot당 ※공정 중 E/T는 전수검사 少 실시
PSR 인쇄	Silk 편심		·기준: Pad&Land가 기준 ·Silk가 단지부에 올라타면 절대 불허 ·Pad & Land ~ Silk의 경계가 닿는 것 까지 허용 함	외관:S-3(2.5%) 치수:3/Lot당 **각 협력사 최종** 외관:전수검사 치수:자체기준
	S/R 도포		·Edge 부 3㎛이상 ·기타 부위 PCB두께 Spec 만족 할 것	각 협력사 출하 외관:G-ll(0.65%) 치수:10/Lot당 ※공정 중 E/T는 전수검사 少 실시

공정	항목	사진 & 그림	판정 기준	A.Q.L
금 도금	도금 번짐		·도금 번짐으로 인하여 치수 공차 Spec을 벗어났을 경우 불허 (Land & Pad) ·도금 번짐에 의하여 TCP Pad 및 인식 Mark빛 반사율 변형 불허 ·육안 검사 시 도금 번짐 이상 발생 시에는 少 치수 측정 결과로 판단 한다. TCP Dummy Pad 번짐은 허용	외관:S-3(2.5%) 치수:3/Lot당
	인식 Mark	 Cross SECTION 부위 OK OK NG NG 치수 측정 시 상단부위 측정	·상단에서 봤을 경우 정원을 유지 할 것. ·인식 Mark는 결손, 돌기 등 불허. ·진원도 치수 Spec 만족 할 것. ·진원도 관리 1PCB 양쪽 모두 관리 할 것. ·인식 Mark에 Scratch성 Damage 없을 것.	각 협력사 최종 외관:전수검사 치수:자체기준 각 협력사 출하 외관:G-ll(0.65%) 치수:10/Lot당 ※공정 중 E/T는 전수검사 少 실시
금 도금	단자부 열 쪽	 기구 체결 부	·TCP Pad부 길이의 1/5까지 허용 – 순수한 물에 의한 물 얼룩은 허용 – 지문 및 장갑에 의한 얼룩은 불허 – 기름(Oil)에 의한 얼룩 불허 – Au도금 거침 (기구 체결부 홀은 허용) ·SMT Land부 유기성 얼룩이 아니면 전체면적에 1/5까지 허용 ·기구 체결부 외 전 부분 유기성 얼룩 절대 불허	외관:S-3(2.5%) 치수:3/Lot당
	Scrach		·PCB 전 부분 잔(미세) Scratch는 허용. ·Pattern 깊이가 있는 Scratch 불허. 단, 그 깊이의 기준은 동이 보임을 기준. ·S/R부는 Pattern 불허 ·Ground부는 동 노출 기준에 의한다. 단, Pattern의 경우 Scratch성 Open 이 아닐 경우 S/R 수정하면 허용 ·Scratch로 인한 Open 수정 불허 ·Dummy부는 인식 Mark에서 1cm 이상 떨어져 있을 경우 허용	각 협력사 최종 외관:전수검사 치수:사체기준 각 협력사 출하 외관:G-ll(0.65%) 치수:10/Lot당 ※공정 중 E/T는 전수검사 少 실시

공정	항목	사진 & 그림	판정 기준	A.Q.L
금도금	동노출		·기구 체결 부 Hole 허용됨 ·SMT Router되는 외곽 Dummy 부 허용 단, 그 외 동 노출 page 13과 동일하게 적용	외관:S-3(2.5%) 치수:3/Lot당
	TAB PAD 부 Scratch		·SCRATCH로 인한 NI(니켈), 동노출은 불허 ·금도금 전 상처 허용 ·SCRATCH의 길이는 연속된 TCP PAD 5EA까지 허용. (금도금 전상처/ 후상처 동일) ·SCRATCH가 3중선 이내 허용 ·단, SCRATCH 깊이가 3㎛ 초과시 NG, 한 개 TAB PAD 內 3까지만 허용 ※ 잔 scratch는 허용(TCP PAD부 제외)	**각 협력사 최종** 외관 : 전수검사 치수 : 자체기준 **각 협력사 출하** 외관:G-II(0.65%) 치수:10/Lot당 ※공정 중 E/T는 전수검사 少 실시
금도금	동노출		·Router 시 Burr 없을 것 ·Burr 발생 시 제거하면 허용 단, Burr 제거 후 동 노출 없을 것. ·Dummy부 쪽 Burr는 제거 후 동 노출 이 있어도 허용 ·CNT부 Burr 절대 불허 ·GND부 금도금 Burr 절대 불허 ·Router 미 가공 절대 불허	외관:S-3(2.5%) 치수:3/Lot당 **각 협력사 최종** 외관:전수검사 치수:자체기준 **각 협력사 출하**
	TAB PAD 부 Scratch		·SMT Router되는 Dummy 부위 외곽은 허용 ·Router 이물 불량 불허함 (사고성일 경우 사전 고객과 협의하여 사용 여부 결정함.) 단, PCB 단품의 외곽 Router 불량은 불허 함.	외관:G-II(0.65%) 치수:10/Lot당 ※공정 중 E/T는 전수검사 少 실시

공정	항목	사진 & 그림	판정 기준	A.Q.L
기 타	휨		·Kit 상태에서의 휨 ·PCB 휨 교정 時 사용 허용 함 ·대각선 길이의 1%이하 허용 ·Twist는 불허	외관:S-3(2.5%) 치수:3/Lot당 **각 협력사 최종** 외관 : 전수검사 치수 : 자체기준 **각 협력사 출하** 외관:G-Ⅱ(0.65%) 치수:10/Lot당 ※공정 중 E/T는 　전수검사 必 실시
	찍 힘	[그림 1] [그림 2]	[그림1], [그림2] PAD 부 찍힘, Dent ·PAD부 GND Dummy 부 허용 ·실 TAB PAD부는 깊이가 3um 이내만 허용 단, 과다한 찍힘 및 Dent는 사전 신고 후 협의 要	
기 타	포장	 최상위 윗장만 빼고 합격 판정. 단 협력사는 기본을 지킬것.	·최상단 및 최 하단의 PCB는 TCP Pad이 진공 포장 비닐과 닿지 말아야 한다. ·TCP Pad면이 上방향으로 포장 하며, 최상단의 1Kit는 반대로 뒤집어 포장. ·주의: 금도금면이 기준이기보다 는 TCP Pad면이 기준임. ·진공 포장 시 열에 의한 압착으 로 포장 내부에 습기가 차지 않 도록 특별 관리 할 것. ·BOX안에 방습제 첨가 시킬 것	외관:S-3(2.5%) 치수:3/Lot당 **각 협력사 최종** 외관 : 전수검사 치수 : 자체기준 **각 협력사 출하** 외관:G-Ⅱ(0.65%) 치수:10/Lot당 ※공정 중 E/T는 　전수검사 必 실시
	도금 거침		·SMT PAD로 Soldering 후 기능 상 문제 미발생 時 허용 단, TAB PAD부는 불허함 ·사전 신고 후 눈높이 조절 후 투 입 가능성 검토	

공정	항목	사진 & 그림	판정 기준	A.Q.L
기타	포장		·사진과 같은 순서로 포장 진행실시 함. ·사유: PCB혼입 불량 및 라벨 혼입 불량 발생 방지하기 위함 순서: 1)비닐 팩 內 PCB 정렬 상태 확인 함. 2)Dummy부 외곽 구분 홀 육안 검사 및 네임펜으로 선을 긋는다.(일치 여부확인) 3)비닐 팩 위에 라벨이 부착 된 P/N와 비닐 팩 內 실물 대조 확인 함. 4)비닐 팩 위 라벨과 실물 P/N 확인. ▶LPL 공정 內 PAD부 부착불량으로 인해 PCB TCP PAD면 이물 방지하게 끔 보이지 않게 뒤집어 포장함. 그로인해 PCB P/N가 보이지 않은 모델들이 있어 항목에서 제외함. (단, P/N가 보이지 않은 모델이 대해서 표시 제외) 5)비닐 팩 라벨과 BOX라벨 호가인 후 네임펜으로 표시 실시함.	외관:S-3(2.5%) 치수:3/Lot당 각 협력사 최종 외관 : 전수검사 치수 : 자체기준 각 협력사 출하 외관:G-ll(0.65%) 치수:10/Lot당 ※공정 중 E/T는 전수 검사 少 실시
기타	쪽불량 표기법		**4pcs 기준 2개 쪽불량까지 사용 여부 검토 진행 중.** ·쪽 불량 표시 후 절대 Sticker로 표기 금지 -SMT Solder Cream 도포시 과다도포로 납볼 발생으로 인해 불량 유발 ·쪽 불량은 1Kit내에 1PCS까지만 허용 함. 1Kit 4pcs이상에만 적용함. ·쪽 불량 포장은 동일 위치별로 포장한 Box 외부에 표기하여야 함 ·쪽 불량 표기는 SILK BOX 內 기입할 것. ·표기 방법은 네임 펜(빨간색)으로 할 것. ·표기 방법은 #으로 하고, 위치는 top, bottom Dummy 부 측면 line에 표기 할 것.	외관:S-3(2.5%) 치수:3/Lot당 각 협력사 최종 외관 : 전수검사 치수 : 자체기준 각 협력사 출하 외관:G-ll(0.65%) 치수:10/Lot당 ※공정 중 E/T는 전수 검사 少 실시

공정	항목	사진 & 판정기준	A.Q.L

공정	항목	사진 & 판정기준	A.Q.L
기타	가장 중요 Point	**사고성 부량 다량 발생시 협의 후 진행 가능. 사전 신고하여 한도 재설정** · PCB 전부분 금도금 단자 부위는 절대 손으로 만지지 말 것. －장갑을 착용한 상태에서도 만지지 말 것. ·ⓐ TAB PAD부 10㎜내에 그 어떠한 불량도 허용 되지 않음. 　(결손, 돌기, 잔여동, Dent는 6page와 동일 적용) 　특히, S/R 수정 및 동 노출에 의한 단차 절대 불허 　TCP Pad부 유기성 이물에 의한 얼룩 절대 불허 　PAD위, PAD사이 SILK 및 PSR 절대 불허.>> 추가사항임 .ⓐ 부는 PCB 앞뒷면을 모두 적용한 범위를 말함 ·ⓑ PAD위, PAD사이 SILK 및 PSR 절대 불허	외관:S-3(2.5%) 치수:3/Lot당 **각 협력사 최종** 외관 : 전수검사 치수 : 자체기준 **각 협력사 출하** 외관:G-Ⅱ(0.65%) 치수:10/Lot당 ※공정 중 E/T는 　전수검사 少 실시

·기타 이외의 판단에 어려움이 있는 불량에 대해서는 판정 사전에 품질 담당 반장 혹은 ENG를 통해 고객과 협의 후 진행 되도록 한다.
 －고객의 승인 없이 자체적인 판정은 절대 불허.

3. 관리 기준

목적 : 장기 재고의 신뢰성을 확보하며, 선입 선출을 표준화 함.

정의 : 생산 일로부터 4개월 ~ 6개월 이내의 재고품을 지정 함.

※ 관리사항

① 장기 재고 출하 시 고객에게 통보 할 것.(신뢰성 DATA 첨부)

　　▶ 신뢰성 DATA 내용

　　　· 양산 시 첨부하는 신뢰성 항목

　　　· CTQ 항목 치수 측정 DATA(30EA)

　　　　– 측정 시료에 Number 기재 할 것.(치수 검증 用)

　　　· 수리한 PCB : 수리내용, 수리 후 신뢰성 DATA, 수리부 사진 첨부

　　　· 장기 재고 발생 사유.

② 고객 승인 후 장지 재고 출하 할 것.

③ 승인 후 입고 시 관련 부서와 공유하고 양산품과 정산진행 함.

　(판정기준=합격)

고객에 통보 없이 납품 시에는 NG처리 함.

생산 일부터 6개월을 초과한 제품에 대해서는 납품 금지

　　– 별도 고객과 협의 필요

3-6. 품질보증 요구기준서

자료 : 일본 CMK

1. 정의

이 [품질 보증 요구 기준서]는 회사가 사양, 품질, 성능, 형태 등을 지정하여 귀사 납입 품의 품질보증을 귀사에서 실시해 주길 위한 것입니다.

귀사의 납입 품 품질은 회사로서는 상당히 중요한 역할을 하고 있음으로 귀사의 품질보증 활동에 기대하는 바가 큽니다. 귀사는 품질 보증에 관해 충분히 이해하여 이하의 사항을 실시하여 납입 품의 품질을 보증해 주십시오.

2. 품질보증의 기본적인 사고

1) 품질보증의 기본개념

① 회사의 경영이념

[발전과 영속을 위해]

a. 좋은 기업 시민으로서 그 사회적 책임을 다한다.

· 끝없는 자기 혁신으로 업계의 Top으로서의 역할을 한다.

· 사원도 사회도 밝고, 약동 할 수 있는 기업을 추구

a. 을 신뢰하고 활약 할 수 있는 장소를 제공한다.

② 회사 품질방침

[회사는 수주생산 Maker입니다. 손님에게 100%만족 받을 수 있도록 PCB제조를 계속해 키워 나갑니다.

2) ISO9000시리즈 과의 관계

이 요구 기준서는 ISO9001 (1994년 기준)의 요구규격에 근거하여 정리 따라서 이하의 내용에 활용해 주십시오.

① 귀사의 회사와의 관계 중에서 새롭게 귀사에서 기준 등을 작성 할 경우에는 참고 해 주십시오.

② 기본적으로는 귀사의 품질시스템으로써 운용해주시고 회사로부터의 요구를 실시하는 경우에는 그 책임자로써 적임자를 선출할 때 참고해 주십시오.

③ 회사로부터의 지시가 있는 경우에는 그 지시에 따라 주십시오.

3. 품질보증상의 기본실시 사항

1) 경영자의 책임

① 품질방침과 품질목표

경영자는 품질방침을 정하여 문서화하고 그 방침이 조직의 전 계층이 이해하고, 실시되고 유지될 수 있도록 해 주십시오.

② 조직[품질보증 조직도]

②-1. 책임 및 권한

효과적인 품질시스템을 확립하고 기능시켜, 유지하기위해 조직도를 작성해 지휘, 명령체계를 명확하게 하고 거기서 일하는 사람들의 책임과 권한, 상호관계를 명확히 정하여 문서화 해 주십시오.

책임체계 확립에 있어서는 제조부문과 출하검사부문은 분리시켜 독립된 관리체계로 해 주십시오.

(a) 회사가 신뢰하는 예방조치 및 외부업자를 포함한 귀사내의 부적합 관한 예방조치의 실시

(b) 귀사의 외부업자를 포함한 제조공정, 검사공정, 고객의 품질부적합, 품질시스템 문제의 명확화와 기록.

(c) 품질부적합, 문제의 해결책(개정조치)의 실시와 검증

(d) 부적합이 시정 될 때까지, 부적합품의 사용정지 등의 관리

(e) [품질보증조직도]의 기록 내용
- 귀사가 보는 1차 외주 회사명
- 품질 보증 책임자·품질 보증 담당자의 직급, 성명
- 조직 단위의 업무 내용·분담·역할
- 외부업자에 대한 품질 보증상의 실시 사항
- ☞ 예 : 정례 품질 정보 교환(월 1회), 수입검사 실시(수준 AQL 0.40%), QC공정도·작업 표준서의 정비와 FOLLOW 등

②-2. 경영 자원

품질을 관리하는 사람, 작업하는 사람, 내부 품질 감사(자주 감사)를 포함한 검증 활동을 하는 사람에 대해서는 훈련된 요원을 배치하여 그런 사람들에게 필요한 훈련 항목, 그 인정자를 문서로 명확히 해 주세요.

②-3. 관리 책임자

경영자는 품질 시스템 관리 책임자로서「품질 보증 책임자」을 선임하여 즉시 차후 항목에 대해서는 권한을 갖도록 해주세요.

    (a) 품질 시스템의 확립, 실행, 유지

       (품질 방침의 발동/ 품질 목표의 승인/ 품질 실적의 장악과 활동 추진)

    (b) 품질 시스템 실시 상황의 내부 품질 감사(자주 감사)등에 따른 확인과 경영자에 보고

    (c) 납입품에 관한 출하 책임

    (d) 품질문제(자사 내·당사로부터 품질 크레임)에 대한 재발 방지의 추진 책임

③ 경영자에 따른 재검토

경영자는 정해진 품질 방침 및 품질 목표를 만족하기 위해 귀사의 품질 시스템이 효과적으로 운용되고 있는지를 확인하기 위해서, 정해진 간격으로 재검토를 하여 필요에 따라 시정조치의 지시를 해 주세요. 또, 재검토의 기록을 품질 기록으로 써 보관해 주세요.

※ 포인트

· 품질 기록과 그 실시 상황

· 품질 방침, 품질 목표의 달성도

· 예방 조치의 실시보고

· 내부 품질 감사(자주감사)의 결과

· 조직의 변경

· 중대한 품질 문제 발생

· 당사로부터의 품질 정보, 내부 품질 감사(자주감사)의 반영, 공정의 실적

2) 품질 시스템

① 일반 및 절차 이 규격의 요구 사항에 근거로 품질 시스템의 구조 개략을 나타내는 「품질 매뉴얼」을 작성해 주세요. 그 중에서 품질 매뉴얼의 재검토· 개정· 관리의 정차를 확인해 주세요.

② 품질 계획

품질 계획으로써 품질 보증 체계도를 작성하여 품질을 투입하는 절차와 각 스탭에 있어서 각 부문의 역할을 명확히 하여 품질 시스템의 각 항목에서 필요로 하는 기준 등을 정비 충실히 해 주세요.

또한 귀사에서는 제조 공정에 적합한 아래와 같은 것을 작성해 주세요.

(a) QC공정도, 작업 표준서

(b) 설비 점검에 관한 기준

(c) 외부업자에 대한 작업 지시, 수입 검사 표준

(d) 출하 검사 규격

③ 당사에 제출하는 기준류

거래함에 있어 아래의 기준서를 귀사 양식이어도 좋으니 당사 품지 보증부에 제출 바랍니다.

또한 기재 내용에 변경이 있을 경우는 그때마다 개정판을 제출 바랍니다.

(a) 품질 보증 조직도

(b) 루트 관리 기준

(c) 크레임 처리 체계도

(d) 4M 변동 관리 기준

(e) 설비·계측기 관리 기준

(f) 문서 관리 기준

④ 품질 보증 감사의 종류

당사는 귀사에 대하여 아래와 같이 논술한 품질 보증 검사를 필요에 따라서 실시토록 하겠습니다.

품질 감사의 실시에 있어서는 사전에 귀사에 연락하여 실시 내용·방법·스케줄 등에 대하여 조정 후, 실시하겠습니다.

④-1. 품질 보증 감사의 종류

(a) QA 시스템 감사

귀사의 품질 보증 시스템의 연속적 개선에 따라 제품 품질의 유지·향상과 품질 목표 달성을 위한 목적으로 실시 상황을 체크하겠습니다.

(b) 공정 감사

감사 공정의 전공정(수입~출하까지)에 있어서 당사가 발행하고 있는 표준류 및 귀사에서 작성한 QC공정도, 작업 표준서 등에 근거하여 확실한 작업 및 관리가 되고 있는지를 「공정 감사 체크 리스트」 등에 다라 실시 상황을 체크하겠습니다.

(c) 검사 공정 감사

귀사에 있는 전제품 출하 공정에 대해서 표준류와 실작업 점검, 최근 품질상황과 현물 관리, 계측기· 지공구· 한도견본 등의 정비· 관리 상황을 감사토록 하겠습니다.

④-2. 개선요구

감사의 결과, 만일 귀사의 품질 보증 시스템 및 공정 관리· 품질에 문제가 있으면 당사는 귀사에 개선을 요구하겠습니다. 개선을 요구받을 경우, 귀사는 개선 계획서를 작성하고 시정 조치를 실시하여 실시 기록을 남겨 주세요.

(a) 감사일로부터 2주간 이내에 개선 계획서를 당사에 제출해 주세요.

(b) 시정 조치 종료 후, 시정 조치 실시 기록을 당사에 제출해 주세요.

3) 계약내용 확인

① 일반

계약내용 확인 및 그 활동을 조정하기 위한 순서를 문서로 정하여 유지해 주세요.

또, 계약내용 확인 및 수정 기록은 유지해 주세요.

② 내용확인

계약 및 주문 승낙 전에 그 내용을 확인해 주세요.

(a) 요구사항은 적절한 문서화로 되어 있는 지를 확인해 주세요.

(b) 계약 또는 주문요구사항과 견적사양의 내용 차이는 사전에 모두 해결해 주세요.

(c) 계약 또는 주문요구사항을 만족시킬 능력이 있는지 확인해 주세요.

③ 계약내용 수정

계약 후에 고객 또는 자사의 이유로 인해 계약내용 수정을 행할 경우 순서를 명확히 해 주세요.

④ 기록

계약내용 확인은 유지해 주세요.

4) 설계관리

① 일반 제품설계를 관리하고 검증할 순서를 문서로 정해서 유지해 주세요.

② 설계 및 개발계획

(a) 설계 및 개발의 각 업무에 대하여 계획서를 작성해 주세요.

(b) 설계업무를 행한 자, 검증활동을 행한 자의 자격요건을 명확히 정해 주세요.

(c) 설계업무 및 검증업무에 유자격자를 할당했던 기록을 남겨주세요.

③ 조직상 및 기술상의 인터페이스

설계업무의 진전에 대응함에 있어 관계부문과의 사이에 필요한 정보교환
은 문서로 실시해 주세요.

④ 설계에서의 IN-PUT

설계에 IN-PUT할 요구사항을 명확히 하여 문서화하고, 그 선택 적절성
을 확인해 주세요.

⑤ 설계에서의 OUT-PUT

설계 OUT-PUT은 문서화하고, 설계에서의 IN-PUT의 요구사항을 만족시
키고 있는지를 확인할 수 있도록 해 주세요.

⑥ 디자인 리뷰

설계결과 문서에 따른 심사를 계획하여 관계부문 유자격자가 확인하여
기록을 남겨주세요.

⑦ 설계검증

설계로부터의 OUT-PUT이 설계에서의 IN-PUT에 합치하고 있는지를 검
증하여 기록을 남겨주세요.

⑧ 설계의 타당성 확인

납입품이 규정조건하에 당사의 요구사항에 적합한지를 확인해 주세요.

⑨ 설계변경

설계변경을 할 시에 변경내용을 문서화 및 확인, 심사, 승인방법을 기준
화해 주세요.

5) 문서 및 데이터 관리

① 일반

귀사는 문서를 관리하기 위한 절차서를 문서에 따라 규정하여 실행해 주세요.

당사는 제품의 생산관리, 제조, 검사, 포장 등의 작업을 확실하게 실시하여 제품의 품질을 보증하기 위한 각종문서를 발행 및 수령하겠습니다.

「이들 문서」와 「귀사에서 발행한 문서」는 문서 관리책임자(여러 사람 가능)를 정하여, 수령을 확실히 함과 동시에 항상 최신 정보를 정리·보관하여, 필요한 사람이 언제라도 용이하게 볼 수 있도록 관리해 주세요. 문서라 함은「종이」 및 「전자모체」의 양방을 포함한다.

①-Ⅰ. 문서관리 책임자의 역할

(a) 당사발행문서의 수령

(b) 당사발행문서의 개폐 · 보관 및 구판의 처리

(c) 귀사내에 두는 개폐보관 룰의 설정과 유지

(d) 귀사내에 두는 주지철저

② 문서 변경

귀사는 귀사 요망·상황 등에 따라 귀사의 표준류를 변경하고자 할 경우는 변경에 맞는 품질을 사전에 확인을 확실히 실시함과 동시에 변경가능 되었을 경우는 조속히 귀사 표준류를 개정하여, 변경후의 품질 안정에 노력해 주세요.

6) 구매

① 일반

외부업자를 활용할 경우는 요구사항에 적합한 것을 확실히 하기 위한 절차를 문서로 정하여 유지해 주세요.

② 하철부계약자의 평가

외부업자 활용에 있어서는 평가한 후 선택해 주세요. 그러기 위해서 평가 · 선택표준을 문서로 규정해 주세요. 또한 귀사가 새로운 외부업자를 활용하고자 할 경우는, 4M변동에 해당하므로, 귀사서식이라도 좋으니 사전에 당사사업본부 품질보증부에 신청해 주세요.

②-1. 외부업자에 대해서 관리방법의 명확화

귀사는 활용하고 있는 외부업자로부터 품질기준을 가져오게 하여 보관해 주세요.

(a) 품질기준은 품질보증조직도, 루트관리기준, 크레임처리 체계도, 4M변동관리 기준, 설비·계측기관리기준, 문서관리기준.

(b) 품질기준 제출지시

가져온 품질기준은 귀사에서 관리하여 당사로부터 제출 요구될 경우는 귀사는 조속한 제출을 부탁합니다.

②-2. 정기 감사

귀사는 매년 외부업자 감사 계획을 작성하여 외부업자 감사를 실시해 주세요.

(a) 감사 경과는 품질기록으로써 최저 3년간 보관해 주세요.

(b) 귀사의 외부업자의 책임으로 인한 부적합이 발생한 경우, 당사는 귀사에 감사기록 제출을 요구할 것입니다. 조속히 제출할 수 있도록 관리바랍니다.

②-3. 「외부업자생산품목 리스트」의 작성.

귀사는 외부업자의 생산품목 리스트를 귀사 서식으로 작성해 주세요. 당사로부터 외부업자 생산품목리스트의 제출을 요구될 경우, 귀사는 조속 시 당사에 제출 바랍니다.

③ 구매데이터

외부업자에 대한 작업지도에 대해서는 필요한 「QC공정도」 「작업기준서」 「검사규격」 등을 지시해 주세요. 그 기능·성능상의 포인트·문제점 등을 자세히 설명·교육하여, 품질을 보증할 수 있도록 작업지도를 해 주세요.

④ 구매품의 검증

④-1. 귀사에 의한 외부업자내에서 실시할 검증.

(a) 외부업자에 확인하는 품질체크포인트를 문서에 의해 명확히 지시.

(b) 외주품의 수입검사기준의 작성과 수입검사의 실시

(c) 외부업자의 책임으로 발생한 문제조치와 재발방지.

④-2. 고객에 의한 검증

2) 아래 ④-3항을 참조 바랍니다.

7) 고객지급(支給)품의 관리

당사로부터 대여품(금형 등)에 대해서는 「기본계약」에 따라 유지·관리 바랍니다.

8) 제품의 식별 및 토레사비리티

귀사는 품질향상활동의 효율화와 후공정, USER 등에서 부측의 사태가 발생했을 경우 처리범위를 최소한으로 억제하기 위해, 루트관리기준을 정해 확실히 루트관리를 실시해 주세요.

① 【루트관리기준】의 기록내용.

【루트관리기준】은 귀사에서 작성해 주세요.

(a) 루트 기본구성.

· 루트내 품질의 균일성과 물류, 검사공수 등의 경제성을 고려하여 결정해 주세요.

· 다른 재료로 제조된 품질은 별도 루트.

· 다른 설비·형태(형태 수정 등)·제조방법에 의해 제조된 물품은 별도 루트.

· 다른 일시, 또는 교대 등으로 사람이 바뀌어서(기준 50%이상) 제조된 물품은 별도 루트.

(b) 루트 넘버 붙이는 방법과 표시

· 제조공정에 알맞은 루트 넘버 부여방법을 명확히 해 주세요.

· 필요에 의한 납입 루트넘버 부여방법을 명확히 해 주세요.

(c) 용기마다 「루트 명시」를 하여 선입, 선출관리를 하여 주세요.

(d) 루트이력 기록·보관

· 루트 이력의 보관기한은 3년 이상입니다.

· 당사로부터 제출요청이 있을 경우 조속히 제출 바랍니다.

(e) 루트 토레사비리티

재료수입부터 납품까지의 루트 추적방법을 명확히 해 주세요.

9) 공정관리

① PROCESS 설계와 관리

귀사는 신규품의 수주마다 그 품질을 안정시키며 향상시키기 위해, 당사 요구제품사양에 의거하여, QC공정도, 작업표준서, 관리도 등 제조공정사의 관리체제를 양산까지 정비 바랍니다. 「QC공정도」·「작업기준서」는 관리책임자를 정하여 개폐·보관·구판처리 등을 해 주세요. 당사에서는 「공정감사」의 경우, 당사 QC공정도와 공정을 조합합니다.

또한, 나중에 검사·시험에서는 공정결과가 충분히 검증할 수 없는 공정 (금도금 공정 등)을 명확히 하여 그 공정에 종사하는 작업자 교육내용, 등록 등을 명확히 한 룰을 작성해 주세요.

①-Ⅰ. 공정설계

요구품질의 명확화

(a) 요구사양 검토회(도면/요구사양서)

귀사는 당사기술부문과 협의하여 납입품 사용처, 제품기능에서의 영향을 이해해 주세요.

(b) 측정방법 검토회

귀사는 당사수입검사부분과 협의하여 납입품의 측정방법(측정기준, 전용JIG 여부, JIG 사용법)을 이해해 주세요.

② 【QC공정도】의 작성

주문한 제품의 요구품질을 만족하기 위해서 어떤 식으로 생산하는지의 기본을 명확히 하기 위해, 아래에 기재한 내용을 입각하여 QC공정도를 작성해 주세요. 서식은 귀사의 서식으로도 가능.

· QC공정도는 제품이 될 때까지 경과하는 공정의 순서를 나타냅니다.

· QC공정도는 품질보증의 프로그램입니다.

· QC공정도는 작업표준의 목록입니다.

· 품질문제발생시 원인규명, 작업개선에 도움이 됩니다.

· 초보자의 교육, 작업자 교대시의 인계에 도움이 됩니다.

(a) QC공정도에 공정도기입

가공공정에서의 재류 수입부터 출하검사까지의 공정도를 기입해 주세요.

(b) 관리항목과 품질특성.

  ▸ 관리항목

    완성된 만듦새를 유지하기 위해서 그 공정에서 어떤 형태의 항목을 콘트롤할 것인지를 정한 제조조건입니다.

      ☞ 예 : 압력, 온도, 혼합률, 혼합시간, 간조시간, 지공구의 설치상태, 지공구의 교환시간 등.

  ▸ 품질특성

    공정에서 실현해야 할 품질특성입니다.

      ☞ 예 : 외관, 사이즈, 중량 등.

(c) 관리항목과 품질특성 관리방법

  각각의 목표로 정한 조건 또는 수치로 되어 있는지의 여부를 찾아내어 컨트롤하기 위한 방법을 결정해 주세요.

      ☞ 예 : 제조기준 · 규격, 확인 · 검사방법, 시간 · 빈도, 설비 · 계측기 · 일을 진행시 키는 시간 등.

(d) 작업현장의 표준화

  지정된 각각의 항목을 어떤 형태로 컨트롤할 것인지의 상세내용은 작업표준서/CHECK SHEET로 별도로 규정해 주세요.

      ☞ 예 : 일 진행하는 표준, 가공 · 성형조건표, 일상점검표, 작업표준서, 공정검사 기록표, 관능검사특성(외관특성) 표준 등.

  ※注記1 : 일 진행에 있어 표준 중요성

  품질의 완성도의 기본은 업무(절차)의 성과입니다. 결과가 좋고 나쁨을 판단할 경우에 그 요인으로 업무(절차)의 질이 좋았는지 아닌지를 말하는 것입니다. 일 진행의 순서, 포인트 및 가공조건과 진행순서결과에 뒤쳐지는 것은 업는지를 확인할 CHECK SHEET를 표준화 해 주세요. 또한, 진행순서결과가 목표 품질을 확보했는지를 검사특성, 목표값(규격 중심)을 확인할 CHECK SHEET를 표준화 해 주세요.

  ※注記 : 관능검사특성(외관특성)의 세분화

  구체적인 품질특성(예: 스크래치/ 타흔 등)을 명기하여 측정기 및 양품을 판단할 표준(규격표준/ 외관샘플 등)을 명확히 해 주세요.

(e) QC공정도의 개정조건

  · 품질문제 등에 대하여 대책을 취한 경우(변경내용이 있을 경우)

  · 요구품질의 변경·규칙변경

  · 외부업자의 신규활용

· 사용설비·조건·계측기 등의 변경
· 공정순서가 큰 폭으로 변경
· 품질수준이 변화하여 관리내용·방법을 변경할 경우
· 품질이 안정되어 관리방법을 변경할 경우

③ 【QC공정도】의 제출
신규수주의 경우, 당사사업본부 품질보증부에 사본을 제출해 주세요.
(a) 확인
당사사업본부 품질보증부·기술부 및 제조기술과에서 확인 후, 【QC공정도】
를 귀사에 반송하겠습니다. 준비되지 않은 사항은 주기하오니 확인하신 후,
원본을 개정바랍니다. 이후, 초신판의 관리를 부탁드리겠습니다.
(b) 제출형태의 특례
「관리항목 및 품질특성이 동일」의 제품에 대해서는 기본적으로 QC공정도를
확인해 주시고, 그 대상이 되는 「품질리스트」에서 관리 바랍니다.

④ 【출하검사규격】의 제출
신규수주품에 대해서 출하검사규격을 납입사양서와 동일시기에 당사사업
본부 품질보증부에 제출 바랍니다. 양식을 귀사의 양식이어도 됩니다.

⑤ 「작업표준서」의 작성
(a) 신규 작업개시에 있어서는 귀사의 기술표준 및 QC공정도에 근거하여 각 공
정마다 작업순서·작업 포인트·검사 포인트 등을 기재한 「작업표준서」를 작
성하여 실시를 철저히 해 주세요.
(b) 업무개선·공정변경·문제발생 등에 따라 작업내용·CHECK POINT 등에 변경
이 발생했을 경우 개정을 하여 귀사의 책임자에 승인을 얻어 주세요.
(c) 양식은 귀사의 양식을 사용해 주세요.

⑥ 설비관리
요구품질을 만족하기 위해서 필요한 설비, 지공구를 준비해 주세요.

⑦ 초기유동품 관리
초기유동품(초기납입부터 3개월을 기준으로 한다)는 품질에 대한 많은

변동을 생각할 수 있으므로, 통상품과는 구별하여 품질확인·공정 FOLLOW·루트의 식별등 특별한 관리를 하여 품질과제를 명확히 하여 조기에 품질을 안정시키는 활동을 하겠습니다.

(a) 초기유동품의 품질보증
- 초기유동품을 생산함에 있어서는 귀사 기술 표준류, 검사 기준류, 작업지시서 등 관계문서를 확인하여 확실한 작업을 실시해 주세요.
- 당사로부터 초기유동품 특유품질 데이터의 요구가 있을 경우, 당사의 지시에 따라 당사에 제출 바랍니다.

(b) 초기유동품의 표시
초기유동품은 표시(식별)을 의뢰할 경우가 있습니다. 그런 경우는 당사의 지시에 따라 표시해 주세요.

(c) 품질과제의 방향에 대해
- 생산설비의 부분수정/ 전면수정으로 공정능력을 확보해 주세요.
- 「재료관리」, 「가공조건관리」, 「공정내 검사에서의 관리도 도입」 등으로 공정능력을 확보해 주세요.
- 귀사의 검사결과(①,②)를 당사기술부문과 조정하여 최종적인 방향부로 행한다.

⑧ 작업환경관리·재료·제품의 현품관리

귀사는 재료·제품의 품질유지 및 손상, 열화 및 취급상의 사고를 미연에 방지하기 위해, 환경 및 현품에 대해서는 하기사항의 관리를 해 주세요. 또한, 특별한 관리를 요하는 것은 당사가 지시를 하겠사오니 그 지시를 따라 주세요.

(a) 작업환경관리
- 작업환경의 4S(정리·정돈·청소·청결)
- 제조 및 제품검사공정마다 정해진 환경조건을 유지.
  (온·습도관리, 양압·음압관리, 크린룸 관리 등)
- 정전기관리(필요에 따라 정전기대책 실시와 장소 구분)
- 방창, 방진관리

(b) 재료·제품의 현품관리
- 재료·제품 취급관리
- 양품과 불량품의 명시와 보관장소 구분

· 혼입방지와 개수관리

· 선입·선출관리

· 포장·출하·수송관리

· 재료·제품관리

· 수리, 재가공품의 관리

⑨ 4M변동

귀사가 품질향상, 원가절감 및 사내환경 변화 등으로 제조공정·재료·설비·작업자 등의 납입품의 품질에 영향을 주는 요인을 변경하는 것을 「4M변동」이라 합니다. 「4M변동」에 따른 품질문제 발생을 방지하기 위해 「4M변동 관리기준」을 작설하고, 관리를 실시해 주세요. 4M변동개념은 도면1을 참조 바랍니다.

⑨-I. 【4M변동관리기준서】의 기재내용

【4M변동관리기준서】로 명확히 할 내용

(a) 당사에 신청을 필요로 하는 4M변동항목

(b) 4M변동허가 신청절차

(c) FOLLOW 방법

(d) 4M변동이력 기록보관방법

▶ 도면1 4M 변동 개념

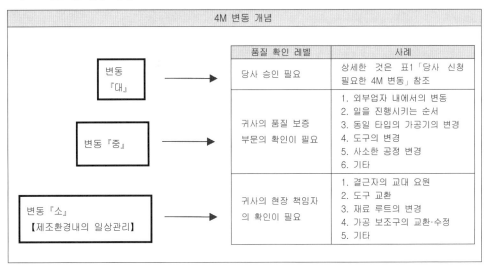

4M 변동 개념		
	품질 확인 레벨	사례
변동 『대』	당사 승인 필요	상세한 것은 표1「당사 신청 필요한 4M 변동」참조
변동 『중』	귀사의 품질 보증 부문의 확인이 필요	1. 외부업자 내에서의 변동 2. 일을 진행시키는 순서 3. 동일 타입의 가공기의 변경 4. 도구의 변경 5. 사소한 공정 변경 6. 기타
변동 『소』 【제조환경내의 일상관리】	귀사의 현장 책임자의 확인이 필요	1. 결근자의 교대 요원 2. 도구 교환 3. 재료 루트의 변경 4. 가공 보조구의 교환·수정 5. 기타

▶ 표1 당사에 신청이 필요한 4M 변동

4M 구분	당사에 신청이 필요한 4M변동
사람의 변동	1. 제조부문에 있어 공장간에 걸친 작업이관이 발생한 경우 2. 공장/ 직장변경 및 외부업자의 신규활용이 발생한 경우 3. 작업자가 대강 50%이상 교대할 경우
설비/지공구의 변동	1. 신규에 설비/ 지공구류를 도입할 경우 2. 설비/ 지공구류를 수리/ 개조할 경우 3. 귀사비용으로 금형을 갱신할 경우 4. 귀사비용으로 금형을 수리/ 개조할 경우 5. 가공조건의 변경을 행할 경우
방법의 변동	1. 공정 추가/ 통합/ 분산/ 공정순서변경/ 폐지를 행할 경우 2. 작업방법/ 환경을 변경할 경우
원자재의 변동	1. 재료 밴더를 변경할 경우 2. 형상/ 사이즈/ 처리조건 등을 변경할 경우 3. 처리약액/ 세제약 등을 변경할 경우 4. 재질을 변경할 경우
기타	살기 이하의 4M변동으로 품질안정 예측이 곤란할 경우

⑨-2. 당사에 신청이 필요한 4M변동내용

당사에 신청이 필요한 4M변동은 표1대로입니다.

⑨-3. 4M변동 신청절차

귀사가 4M변동관리기준에 정한 「당사에 신청할 4M변동」을 행하고자 할 경우는 사전에 당사사업본부 품질보증부와 협의를 실시한 후, 【4M변동허가신청】을 당사사업본부 품질보증부에 제출하어 승인을 얻어 주세요. 양식은 귀사에서 정한 것으로 부탁합니다.

4M변동 신청 시기는 3개월 전을 기본으로 합니다.

(a) 【4M변동허가신청】에는 필요에 따라 다음과 같은 것을 첨부 바랍니다.
　· 변경에 따른 품질확인 데이터
　· 변경샘플(개수는 발생 시 결정)

(b) 당사사업본부 품질보증부는 귀사의 【4M변동서가신청서】로 가능여부의 판정결과를 회답하겠습니다.

10) 검사 및 시험

① 구입검사·시험

외주품에 대해서는 수입검사기준을 정하여 수입검사를 실시함과 동시에 적합품의 증거를 나타내는 기록을 남겨 주세요.

② 공정내의 검사·시험

공정내 검사는 귀사작성의 「QC공정도」를 준하여 작업표준으로 명확히 해 주세요. 공정내 검사데이타는 공정내 검사기록용지(귀사에 검사항목에 따라 작성된 장표)에 기록을 남기고 귀사에서 보관해 주세요.

또한, 당사로부터 공정내 검사기록 제출요구가 있을 경우는 제출 바랍니다.

③ 최종검사 및 시험

귀사는 출하루트마다 품질보증(검사)부문에 따른 출하검사(최종검사와 평가한다)를 실시하여, 책임자에 따른 검사합격품 출하승인처리를 하여 출하 바랍니다. 또한 검사경과 및 출하승인의 기록은 문서(출하검사성적서)로 남겨 주세요.

③-1. 출하검사특성

귀사의 출하검사 규격으로 실시 바랍니다.

③-2. 출하검사수준

(a) 계량치 특성

n = 3 : AC = 0

(b) 계수치 특성, 외관특성

AQL - 1 - 0.40%

또한, 특별한 지시가 있을 경우는 지시에 따라 주세요.

③-3. 출하검사성적서 첨부납입

귀사는 출하마다, 출하가능여부 판정결과를 명시한 출하검사 성적서를 납입품에 첨부하여 납입해 주세요.

③-4. 출하검사성적서의 보관기한 3년간을 기본으로 합니다.

당사로부터 제출요구가 있을 경우, 조속히 제출할 수 있도록 해주세요.

④ 금형검정심사

당사로부터 지급금형이외로 귀사에서 신규제작 된 금형에 대해서는 반드시 제작한 금형완성심사를 행하겠습니다.

(a) 당사지급금형에 대해서는 수리 등이 발생할 경우에는 사전에 신고를 하여 당사 지시에 따라 주세요.

(b) 귀사에서 신규 제작된 금형에 대해서는 신규제작 시·수리·개조 등이 발생 시마다 【금형검사심사표】(귀사의 양식으로 가능. 단, 당사 양식으로 지시할 경우는 지시에 따라 주세요)와 가공도면을 근거로 사이지 측정 데이터 및 샘플을 제출해 주세요.

※ 【금형검사심사표】 기재항목
  · 신청내용(신규제작 · 수리 · 개조 등과 그 이유)
  · USER명 또는 USER CODE
  · 기종명
  · 금형관리번호
  · 샘플링 검사 확인 결과
  · 귀사의 판정 결과(합격 · 불합격), 담당자 · 확인자 · 승인자의 날인.
  · 당사 판정란(합격 · 불합격), 담당자 · 확인자 · 승인자의 날인란.
  · 통신란 및 비고란

(c) 상기의 신청을 근거로 당사에서의 심사를 실시하여 합격, 불합격 통지를 하겠습니다.

(d) 검정 불합격의 경우는 수리를 행하여 다시 한 번 같은 양식으로 신청 바랍니다.

11) 검사, 측정 및 시험장치의 관리

① 일반

납입품이 규정요구사항에 적합한지를 실증하기 위한 검사·측정장치(시험용 소프트웨어를 포함)를 관리하여 교정하고 유지하는 절차를 문서로 정해서 유지해 주세요. 이런 장치·계측기는 사용 전에 점검과 규정기간마다의 점검(교정)을 실시하여, 실시 기록을 관리 증거로써 남겨주세요.

② 【장치·계측기관리 기준서】의 작성

(a) 【장치·계측기관리 기준서】는 귀사에서 작성 바랍니다.

(b) 【장치·계측기관리 기준서】의 기재내용

▸ 장치·계측기에 대한 작업분담

· 보수관리 책임자

· 일상점검 실시 · 기록 · 보관의 주관부문

· 교정표준 작성 · 실시 · 보관의 주관부문

▸ 계측기 관리 체계

제작 · 구입부터 일상점검 · 교정기록 보관까지 명기해 주세요.

▸ 제품의 유효성 확인

· 일상점검의 실시

계측기를 사용하기 전에 계측기 일상점검표의 점검항목에 다라 일상점검을 행해 주세요.

일상점검에서 부적합이 발생된 경우는 즉시 그 계측기의 사용을 중지하여 보관관리자에게 보고해 주세요. 부적합 처리결과는 계측기 일상점검표에 기록해 주세요.

· 교정 실시

계측기의 성능 · 정도 등이 항상 양호하게 유지되고 있는 지를 확인하기 위해, 정기적으로 교정을 하여 주세요. 교정에서 부적합이 되 계측기에 대해서는 즉시 그 계측기의 사용을 중지하여 보수관리자에게 보고해 주세요. 보수관리 책임자는 지난번 교정 이후의 해당제품을 명확히 하여 관계부문과 조치 회의를 개최하여 해당 제품의 조치를 결정해 주세요.

교정에서 불량으로 판명된 계측기에 대해서는 즉시 그 계측기의 사용을 중지하고 보수관리자에게 보고하여 주세요. 보수관리 책임자는 지난번 교정 이후의 해당 제품을 명확히 하여 관계부문과 처리회의를 개최하고 해당 제품의 처리를 결정해주세요.

해당조치 결과를 당사에 보고해 주십시오.

▸ 장치·계측기 일람표

귀사가 보유하는 장치 · 계측기의 관리 상태를 알 수 있는 일람표.

(관리번호, 교정주기, 교정유효기간 등)

▸ 장치·계측기의 점검·교정작업 표준화

개개의 장치 · 계측기에 대해서 점검 · 교정의 구체적 실시방법을 기재한 것.

▸ 점검결과 기록표

일상점검 · 정기검사의 결과 및 교정 · 수리 · 개조이력을 기록한 표.

12) 검사 및 시험의 상태

① 수입검사품의 관리

수입 검사를 실시함에 있어, 수입검사 실시 전, 후제품은 혼입방지를 위해, 검사의 「전·중·후」가 식별할 수 있도록 검사품의 상태에 따라 식별을 정해주세요.

② 공정내 검사품 관리

공정내 검사를 실시함에 있어 공정내 검사 실시 전후품은 혼입방지를 위해 검사의 「전·중·후」가 식별할 수 있도록 검사품의 상태에 따라 식별을 정해주세요.

③ 출하검사품의 관리

출하검사를 실시함에 있어 출하검사실시 전후품은 혼입방지를 위해 검사의 「전·중·후」가 식별할 수 있도록 검사품의 상태에 따라 식별을 정해주세요.

13) 부적합품의 관리

① 일반

규정요구사항에 적합하지 않은 제품이 규제없이 사용되거나 출하된 것을 방지할 것을 확실히 하기 위해 그 절차 등을 명확히 한 기준을 정해 유지해 주세요.

규정요구사항이란 품질에 관한 필요를 명확히 정한 것을 말하며 아래 사항이 해당됩니다.

(a) 제조공정에 대해서는 정해진 품질수준(예 : 공정에서 지켜야 될 관리항목이나, 허용되는 이상 발생률, 관리도상의 이상상태 {평균·불규칙} 등)

(b) 검사에 있어 정해진 품질판정기준(예 : 제품의 개별규격 또는 공통규격의 품질수준)

(c) 검사에 있어 정해진 루트판정기준(예 : 샘플링 검사의 AQL·전량검사의 합격 불량률 등의 합격 품질 수준

(d) 시험에 대한 정해진 품질수준(예 : 시험평가표준 등에 정해진 개별규격 또는 공통규격)

규격요구사항은 당사의 요구, 암묵의 필요 및 회사적 요구사항도 대상이 됩니다.

※ 회사적 요구사항 : 법규제 · 공적규격 등의 고려 사항에서 생기는 의무사항
=〉 안정성 · 환경 · 건강 등.

①-l. 적합, 부적합, 부적합품(불량품)

규정 요구사항을 만족하는 것을 적합이라 하며 그것을 만족시키지 않은 것을 부적합이라 합니다.

특히, 부적합 상태에 있는 제품을 부적합품이라 하며 적합품과 식별하여 구별합니다.

② 부적합품의 내용 확인 및 조치(현품조치)

부적합품에 대해서 내용 확인의 실시 책임자를 명확히 하여 부적합품에 대해서 조치를 해 주세요.

조치에는 아래와 같은 것이 있습니다.

(a) 규정 요구 사항을 만족하도록 수리를 한다.

(b) 수리하여 또는 수리하지 않고 특별채용(특채) 한다.

(c) 용도변경을 위해 재

(d) 채용하지 않거나 폐기 한다.

〈정의〉

ⓐ 수리

부적합품에 대해서는 당초의 규정 요구 사항에 적합하지 않더라도 의도한 사용에 관한 요구사항은 만족시키기 위해 취한 조치.(예 : 시장·유저로부터의 수리의뢰품에 실시한 수리)

ⓑ 수리

부적합품에 대해 그것이 규정 요구 사항 전부를 만족시키기 위해 취한 조치.(예 : 제조·검사공정에서의 부적합품 및 반품된 부적합품에 실시한 수리나 부적합 특성 등을 규정 요구 사항에 맞도록 (재)조정한 처리 등)

ⓒ 특별채용(특채)

규정 요구사항에 일치하지 않는 제품의 사용 또는 출하 문서에 따른 인가.

(특정 부적합 특성, 특정의 일탈범위 제한된 기간 또는 수량에 한한다.)

ⓓ 특채에 유사한 형태로써 문서(요구 지시 문서) 또는 요구사항 수정에 따른 재

③ 납입품의 특별채용 신청

「납입품 구제」 또는 「납기확보」를 위해서 규격외품을 납입하고자 할 경우는 사전에 【특별채용신청서】를 당사사업본부 품질보증부에 제출하여 승인을 얻어 주세요.

(a) 신청 조건은 아래와 같습니다.

· 양산품일 것.

· 신청대상 (규격, 수량 및 기간, 초도품 루트의 납입일정, 루트 번호)를 명확히 할 것.

· 특채 신청 특성의 관리방법이 명확할 것.

(b) 신청기간은 해당루트의 1주 이상 전을 기본으로 합니다. 단, 도중 공정에서 규격 외 특성을 발견하고도 납기, 수량의 확보가 어려울 경우는 발견한 시점에서 신청해 주세요.

(c) 신청은 귀사의 양식 【특별채용 신청서】에 측정 데이터와 샘플을 첨부 바랍니다.

▸ 측정 데이터

측정개수 : n = 3 이상

▸ 샘플

최하위 샘플을 n = 3 이상 첨부 바랍니다.

(d) 당사는 귀사 양식 【특별채용 신청서】로 회답하겠습니다.

(e) 특채에 따른 예외작업 비용이 발생할 경우, 비용을 귀사에서 청구할 경우가 있습니다.

(f) 시정 조치는 귀사에서 실시해 주세요.

④ 당사 지급품에 기원한 부적합의 조치

당사 지급품에 기원한 부석합이 발생한 경우 불량 샘플(n = 3 이상)을 첨부하여 당사사업본부 품질보증부에 조속히 보고 바랍니다.

(a) 1차 회답

당사는 귀사에 부적합품의 처리를 지시하겠사오니, 그 지시에 따라 조치해 주세요.

또 부적합품 반환에 대해서도 지시하겠사오니 그 지시에 따라 주세요.

(b) 최종 회답

당사는 시정 조치 내용 확인 후, 당사에 최종 회답하겠습니다.

14) 시정 조치 및 예방 조치

① 일반

시정 조치 및 예방 조치를 실시하기 위한 절차를 기준으로 정해서 유지해 주세요.

①-1. 【크레임 처리 체계도】의 작성

【크레임 처리 체계도】에 아래와 같은 내용을 명기 바랍니다.

(a) 크레임 처리에 대한 업무 분담, 각 부문의 업무 분담.

(b) 체계도에 크레임의 접수부터 회답 및 시정·예방 조치까지의 처리 체계.

② 시정 조치

현존하고 있는 부적합 또는 다른 바람직하지 않은 현황의 재발을 방지하기 위해서 그 원인을 제거하여 그 효과 확인을 하기까지의 일련 활동입니다.

③ 예방 조치

유사 제품·유사 프로세스 등이 예측되는 대상에, 잠재하고 있는 부적합 또는 다른 바람직하지 않은 상황 발생을 미연에 방지하기 위해, 대상부터 그 원인을 제거하여 그 효과 확인을 하기까지의 일련의 활동입니다.

④ 각종 부정합에 대한 시정 조치 및 예방 조치

상기의 각종 부적합품의 조치 후, 귀사는 원인 조사·해석하여 필요한 시정 조치 및 예방 조치를 하여 주세요. 각각의 부적합에 대해서 당사로부터 이하의 장부를 발행 하오니, 귀사는 시정 조치(원인, 대책)을 기입하여 회답 바랍니다.

④-1. 【유저 크레임 발생 보고서】

귀사 제조 제품이 당사 납입 유저로부터 크레임이 되었을 경우로, 귀사 책임 공정에서의 현상이라고 생각될 경우는 당사사업본부 품질보증부로부터 당사 양식의 【유저 크레임 발생 보고서】 및 부적합 샘플 또는 부적합 사진이 귀사에 송부됩니다. 귀사는 요구 기일까지 회답 바랍니다.

· 발생원인

· 유출원인

· 재발 방지 대책

· 대책 실시일

· 효과 확인 결과

· 작업 표준 개정 유무

또한, 중요도 구분A 및 B에 대해서는 별도, 당사 양식의【5원칙 SHEET】(기입 예를 첨부하여)를 발행 하겠사오니, 반드시 기입하여 회답 바랍니다.

④-2【품질 개선 대처 보고서】

매년 3월에 다음해 4월 ~ 다음해 3월(12개월간)의 연간 품질 목표(유저 크레임 건수 및 공정내 불량률 등)을 당사 양식의【품질 개선 대처 보고서】에 작성하여 매월 개선 대처와 그 실적, 익월 대처 예정 사항을 기재하여 당사 사업본부 품질보증부 앞을 원칙으로 매월 15일까지 제출 바랍니다.

이것을 근거로 귀사의 품질 개선 사항에 대하여 당사로부터 조언, 어드바이스 하도록 하겠습니다.

15) 일반

재료·제품의 취급·보관·포장·보존 및 양도의 절차를 문서로 정하여 유지해 주세요. 또, 포장에 관해서 당사로부터 특별한 지시가 있을 경우는 그 지시를 따라주세요.

① 취급

재료·제품의 손해·열화를 방지하는 제품의 취급방법을 설정해 주세요.

② 보관

보관 중의 재료·제품의 손해·열화를 방지하는 조건을 정하는 방법, 지시 방법 등을 기준화하여, 지정 된 장소에 이것을 보관해 주세요. 보관 중의 재료·제품의 열화를 검출하기 위해 적절한 간격으로 평가를 실시해 주세요.

③ 포장

제품의 품질을 보관 유지하기 위해서 필요한 포장·곤포 및 지시의 결정 방법·지시 방법 등을 기준화 하여 기준대로 작업을 실시해 주세요.

④ 보존

제품이 귀사의 관리하에 있을 시에는 제품의 보존 및 구분을 위해 적절한 방법을 강구해 주세요.

⑤ 양도

당사 양도까지의 제품 보호 대책을 강구해 주세요.

16) 품질기록

품질 기록의 식별 파일링, 관리, 유지 및 폐기를 위한 절차를 문서로 정하여 유지해 주세요.

품질 기록은 요구 품질에 대한 적합성, 품질 시스템의 효과적 운용을 실증하기 위해 유지해 주세요.

귀사에 있어 수집된 품질 기록은 관리상태로 보관해 주세요.

① 품질 기록의 보관 기한은 3년을 기준으로 귀사에서 정해 주세요.

② 당사로부터 품질 기록의 제출 요구가 있을 경우는 조속히 요구부문에 제출 바랍니다.

또, 당사와의 거래가 중지될 경우는 별도 협의하겠습니다.

17) 내부 품질 감사

품질 활동 및 관련하는 결과가 계획도니 대로 되어있는지를 검증하기 위함 및 품질 시스템 유료성을 판정하기 위해서 내부 품질 감사(자주 감사)를 계획하고 실시하기 위한 절차를 문서로 정해 유지해 주세요.

18) 교육 · 훈련

① 품질에 영향을 주는 업무·작업별로 필요 되는 교육·훈련을 명확히 하여 결정된 교육·훈련을 받은 사람이 업무·작업을 종사하는 룰을 문서화해 주세요.

② 교육·훈련을 실시한 기록을 남겨 주세요.(품질 기록)

19) 부대 서비스

필요에 따라 별도 각서 등을 교환하도록 하겠습니다.

20) 통계적 수법

① 필요성의 명확화

공정 능력이나 제품 특성을 설정·관리 및 검증하기 위해 총계적 수법을 활용하는 절차를 정하여 주세요.

② 절차

통계적 수법을 기준에 근거하여 사용·관리해 주세요.

3-7. FPC 검사개론

1. 검사의 정의

MIL-STD-105D에 의한 검사란 측정, 점검, 시험 또는 게이지에 맞추어 보는 것 등과 같이 제품이 계속되는 다음의 공정에 적합한 것인가 또 최종제품의 경우에는 구매자에 대해서 발송하여도 좋은 가를 결정하는 활동을 말한다.

KS에 따르면 검사란 물품을 어떤 방법으로 측정한 결과를 판정기준과 비교하여 개개의 물품에 양호, 또는 불량 또는 Lot의 합격·불합격의 판정을 내리는 것 등의 정의가 되어 있다.

2. 검사의 목적

검사의 목적은 크게 나누면 다음의 9항목으로 나눌 수 있다.

① 좋은 Lot와 나쁜 Lot를 구별하기 위해서 : 수입검사, 출하검사, 공정검사
② 양품과 불량품을 구별하기 위해서 : 전수검사라고도 하며, 주목적은 공정이 변화하였는가 어떤가를 조사하는 것이다 보통 관리도를 사용한다.
③ 공정이 변화했는지를 판단하기 위해서 : 이 경우 관리Sampling검사라 하는데 주목적은 공정이 변화하였는가를 조사하는 것이다. 보통 관리도를 사용한다.
④ 공정이 규격한계에 가까워졌는지 어떤지를 결정하기 위해서 : 주목적은 공정이 불량품을 만들 위험이 있는지를 조사하는 것이다. 보통 개개의 제품의 측정치와 규격한계를 비교하는 X관리도를 사용한다.
⑤ 제품의 결점의 정도를 평가하기 위해서 : 중요한 목적은 제품의 품질을 사진으로 찍거나, 한도견본을 만들거나 하여 결점의 평가에 착오가 없도록 하고, 다시 거기에다 결점의 정도에 경, 중을 구분하여 평가한다.
⑥ 검사원의 정확도를 평가하기 위해서 : 중요한 목적은 검사원의 능력의 측정에 있다. 거기에는 ⅰ)검사원에 의해서 발견된 불량품, ⅱ)검사원에 의해서 당연히 발견되어야 할 불량품의 수를 비교하여 검사원의 정확도를 평가하게 된다. ⅰ)과 ⅱ)와의 비가 검사원의 정확도를 정하는 하나의 자료가 된다.

⑦ 측정기기의 정밀도를 측정하기 위해서 : 중요한 목적은 동일한 조건하에서 되풀이 하여 행한 경우의 지시치가 같은가 다른가 하는 측정기기의 정밀도를 측정하기 위해서이다.

⑧ 제품 설계에 필요한 정보를 얻기 위해서 : 제품의 설계능력을 판정하는 것이다.

⑨ 공정능력을 측정하기 위해서 : 개개의 제품을 측정치를 제품의 규격(공차)한계치와 비교한다. 또한 측정한 데이터를 가지고 공정 능력지수를 판단하여 조치를 취하도록 한다.

3. 검사의 기능과 단계

① 검사의 기능 : 검사는 만들어진 품질의 보증을 통해 고객에게 봉사하기 위한 품질관리수법의 하나이다. 이것은 ⅰ) 다음공정이나 고객에게 불량품이 넘어가는 것을 방지 하는 것. ⅱ) 품질정보를 제공하는 것이다. 1) 항의 사항만으로는 규정된 품질을 경제적으로 확보할 수는 없으며, 거기서 얻은 품질 정보를 제조공정에 FEED BACK하여 시정함으로서 비로서 안정된 품질을 보증할 수가 있다. 예로 제조 공정상의 품질의 변동상태를 파악하고, 이상이 발견되면 즉시 제조현장에 FEED BACK하여 시정조치를 취할 수 있다. 또한 공정능력을 측정할 수 있어 공정능력과 규격치나 공차와의 관계를 체크 할 수 있으며 작업원이 어느 정도 표준류라든지 지시사항을 지키고 있는가를 체크하며 검사원에 대한 검사의 정확성을 평가한다거나 측정기의 정밀도를 확인 할 수 있다. ⅲ)작업자의 품질의욕을 자극하거나 고객에게 품질에 대한 안심감을 준다.

② 검사의 단계 : 검사 표준의 설정(양품과 불량의 판정하기 위한 표준 설정) → 제품의 측정(개개의 물품 또는 Lot로부터 뽑은 샘플을 측정하거나 시험장치를 쓰거나 사람의 오감을 이용하여 측정하고 데이터를 취함) → 표준과 측정결과의 비교 → 양·불 또는 합·불합격의 판정 → 제품의 처치 →품질 정보의 제공 (데이터에 의한 품질정보를 관계 부서에 Feed Back)

4. 검사의 종류

① 검사의 목적에 의한 분류

- 수입검사 : 공장에서는 제조에 필요한 원재료, 부품, 기타의 부자재 등을 외부로부터 구입한다. 이렇게 외부로부터 구입해온 물품 또는 외부에서 중간공정이 진행된 제품은 제조공정에 투입하기 전에 요구한 품질을 만족시키고 있는가를 확인할 필요가 있는데 이때 이루어지는 검사를 수입검사라 한다.

- 공정검사(중간검사) : 공정안에서 반제품을 어떤 부분으로부터 다음 부분에 이동시켜도 좋은가를 판정하기 위해서 이루어지는 검사로서 불량품이 다음 공정에까지 흘러가는 것을 피하기 위해서 하는 것이다. 이때 전수검사를 할 때도 있으나 Sampling을 할 때가 많다. 이로서 다음 공정에 대해 품질의 보증이 가능하고 공정 중간에 검사를 실시함으로써 공정 변화에 대한 더 빠른 파악과 공정 Trouble의 조치가 가능하게 된다. 또한 각 공정의 품질의 책임을 명확히 할 수 있다.

- 최종검사(완제품검사) : 이 검사공정은 만들어진 제품으로서의 요구사항을 만족하고 있는가를 판정하기 위해서 실시하는 검사이다. 이 검사공정에서는 소비자에 대한 품질보증과 총합품질의 파악, 고객 요구품질을 만족시키고 있는지를 확인 및 품질 기록을 품질개선의 자료로서 유효하게 쓸 수 있다.

- 출하검사 : 완성품을 출하하는 경우에 하는 검사이다. 보관중 품질상의 변화나 포장 상태 등을 주로 검사하며 수량도 함께 체크한다. 하지만 당사에서는 최종검사가 완료된 양품제품만을 QC에 Lot 전체의 유효성을 평가하는 단계로 대부분 Sampling검사를 실시해서 Lot의 합격·불합격의 여부를 판정한다. 합격의 경우 포장이 이루어지고 불합격의 경우 최종검사로 재검 의뢰가 된다.

② 검사가 이루어지는 장소에 의한 분류

- 정위치 검사 : 1개소에서 검사를 하는 편이 좋은 경우이거나, 시험에 특수한 장치가 필요한 경우와 같이 특별한 장소에 물품을 운반해서 검사하는 방법을 말한다. 당사의 경우 치수검사를 하기 위해서 Zoom 4000 측정기에서 치수측정을 하는 경우가 정위치 검사에 해당한다.

- 순회검사 : 공정간에 검사하는 경우에, 도중에 검사공정을 넣지 않고 검사원이 적시에 현장을 순회하여, 제조된 물품을 검사하는 방법을 말한다. 특히, 작업준비의 적부를 체크하는 의미로서의 순회검사는 필요한 것이다.

-출장검사 : 발주전의 공장의 검사원이 발주선의 외주공장에 출장하여 거기서 수입검사를 하는 방법이다. 이 검사방법은 당사에서는 거의 적용하지 않고 있는 검사 방법이다.

③ 검사의 성질에 의한 분류

- 파괴검사 : 물품을 파괴하지 않고서는 검사의 목적을 달성할 수 없는 경우나 시험 또는 측정 분석을 하면 물품의 상품적 가치가 없어지는 검사를 말한다. 예를 들어 FPC의 보강판의 밀착력을 시험 할 경우 보강판을 떼야만 가능하거나 Land부의 납땜성을 Test 할 경우 직접 Land에 납을 올려 시험할 경우 시험한 시료는 상품으로서의 가치를 잃게 된다.

- 비파괴검사 : 제품을 조사하더라도 제품의 상품가치를 변화시키지 않는 검사를 말한다. 당사에서 하고 있는 치수측정의 경우나 도금측정의 경우, BBT Check등과 같이 측정전후 제품의 변화가 없다. 이런 경우를 비파괴검사라 한다.

- 관능검사 : 사람의 육안이나 촉감으로 시험하는 경우이다. 당사의 최종검사, 출하검사가 여기에 해당된다.

④ 검사 방법에 의한 분류

- 전수검사 : 대상이 되는 물품 전체에 대하여 한 개 한 개씩 전수를 검사하는 것으로 치명적인 결점이나 특히 중요부품의 경우 또는 Sampling 검사를 하는 것보다 경제적인 경우에 적용한다. 생산 최종검사의 경우에 여기에 해당된다.

- Sampling검사 : 검사대상이 되는 Lot로부터 일부 물품을 시료로 채취하여 측정한 결과를 가지고 Lot의 합격·불합격 판정을 내리는 검사를 말한다. 보통 말하는 Sampling검사는 Lot별로 행하는 Sampling검사를 의미하며, 제조공정의 관리, 공정검사의 조정 또는 검사를 체크할 목적으로 행할 경우에는 관리 Sampling검사라 한다. QC 출하검사의 경우가 이 검사에 해당된다.

- 무검사 : 반제품, 부자재 등이 입고될 때 검사를 하지 않고, 그 제품 성적서만을 확인할 경우와 외주선의 제조공정을 정기적으로 확인하여 제품이 만들어지는 과정을 보증하고, 그것에 의해 수입되는 제품의 품질을 간접적으로 보증하는 경우이다. 현재 원자재(Base)의 경우 Maker의 성적을 토대로 무검사로 생산에 투입되는 경우가 이 검사에 해당된다. 하지만 무검사 품목의 경우라도 품질의 Trouble이 발생할 경우 검사 방법은 조정이 가능하다. 즉, 원자재(Base)라도 문제가 발생되면 검사가 이루어지게 된다.

- 자주 검사 : 자기가 만든 제품에 대해서는 자기가 보증해야 한다는 사고에 입각해서 작업자가 자기가 만든 제품에 대해 스스로 그 품질을 확인하는 방법이다.

⑤ 검사 항목에 의한 분류

- 수량검사 : Lot별 불량보고와 실제 제품의 수량을 파악하는 것이 이에 해당된다.

- 중량검사 : 제품중량을 검사, 영풍에서는 해당 없음.

- 치수검사 : FPC 승인 도면에 명기된 치수와 실제 치수를 측정하여 비교하는 검사, 출하검사 성적에는 거의 모든 제품에 이 항목이 포함되어 있다.

- 외관검사 : 회로상으로는 이상이 없지만 찍힘, 이물, 편심 등의 항목이 User의 요구에 합당한지 불량인지를 검사하는 것으로 육안검사규격이나 Model마다 불량항목별 한도견본으로 관리하고 있다.

- 성능검사 : FPC의 경우 도체로서의 역할이나 기계적인 굴곡성에 대한 항목에 만족하는지를 검사하는 것이다. 이 경우 내전압, 절연저항, MIT법에 의한 검사를 포함한다.

5. 전수검사와 샘플링검사

검사의 단계 중 측정을 통해 우리는 데이터를 취하게 된다. 이는 계획에 의거하여 이루어져야 하는데 계획 중 우리는 어떤 검사 방법을 사용할 것인가를 정해야 한다. 경우에 따라서는 전수검사를 해야 할 것인지 Sampling검사를 할 것인지를 결정한다.

① 전수검사가 필요한 경우
- 전수검사를 쉽게 할 수 있을 때 : 검사에 대한 수고와 시간이 별로 들지 않고 검사 비용에 비해서 얻어지는 효과가 크다고 생각될 때

- 불량품이 조금이라도 섞여 들어가는 것이 허용되지 않을 때 : 불량품이 조금이라도 섞여 들어가면 주로 안전면에서 본 결과에 중대한 영향을 끼칠 때 (브레이크의 작동시험 등)

- 불량품이 들어가면 경제적으로 더 큰 영향을 미칠 때
- 불량품을 넘겼을 경우 다음 공정에서 커다란 손실을 주게 될 때

② 샘플링검사가 필요한 경우
- 파괴 검사의 경우 : 이 경우 성능을 알기 위해서 제품을 파괴하는 것이므로 품질보증을 하기위해서 전수 검사는 할 수 없다. (보강판의 밀착력 실험, 접착제의 인장시험, 납땜 강도 시험 등)

- 연속체나 대량품 : 이 경우에는 모든 부분을 검사하는 것이 불가능한 경우 (Roll to Roll機의 Etching 검사 등)

③ 샘플링 검사가 유리한 경우
- 다수 다량의 것으로 어느 정도 불량품이 섞여도 괜찮은 경우 : 다수·다량의 경우 전수 검사시 비용과 수고가 많이 들고 불량품이 섞여 들어가는 것을 허용하는 경우에 해당된다(작은 나사, 벽돌 등) 하지만, 영풍에서는 1개의 불량도 치명적인 결함이므로 생산 최종검사에서는 전수검사를 실시한다.

- 검사 항목이 많은 경우

- 불완전한 전수검사에 비해서 신뢰성 높은 결과가 얻어지는 경우

- 검사 비용을 적게 하는 편이 이익이 되는 경우

- 생산자에게 품질 향상의 자극을 주고 싶은 경우 : 불합격 발생기 생산자는 불합격 Lot의 전수 선별해야 하는 부담이 되고 신용이 떨어지게 된다.

3-8. FPC 육안검사 기준서

1. OPEN / SHORT

회로가 끊어지거나 두 독립 Pattern이 붙어 있을 경우 치명적인 불량이다. 이는 D/F에서 노광 시 이물이 삽입이 되어 에칭 시에 Pattern이 끊기거나 두 회로가 단선 되게 된다. 즉, 노광 중에 이물에 의해서 Dry Film에 빛을 받지 못한 부분은 경화되지 않기 때문에 현상에서 Dry Film이 제거되고 E/T때에 동박이 부식되어 날아가게 된다. 따라서 이 부분이 Open이 되는 것이다.

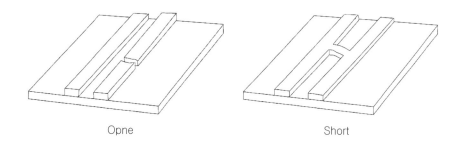

Opne   Short

2. Pin Hole / Slit / 덧살 / 잔동

회로가 완전히 Open이나 Short는 아니지만 회로가 깎기거나 튀어나온 경우 도통에는 문제가 없지만 회로가 얇아지거나 회로간의 간격이 좁아지기 때문에 절연저항이나 내전압의 문제가 발생 할 수 있기 때문에 정상 회로의 1/2을 넘으면 불량으로 판정한다.

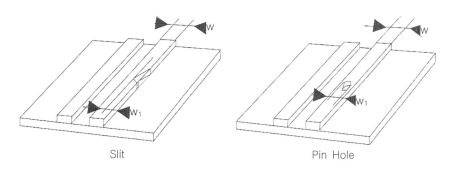

Slit   Pin Hole

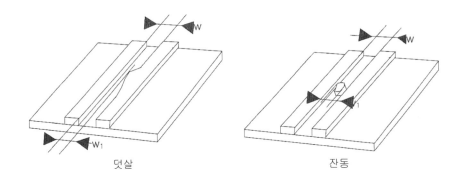

덧살   잔동

3. Micro Open

Dry Film을 Base에 밀착되었을 때 완전밀착이 되지 않아 Etching때에 Dry Film 사이로 에칭액이 스며들어가 동박 상면이 부식된 경우이다. 이때는 Pattern의 1/3이상 침범했을 경우 불량으로 판정한다.

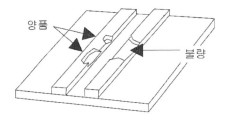

4. Coverlay 기포

Coverlay가 Base에 완전히 밀착되지 않아 공기층이 형성된 경우 기포가 Pattern을 횡단하거나 독립 두 회로에 걸쳐 있을 경우 불량으로 판정한다.

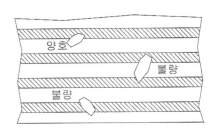

5. Coverlay 접착제 유출

Coverlay에는 base와 접착시킬 수 있도록 접착제가 붙어 있는데 Hot Press 공정에서 열과 압력을 가할 때에 접착제가 Coverlay 경계면으로 흘러나오는 경우가 있는데 이로 인해 Land부에 도금이 되지 않는 부분이 발생하게 된다. 이때 접착제의 유출 범위가 0.3㎜를 초과 할 경우 불량으로 판정한다.

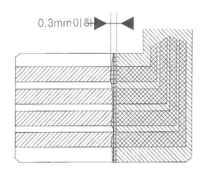
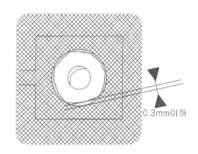

6. Coverlay 격차

Coverlay는 base에 가접 공정에서 위치를 잡는다. 이는 육안으로 판단하여 위치를 잡기 때문에 도면상의 위치와 틀어지게 되는 경우가 발생한다. 이 경우 그 틀어짐 정도가 0.3㎜ 이상일 경우 불량으로 판정한다.

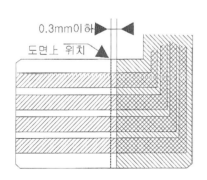
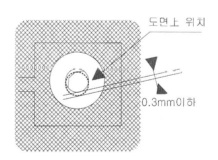

7. 이물

Coverlay와 base 가접시 이물이 사이에 들어간 상태로 Hot Press가 이루어
질 경우 발생하는 불량으로 이물이 전도성일 경우 잔동이나 덧살의 판정기준
으로 하고 비전도성일 경우 Pattern 3개 이상을 횡단했을 경우 불량으로 판정
한다.

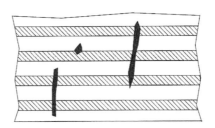

8. 도금 변색, 오염, 탈막

도금변색, 오염은 육안으로 판정해서 유해하지 않아야 하며 Model별 한도 견
본 등을 제정하여 관리한다. 탈막의 경우 접착 Tape를 붙여 잡아 당겨 도금이
떨어지지 않아야 한다.

9. SKIP 도금

도금공정에서 이물 등에 의해서 Land부에 도금되지 않는 부분이 생기게 되는
데 그 크기가 Pattern 폭의 1/3이상일 경우와 Φ0.3㎜이상일 경우 불량으로 판
정한다.

10. 보강판 틀어짐

보강판의 틀어짐은 0.5㎜ 이하일 경우 양품 판정한다.

11. 인쇄

인쇄는 육안 판독 가능해야하며, Model명, Rev·부품 장착위치가 지워지지 않
아야 한다.

12. DENT

공정 중에 찍히거나 눌림은 회로에 Stress를 받지 않아야 하며 Set 조립 시 구동부의 경우 별도의 기준으로 관리한다. Model별 한도 견본으로 관리한다.

13. 편심

편심은 Connector에 삽입되는 FPC의 도금 부분으로 Base 자체의 열변화에 의해서 줄거나 늘어나는 경우가 공정 중에서 발생하게 된다. 이 때문에 Connector 부분에 한쪽으로 쏠리게 되는데 이런 불량을 편심이라 한다. 편심의 규격은 도면상에 규정되어 있으며 치수 측정은 그림과 같이 FPC 측면에서 첫 번째 Pattern 중앙까지의 거리이다. 일반적인 0.5 Pitch (Pattern과의 거리)인 경우 0.5 ± 0.1㎜ 규격이다.

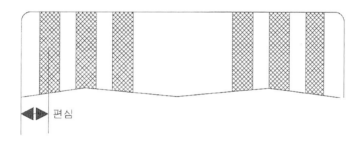

14. 기타

육안검사의 경우 판정하기 난해한 부분이 발생할 경우 한도 견본을 제작하여 관리한다.

3-9. PCB공장 주요 AUDIT 내용

1. 재단 공정 문제점

NO	문제점	개선 제의안
1	Back up Board 휨 발생 심함	Back up Board습도에 영향을 많이 받음으로 일정한 습도 유지할 수 있도록 할 것
2	재단기로 CCL, Back up Board, AL Foil을 전부 재단하고 있음 현 재단기는 AI foil 재단용으로 사용하기에 적합 하나 Back up Board, CCL 절단용으로는 적합하지 않음. (Back up Board, CCL 재단 시 잘라내는 것이 아니 끊어내는 형태로 측면 이물 다량 발생함)	현 재단기는 AI foil 재단용으로 사용 (날 관리 요망·절삭력 떨어질 시에 날 교체 필히 할 것) CCL, Back up Board는 Cut 날 Type 사용 재단기 여야 함

2. CO2 LASER Drill 공정 문제점

NO	문제점	개선 제의안
1	Room 온, 습도 관리 안됨	온도 22±2℃, 습도 40~50% 이내 관리 요망 - 온, 습도 기록계 비치 및 기록 관리 - 온, 습도 이상 시 Bending Mirror 및 Lens 손상
2	설비 관리 부실	작업 진행 안 할 시에는 설비 전원 OFF - 발진기 수명 문제
3	작업 Table손상 (작업 방법 미숙지로 인해 제품이 없을 때 LASER Beam 발사된 것으로 예상됨)	정확한 작업 방법 숙지 후 설비 조작 할 것 (상기 문제는 "F6" 화면에 Board Thickness 미 설정)
4	작업자 불 분명	현장내 설비 관리 인원이 불 분명 하며, 작업자가 현장에 없음
5	Hole 검사 장비 없음	작업장 내에 작업 후 바로 검사 할 수 있도록 검사 장비 비치 - 검사 배율 : 200X 이상

3. Drill 공정 문제점

NO	문제점	개선 제의안
1	Room 온, 습도 관리 안됨 - 온도 상승 시 냉각 배관 주위로 결로 현상으로 인해 설비 부식	온도 22±2℃, 습도 40~50% 이내 관리 요망 - 온, 습도 기록계 비치 및 기록 관리 - 온도 차에 의해 시간이 경과함에 따른 Shift성 편심 발생(특정 위치에서 전체적으로 Hole 대비 Land가 틀어져 있는 편심 유형) - Oil Cooler 열풍 배기구 Hose를 연결해 천정으로 빼줄 것
2	AL Foil 상처 및 구김 발생	편심 및 비트파손 발생 - Roll Type => Sheet 자재 구매 (Stack Pin 부위 홀 가공 할 것)
3	Al Foil Size와 제품 Size, Back up Back Size 불일치	제품 Work Size별 Back-up Board 재단 Size를 표준화 하여 재단 후 치수 확인 후 작업 진행 - Back-up Board는 제품 Work size +1.0~2.0㎜ 크게 사용 - AL Foil은 제품 Work size -1.0~2.0㎜작게 사용
4	Drill 작업 시 Edgeqn Tape 부착 안함	접착성이 약한 실리콘 Tape 구매 하여 사용 일부 사용은 하고 있으나 접착성이 강한 Masking Tape사용을 하고 있음 - Tape 미 부착 시 Burr 발생 및 심한 경우 편심 발생 함
5	Collet 청소 시 사용되는 방청유(WD40) 제품 오염	Collet 청소 주기 : 1회/주 제품이 Table에 없는 상태에서 작업 진행 할 것 Collet 청소 시 Pressure Foot 제거 후 청소 할 것 (P/F 내에 방청유 유입으로 작업 시 제품 오염됨)
6	Bushing 재질	씬쭈(동)으로 되어 있어 Bit파손 시 교체가 원활히 이루어지지 않을 것으로 예상됨. PE(사출물 한국에 주문 가능)재질로 하여 주기적으로 교체를 하는 것이 Drill 품질이 좋아 짐.
7	X-Ray Target Drill 사용 활용도 떨어짐	현재 HDI제품에 대해서만 X-Ray 드릴 사용 일반 MLB제품에 대해서는 Symbol위치의 외층 Copper를 제거하고 Guide Drill M/C으로 작업 진행하고 있음 - 2인 1조 작업 인력 효율 떨어짐
8	Multy 제품 작업 시 X-Ray 장비가 없어 검사하지 않고 바로 작업 진행됨.	X-ray 구매 필요 Drill 작업 시 보정홀 확인 후 보정 작업 필히 필요함

NO	문제점	개선 제의안
9	Multy 제품 작업 방법 Router 방식으로 드릴 작업 진행 고정핀 제품 **Bakelite**	현재 방식으로 Drill 작업 시 Scale 이상 발생 시 제품이 Guide Pin에 들어가지 않을 경우 무리한 ㅎ미을 주어 작업 진행 되어 내층과 외층과의 층간 편심 발생 우려됨. 좌측 그림 방식으로 진행을 하기 위해서는 X-Ray Drill장비로 Target Drill을 해야 하며 작업 방식은 "Distance" 방법으로 진행해야 함. ※X-Ray Target Drill M/C Mode - Distance => 내층 Symbol을 읽어 주어진 거리 값으로 맞추어 Drill 진행.(Spec Over시 작업 진행 안됨) - Mark Center => 내층 Symbol을 읽어 각각 홀별 Symbol Center에 홀 가공(제품별 거리 차이 발생)
10	제품 Table 안착 후 쇠뭉치로 Stack pin 삽입 위치를 때림	Stack Pin Size가 고정 Bush(Table부위의 제품 고정 부위) Size보다 커서 삽입이 안되므로 Stack Pin 선별 후 큰 것들은 폐기 할 것 그리고 부득이 하게 사용을 할 경우 고무망치 활용 (쇠뭉치로 설비 두드릴 시에는 설비 정도 틀러짐)
11	Back up Board에 홀 가공을 미리 하지 않고 Stacking할 때 같이 하여 Stack pin 틀어짐 및 Back up Board 파손으로 Table 안착 시 밀찰 안됨	Back up Board에 미리 큰 홀(4.5Φ)을 가공하여 끼우는 형태로 Stacking작업 진행 할 것
12	Back up Board 2회 사용 시 Tape 제거 안됨	Tape 제거가 되지 않을 시에 편심, Bit 파손 및 Burr 발생됨
13	부자재 보관 방법 (Back up Board)	습도가 높을 경우 휨이 발생됨으로 보관 장소에 비닐 커튼을 쳐서 온습도 관리 할 것
14	제품 적재 방식 수평 적재 하고 있음 (작업 완료 후 파렛트 위에 방치하듯 보관 함)	작업 진행이 원활히 되지 않아 제품이 현장에 과다하게 쌓였을 경우 작업을 중지하고 후 공정에 제품이 어느 정도 처리한 후에 작업을 진행 했으면 하며, 제품 보관은 산화 되지 않게 잘 보관 할 것. (유휴 재고는 별도 지정 장소를 지정해 보관 할 것)
15	설비 가동율	설비 가동율 향상으로 위해 모델 교체 시간 줄일 것. - 현재 카셋트 1개만을 사용하며, 모델 교체 시 마다 Tool지정사용으로 매번 Bit를 교체 함 - 모델 교체 40분 예상 (Bit Life를 다 사용하지 않은 Bit도 연마 처리 예상됨) - 250 Tool을 최대 활용하여 모델 교체 시 마다 Tool 지정으로 인한 시간 Lose 줄임. - 모델 교체 10분 이내

4. 동도금 & IMAGE AUDIT 항목

1) VCP도금

세부공정		제품/공정특성	관리범위
고압수세	디버링 M/C (#2, VCP Line)	콘베어 속도	2.3 ± 0.5m/min
		Brush 압력	4.0 ± 1.0A
		건조온도	60 ± 10℃
		고압수세압력	50 ± 10kgf/㎠
		수세압력	2.0 ± 0.5kgf/㎠
VCP도금	탈지	온도	40 ± 5℃
	Soft Etching	온도	30 ± 3℃
	Pre Dip	온도	25 ± 5℃
	Catalyst	온도	45 ± 5℃
	Reducer	온도	30 ± 5℃
	Electroness Cu	온도	30 ± 3℃
	건조	온도	60 ± 5℃
	VCP 1Line	산탈지 온도	30 ± 5℃
		유산동 온도	25 ± 5℃
	VCP 2Line	산탈지 온도	30 ± 5℃
		유산동 온도	25 ± 5℃
	VCP 3Line	산탈지 온도	30 ± 5℃
		유산동 온도	25 ± 5℃
	수세/건조 (VCP 1,2Line)	콘베어 속도	2.0 ± 0.5m/min
		수세 압력	1.5 ± 1.0kgf/㎠
		거주온도	60 ± 10℃
	수세/건조 (VCP 3Line)	콘베어 속도	2.0 ± 0.5m/min
		수세 압력	1.5 ± 1.0kgf/㎠
		건조온도	60 ± 10℃

2) IMAGE

세부공정		제품/공정특성	관리범위
정면	D/F 정면 (1호기)	Brush 압력	3.0 ± 1.5A
		콘베어 속도	2.0 ± 0.5m/min
		건조온도	55 ± 10℃
	D/F 정면 (2호기)	Brush 압력	3.0 ± 1.5A
		콘베어 속도	2.0 ± 0.5m/min
		건조온도	55 ± 10℃
외층 Lamination	자동 Lamination (1호기:OTS)	Main 압력	7 ± 1bar
		Roller 속도	2.5 ± 0.5m/min
		Hot Roller 온도	상, 하:110 ± 10℃
		Hot Roller 압력	3.5 ± 1bar
		Tacker 압력	상3.5 ± 1bar/하4.0 ± 1bar
		접착온도	상, 하:110 ± 20℃
	자동 Lamination (2호기:Hakuto)	Main 압력	0.5MPa이상
		Roller 속도	250 ± 50 ㎝/min
		Hot Roller 온도	상, 하:110 ± 20℃
		Hot Roller 압력	0.4MPa이상
		Tacker 압력	상0.25MPa이상/하0.40MPa이상
외층노광	노광M/C (1호기:Hakuto)	노광량	7~9 Step
		LAMP 교환주기	1,200 ~ 1,500시간
		냉각온도	23 ± 5℃
		진공압력	65㎝Hg이상
	노광M/C (2호기:OTS)	노광량	7~9 Step
		LAMP 교환주기	1,200 ~ 1,500시간
		냉각온도	23 ± 5℃
		진공압력	650±100mmHg
	노광M/C (3호기:세명)	노광량	7~9 Step
		LAMP 교환주기	1,200 ~ 1,500시간
		냉각온도	23 ± 5℃
		진공압력	25kPa 이상
외층 현상		현상압력	상,하:1.5±0.5kgf/㎠
		현상온도	30 ± 2℃
		현상속도	3.5 ± 0.5m/min
		pH	11.0 이상
외층 에칭		Etching 압력	30 ± 0.5kg/㎠
		Etching 온도	45 ± 5℃
		Roller 속도	H/H:3.5±0.5m/min
		염산 pH	1/1:2.8±0.5m/min
		비중	1.220 ~ 1.300Sv
외층 박리		박리온도	50 ± 5℃
		박리압력	상:2.3 ± 0.5kgf/㎠
			하:2.2 ± 0.5kgf/㎠
		박리속도	3.5 ± 0.5m/min
		건조온도	70 ± 5℃

5. Router 공정 문제점

NO	문제점	개선 제의안
1	Trimming 작업 시 Bit Life 미 설정	제품 가공 후 Burr 발생 유무 확인하여 Bit Chang
2	Guide Pin 삽입 시 쇠뭉치 이용 (삽입 시 Pin 틀어짐)	소형 망치를 이용하여 Guide pin 삽입 요망
3	제품 내부 갈아내지 않아 Chip이 제품 위에 잔존해 P/F 이동 시 제품에 상처 유발함	내부를 갈아서 가공하여 Chip이 남아 있지 않도록 한다.
4	제품 Start Point 변경 할 것. (보정값에 치수 조정 안됨) -Dummy => 제품	치수 관리를 위해서는 아래 그림처럼 Start Point를 변경해야 함.
5	Table위에 바로 제품을 꽂아 작업 진행함으로 제품 추출 시 주걱을 이용하여 제품 상처 발생	Table 지그 위에 보조 지그(Bake lite 3T 사용)를 이용하여 개별 추출이 아닌 일괄 취출 방식 작업(생산성 향상)
6	Guide Pin 1단 Pin 사용으로 Bit 변경시간 지그 제작 시간 지연됨. - 1단 Pin 사용 시 Hole직경에 맞는 모든 Bit가 필요하며 다른 Size의 Hole 사용 시 여러 번 나누어 Drill을 해야 함	Guide Pin 2단 Pin 사용 시 2가지 Bit만 사용함으로 지그 제작 시간 단축됨. - 하난부 측 지그에 삽입되는 부위의 Size를 규격화 하여 1번의 홀가공으로 지그 제작이 완료됨.

NO	문제점	개선 제의안
7	지그 Table 고정 방식 사용으로 생산성 저하됨 - 모델 교체 시 마다 Guide pin 탈, 부착 지속적으로 진행해야 함	지그 고정 방식이 아닌 탈, 부탁 방식으로 지그 제작으로 인한 설비 비가공 Loss 제거 - 지그 제작 시의 호기, 축, 좌표 기록 후 탈착 차후 작업 진행 시 호기, 축별로 맞추어 Setting 후 좌표값을 입력하여 작업 진행한다.

1) Router Programing 방법

① Start Point 및 2nd Drill 삽입 방법

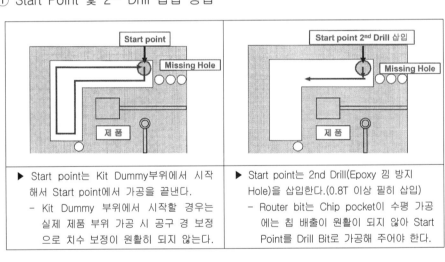

▶ Start point는 Kit Dummy부위에서 시작해서 Start point에서 가공을 끝낸다.
  - Kit Dummy 부위에서 시작할 경우는 실제 제품 부위 가공 시 공구 경 보정으로 치수 보정이 원활히 되지 않는다.
	▶ Start point는 2nd Drill(Epoxy 낌 방지 Hole)을 삽입한다.(0.8T 이상 필히 삽입)
	  - Router bits는 Chip pocket이 수평 가공에는 칩 배출이 원활이 되지 않아 Start Point를 Drill Bit로 가공해 주어야 한다.

② 내부 Dummy부위를 가공한다.

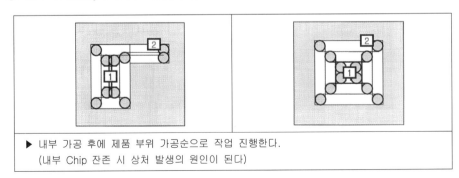

▶ 내부 가공 후에 제품 부위 가공순으로 작업 진행한다.
  (내부 Chip 잔존 시 상처 발생의 원인이 된다)

③ Brush내경을 줄여준다.

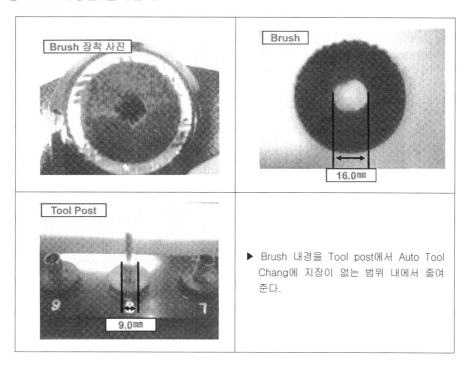

▶ Brush 내경을 Tool post에서 Auto Tool Chang에 지장이 없는 범위 내에서 줄여 준다.

6. 적층 공정 문제점

NO	문제점	개선 제의안

1	제품 Work size와 상관없이 동일 Size SUS판 사용	제품 Work size보다 40mm크게 사용하여야 함
		- 불필요한 Copper Foil 낭비 줄임
		- Work size 406 X 510인 경우
		   Prepreg Size 410 X 510
		   Copper oil Size 445 X 550
		   SUS size 445 X 550

2	제품 Work size에 따라 압력을 조정하지 않음	일반적으로 제품의 단위 면적 당 30kg/㎠을 줌 제품별 다른 조건의 Program 필요 함 - MAIKI 압력 입력 기준 $$\frac{Work\,Size \times 입력압력}{실린더\,반지름\,제곱 \times \pi} = \frac{40cm \times 50cm \times 30kg}{316.8cm \times \pi}$$
3	Carrier Plate, Top Board 휨이 심함 - 현재 6mm사용 함	HDI제품 전용 Carrier Plate, Top Board 별도 구매 요망 - Carrier Palte 10㎜ - Top Board 8㎜

NO	문제점	개선 제의안
4	Double Mass 작업 진행 - Double Mass 진행 시 제품이 마주하는 부분에 밀림 현상에 의해 Scale 이상 발생 함	Single Mass 진행·SUS판 정상적으로 사용 할 것
5	Prepreg 보관 상태 엉망임 - 식별 관리가 되지 않아 자재 오사용으로 인한 층구성 Miss 불량 예상됨	항, 온 합습이 유지되는 Room에 보관을 하여야 하며 자재별(1080, 2116, 7628 등등) 구분이 명을 명확히 하여 식별 관리가 될 수 있도록 하여야 함
6	예비 Lay up없이 Lay up실에서 예비 Lay up 동시 작업 - Prepreg 가루로 인해 타흔 불량 예상됨	예비 Lay up Room을 별도로 구성 해 제품 +Prepreg 미리 구성 해 놓을 것
7	SUS Size가 커서 Cleaning이 정상적으로 되지 않음 - SUS Cleaning 방향이 잘못되어 이물 제거 후 제품 내부를 이물을 다시 끌어 들이고 있음 < NG >	SUS Size를 줄이고 Cleaning실시 시 한 방향으로 실시할 것 Cleaning 도구는 주기적으로 Clean Pad(점착성)를 이요이물 제거 후 사용할 것 < OK >
8	Lay up 작업 시 4인/1조 작업하고 있음 - 인원이 많아 이물 관리 안됨	예비 Lay up 후 본 Lay up 작업 시 2인 1조 작업 할 것 - SUS Size 줄여야 함 - 1명 예비 Lay up 제품 취급 - 1명 Copper, SUS 취급
9	Copper Foil Size가 커 취급 시 구멍 뚫림 예상됨 - 타흔 불량 발생	Copper Foil 제품 Size에 맞추어 작업 할 것
10	RCC 적층 시 SUS판 보호를 위해 Copper Foil 뒤집어 사용	Copper Foil대용으로 Release Film 사용 - 제작업체 : 세미테크 (http://www.semi-tec.com) - 품명 : SM-50H
11	Book이동 시 밀림 방지 부족 함 현재 방식으로는 위, 아래 밀림 방지가 안됨 	Carrier plate 신규 구매 시 모서리 4point를 "ㄱ"자 형태로 잡아 줄 수 있도록 할 것
12	Multi 작업용 Rivet 2Point 2회 작업으로 층간 틀어짐 문제 예상됨	Rivet 작업 시 4Point 1회 작업 진행할 것

4. 적층두께산출

4-1. 편측 절연층 Thickness Forecast value

Prepreg Thickness	0.06	70μm	140μm
	0.10	120μm	μm
	0.18	190μm	μm
	0.21	240μm	μm
	기타	μm	μm
		μm	μm
Copper Thickness	1/3oz	12μm	μm
	1/2oz	18μm	μm
	1oz	35μm	μm
	2oz	70μm	μm
	기타 oz (1oz = 35)	μm	μm
		μm	μm
		μm	μm
Copper Area			67%

절연층 예상 두께	128.45μm

4-2. 양측 절연층 Thickness Forecast value

Prepreg Thickness	0.06 T (mm)	70μm	μm			
	0.10 T (mm)	120μm	120μm			
	0.18 T (mm)	190μm	μm			
	0.21 T (mm)	240μm	μm			
	기타	μm	μm			
		μm	μm			
	상측면 함침율 계산			하측면 함침율 계산		
Copper Thickness	1/3oz	12μm	μm	1/3oz	12μm	μm
	1/2oz	18μm	μm	1/2oz	18μm	μm
	1oz	35μm	35μm	1oz	35μm	μm
	2oz	70μm	μm	2oz	70μm	μm
	기타 oz (1oz = 35)	μm	μm	기타 oz (1oz = 35)	μm	μm
		μm	μm		μm	μm
		μm	μm		μm	μm
Copper Area	동박 점유율(%)		82%	동박 점유율(%)		%

절연층 예상 두께	113.7μm

4-3. Mass-Lam Forecast Value

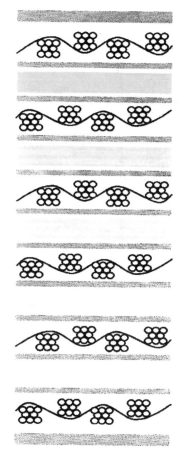

Copper 두께	18	µm
계산치	114.05	µm
내층 T/C 두께	200	µm
계산치	900.1	µm
내층 T/C 두께	200	µm
계산치	113.7	µm
내층 T/C 두께		µm
계산치		µm
내층 T/C 두께		µm
계산치		µm
내층 T/C 두께		µm
계산치		µm
Copper 두께	18	µm

Mass-Lam 예상 두께	1.5639

Copper 두께	12
계산치	100
내층 T/C 두께	170
계산치	100
내층 T/C 두께	170
계산치	100
내층 T/C 두께	170
계산치	100
내층 T/C 두께	170
계산치	100
내층 T/C 두께	170
계산치	100
내층 T/C 두께	170
계산치	100
내층 T/C 두께	170
계산치	100
내층 T/C 두께	170
계산치	100
내층 T/C 두께	170
계산치	100
내층 T/C 두께	170
계산치	100
Copper 두께	12

4-4. LAY-UP SPEC 및 실제 총 두께

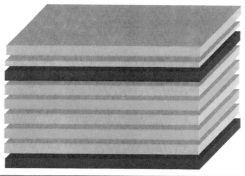

GETEK 원판 0.71T
0.06T P..P
1 OZ Copper
0.18 T P. P
0.4T 1/1 OZ
0.18 T P. P
0.4T 1/1 OZ
0.18 T P. P
1/2 OZ Copper

이론상 두께 : **2.28T**

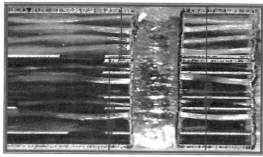

실제 두께 : **2.42 T**

5. 이물질 & 먼지

5-1. 이물질의 형태

발생 위치 : 제품의 Ground
발생 경로 : 전기 동도금전 제품 표면에 이물질 흡착에 의해 외
　　　　　　층 부식액에 의해 base copper가 제거되지 못하고
　　　　　　표면에 잔류됨.
발생 원인 : T-preg 잔사

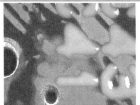

발생 위치 : 회로 patten
발생 경로 : 전기동 도금 전 도금 탈지액속에 있던 불순물(유기
　　　　　　물)이 제품 표면에 잔류하여, 도금이 되지못함.
발생 원인 : 도금 탈지액속 유기 불순물

발생 위치 : 가이드 홀
발생 경로 : 도금 전처리 시 제품 표면에 이물질이 잔존하여 전
　　　　　　기동 도금 시 도금이 되지 않아 외층 부식 후 도금
　　　　　　층이 모두 부식됨.
발생 원인 : 도금 탈지액속 유기 불순물

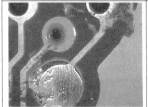

발생 위치 : 부품홀 및 회로 주위
발생 경로 : 도금공정 이전 찐유입(tape, metal T-preg). 도금
　　　　　　진행이 도금층이 형성되지 못하고, 노광 및 부식
　　　　　　액의 영향을 방해하여, 불량으로 연결됨.
발생 원인 : 도금이전 불순물 유입.

발생 위치 : 회로 패턴
발생 경로
　1) 도금 Racking 불량에 의한 외관불량에 의한 외층 Hot roll
　　의 보호를 위해 외층 Tape처리 후, 부식진행 시 미처 제
　　거하지 못한 Tape찐의 잔사에 의한 불량.
　2) 외층 중검에서의 hal tape찐의 유입
발생 원인 : 1) 도금 Racking 불량
　　　　　　 2) 외층 중검 hal tape

이물질 불량

건조단 이물질(찐)

동도금 표면이물

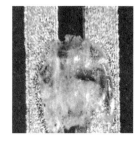  

응고 된 찐

PSR 인쇄 전 불량

TEST 결과

 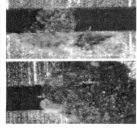 

통롤러 오염으로 발생(고정 point)

통롤러 오염으로 발생(section)

5-2. 내층 이물질

1. 목적

내층 노광실 부유 이물질로 인한 고정 불량 및 Open/결손/Short 불량의 감소.

2. Punching Duct의 개선.

① 현재 : Punching Duct 상판(함석 재질)의 부식으로 이물질이 다량 발생하고 있음.

주기적인 청소를 시행하려 하여도 분해하기가 어려운 구조임.

② 개선 : 중간 부분의 덮개를 탈착시켜 Clean Roller로 내부 청소가 가능한 구조로의 개선.

상판 재질 변경 및 보강 필요.

0.5T 함석 ⇒ 0.5 SUS + Angle

③ 시행 : 설비관리 박영환 대리 기안 예정.

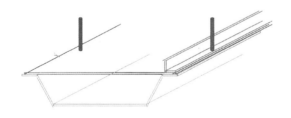

3. 자동 노광기 급 / 배기 개선.

1) 광학부 급 / 배기 개선

① 현재 : 급기량이 배기량보다 작은 문제로 인하여 부족한 급기량을 Clean Room 내부 공기로 대치하는 현상 발생. 광학부 램프 창 육안 확인결과 배기량 약함.

또한 램프 열을 100% 배출하지 못하여 광학부 부속품의 탄화 현상을 유발.

② 개선 : 각 자동 노광기 별로 개별 급 / 배기 (배기량 – 최소 21㎥/min)

③ 시행 : 내층 Clean Room 양압 / 음압 측정 – 천우 ENC 의뢰.

2) 노광부 급기 개선
   ① 현재 : 에어컨으로부터 두 개의 배관이 상/하 Frame으로 냉기를 공급하고 있음.
   상 Frame 쪽은 Filter를 통하여 공급되나, 하 Frame은 Filter없이 에어컨 공기가 유입되고 있음.
   ② 개선 : 하 Frame 에어컨 냉기 투입구에 Filter 장치를 설치하여 Filtering 된 공기를 공급.
   ③ 시행 : 설비관리 권오훈 주임 제작 중.

4. 에어컨의 주기적 정비.

① 내층 Clean Room 에어컨.
이물질 발생원으로 파악됨.
1회 / 주 분해 청소.

② 내층 LPR Room 에어컨.
LPR 찐 발생원으로 파악됨.
1회 / 주 분해 청소.

5-3. 외층 박리 후 이물질

1. 공정

외층 박리 후 발생

2. 부적합 유형

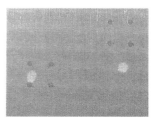

3. 표면 분석 결과

이물질 부위나 Copper 부위 모두 염소 이온(Cl)만 분석됨.

4. 부적합 원인

① 염소 이온이 나온 것으로 보아 염화동($CuCl_2$)의 염소 이온이 박리 과정
에서 알칼리 이온과 착염을 형성한 것으로 추정.
② 현 사용 중인 박리 약품의 pH가 내층에 비하여 낮고 감소폭이 큼.

5. 개선

① 부식 후 수세력을 강화하여 박리단으로 염소 이온이 유입되는 것을 최대
한 자단한나.
- 신수 공급량을 최대로 늘린다. (시행 중)
- 액절 기능을 최대한 증대 시킨다. (시행 중)
- 미사용 중인 신액 린스단을 수세로 개조 사용한다.
  (3단 수세 ⇒ 4단 수세) (설비 협조 사항)
- 에칭용 스펀지롤러의 추가 필요.

② 박리액의 Make-up 주기 단축.

   - 이 경우 약품 사용량 증대 및 생산 Loss 발생. (제조팀 검토 필요)

(약품은 가성소다로 변경)

③ 에칭 후 수세수 교환 주기 단축. (1회/주 ⇒ 1회/일)

6. 장기 검토 사항

① 당사 라인 특성에 맞는 박리액으로의 변경.

② 박리 후 산세 기능 추가.

③ 염소산나트륨 부식 적용. (에칭액 내의 염소 함량 감소됨)

7. 조치

① 4시간 간격으로 박리액의 농도 및 pH를 분석하면서 제품 상태를 확인하고 있습니다.

박리액의 문제인지 라인의 문제인지 확인토록 하겠습니다.

5-4. 자동 노광기 이물질 생성의 문제

1. O사 장비 진공 패드 부분의 고무 가루(진공 패드를 보루로 닦았을 때)

현재 사용되고 있는 자동 노광 진공 PAD는 미국 W사에서 제작한 것으로 고무 가루 생성에 문제가 있는 것으로 보입니다. 장비회사 측에서는 따로 거래하고 있는 업체가 없는 관계로 타사의 재질을 고려하지는 않고 있으며, 새것으로 교체를 해주겠다는 의사를 보였습니다. 분명 자사에서 문제시 되는 외층 OPEN/결손에는 영향을 미치는 것이 확실시 되므로 이에 대한 대책안을 요구한 상태입니다. 새 진공 PAD로 교체되기까지는 고무 가루가 부착되지 않도록 50 Strok 단위로 청소를 지속적으로 실시함(불량 추이를 보기 위해 임시적 실시)과 동시에 Clean lap을 사용한다는 등, 최소한의 이물질 생성을 방지하도록 요주의.

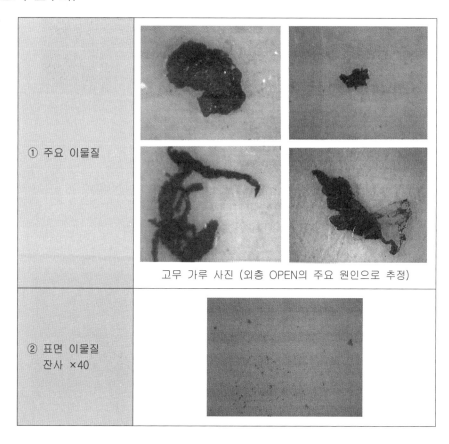

① 주요 이물질	고무 가루 사진 (외층 OPEN의 주요 원인으로 추정)
② 표면 이물질 잔사 ×40	

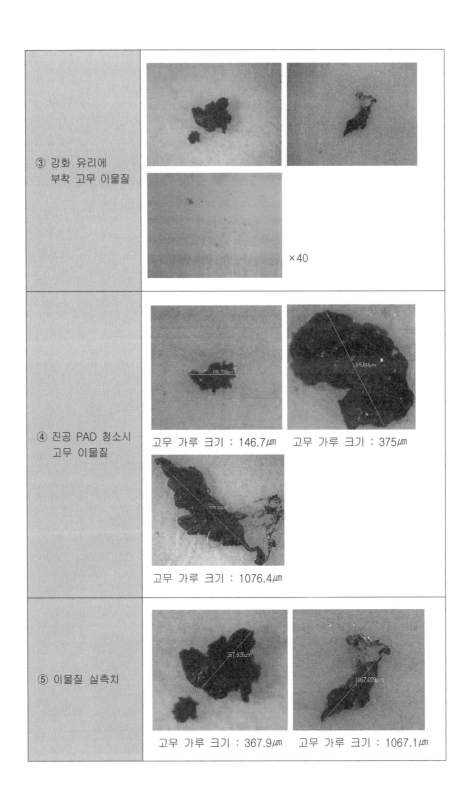

③ 강화 유리에 부착 고무 이물질	×40
④ 진공 PAD 청소시 고무 이물질	고무 가루 크기 : 146.7㎛ 고무 가루 크기 : 375㎛ 고무 가루 크기 : 1076.4㎛
⑤ 이물질 실측치	고무 가루 크기 : 367.9㎛ 고무 가루 크기 : 1067.1㎛

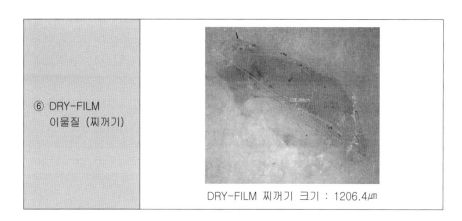

| ⑥ DRY-FILM
이물질 (찌꺼기) | DRY-FILM 찌꺼기 크기 : 1206.4㎛ |

2. B사 자동 노광기 (A, B면) 이송 셔틀 내부에서의 금속 가루 등의 이물질 생성

- 제품을 이송하기 위해 셔틀부가 이동시 마찰에 의한 금속(SUS)가 발생된 다고 판단 됨.

※ 대책 방안

: 주/야 교대 시 실시하는 청소시간에 이송 셔틀부를 현 설치 시행 중인 진공 청 소방법으로 청소 실시 (청소 도구 보완)

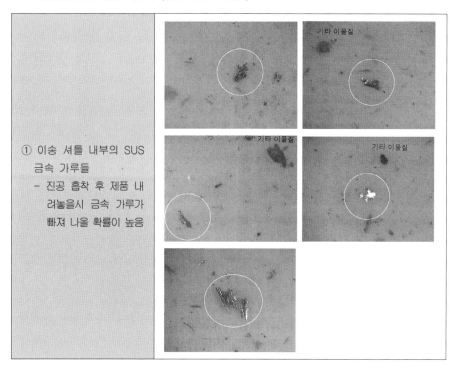

① 이송 셔틀 내부의 SUS 금속 가루들
- 진공 흡착 후 제품 내 려놓을시 금속 가루가 빠져 나올 확률이 높음

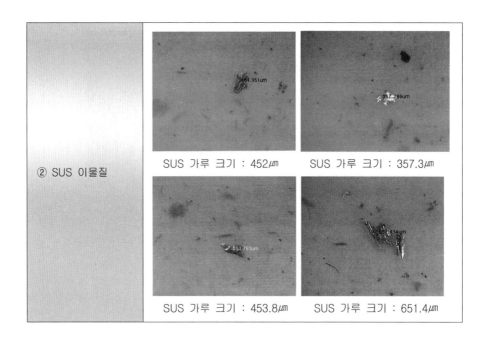

② SUS 이물질

SUS 가루 크기 : 452㎛   SUS 가루 크기 : 357.3㎛

SUS 가루 크기 : 453.8㎛   SUS 가루 크기 : 651.4㎛

3. 결론

현재 (2)번에서 기재한 사항대로 자동 노광기 내부를 청소한 결과 외층 초도품 검사와 외층 노광실 내 repair 대기품을 보더라도 외층 open/결손 불량이 월등하게 감소한 것을 알 수 있습니다. 최종 검사 이후 불량률 추이를 보고 불량률이 감소되는 것이 입증이 된다면 다소 생산량이 감소되더라도 품질 위주로 외층 이메지를 관리하도록 하겠습니다.

아래 사항들은 현재 추진중인 외층 OPEN/결손의 주요 요인들로 크게 2가지로 분류할 수 있습니다.

1) 외층으로 투입되기 전 PNL의 표면 관리 문제

- 외층 정면 이후 표면 검사 결과를 보면 가장 많은 Position을 차지하는 부분이 dent임. Dent가 open/결손을 높이는데 영향을 주고 있으며, 적층반에서의 sus 정면기를 수리해 dent와 관련된 표면 불량을 줄여 주는 게 또한 외층 불량을 줄이는 하나의 방법임.

  ※ sus 수리 완료 시점을 계기로 외층 정면 후 표면 검사 상태와 불량률 추이를 지켜보도록 하겠음.

- 표면 스크래치 역시 외층 정면기의 디스크 휠의 파손과 제 구동을 하지 못하는 롤러 등에 의한 영향이 높다고 할 수 있습니다. 정기적인 maintenance 외 수시로 눈에 보이는 즉시 교체를 하도록 하겠음.

2) 자동 노광기 내부의 청정도 관리 문제
  - 자동 노광기 내부의 오염이 심각한 수준임.
  ① B사 자동 노광기
    - 이송 셔틀부의 sus 금속 가루 생성에 따른 청소 방법의 부재로 실제 노광룸에서의 이물질 수준은 심각함.
      ※ 개선 방법 : 현재 진행 중인 router실 중앙 집인에서 끌어와 청소를 하고 있지만, pvc 입구가 크고 넓어 정착 중요한 모서리 부분이나 세밀한 곳은 청소가 이뤄지지 못했음. 이에 청소도구의 개선으로 일 2회 교대 시간 시 실시 함.
    - 현행대로 artwork film은 매 150PNL마다 청소를 실시 함.
    - 아울러, 현재 실시 중인 진공 패드 클린제(안정제)를 이용한 고무가루 생성 억제는 지속적으로 시행하겠음(현재 구매 진행 중).
    - 슈몰측과 협조해 이송셔틀부의 가장 효과적인 청소 방법에 대해 조언을 구해 작업표준으로 하겠음.

  ② O사 자동 노광기
    - 재질상의 문제도 있음(진공패드 공급 업체의 한계).
    - 임시적으로 주 1회 새것으로 교체 후 진공 IN-OUT시 힘에 의한 고무의 부식에 따른 고무 가루 생성을 방지하기 위한 신규 재질로의 전환 가능성에 대해 현재 협의 중에 있음.
    - 지금은 50PNL Strok 후 진공 패드와 강화 유리판을 청소하고 있음.
      ※ 현재 고정 불량률이 확연하게 줄어 효과가 있는 것으로 판단되어 효과가 입증되면 다소 생산량이 떨어지더라도 품질 위주로 가겠음.

5-5. 금도금 후처리 후 이물질

전해 금도금이 완전한 것을 감안 한다면 PSR
이물질이 아님을 알 수 있다.
따라서 금도금 후처리 시 건조과장과 수세과
장에서 발생한 것으로 보임.

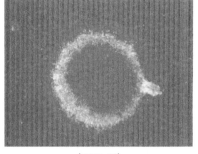

(PAD 위)

(GRINDING 이후)

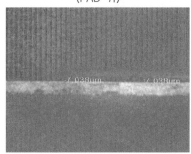

(CROSS SECTION)

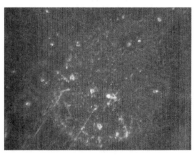

(PAD 위)

(GRINDING 이후)

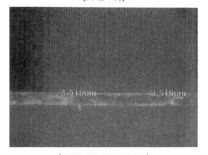

(CROSS SECTION)

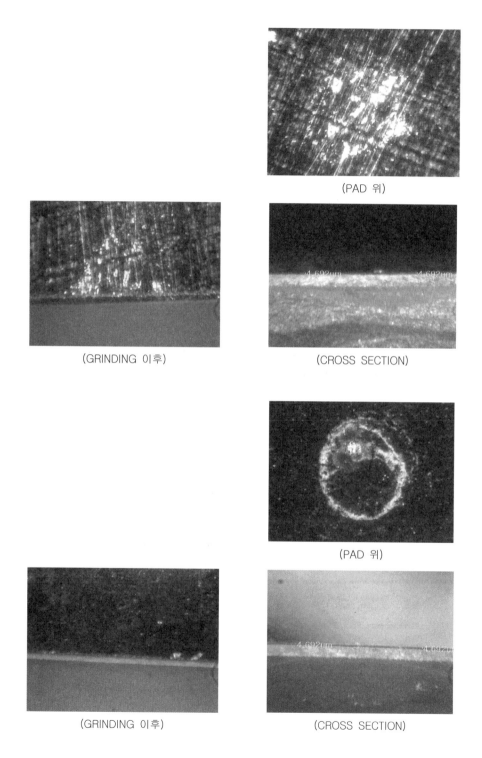

(PAD 위)

(GRINDING 이후)

(CROSS SECTION)

(PAD 위)

(GRINDING 이후)

(CROSS SECTION)

5-6. PEELABLE INK Strip 후 표면에 이물질

1. Re-Work시 Peelable ink Strip 후 최종 수세 진행에 따른 최종 수세수 오염으로 발생됨

-추정 요인-
금도금 단자 표면에 발생된 이물질 세척(에틸알콜) 후 이물질의 존재 유무 파악.

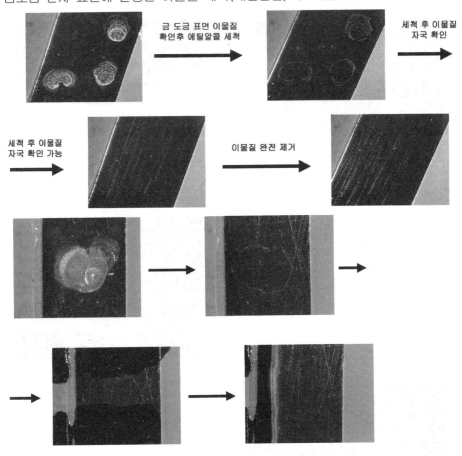

2. Peelable Ink 인쇄 시 금도금 표면에 잔존하는 유기 용제(금도금 전처리 액, 세척 시 사용되는 에틸알콜들)에 의해 Peelable Ink의 용해로 물성의 변화에 의해 발생 추정

-추정 요인-
금도금 단자 표면에 발생된 이물질(Peelable Ink추정) 제거 후 세척(에틸알콜)하여 이물질의 존재유무 파악.

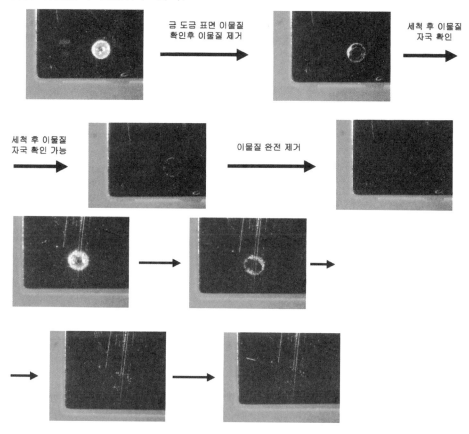

3. 부적합 내용

1) K사 Peelable Ink 적용.

　① 승인 과정에서의 검토사항 누락.

　② 문제점 : Via-Hole 잉크 잔존.

2) P사 Peelable Ink SD 2954 적용.

　① 문제점 : 금도금 Pab 표면 이물질(건조 시 발생하는 Gas로 추정).

3) A사 Peelable Ink # 503B-SH 적용(승인원 제출).

4) PEELABLE INK 변경 이력.

구분	INK MAKER NAME	내용
승인	K사 (BSR-7000)	HOLE속 PEELABLE INK 잔사 발생(승인 제품)
변경	P사 (SD 2954)	표면 이물질 발생
변경	K사 (BSR-7000)	승인 제품으로 변경 HOLE속 PEELABLE INK 잔사 발생 금도금 표면 이물질 발생

4. 대책

1) 단기대책

　① 금도금 표면의 이물질 중 당사의 최종 수세에 의해 형성된 물때의 경우 Re-Work 작업 시 최종 수세를 하지 않고 Peelable Ink를 Strip후 Mantis 장비를 이용하여 표면의 이물의 유무를 확인한 후 Re-Work 작업을 진행함.

　② 금도금 표면의 이물질 중 유기용제로 추정되는 것에 의해 Peelable Ink의 물성이 변해 잔존하는 제품에 대해서는 우선 납품을 금함.

2) 장기대책

　① 사전 4M 변경 시 신고.

　　사용 재료 및 공정 변경 시 필히 변경 신청서 제출.

　② A사 Peelable Ink#503B-SH의 표준화 작업.

　　작업 표준서 작성 및 외주 업체 작업 표준화 실시

5-7. PSR 후 표면 이물질

1. 분석 방법

1차 육안 검사 (현미경)

2차 표면Au 박리 실시

3차 육안 검사 (현미경)

4차 육안 검사 (금속현미경)

5차 표면 사진 촬영 (1000배 금속현미경)

2. 결과

PSR 공정 불량

3. 원인 및 대책

불량명	PSR 미현상에 의한 표면잔사 발생
원인	1. PSR 미현상 2. PSR 재처리 시 표면 불충분 수세
대책	1. PSR 현상단 TANK 청소 실시(파티클 제거) 2. PSR 현상 조건 재확인

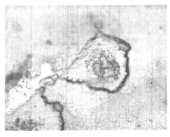 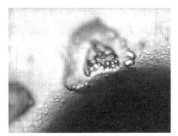
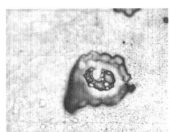 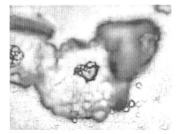

5-8. TIN 도금 후 이물질

1. 불량 현상

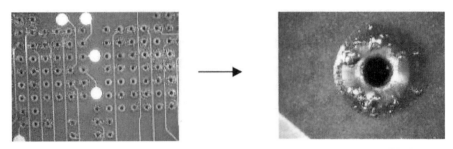

TIN 도금 완료 후 문제없다가 REFLOW 후 HOLE 부분 이물질 형성

2. 원인

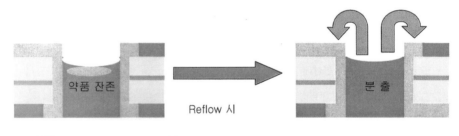

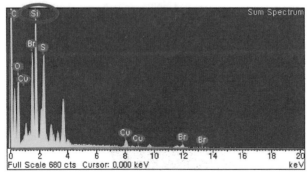

TIN 도금 시 강산성(PH1 이하의 약품 특성성 HOLE 내의 PSR을 녹여 HOLE 내부에 잔존하다가 reflow 시 열에 의하여 분출되어 짐. EDX 분석에도 PSR 성분이 검출됨.

3. 대책

VIA HOLE OPEN 시켜 PSR을 잔존하지 않게 하거나 HOLE 막음으로 처리

5-9. 이물질 먼지 발생 요인분석

자료 : (사) 일본 PCB공업회 발행
PCB실전 품질보증

1. 이물질/먼지 발생요인

① 공기의 움직임이 없으면 먼지는 위에서 떨어진다.

② 먼지는 평평한 부분에 퇴적하기 쉽다.

③ 움직이는 부분에서 반드시 먼지가 발생한다.

④ 미세먼지는 공기의 흐름과 함께 부유한다.

⑤ 미세먼지는 틈새가 있으면 들어온다.

⑥ 진동하면 먼지는 발생한다.

⑦ 바람과 함께 먼지가 진입한다.

⑧ 모든 것에는 반드시 먼지가 붙어있다.

⑨ 녹은 먼지가 된다.

⑩ 먼지는 코너에 모이기 쉽다.

⑪ 일단 발생한 먼지는 완전 제거가 어렵다.

⑫ 사람이 움직이면 먼지가 발생한다.

⑬ 사람이 많을수록 먼지도 많아진다.

⑭ 정전기는 먼지를 부른다.

⑮ 찐도 이물질의 하나다.

⑯ 탱크의 이물도 바닥이나 모서리에 쌓인다.

⑰ 미생물도 먼지가 된다.

⑱ 방진복도 세탁을 잘 안하면 먼지기 끼게 된다.

⑲ 더러워지기 쉬운 공정을 깨끗이 하지 않으면 공장 전체는 깨끗해질 수 없다.

⑳ 개구면적에 비례하여 오염된다.

㉑ 개구시간이 길수록 먼지는 증가한다.

㉒ 섬유는 먼지가 되기 쉽다.

㉓ 공기도 이물로 변화한다.

㉔ 물이나 액체가 이물이 될 수도 있다.

㉕ 밖에서 안으로 이동되는 물체에서 먼지가 이동된다.

2. PCB 이물질 현황

PCB의 품질확보 = 각 공정에서 발생하는 이물질 제거

① 이물질 내용

1. 공기 중의 이물 ┐
2. 수중의 이물 ──┤── 육안 식별 어려움
3. 약품속의 이물 ┘

② 이물질 대책

이물 제거량 > 이물 발생량 + 이물 유입량

┌─────────────┐
│ CLEAN UP   │
└─────────────┘

③ 이물질 발생요인

NO	항목	내용
1	공기의 움직임이 없으며 먼지는 위에서 떨어진다.	뉴턴의 법칙정도는 누구나 알고 있으리라 생각한다. 그러나 현장에서 보면, 그것에 무방비 상태일 때가 많다. 제품이 흐르고 있는 바로 위로 조작 버튼을 아무렇지 않게 누르고 있다. 제품 바로 위에서 움직이는 장치가 매우 많고, 더군다나 가동부의 먼지에 대한 배려가 없는 것은 왜일까? 천정재에 먼지 발생원으로 된 재질이 버젓이 사용되고 있다. 더 심한 경우에는 구멍이 뚫린 천정재가 사용되고 있다. 성의 있게 업무를 하지 않는다는 증거이다. 이렇게 해서는 이물 불량이 사라지지 않는다.
2	먼지는 평평한 부분에 퇴적하기 쉽다.	말할 필요도 없이, 이치는 누구나 알고 있다. 평평한 작업대 위에서, 노광 film 작업을 하고 있다. 필름 검사를 한 직후에 평평한 선반 위에 아무렇지 않게 놓아둔다. 검사 후에 먼지가 붙어있다는 의식이 전혀 없는 것이다. 무엇 때문에 검사한 것이냐고 물어보고 싶다. Clean room 안에 수평 보관 책상을 놔두고 열심히 먼지를 모으고 있다. 원리 원칙에 충실한 사상과 행동의 실천 등은 전혀 볼 수 없다.

NO	항목	내용
3	움직이는 부분에서 반드시 먼지가 발생한다.	Clean room 안에서 사용되는 설비의 가동 부분에서 마모 분진을 여기저기 흩뿌리고 있다. 최대한 먼지의 존재를 없애야 하는 장소에 그런 설비를 들여서 어쩌려는 것인가? 그리고 왜 그런 설비를 만드는 것인가? 현상라인의 투입기가 먼지를 흩뿌리면서 투입하고 있는 경우도 곳곳에 보인다. 프린트 기판을 진심으로 만들고자 하는 것인가?
4	미세먼지는 공기의 흐름과 함께 부유한다.	제품을 선반에 직접 올려놓고 (직접 놓는다 해서 제품 자체를 직접 놓는다는 의미는 아님) 그 옆을 아무렇지 않게 걸어 다니고 있다. 이 센스 없음은 대체 무엇인가? 공조 에어가 인쇄기를 향하고 있다. 허술함도 이만저만 아니다.
5	미세먼지는 틈새가 있으면 들어온다.	이 원리 원칙을 정말 이해하고 있다면, 인쇄실이 틈새 투성이 일리가 없다. 또한, 공사 후의 구멍(불필요한 케이블이나 배관 등의 철거 흔적 등)이 남아있을 리도 없을 것이다. 프린트 기판 공장의 틈새라는 틈새는 완전히 없애는 것이 필수이다. 공사 계약서에도 틈새의 밀폐 의무를 명기할 정도의 배려가 없이 성의 있는 작업을 하고 있다고 말할 수 있을까?
6	진동하면 먼지는 발생한다.	언제나 타발 프레스만이 진동 발생 원인이 아니다. 바닥의 요철이나, 운반 대차의 정비 불량도 진동 원인이 되고 있으며, 전기도통 Checker도 진동 원인이다. 이것이 먼지의 발생원인 임을 깨닫고, 먼지 대책을 행하고 있는가? 진동을 주면 제품 자체에서도 먼지가 나오는 것이 프린트기판의 특징인 것을 잊어서는 안된다. 먼지가 무용한 직장에서는 진동 원인을 멀리 하는 배려도 물론 필요하다.
7	바람과 함께 먼지가 진입한다.	창문을 열어 놓으면 바람이 들어온다. 문을 열어놓으면 바람이 들어온다. 공조기는 바람을 내뿜고 있다. 이 뿐이라면 말할 필요도 없지만 바람과 함께 먼지가 들어온다. 알고 있으면서 아무것도 하지 않을 것이라면 불량 대책은 세우지 않아도 상관없고, 물건을 만들지 않으면 아무것도 하지 않고 끝나는 것 아닌가? 귀찮아서 문의 개폐도 제대로 할 수 없다고 할 바에야, 물건을 만드는 것도 귀찮으니깐 그만 두는 편이 낫지 않을까?

NO	항목	내용
8	모든 것에는 반드시 먼지가 붙어있다.	Clean room에 유입되는 물건에는 먼지가 붙어있다. Clean도 운운에 신경을 쓰면서 오염된 물건을 유입시키고 있다는 것은 공평하지 못한 것 아닐까? 세정한 적도 없는 래크를 버젓이 들여놓고 무슨 Clean도냐? 래크야말로 제품에 직접 닿는 것이므로, 깨끗이 하지 않으면 안 되는 것이다. 방진복은, 취급 방법이 잘못되면 먼지가 많이 붙는다. 오염된 방진복을 입고 대체 어쩌려는 것인가? 입는 의미도 없어지고 마는 것 아닌가? 프린트 기판 작업자는 매일 보이지 않는 먼지와 전쟁을 하고 있다는 것을 결코 잊어서는 안 된다.
9	녹은 먼지가 된다.	녹이 먼지가 되는 것 정도는 누구나 알고 있다. 그러나 어떠한가? 동박면을 무심코 노출시켜 방치되어 있는지는 않은가? 녹슨 대차에 제품을 쌓아 올려 운반하고 있는 실태를 여러분은 어떻게 생각하고 있나? 물어보고 싶다. 녹 투성이의 설비를 이상하다는 생각도 없이 사용하고 있지는 않은가? 그리고, 결국은 불량을 만들어 내고, 손실을 확대시키고 있는 것이다. 프린트 기판 공장에서는 녹을 만들어서는 안 된다. 녹슨 순간부터 전쟁에서 지게 된다는 생각이 없으면 안 된다. 산욕조의 덮개를 무심코 열어 방치하고 있다. 덮개가 없어지거나 늘 생각하고 올바른 행동을 해주었으면 한다.
10	먼지는 코너에 모이기 쉽다.	방의 모서리에 먼지가 쌓이는 것을 여러분 모두 경험하고 있으리라 생각한다. 먼지는 코너에 모이기 쉬운 것이다. 그러므로 코너를 만들면 좋을 턱이 없다. 그러나 그것은 불가능에 가깝다는 식으로 말하는 것은 평범한 발상 밖에 안 된다. 물건을 놓으면 반드시 코너가 생긴다. 코너가 생기면, 먼지가 쌓이기 쉽다. 이것이 원리 원칙이라고 한다면, 설비 아래쪽을 비워 코너를 최소한으로 하고 함부로 설비와 설비 안에 공구나 부품이나 필기용구 등을 방치하지 않는 등의 발상으로 변할 수는 없는가? 우선 물건이 많으면 청소도 어렵고, 청소 용구를 방치하여 먼지를 모으기 쉽게 하는 넌센스를 즉시 멈출 수는 없는가? 코너로 몰아서 그곳에 모인 먼지를 Clean roller로 한꺼번에 없앤다는 청소 방법도 머리를 씀으로써 가능해지는 것이다. 그리고 약품조의 침전물 처리도 경사반저형으로 해서 깨끗하게 없애는 등의 발상도 나온다는 것이다. (피라미의 인공 사육에는 이 원리가 응용되고 있는 것을 알고 있는가?) 프린트 기판 업계에서도 이 원리를 열심히 사용하여 포기나 매너리즘이 없도록 다른 업계에서도 좋게 봐 주었으면 한다.

NO	항목	내용
11	일단 발생한 먼지는 완전제거가 어렵다.	완전한 청소 방법이 없으므로, 일단 발생된 먼지를 완전히 제거하는 데에는 시간이 걸린다. 먼지를 발생시키지 않는 연구에 힘을 쏟는 쪽이 올바른 해결책일 것이다. 그런 방법이 가능할까 하고 반론을 하지만, 노력의 대가는 많이 있다. 나라면 우선 공사 방법을 바꿀 것이다. 공장 안에서 가공을 가능한 한 시키지 않는다. 부득이하게 가공해야 할 경우라도 가공 분진을 집진 시키면서 한다. 공사 계약에 이런 것을 포함할 필요가 있다. 이렇게 말하면, 무엇 때문에 남에게 억지로 강요 시키느냐고 말할지도 모르겠다. 그러나 프린트 기판 업계에 관련하는 업자라면 그 정도는 분별하여 작업을 하는 것이 성의라고 말할 수 있지 않을까? 건설 기계 공장에서도 유압 기기의 작동유 오염 규제가 십 수년 전부터 행해지고 있다. 녹을 발생시키지 않는 연구는 먼지를 발생시키지 않는 시책의 하나이다. 먼지를 발생시키지 않는 재료의 선정은 그 하나이다. 방법은 많이 존재하고 있다.
12	사람이 움직이면 먼지가 발생한다.	인간 자체에서 발생하는 먼지로는 머리카락, 비듬, 그 외의 배설물 등이 있다. 또한, 의복이나 장신구 등에서는 섬유 이물과 금속분진 등도 나온다. 물론 발생 이물뿐 아니다. 이들 외에 유입 이물이 붙어서 돌아다녀서 여간 성가신 것이 아니다. 그리고 걸어 다닐 때마다 바람을 일으켜, 바닥에 쌓여있는 미세한 먼지를 날린다. 인간은 이동식 발진기라고 생각해야 한다. 방진복은 사람이나 착용 의복, 장신구등에서의 이물을 봉쇄하기 위한 것이다. 따라서 바닥 위의 미세한 먼지의 날림이나 방진복에 부착된 먼지는 막을 수 없다. 방진복을 입고 있으니 안심이라는 말은 하면 안 된다. 방진복 사제를 설대로 Cleaning 할 필요가 있으며, 모자를 볼록하게 해서 쓰거나 모자의 단을 밖으로 빼서 착용하는 것은 어떠한 경우도 해서는 안 된다는 것을 자각시켜야 한다. 그리고 방진복을 착용한 채로 아무렇지 않게 Clean room 밖으로 나오는 사람이 있을 정도라는 것은 당치도 않은 소리이다. 방진복 착용 목적이나 그 기능을 깨닫고, 올바르게 착용하는 성의가 있었으면 좋겠다. Clean room의 이물 대책에서 가장 효과적인 것은 입실자의 제한이라고 말 할 수밖에 없다. 자, 여러분의 회사에서는 어디까지 철저하게 지키고 있는가?

NO	항목	내용
13	사람이 많을수록 먼지도 많아진다.	앞에서 말한 대로다. 사람 수에 비례하여 먼지의 수도 증가한다. 이것이 원리 원칙이다. 그러면 어떻게 해서 입실 인원을 감소시킬지를 생각해야 한다.
14	정전기는 먼지를 부른다.	이것도 모르는 사람은 없을 것이다. 그러나 각 설비에 붙어있을 뿐 maintenance가 되어있지 않는 경우가 많다. 설비 제작 회사에게는 이런 것에야 말로 인디케이터를 붙여달라고 하고 싶다. 목적의 기능을 써먹을 수 없다는 것은 절대 있어서는 안 된다. 점검용 체크리스트에 확실히 추가하는 것도 필수이다. 여담이지만 정전기는 먼지를 부르는 것 뿐 아니다. 기재 표면의 동박을 파괴한다. 슬쩍 보면 취급 시 생긴 기스처럼 보이기도해서 간과해버리는 경우가 상당히 많다. 이 기스는 깊이가 꽤 되므로, 회로부에 존재하면 반드시 회로 결손의 원인이 된다. 더군다나 파괴에 의해 국부 용해된 동이 비산하여, 겹쳐진 기판 서로에게 부착한다. 이것도 이물의 일종이라고 말해도 좋다.
15	찐도 이물질의 하나이다.	찐에 의한 프린트 기판의 불량이 꽤 많은 것을 알고 있는가? 찐에 의한 불량모드는 다양하다. 도금 전에 붙은 찐에 의한 회로결손도 심각하지만, 금도금의 변색이나 광택의 어두움, 도금 미부착 등의 원인도 대부분이 찐에 의한 것이 많다. 또한, 납 오름 불량이나 solder resist의 튐, 벗겨짐, 표면 거침 등도 찐에 의한 경우가 적지 않다. 물론 찐 형태의 이물 부착 불량은 명확히, 틀림없이 찐이 원인이다. 그러면 대체 찐이 어디에서 붙는 것 일까? 이것도 말하자면 다양하고 기회도 많다. 드릴시의 기판 stacking용 테이프, NC기계 테이블의 고정 테이프, 다층기판의 외형 가공 Router 가공시의 테이블 고정 테이프, clean roller의 이물제거용 테이프 등의 찐이다. 검사용 불량 위치 표시 마크 등의 찐도 또한 악영향을 끼친다. 이들 찐이 정면용 버퍼나 브러쉬에 전사되므로 참을 수 없다. 제품이 닿는 곳에 감겨 흩어지며, 더군다나 극미량의 형태로 전사되기 때문에 보이지도 않는다. 또한, 설비나 테이블 등의 위에 아무렇지 않게 붙여놓는 껌, 테이프 찐이 전사되고 있는 경우도 볼 수 있다. 찐이 있는 테이프 사용을 규제하고, 올바른 사용 방법을 행하지 않는 한 이 문제는 해결할 수 없다. 사용 허가 공정을 명확히 하여, 그 외의 공정에서는 찐이 있는 테이프를 거둬들일 정도로 신경을 쓰지 않으면 안 된다. 이 문제에 대해서는 차후에 상세하게 기술하기로 하고, 우선은 이 정도로 해 둔다.

NO	항목	내용
16	탱크의 이물도 바닥과 모서리에 쌓인다.	액속의 이물도 탱크의 코너에 모여서 퇴적된다. 따라서 탱크에 120도 이하의 코너를 만들지 않는 프린트 기판 회사도 있을 정도이다. 이물이 모이면, 경우에 따라서는 박테리아나 수초가 발생하기 쉬워지므로, 제대로 하지 않으면 안 된다. 청소하기도 몹시 어려워진다. 탱크의 구조를 가능한 한 이물이 쌓이기 어려운 구조로 하는 것이 중요하다.
17	미생물도 먼지가 된다.	수세 탱크에 발생하는 수초나 박테리아도 이물의 하나라고 말해도 좋다. 그리고 미세 곤충이나 진드기 등도 이물의 하나라고 말해도 좋다. 그리고 미세 곤충이나 진드기 등도 이물이 되어 불량의 원인이 되고 있다. 용제의 냄새를 좋아하는 벌레나 골판지의 온도를 좋아하는 벌레에는 주의가 필요하다. 인쇄실 내의 골판지상자는 매우 좋은 미세 벌레의 주 거처이다. 몸이 가려운 것은 그 탓일지도 모르겠다.
18	방진복도 세탁을 잘 안 하면 먼지가 끼게된다.	방진복의 세탁을 하필이면 일반 세탁소에 맡기는 경우가 종종 보인다. 이러면 무슨 방진복이냐고 묻고 싶어진다. 실제로 이러한 경우의 방진복을 살펴보면 마치 먼지 집합소 같이 오염되어 있고, 방진은 어림도 없다. 성의 있는 작업으로 철저히 한다면 이런 바보 같은 짓을 할 턱이 없다.
19	더러워지기 쉬운 공정을 깨끗이 하지 않으면 공장 전체는 깨끗해 질 수 없다.	미세한 먼지라는 것은 무척 성가신 것이라서, 일단 발생하면 어디라도 넓게 퍼진다. 스퀴지의 연마가루가 회로 노광실에서 발생하거나 하는 것이다. 오염되기 쉬운 공정이니까 방법이 없다고 하면서, 처음부터 포기하면 공장은 영원히 깨끗해질 수 없다. 제일 먼저 공장은 쇼윈도라는 생각부터 한다면 쉽게 오염되는 공정이 깨끗해질 수 있을 만큼 효과적일 것이다. 크린룸이 깨끗하니까...라고 해도 아무도 공감하거나 감동하지 않는다. 이렇게 쉽게 오염되는 공정을 이만큼이나 깨끗이 유지하는 회사라면 분명 좋은 제품을 만들 수 있을 것이라는 생각을 갖도록 하는 것이야 말로 영업 지원이 아닌가?
20	개구면적에 비례하여 오염된다.	먼지가 영화의 타이틀처럼 바람과 함께 사라져 가면 무척 고맙겠지만, 안쓰럽게도 그 반대이다. 개구 면적이 큰 만큼, 공기가 일고, 동시에 이물이 유입된다. 곧잘 문이 열린 채로 방임하고 작업을 하는 경우를 종종 만나는데 이런 회사일수록 불량이 많고, 원자재의 낭비도 많다. 그리고 당연하겠지만, 클레임도 많으므로, 악순환이 계속되는 것이다. 원리 원칙을 무시한 보답이다. 지금이라도 늦지 않았다. 가능한 한 개구 면적을 좁게 하는 것이 최대의 먼지 대책이라고 인식하고, 즉각 손을 써주길 바란다.

NO	항목	내용
21	개구시간이 길수록 먼지는 증가한다.	전항과 모두 같은 이야기이다. 그런데 둘 중 이쪽이 손 쓰기가 더 쉽다. 종업원 전원이 올바르게 인식하고 있으면 '열리면 바로 닫는다'는 실행으로 나타날 것이다. 물론, 자동문이나 2중 도어가 가능하다면 더욱 효과적이다. 개방 엄금의 표시가 있으면서 열어둔 채로 있다면 구제 방법도 없다.
22	섬유는 먼지가 되기 쉽다.	섬유만큼 성가신 먼지는 없다. 알몸으로 있을 수 있다면 좋겠지만 이것이 불가능하다. 모두가 옷을 입고 있으므로 어떤 의복에서라도 섬유 이물이 발생한다. 더구나 가벼워서 어디라도 날아다닌다. 의복뿐 아니라 걸레나 종이 등에서도 섬유가 나온다. 대체 어떻게 해야 좋을지 울고 싶어진다. 그러나 방법은 얼마든지 있다. 종이라면 수지 sheet를 라미네이트 하면 된다. 걸레도 섬유가 잘 떨어지지 않는 것을 선택하여 사용하면 된다. 노광실이나 인쇄실에서는 방진복을 봉쇄하면 더 좋다 코너에 모여 있던 먼지 덩어리를 점착지로 제거하면 꽤 섬유를 제거할 수 있다. 먼지가 코너에 모이기 쉬운 성질을 이용하면 되는 것이다. 그리고 섬유를 하나하나 잘 보관해 보면 갖가지 특징을 갖고 있다. 그 특징 중에서 발생원을 정하여 대책을 세울 수도 있다. 패배 따위에 꺾이지 않겠다는 의욕과 탐구심이 있다면 반드시 억제할 수 있을 것이다.
23	공기도 이물로 변한다.	공기라는 것은 때로는 이물이 된다. 회로의 노광 시에 송기가 빠지지 않으면 회로 결손으로 연결되는 것은 알고 있을 것이다. solder resist 안에 기포가 남아 있으면 불량이 될 가능성이 높다. 심벌마크에 기포가 남으면 불량이 되는 경우도 있다. 도금 시에 소구경 비아홀 부의 공기가 덜 빠지면 스루홀결손이 된다. 확실히, 프린트 기판은 모든 이물과의 전쟁에서 이기는 수밖에 없는 것이다.
24	물이나 액체가 이물이 될 수도 있다.	워터마크라고 하는 것이 전형적인 것이다. 특히 dry film의 라미네이트 전의 것은 dry film의 밀착 불량을 초래하여, 회로 결손의 원인이 된다. 습기 자체도 dry film 밀착 불량이 되어, 역시 회로 결손을 발생시킨다. 단자부의 잔사는 본당을 저해한다. 습도 관리나 스펀지롤러의 관리가 중요한 것이다. 스펀지롤러에서의 잔사 배제는 불가능에 가깝고, 이 방식은 이미 고쳐야 할 시기가 왔다고 생각하지 않으면 안 될 것이다. 그 만큼 프린트 기판의 고도화가 진행되고 있다.

NO	항목	내용
25	밖에서 안으로 이동 되는 물체에서 먼지가 이동한다.	공정과 공정사이 제품 운반 시 대차, RACK 등 이동 도구에 의해서 발생가능하다. 공장에서 운반 시 다음과 같이 운반 도구를 구분 관리 필요하다. ① 공장 안과 밖에서의 행위 ② 공장 내에서 일반 작업 장소에서 Clean room으로 이동시 ③ 자재 사용 시 box를 열었을 때 발생하는 먼지 ④ 정전기 현상에 의해서 운반도구에 먼지가 묻은 상태로 이동시

3. PCB 공장 이물질 종류

NO	구분	유형
1	건물에서 발생하는 먼지	1. 벽지의 먼지 2. 석고보드 가루 3. 철골 등 금속재의 녹 4. 도장 도료 박리 가루 5. 벽 크로스의 섬유 6. 목재 분진 7. 접착제 가루 8. 못, 나사 등의 녹 9. 플라스틱재의 가루 10. 보온재 등의 섬유 11. 콘크리트가루 12. 석재가루 13. 융단섬유
2	사람에게서 나오는 먼지	1. 머리카락 2. 눈썹 3. 속눈썹 4. 코털 5. 체모 6. 다리털 7. 귀털 8. 손톱 9. 손톱 때 10. 비듬 11. 귀지 12. 코딱지 13. 발한결정 14. 때 15. 음식 부스러기

NO	구분	유형
3	의류 장신구등에서의 먼지	1. 의류섬유 – 작업복, 제복 – 속옷 – 신발 – 스웨터 – 와이셔츠 – 블라우스 – 모자 2. 타올 3. 장신구 – 시계 – 넥타이 등 4. 휴지
4	제조용구에서의 먼지	1. 플라스틱 팔레트 가루 2. 목제 팔레트 가루 3. 용구 도료 가루 4. 치구 마모 가루
5	제조 설비에서의 먼지	1. 마찰부의 금속 마모 가루 2. 콘베어 롤러 등의 마모 가루 3. 금속부분의 녹 4. 도장 박리 가루 5. 필터 6. 윤활제 가루 7. 건조기의 녹
6	제품 자체에서 나오는 먼지	1. 가공 단면에서의 수지 가루 2. 가공 단면에서의 동박 가루 3. 가공 단면에서의 유리 섬유 4. 솔더레지스트 가루 5. 실크 잉크 가루 6. 납 가루 7. 금도금 가루 8. 스트리퍼 마스크 가루 9. 실드 금속 가루 10. 도체 페이스트 가루 11. 프리프레그 가루

NO	구분	유형
7	제조과정에 부자재의 먼지	1. 약품 결정 2. 백업보드 가루 3. 엔트리보드 가루 4. 드릴 chip 5. 라우터가공 백업보드 가루 6. 버퍼 가루 7. 브러쉬 가루 8. 드라이필름 가루 9. 간지 섬유 10. 이형 필름 가루 11. 물때
8	제조용구에서의 먼지	1. 알루미늄 래크 가루 2. 플라스틱 래크 가루 3. 천걸레 섬유 4. 종이 걸레 섬유 5. 스퀴지 연마 가루 6. 대차 녹 7. 대차 플라스틱 가루 8. 대차 캐리어 가루 9. 팔레트 가루 10. 사메기 가루 11. 사메기 보관대 가루 12. 판 유제 가루 13. 지우개 가루 14. 연필심 조각 15. 프린터 잉크 16. 아크릴 가루 17. 청소용 대걸레 가루 18. 청소용 빗자루 가루 19. 스크래퍼 고무 가루
9	미생물	1. 미세 곤충　　　2. 진드기 3. 미세 생물의 알　　4. 수중에 발생한 수초
10	옥외에서의 먼지	1. 모래가루 2. 시든 꽃, 시든 나뭇잎 3. 꽃가루 4. 죽은 벌레 시체 5. 그을음, 재 6. 과일, 씨앗 등의 가루 7. 동물 사체 먼지 8. 동물의 털 9. 천정 안쪽의 먼지 10. 공조기에서의 이물

4. 이물질 발생사례

NO	원인	위치	발생경로
1	T-PREG 잔사	GROUND PTN	 전기동도금 전 제품 표면에 이물질 흡착에 의해 외층 부식액에 의해 base copper가 제거되지 못하고 표면에 잔류됨.
2	도금 탈지액속 유기 불순문	PTN과 PTN 사이	 전기동도금 전 도금 탈지액속에 있던 불순문(유기물)이 제품 표면에 잔류하여 도금이 되지 못함.
3	도금 탈지액 속 유기 불순물	GUIDE HOLE	 도금 전처리 시 제품 표면에 이물질이 잔존하여 전기동 도금 시도금이 되지 않아 외층 부식 후 도금층이 모두 부식됨

NO	원인	위치	발생경로
4	도금이전 불순물유입	HOLE 및 회로주위	도금공정 이전 찐유입(tape. metal T-preg)도금진행이 도금층이 형성되지 못하고, 노광 및 부식액의 영향을 방해하여, 불량으로 연결됨.
5	공정중 사용한 TAPE	PTN과 PTN 사이	도금 Racking 불량 및 외관불량에 의한 외층 Hot roll의 보호를 위해 외층 Tape 처리 후, 부식진행시 미처 제거하지 못한 Tape 찐의 잔사에 의한 불량.
6	PEELABLE INK STRIP 후	표면	그림 1 그림 2 그림 3 그림 4 1. REWORK시 PEELABLE INK STRIP 후 최종수세 진행에 따른 최종 수세수 오염으로 발생 2. PEELABLE INK 인쇄 시 금도금 표면에 잔존하는 유기용제에 의해 PEELABLE INK의 용해로 물성의 변화에 의해 발생

NO	원인	위치	발생경로
7	유산동액의 유기물 증가 전처리단의 통롤러 오염	전기 도금 후 동박표면	 [통롤러 오염으로 발생(고정 POINT)] [통롤러 오염으로 발생(SECTION)]

6. OPEN & SHORT

6-1. OPEN & SHORT 유형

1. O/S 불량유형 구분표

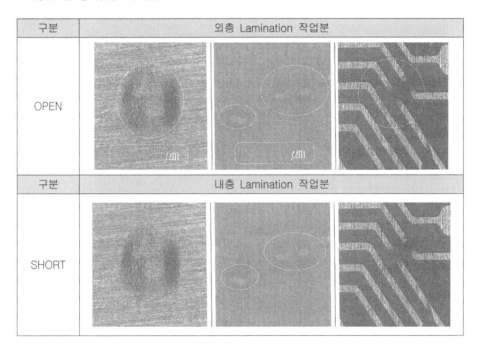

구분	외층 Lamination 작업분		
OPEN			
구분	내층 Lamination 작업분		
SHORT			

2. Dry Film 들뜸현상이 내, 외층 크기 편치는 있으나 기포는 발생

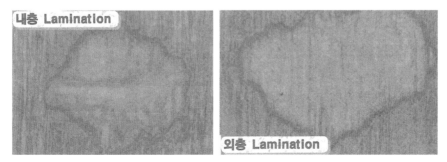

3. LAMINATOR 설비능력차

1) 결점크기

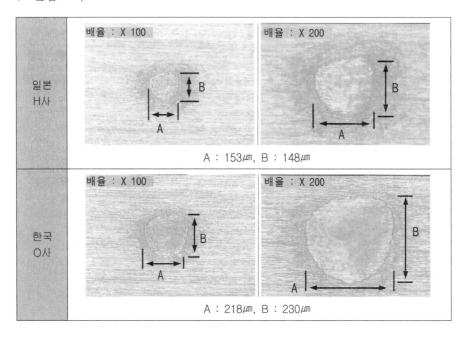

2) 기포크기

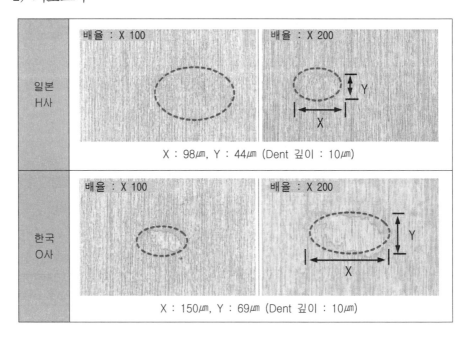

4. O/S 불량 인자 진행형

구분	A(타흔)	B(이물)	C(상처)
OPEN	불량수 : 188	불량수 : 42	불량수 : 4

구분	A(미에칭)	B(미현상)	C(노광찐)
SHORT	불량수 : 154	불량수 : 9	불량수 : 32

5. 개선대책

문제점	개선대책
SUS 판 해체 시 상처	- SEND 작업필요(작업자 2명 필요)
SUS 판 연마관리 매우부실	- SUS 연마기 및 수세단 Set up 요망
	- 간지사용 가능토록 투입장치 개조
염화동 가스에 의한 부식	- 염소가스 유입에 따른 부식 현상 심각함(공장구조) → Press실 급기시설 설치 필요
도금 두께 이상	- 박판 Joint 지그 추가제작 필요(305×510)
LAMINATION 문제점	- 정렬부 Roll 재질변경 긴급필요(정렬시 이물고착)
	- P/N Clean Tape(찐) 재질검토 및 업체변경
	- Laminator Hot Roll 개조(외형 Size 변경)
자동노광 마일러 Film 이물	- Air 호스내부 기름성분 유입& 호스 Scale 발생
	- 마일러 Film 정기적 교환필요 (표준화 완료)
이시호끼 Buff 연마	- 이시호끼 ~ Soft E/T 연결(상처성 OPEN 불량개선)
미부식에 의한 SHORT 불량	-제품별 작업조건표 부착(CHAMBER선택, 속도)
	- 현상약품 교환주기 표준화 준수 (2회/주 → 필히 교환)

6-2. 내층회로 OPEN 결손불량개선

1. 원인

1) LPR 막두께 편차 발생
- 1.0T에 내층 GROUND 제품으로 LPR 1호기 (제조사:FPM)에서 생산한 제품으로
- 노광 작업 시 미세 이물질에 의한 결손 유발

2) 유출 원인
- 내층 GROUND 제품으로 AOI 작업 실시 후 검증 작업 시 불량을 MONITOR로 보여주나 작업자가 EPOXY 부위의 색상 차이로 인하여 검사자가 인지하지 못하고 진행
- BBT시 회로가 연결되어 있었으므로 PASS 되었고 ASS'Y시 열 충격에 의한 OPEN 발생 (재현 TEST 결과 참조)

2. 대책

1) 공정 개선
- LPR 1호기 교체 검토 및 LPR 2호기로 작업 전환
- Cleaning Roller의 Clean Paper 교체 주기변경으로 이물질 제거 효과 확대
  기존 : 1회 / 100PNL
  변경 : 1회 / 50 PNL
- Clean Room Punching Duct의 주기적 청소
  기존 : 폐쇄형으로 청소 불가함
  변경 : 개폐형으로 개조 완료 및 7개 Line을 1회/월 청소

2) 검사 개선
- Epoxy의 색상 차이로 인한 AOI 검사자 불량 유출 방지
- 기존의 할로겐램프에 Fiber Type의 램프를 추가 설치하여 검출력 증대 및 Monitor상에서 불량을 확연히 구분되게 함.(*첨부 사진 참조)
- Electrical Test전 Reflow 실시 후 진행에 대한 Test 진행

3. 재현 TEST

1) 방법

① 노광 작업 시 이물질을 붙여서 회로 결손을 만든다.

② AOI 검사를 실시하여 불량을 선별한다.

③ OXIDE를 처리하여 결손의 이상유무를 확인한다.

(OXIDE 처리 시 Soft Etching을 사용하므로 약 1㎛ 정도의 동박면 부식이 진행된다.)

④ Lay-up을 실시 후 Press를 실시한다.

⑤ Press완료 제품에 대해서 Mass Lam상태에서 Soldering Test를 실시한다.

(260℃ 5 sec씩 3 Cycle 실시)

⑥ 불량 발생 Point에 대해서 Micro-Section을 실시 후 불량을 관찰한다.

2) 결론

결손이 발생 후 OXIDE단의 Soft Etching을 실시하는 과정에서 결손부위의 동박이 1㎛ 정도 Etching 되었음을 알 수 있으며 Micro성의 유형으로 동박 잔사들이 잔존함.

열충격 Test후 회로를 연결하고 있던 동박 잔사들이 열적인 Damage를 받아 끊어지는 현상이 발생함을 알 수 있으므로 Electrical Test 실시 전 부분적인 열충격을 가하면 현재 발생한 불량을 검출할 수 있을 것 이라고 판단됨.

3) 사진

검사 후	OXIDE 후	열충격 후
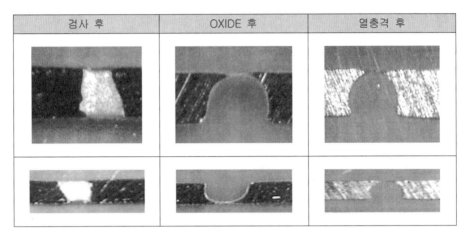		

개선 전	개선 후
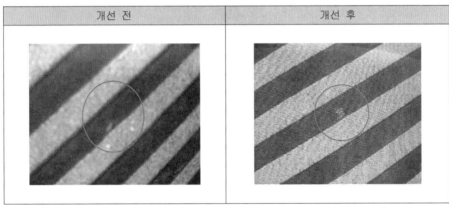	

6-3. DRILL 오가공에 의한 내층 OPEN

1. 발생과정

 1) 발생 공정 : DRILL 공정

 2) 불량 내용 : Drill 오가공에 의한 내층 단선

   ① Drill Data Format Setting시 TZ 3.2 Data를 TZ 3.3으로 수치로 Loading
      되 비정상 Point에 가공됨.
      EX) Drill 가공 좌표 X12345Y98432 ⇒ TZ 3.2 Format (X123.45 Y984.32)
      　　　　　　　　　　　　　　　　　　　　 TZ 3.3 Format (X123.45 Y984.32)

   ② 가공된 2.10Φ PNL(Work Size) 외곽에 있는 공정 작업용 Guide로 전
      Model에 공용으로 사용되고 작업 Tool의 선행 순서로 작업됨.

   ③ 오가공으로 Operator가 확인을 하였으나 X-out 표기를 오가공 된 Point
      로 대체하고 공정 연결함.
      (오가공시 불량 혼입 방지를 위해 PNL에 3.0Φ 추가 Hole을 가공하여 보냄.)

   ※ 단선 여부는 확인하였으나 금도금 이후 BBT에서 Pass 될 것을 예상하지 못함

2. 유출 원인

 1) BBT 공정

   내층 회로 한선이 단락되므로 금도금의 파라듐 이온화로 미세 연결됨.(과거
   사례가 없음)

   ⇒ PCB 단면부가 거칠어 촉매가 스며들어 잔존하면서 Ni(니켈)단에서 도체
      화 되어 미세 전류가 흐를 수 있게 됨.
      (가공부위가 매끄러우면 촉매가 수세에 의해 세척이 되므로 도체화 되는
      경우가 없음)

 2) 최종 검사 공정

   외형의 변화가 미비하여 검사자가 인식하지 못함.

   ⇒ 과거 발생 사례가 없어 최종 검사에 대한 검출력이 미비하였음.

3. 개선안

공정명	문제점	개선 방안
Drill	X-out 표기 방법 부적합	· 기존 Hole 가공에서 표면 도체 절단 방법으로 전화 – 변경 방법 : 표면 Copper를 칼을 이용해 "=" 표기 – 표기 위치 : TCP 실 Pattern의 윗부분 (외형 Map 으로 Re Check)
BBT	외형 검사 미흡	· BBT의 경우 Pin 찍힘 검사는 강화되어 검사를 보고 있었으나, 외형은 전혀 검사를 진행하지 않음 (초도품 및 자주 검사 시 Pin 찍힘 검사와 같이 항 목을 추가해서 실시)
최종검사	외형 검사 미흡	· 현 사례를 거울삼아 외형의 중요성을 강화하여 전수 검사 시 CTQ항목으로 관리하도록 함. – 관리 항목 : 각 제품의 외형 필름 및 Master Board 비치 (Master Board 적색 Name Tag 부착)
출하검사	Reject에 대한 F/U 미흡	· Major 항목에 대한 Reject 발생 시 고객사 이력 사항 신고 – 관리 항목 설정 · Reject품 관리 Process 강화 – 출하 검사 시 각 LOT별 관리 번호 부여 – Major 항목 Reject품 재검 및 추적 위험성 제거 System 강화
품질관리	품질 관리 위험성 분석 미흡	· 새로운 불량 유형에 대한 대응력 강화 – 불량 발생에 대한 예측을 위해 2주 단위 세미나 실시 (Process Monitering으로 신규 불량 창조 토의 및 진단)

4. DRILL 공정 부적합처리 개선방안

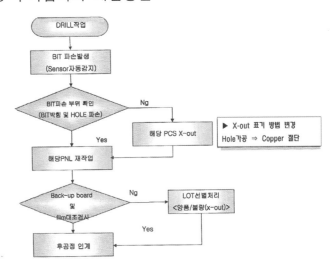

5. 유출 방지 PROCESS

1) 출하검사 이상 LOT 신고 기준

① 출하검사 Reject 주요 Major 불량 구분 및 이상 LOT 대상 불량 선정

- 기능성 불량 : 드릴 오가공, 미드릴, 라우터 오가공, 라우터 미가공, Open, Short, TCP Guide hole 막힘, 인식마크 미현상, Micro open, Delamination, 두께 상이, Dimension 불량, TCP PAD 이물 (PSR, SILK, 기타이물)

② 출하검사 Reject 불량 별 고객사 이상 LOT 신고 기준 설정

출검 Reject 불량명	LOT 추적 및 선별 기준	출하검사 이상 LOT 신고
Dimension 불량	해당주차 공정작업이력 (투입/사양/회로형성)	C=0, 1pcs
open & short & micro open	작업이력, 주기	C=0, 1pcs
드릴 오가공 & 미드릴	작업이력, Stack 수, 수량, 생산주기, 해당 공정 자주 검사 불량 이력	C=0, 1pcs
라우터 오가공 & 미가공		C=0, 1pcs
TCP Guide hole 막힘	작업이력, 생산주기	C=0, 1pcs
인식마크 미현상	작업이력, 생산주기	C=0, 1pcs
Dimension	원재료이력/작업이력/생상주기	C=0, 1pcs
제품 두께 상이	원재료이력/작업이력/생상주기	C=0, 1pcs
TCP PAD 이물	해당 출하검사 LOT	AQL = 0.65

6-4. 일반 PCB OPEN 결손 불량개선

1. 형상

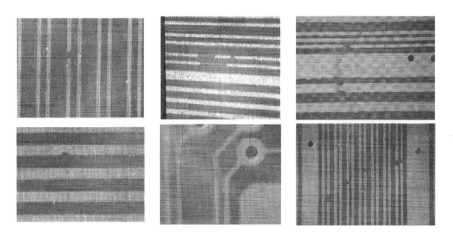

2. 특성요인도

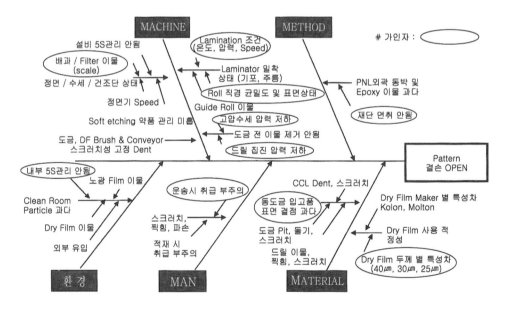

3. 문제점 및 개선사항

문제점	개선사항	효과	비고

정면기
- 브러시 상태
- 정면속도
- 수세단 이물질
- 건조 상태
	- 브러시 상태 : 양호
	- 정면속도 : 2.0
	  -> 1.6㎜/ECN min]
	- 수세단 이물질 제거
	  및 물때제거
	- 에어필터 교체 및
	  먼지 제거
		AOI
		: 44%->63.1%
			향상효과

라미네이트 - 온도 - 압력 - 롤러 형태	- 115±5℃ - 4.0bar - Straight roll -> Crowned roll	AOI 직행율 영향없음	BENDING 현상방지
제품의 상태 : 면치 유, 무	- 제품의 면치 후 진행	수입검사 : 18% -> 6% AOI : 40.1%->62.5%	표면결점 감소
Dry Film 두께 - 25um - 30um - 40um	- 25um : 53.4% - 30um : 62.3% - 40um : 65.1%	40um가 가장우수	향상효과
라미네이터 비교 - HAKUTO - OTS	- HAKUTO : 26.0% - OTS : 4.5%	현격한 차이를 보임	MLB 4L DF 25um 수입검사 : 11.1%
표면결점 (PIT&DENT, 스크래치)	- DF 진행 후 100% 오픈, 결손발생		
크린룸 청정도	- 10,000CLASS 이하 관리(1.0um)	현상태 양호	라미네이터 주변 동잔사 (보드발생)

4. 결론

- 정면기의 청결상태를 일일점검하여 지속적으로 유지함
- 라미네이터의 조건에 대한 일일 점검 유지함.
- 제품의 면치 시 도금 불량 감소 및 패턴 불량 감소가 예상됨
  (약 12%정도 예상)
- 드라이필름의 두께가 두꺼울수록 직행율이 향상됨
  (덴트 및 스크래치에 대한 밀착력이 향상되는 것으로 판단됨)

- H사(일) 대 O사(한)의 비교 결과 H사 라미네이터의 압력방식의 차이에 의해 양호하게 나옴.
- DF 전 수입검사 결과 평균 19.8%의 결점이 발생함
  (DENT 및 스크래치가 오픈과 결손으로 나타남)

6-5. BGA 기판 OPEN 결손 불량개선

자료 : S전기

1. 선정동기

1) 현상

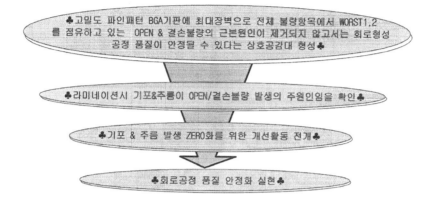

♣고밀도 파인패턴 BGA기판에 최대장벽으로 전체 불량항목에서 WORST1,2 를 점유하고 있는 OPEN & 결손불량의 근본원인이 제거되지 않고서는 회로형성 공정 품질이 안정될 수 있다는 상호공감대 형성♣

♣라미네이션시 기포&주름이 OPEN/결손불량 발생의 주원인임을 확인♣

♣기포 & 주름 발생 ZERO화를 위한 개선활동 전개♣

♣회로공정 품질 안정화 실현♣

2) BGA와 일반 PCB비교

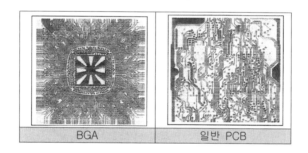

| BGA | 일반 PCB |

3) OPEN, 결손불량 발생형상

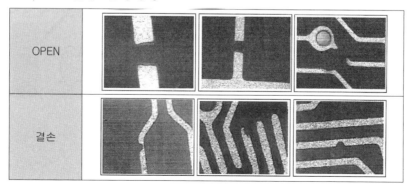

| OPEN | | | |
| 결손 | | | |

2. 특성요인도

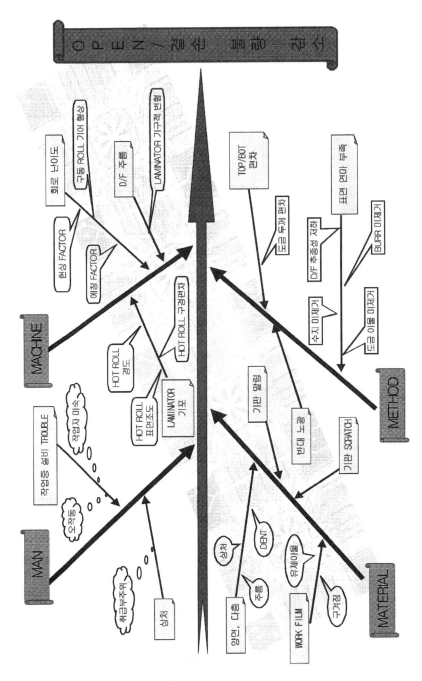

3. 기포불량의 회로에 미치는 영향

1) 노광 후 기포 발생형태 및 에칭 후 회로의 불량형태

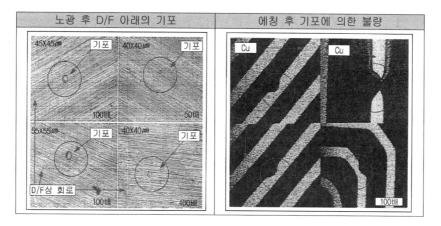

2) LAMINATOR의 기포발생현상

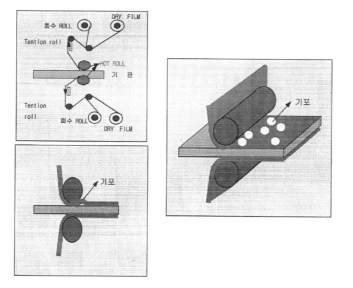

3) LAMINATOR의 기포발생에 의한 LINE STOP

　- 개선 전 LINE STOP : 공식 13회 100시간/2개월 발생.

　　　　　　　　　　비공식 10회 50시간/2개월 발생.

　　　　　　　　　　TOTAL 23회 150시간/2개월 발생.

4. 원인분석

● 탁월, ▲ 보통, □ 답보

원인추정	문제 해결 방향	효과	경험축적
· ETCHING CHAMBER ROLL 구동미스	· ROLL교체 · ROLL의 간격조정	▲	– 돌발 OPEN발생의 주요원인 – 구동기어 재질교체 　(P.E==> PVC)
· 노광 시 미세 이물질 영향	· 노광실 미세이물별 성 상분석 및 발생원제거	□	– 고착성이물외의 비고착성 　이물의 영향 無 – CASE SUS로 재질교체 – CLEAN ROLL LAMINATOR 　설치
· 기판의 GLASS WOOL의 영향	· 기판표면 연마변경	□	– 기판신축 영향 多 　(X→Y축연마) – 불균일 연마부에 의한 또 　다른 OPEN유발
· 전처리 물때의 영향	· 산발 OPEN의 영향	▲	– 돌발 OPEN발생의 주요원인 – 구동롤 재질개선 　(EPT → 바이톤 → P.P ROLL)
· LAMINATOR의 기구 적 변형, 마모의 영향	· 설비점검 · 기구적 치수변형 점검	▲	– 주기적 관리 체재확립 : 　관리 SHEET 정립
· LAMINATOR의 PARAMETER의 적정성	· PARAMETER의 변경 TEST	□	– 잦은 변경은 공정불안정 초래
· LAMINATOR의 HOT ROLL의 적합성	· 입체적 직경(ϕ)의 편차영향 · 고무의 경도의 영향 · 고무 표면조도의 영향 · 지속성 (충격흡수 & 복원성, 열화변형성)	●	– 기포발생의 근본원인 – HOT ROLL의 표면조도 및 　직격, 경도가 KEY FACTOR

※ 기포불량의 근본 발생원인 제거 ==> 회로형성 수율안정
※ 주요 불량요소의 제거에 다른 (변수의 감소) 나머지 불량요소의 문제인식 및 접근이 용이
※ 수율 향상 및 제품신뢰성의 획기적 개선을 통한 USER 만족

5. 대책

1) HOT ROLL 표면조도 변경

　　문제점 : HOT ROLL의 요철표면에 의한 D/F 밀착 시 기포발생

　　　　　==> 기포발생의 제 1원인

　　개선사항 : HOT ROLL의 표면조도의 평면화

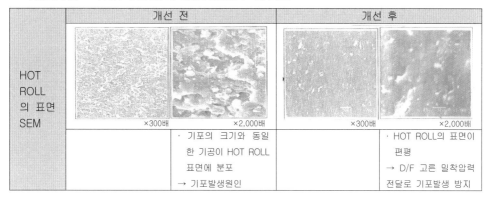

	개선 전		개선 후	
HOT ROLL 의 표면 SEM	×300배	×2,000배	×300배	×2,000배
		· 기포의 크기와 동일한 기공이 HOT ROLL 표면에 분포 → 기포발생원인		· HOT ROLL의 표면이 편평 → D/F 고른 밀착압력 전달로 기포발생 방지

2) 조성비(Si와 O₂ 비율)의 변경

　　문제점 : HOT ROLL의 고무의 경도에 따른 D/F의 기판 밀착력 불균일

　　　　　==> 기포발생 제3원인

　　개선사항 : HOT ROLL 표면과 내부의 조성비(Si와 O₂ 비율)의 변경

업체 구성	개선 전 표면	개선 전 내부	차이내부 &표면	개선 후 표면	개선 후 내부	차이내부 &표면	비고
O	38.75%	19.45%	▲19.30%	42.61%	29.68%	▲12.93%	◆ 개선 전
Si	54.65%	80.55%	▼25.90%	57.39%	70.32%	▼12.93%	－ 내외편가 큼
불순물	CI 1.38% K 0.48% Zn 4.74%	無	▲6.60%	無	無	無	－ 불순물이 다량 함유됨 ◇ 개선 후
계	100.00%	100.00%		100.00%	100.00%		O:Si=36.14%: 63.86%

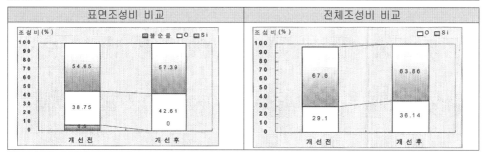

표면조성비 비교	전체조성비 비교
조성비(%) ■불순물 □O ■Si 54.65　57.39 38.75　42.61 0.5　0 개선전　개선후	조성비(%) □O □Si 67.6　63.86 29.1　36.14 개선전　개선후

3) HOT ROLL 직경(ϕ)의 균일성

　　문제점 : HOT ROLL의 D/F 밀착 시 고른 압력 분포의 전달이 안 되어 기포와
　　　　　　주름발생

　　개선사항 : HOT ROLL의 직격의 SPEC. 변경

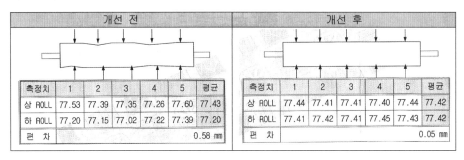

측정치	1	2	3	4	5	평균
상 ROLL	77.53	77.39	77.35	77.26	77.60	77.43
하 ROLL	77.20	77.15	77.02	77.22	77.39	77.20
편 차						0.58 mm

측정치	1	2	3	4	5	평균
상 ROLL	77.44	77.41	77.41	77.40	77.44	77.42
하 ROLL	77.41	77.42	77.41	77.45	77.43	77.42
편 차						0.05 mm

6-6. OPEN 원인대책

1. 원인&대책

발생원인	개선대책
① 자동 노광기 내부의 청정도 관리 문제	ⓐ 노광기 내부의 진공 청소 실시 　--> 현재 진행중이나, 청소 도구의 개선필요 　★ 현재 도구로서는 모서리나 좁은 입구는 PVC가 들어가지 못함. 다양한 사이즈 및 길이의 도구 보유 필요 ⓑ O사 Filtering 설치는 현재 설계팀과의 미팅이 지연되고 있어 보류 중..
② 자동 노광기 Shutter부 금속 가루 생성 문제	ⓐ cr 도금 재질로 변경 완료 　--> 금속 가루 생성 안됨(일부 shutter room에서의 칠이 벗겨지는 경우는 OTS와 협의 사항)
③ 자동 노광실 내부의 이물질 생성문제	ⓐ 바하 장비 　--> 이송 셔틀 진공부에서의 금속 가루 생성 　★ 매 청소 시간마다 진송 청소 도구로 셔틀부 청소 실시(교대 시간) ⓑ O사 장비 　--> 진공 패드 재질상의 문제로 고무 가루 생성 　★ 새 진공 패드로 교체 　　고무 클린제로 청소 시간에 청소로 고무가루 안전화

6-7. MICRO SHORT ①

1. 전경

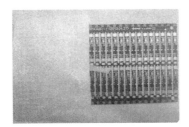

2. Micro Section 결과 현상은 다음 도형과 같이 관찰됨.

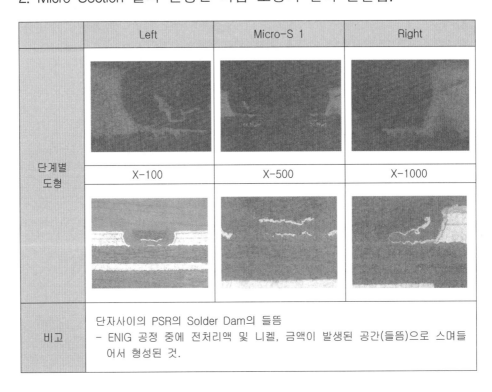

	Left	Micro-S 1	Right
단계별 도형	X-100	X-500	X-1000
비고	단자사이의 PSR의 Solder Dam의 들뜸 - ENIG 공정 중에 전처리액 및 니켈, 금액이 발생된 공간(들뜸)으로 스며들어서 형성된 것.		

6-7. MICRO SHORT ②

1. BASE COPPER 잔존

 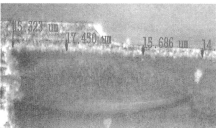

2. 외층 MICRO-SHORT

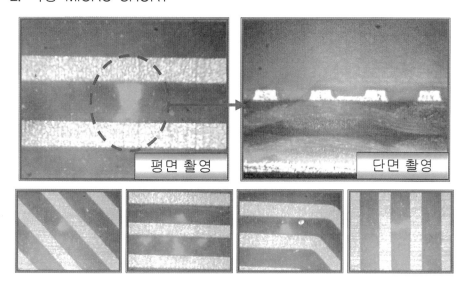

6-8. MICRO-SHORT 분석

1. PCB 제작 Model

실제품 사진

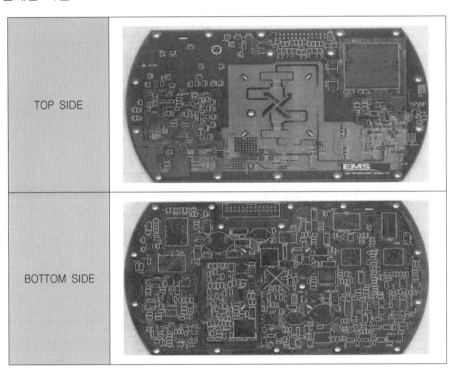

| TOP SIDE | |
| BOTTOM SIDE | |

2. 모델사양

업체명	A사		모델명	OOO	
제품두께	2.36±0.127mm		LAYER	08 Layer	
제품 SIZE	110.490 × 192.780		투입SIZE	406 × 460	
회로폭	내층	280㎛	동박	내층	1 OZ
	외층	260㎛		외층	1 OZ
LOT수량	납품수량	5 KIT	원자재	재료명	두산 0.4T 1/1
	투입수량	24 KIT		재질	J 1020 × 1220
특기사양	· GETEK 원판 사용(두께 : 0.71mm) - 총 4panel · HOLE 속 도금 두께 : 30㎛ 이상 · PSR 작업방법 : WET TO WET (인쇄시 JIG 사용)				

3. 불량분석

1) 외층 MICRO SHORT 불량 자체 분석한 결과

분석결과 : Base copper 위에 검은빛을 띠는 입자가 존재하여 부식 resist
로 작용하여 copper층이 완전히 부식되지 않은 것으로 추정됨.

2) 외층 MICRO SHORT 불량

① 원인 분석 결과 (일본)

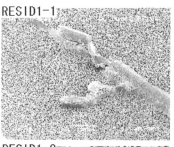
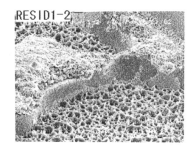
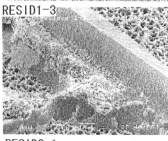

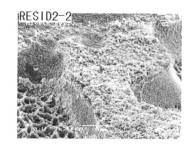

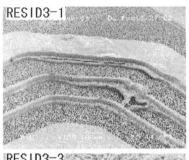

RESID3-1

RESID3-2

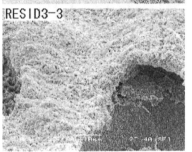

RESID3-3

② 측정결과 EDS분석결과 ; Corbon 성분

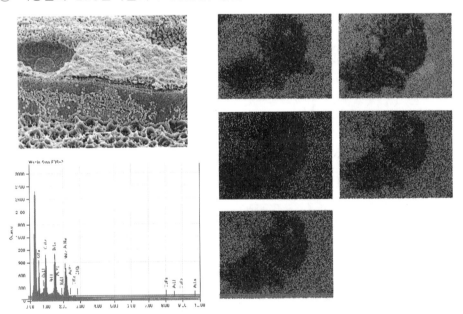

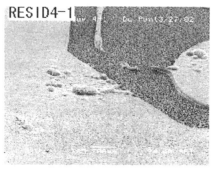
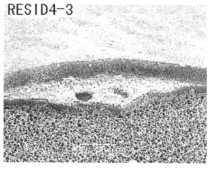
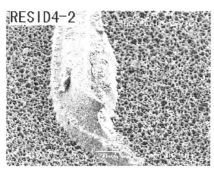
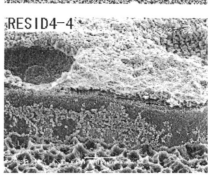

4. 분석결과

1) 분석결과 shadow 입자(carbon)가 micro etching 과정에서 완전히
   제거되지 않고 resist로 작용하면서 short가 발생되었을 가능성이 높음.

5. 개선대책

1) 도금공정

   현재의 micro etching단의 make-up주기변경.

   [2회/일 → 3회/일]

2) 부식공정

   ① etch factor 관리 기준 변경

   [Min. 1.3 → Min. 2.0]

   ② 작업표준서 개정

   [회로폭 관리 방법 추가]

6-9. 동도금 전처리 중 SHORT

1. 현상

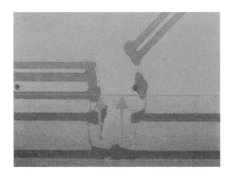

2. MICRO-SECTION

3. 측정 결과

정상적 회로 형상부위 : 45㎛

비정상 SHORT 부위 : Max 39㎛, Min 19㎛

PSR 도포 두께 : 평균 19㎛

4. 분석 내용

→ 동도금 전처리 시 탈지액속 유기 불순물이 제품 표면에 흡착함에 따라 외
층 SHORT 불량 발생 야기.

5. 원인 공정

→ 도금 탈지액 불순물 유입

6-10. 동도금 이후 SHORT

1. 현상

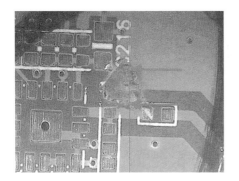

2. MICRO-SECTION

3. 불량 유형

→ 동 도금 이후 표면 이물질에 의한 SHORT & PSR 떨어짐 불량.

4. 분석 내용

→ 외층 부식 시 Film 잔사에 의한 불량

6-11. CSP SHORT

1. CSP SHORT 현상

Reflow Soldering후 X-ray 검사장면

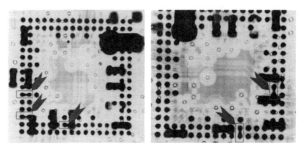

2. DIMENSION(SHORT 발생 부적합품)

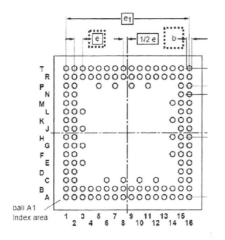

ball A1
index area

DIMENSIONS (mm are the original dimensions)

UNIT	A max	A₁	A₂	b	D	E	e
mm	1.1	0.25 0.15	0.85 0.75	0.35 0.25	9.1 8.9	9.1 8.9	0.5

Ball pad size (width) 0.25~0.35

Ball pad size (pitch)

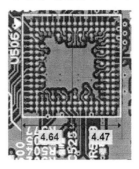

Pcb Silk (U506)

4.64   4.47

CSP land 센터기준에서 좌.우.상.하 대칭으로 실크가 인쇄되어야 하는데 좌우대칭이 맞지가 않고, 차이가 0.15 정도 차이가 발생한다.

3. BARE-BOARD MARKING 불량

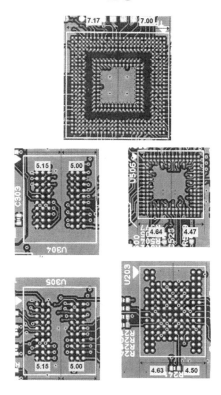

4. SMD MOUNT 좌표검증

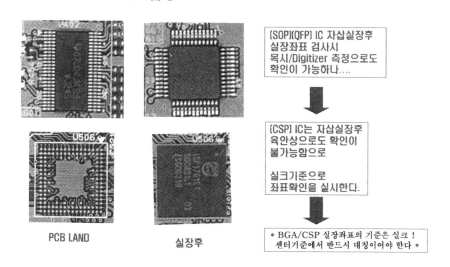

PCB LAND   실장후

[SOP][QFP] IC 자삽실장후
실장좌표 검사시
목시/Digitizer 측정으로도
확인이 가능하나....

[CSP] IC는 자삽실장후
육안상으로도 확인이
불가능함으로

실크기준으로
좌표확인을 실시한다.

* BGA/CSP 실장좌표의 기준은 실크 !
센터기준에서 반드시 대칭이어야 한다 *

5. 결과

1) 좌표수정 현재방법(목시/Digitizer 사용)

(CSP/BGA) : PCB 실크외곽에 맞게 좌표를 수정한다.

(IC류) : PCB LAND에 맞게 좌표를 수정한다.

2) PCB 업체 미팅결과

- PCB 실크에 관한 별도의 검사시트 항목은 존재/관리 하지 않음.
- PCB 실크에 관한 기준은 국제표준에도 없음.
- PCB 제조공정에서 실크작업 시 제조lot에 따라 편차가 발생함.
- 문제 사유서를 정식 문건으로 작성하여 H사로 통보예정.

  (업체 -> 부품보증팀 -> 생산팀)

3) 대책방안

(X) ①안 : 좌표수정 시 실크기준에 따르지 않고, XRAY 장비로 검사를 실시
한다.

· 좌표검사시점 : Solder Paste -> ChipMount -> IpMount 후 Reflow
Soldering전에 실시

· 좌표검사횟수 : 검사횟수 지정 고려 (예:초/중/하)

자삽생산분 전량 검사 (xray좌표 검사) 실시 불가능

(전량 검사시 생산지연/별도인원필요/D.T발생 등)

(X) ②안 : 실장 시 CSP 인식마크 인식추가

· 단점 : 생산 S/T증가, 마크추가로 인하여 면적이 커짐.

· 장점 : 좌표 보정 검증이 됨

(O) ③안 : CSP/BGA Artwork 변경.(별지참조)

· 현재 상황을 고려하였을 때 ③안이 가장 적합하다고 판단됨

(관련부서 협조필요)

7. NICKs ON PATTERN

7-1. 결손 유형

1. 유형

① OPEN ② SHORT ③ SLIT ④ NODULE ⑤ PIN HOLE ⑥ PIT ⑦ DENT
⑧ OVER/UNDER ETCHING

2. 형태

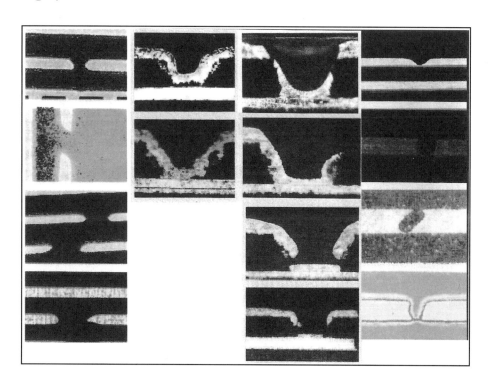

7-2. DENT

1. Dent의 정의

1) Press 공정 시 먼지, PP가루, Sus Plate 표면에 붙은 이물질에 의해 동박과 Epoxy가 함께 눌려진 상태

2) Press 공정 시 Sus Plate와 동박 사이 이물질 또는 Sus Plate 표면 이물질, 스크래치 등으로 동박이 Epoxy와 함께 눌리는 불량 Press 공정 이후에도 제품 이동간, 취급 시 부주의로 인해 눌림성, 찍힘성 Dent 발생.

> ※ 참고
> ① Press 공정시 발생하는 Dent는 반드시 Epoxy 부위도 함께 눌려지며, 눌려진 부분의 동박의 두께와 눌려지지 않은 부분의 동박 두께 같음. 회로 형성 후 눌려진 회로 폭은 눌리지 않은 회로보다 넓어지게 된다.
> ② 제품 성형 완료 후에도 공정 이동 또는 작업 중, 외부의 물리적인 힘에 의해 동박 및 epoxy가 함께 눌려지기도 한다.

2. Dent 발생원인

① Sus Plate 표면 스크래치
② Sus Plate 정면 불량으로 인한 표면에 이물질 부착
③ 동박 표면의 이물질 부착
④ 적층 시 이물질 유입
⑤ 해체 공정 후 제품 사이에 이물질 유입으로 동박 눌림
⑥ 취급 부주의로 인한 찍힘성 Dent

1) Press Dent

① Dent 발생원인

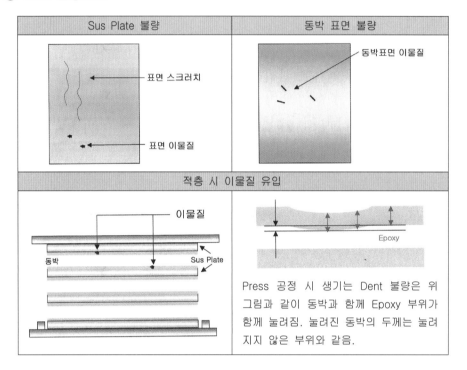

② Dent 실제품

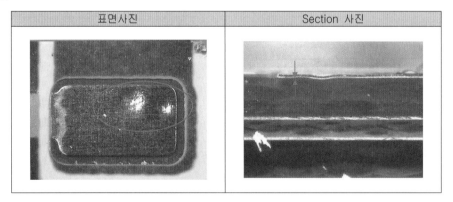

Press 공정 시 생긴 Dent로서 Section 사진을 보면 동박과 함께 Epoxy도 눌려있다.

표면사진을 보면 동박이 부드럽게 눌려있는 것을 확인할 수 있다.

2) 눌림

① Dent 발생원인

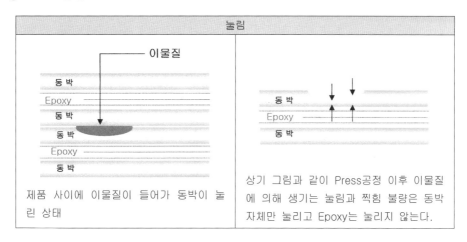

② Dent 실제품

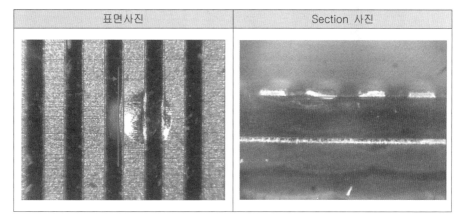

위 사진은 둥그런 물체에 의해 동박이 눌린 눌림성 Dent로 눌린 부분의 회로 폭이 눌리지 않은 부분보다 넓다. 이로서 Epoxy 부분이 눌려지긴 했지만, 회로 형성 후 동박이 눌려진 눌림성 Dent 불량임.

3) 찍힘

① Dent 발생원인

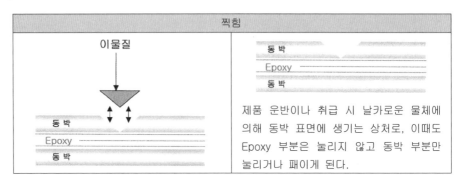

② Dent 실제품

뾰족한 부분으로 동박 표면이 찍힌 찍힘성 Dent로 눌려진 동박 두께가 일정치 않음.

눌린 부분의 회로 폭 또한 눌리지 않은 부분보다 넓다.

3. 여러 가지 Dent의 실례

① Press 공정 시 생기는 Dent

② Press 공정 이후 눌림에 의해 생기는 Dent

③ Press 공정 이후 찍힘에 의해 생기는 Dent

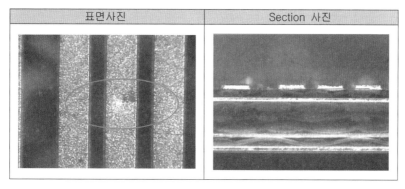

표면사진	Section 사진

Press 공정 시 생긴 Dent로서 Section 사진을 보면 동박과 함께 Epoxy도 눌려있다.

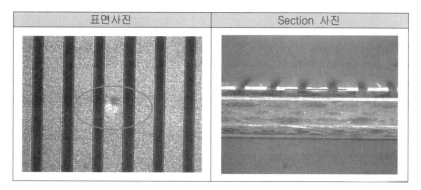

표면사진	Section 사진

Press 공정 시 생긴 Dent로서 Section 사진을 보면 동박과 함께 Epoxy도 눌려있다.
눌려진 동박의 두께도 눌려진 부분과 눌려지지 않은 부분이 같음을 알 수 있다.

표면사진	Section 사진

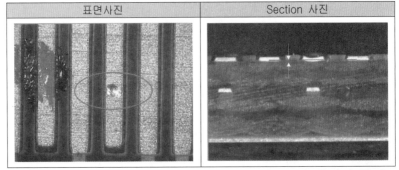

Press 공정 시 생긴 Dent로서 Section 사진을 보면 동박과 함께
Epoxy도 눌려있다.
눌려진 동박의 두께도 눌려진 부분과 눌려지지 않은 부분이
같음을 알 수 있다.

표면사진	Section 사진

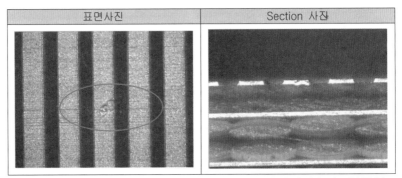

Press 공정 이후에 생긴 Dent로 Section 사진에서 볼 수 있듯이
눌린 동박 부분의 두께가 일정치 않음.

표면사진	Section 사진

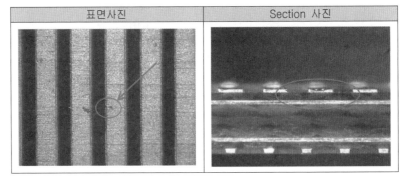

Press 공정 이후에 생긴 Dent 불량으로 표면 사진에서 눌린 부분의
회로 폭이 눌리지 않은 부분보다 넓으며, Section 사진에서도
Epoxy는 눌리지 않고 동박만이 눌렸음.

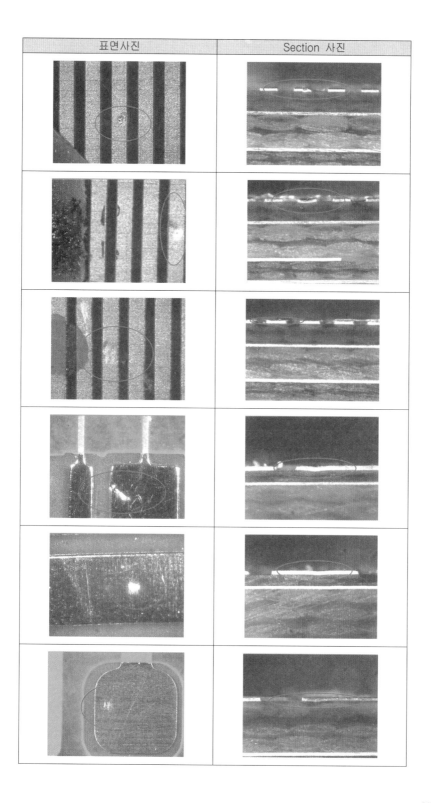

표면사진	Section 사진

4. Dent 불량 발생 억제

① Sus Plate Sanding 작업 철저

② Sus Sanding 작업 시, Sus 표면 확인, 표면 흠집이 있는 Sus 분리

③ Lay-up실, 적층실 출입 시 방진복 착용 준수

④ 적층 작업 시, 동박 표면 확인, 이물질 제거

⑤ 제품 운반, 적재 시, 제품사이 이물질이 들어가 눌림이 생기지 않도록 주의하며 작업

⑥ 제품 취급 시, 부딪히거나, Scratch가 발생하지 않도록 주의하며 작업

7-3. DIMPLE

1. DIMPLE 유형

1) DIMPLE이란

영어사전에서의 의미 → 보조개, 잔물결

2) DIMPLE 현상

PATTERN의 구성이 BASE COPPER + 무전해동도금 + 전기 동도금으로 되어야 하나 BASE COPPER만 남은 상태

3) 제품에서의 유형

육안상으로는 OPEN으로 보이나 OPEN은 아니면서 기능적으로 불충분한 상태

4) 선별방법

VISUAL INSPECTION으로는 100% 검출이 불가하며 내층 또는 외층 모두 AOI 검사 되어야 함.

5) 처리

발생 회로가 미비하여 수리가능하면 OPEN 수리양식과 동일하게 수리 처리되어야하며 BARE BOARD 표면 면적에 발생 POINT가 10% 이상이면 불량 처리

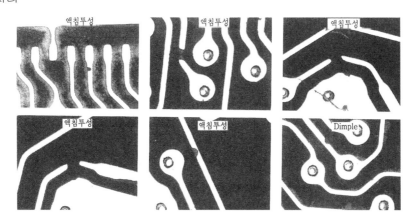

2. TEST 목적

공정 진행 시 Dimple 불량에 의해 다수의 OPEN & 결손 불량이 발생하여 Test를 통하여 원인 인자를 개선하고자 함.

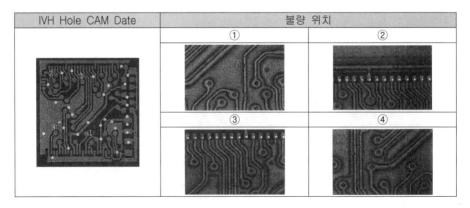

결손 불량의 대부분이 IVH Hole 가공된 Point에 중점적으로 발생함.

3. Test 방법

NO	Test 항목	세부 항목
3-1	내층 동박 스크립트 변경	· 도트 처리된 부분을 동박으로 스크립트 변경
3-2	선행 Drill Hole Φ 변경	· IVH Drill Φ를 3가지로 적용 　- 0.20Φ (기준 Hole Size) 　- 0.15Φ 　- 0.12Φ
3-3	Lay up 구조 변경	· CCL, Prepreg Lay up 구조 변경 　내층 CCL 변경 : 0.20T(1/1) ⇒ 0.15T(1/1) 　Prepreg 변경 : #106 ⇒ #1080

4. 결과분석

조건	동박 스크립트 형태	Lay up 구조	BitΦ	Defect 수	Dimple 수	수율	개선 효과
1	도트 처리	0.20T(1/1),#106	0.20Φ	확인 불가	Min 100 Point	확인 불가	기준 조건
2	동박 처리	0.20T(1/1),#106	0.20Φ	확인 불가	Min 100 Point	확인 불가	미미함
3	동박 처리	0.20T(1/1),#106	0.15Φ	40 Point	10 Point	98.14%	양호함
4	동박 처리	0.20T(1/1),#106	0.12Φ	20 Point	6 Point	98.98%	양호함
5	동박 처리	0.15T(1/1),#1080	0.20Φ	19 Point	3 Point	99.12%	우수함
6	동박 처리	0.15T(1/1),#1080	0.15Φ	13 Point	1 Point	99.39%	우수함
7	동박 처리	0.15T(1/1),#1080	0.12Φ	13 Point	1 Point	99.39%	우수함

※ 1 PNL = 12 Kit = 1,080 PCS

5. 소견

① Test 진행 결과 동박 스크립트 변경 < Bit Φ 변경 < Lay up 구조변경 순으로 효과파악이 검증됨.

② Defect수 대비 수율이 높은 이유는 판넬에 생성되는 PCS수가 1,080 PCS 로 판넬의 대부분이 Pattern으로 형성되어 있는 고난이도 제품이기 때문임.

③ Dimple에 대한 개선 효과는 있으나, 제품의 Defect 수는 액침투성 유형으로 판넬 모두에서 검출됨.

이는 양산 진행 시 AOI에서 상당 부분 부하로 연결되기 때문에 이 부분에 대한 2차 개선 Test가 필요할 것으로 판단됨.

6. 개선효과

1) 내층 동박 스크립트 변경

※ 내층 스크립트를 도트 처리에서 동박 처리로 변경하여 Resin이 빠지는 면적을 줄임.

동박 스크립트 형태	사진	수량	외층 AOI 수율
도트 처리 (기준 조건)		2 PNL	Defect : 확인 불가 (Point 수량이 너무 많음)
동박 처리		2 PNL	Defect : 확인 불가 (Point 수량이 너무 많음)

※ 동박 처리함으로써 Resin이 빠지는 면적을 줄여 단차를 개선하려 하였으나, 효과는 미미함.

2) 선행 Drill (2-3 Layer) Hole Φ 변경

IVH 가공 Hole Φ를 0.20Φ, 0.15Φ, 0.12Φ 3가지 형태로 가공하여 Resin이 빠지는 부피를 줄임.

① 적층 후 제품 표면

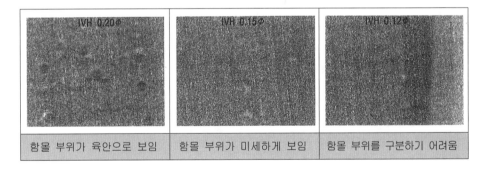

함몰 부위가 육안으로 보임	함몰 부위가 미세하게 보임	함몰 부위를 구분하기 어려움

② 조건별 외층 AOI 수율

Hole	수량	Defect 수	불량 점유율	수율
0.20Φ (기준 조건)	2 PNL	확인 불가 (Point 수량이 너무 많음)	확인 불가	확인 불가
0.15Φ	2 PNL	40 Point	Dimple : 10 Point 액침투성&기타 : 30 Point	98.14% (2120/2160)
0.12Φ	2 PNL	22 Point	Dimple : 6 Point 액침투성&기타 : 16 Point	98.98% (2138/2160)

※ IVH Hole Φ 변경에 따른 Dimple 개선 효과가 있는 것으로 확인됨.

3) Lay up 구조 변경

CCL과 Prepreg Lay up 구조와 IVH Hole Φ를 변경하여 Resin이 빠지는 면적을 줄임.

① 적층 후 제품 표면

| 함몰 부위가 미세하게 보임 | 함몰 부위를 구분하기 어려움 | 함몰 부위를 구분하기 어려움 |

② 조건별 외층 AOI 수율

Lay up 구조	Hole	수량	Defect 수	불량 점유율	수율
CCL : 0.15(1/1) Prepreg : #1080	0.20Φ	2 PNL	19 Point	Dimple : 3 Point 액침투성&기타 : 16 Point	99.12% (2141/2160)
	0.15Φ	2 PNL	13 Point	Dimple : 1 Point 액침투성&기타 : 12 Point	99.39% (2147/2160)
	0.12Φ	2 PNL	13 Point	Dimple : 1 Point 액침투성&기타 : 12 Point	99.39% (2147/2160)

※ Lay up 구조 변경에 따른 Dimple 개선 효과가 있는 것으로 확인됨.

7-4. NODULE (돌기)

1-①. NODULE 유형

1) 금도금 단자 표면의 도금 돌기

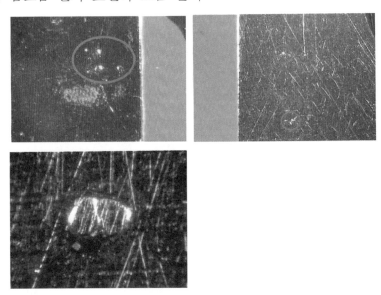

2) 금도금 단자 표면의 도금 돌기 발생원인

① 유산동 탱크내부의 Copper Particle이 작업 시 제품 표면에 흡착되어 이후 무전해 금도금 제품이므로 밸트샌딩 처리되어야 함에도 불구 금도금 표면의 Scratch 요인으로 한국 단자 공업의 요청에 의해 밸트샌딩 처리가 되지 못함.

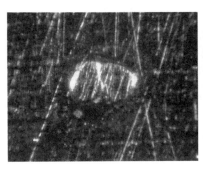 

3) 금도금 돌기 (타 금 도금 제품의 돌기)

 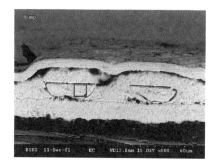

· EDS analysis result

Element	C	O	Al	Si	Cu
Atom(%)	46.02	3.69	0.55	0.53	49.22

p.s : see the appendix

1-②. PATTERN NODULE → 무전해 금도금

1) 돌기 불량의 유형 분석

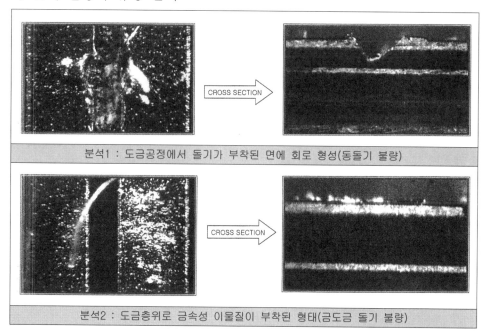

분석1 : 도금공정에서 돌기가 부착된 면에 회로 형성(동돌기 불량)

분석2 : 도금층위로 금속성 이물질이 부착된 형태(금도금 돌기 불량)

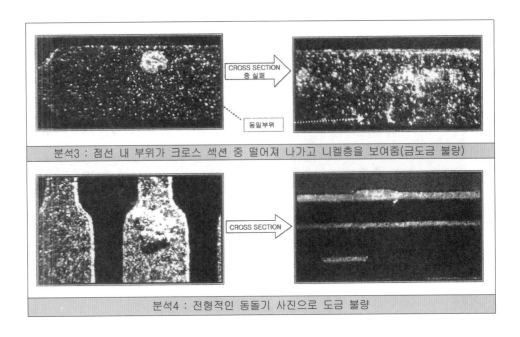

| CROSS SECTION 층 실패 | 동일부위 | CROSS SECTION |

분석3 : 점선 내 부위가 크로스 섹션 중 떨어져 나가고 니켈층을 보여줌(금도금 불량)

분석4 : 전형적인 동돌기 사진으로 도금 불량

2) 불량 원인 분석과 대책

불량 유형	불량 원인	대책	비고
	금도금 공정에서 이물질로 인한	금도금 제품 수입 검사 철저 금도금 외주처의 라인 AUDIT 요망	
	동돌기 : 유산동 탱크의 오염, 필터링 불량 탱크내의 이물질	사용필터의 전량 교체 : 10㎛에서 5㎛으로 필터 관리 기준 재설정 : 탈지여부 수입검사 유산동 탱크 청소 : 이송여과 시 완전 filtering 탱크 주변 절연 상태 점검 무전해 금도금 제품의 밸트샌딩 처리 : 가능한 모든 두께 제품 실시 노후한 여과포의 완전 교체	
	금도금 공정 이물질	금도금 제품 수입 검사 철저 금도금 외주처의 라인 AUDIT 요망	

3) 결론

① LCD 제품 생산량 증가와 도금 설비관리 불량으로 도금 공정중 돌기 불량률이 급격히 상승
(Ex. 탱크 내부 보드 빠짐, 잦은 여과기 고장, 여과가 필터의 필터링 기능 부족)

② 도금이후 돌기 제거를 위한 장비인 밸트 샌딩기의 잦은 고장으로 표면 돌기가 제거되지 못한 제품의 뒷공정 진행이 증가 : 현재 0.4T 제품의 처리에 있어서 작업 중 세심한 노력이 필요함, 0.6T이상 제품은 밸트 샌딩처리에 문제없음

③ 일부 금도금 돌기혹은 이물질 불량이 꾸준히 도금 불량으로 판정되어 외부 금도금 업체에 대한 불량 시정 활동이 미흡함

④ 돌기 불량 감소를 위해, 필터관리, 유산동 탱크 오염도 관리, 아노드포 교체, 도금 후 제품의 밸트샌딩 처리 등 앞에서 언급된 모든 방법을 동원하여 돌기 불량 감소 활동을 진행 예정임

⑤ 지금까지 섹션 작업으로 추록하면, 현 돌기 불량의 20~30%가 금도금 불량과 연관이 있어 이에 대한 품질팀의 검정을 진행 예정임

⑥ 지속적인 개선 활동으로 10%이하로 도금공정내 돌기 불량이 관리 되도록 하고, 고객에게는 보다 향상된 품질의 제품이 전달 되도록 노력하겠습니다.

1-③. NODULE(돌기)

1) 형태

2) 원인

- · FILTER내의 AIR
- · 유기오염
- · 전류밀도상승
- · RESIST부적당
- · 전처리부족

3) 준수사항

도금 PART	제조기술	설비관리
FILTER점검	크로스섹션 확인	FILTER 점검
활성탄 처리	활성탄 처리	활성탄 처리
전류밀도값 점검	전류밀도값 확인	정류기 점검
RESIST 변경	RESIST 확인	RESIST 점검
전처리액 농도확인	전처리액 농도 분석/확인	순수/시수배관점검

2. 동도금 돌기(NODULE)

1) 분석

도금공정의 상식적인 불량접근에 기초하여 문제의 원인을 파악하는 방법, 즉 도금액성분의 불균형으로 야기되는 각종 육안 불량(광택, 도금 거칠기 등), 도금액의 이물질로 인한 불량 (Nodule, Non Coverage등), 그리고 작업조건 부적절(전류밀도 등)로 야기되는 각종 기능성 불량임을 감안하여, 우선적으로 용액의 성분 관련 분석 및 문제 부위의 하지에 이물질 잔존 여부에 초점을 맞춰 분석이 진행되었고,

① 용액의 상태(HULL CELL TEST를 통한 액 상태)는 정상 상태하에 있는 것으로 판단되고,

② 문제 부위 하지에 Copper 덩어리 (Lump) 및 PP 재질로 보이는 실 형태의 이물질이 다량 관찰된 점에 미루어 도금액 내부의 이물질 오염으로 판단됩니다. (첨부 참조)

따라서, 우선적으로 기존의 도금액을 별도의 보조 TANK로 이송하여 TANK 바닥내의 각종 이물질을 제거함과 동시에 이송된 도금액을 Bag Filter 또는 이에 상응하는 Filtering을 거쳐 용액의 청결을 유지함이 권장되고, 아울러 이러한 이물질 오염으로 인한 도금 불량을 최소화하기 위해서는 최소 년 1회 이상 주기적인 관리가 요망됩니다.

2) 동 도금의 돌기(Nodule) 문제
  ① 입수된 SAMPLE : 총 3 Panels
    (정면 후 : 1, 전처리 후 : 1, 도금 후 : 1) 및 동 도금액
  ② 분석 방법
    (a) 3 종류의 Panel에 대한 표면을 확대경 하에서 관찰하고, (Fig. 1,2,3 참조)
    (b) 도금 후 불량 (Nodule) Sample에 대한 점진적인 Stripping 과정을 거치면서 문제 부위의 바닥면에 이물질 부착여부를 정밀 관찰을 통하여 문제의 원인을 추정하고 (Fig. 4, 5, 참조)
    (c) 입수된 도금액을 이용하여 하이테크의 도금조건(2.3 ASD, 25˚C)을 HULL CELL TEST를 통하여 재현함으로써, 돌기 문제의 용액과의 관련성 여부를 간접적으로 확인하고자 했으며, (Fig. 6 참조)
    (d) 보다 정밀한 용액의 미량 첨가제 (AM 및 BM) 함량 분석을 위해서 외부 기관(Y대)에 분석을 의뢰하여 분석의 신뢰성을 높였으며,
    (e) 이를 토대로 돌기문제에 대한 발생 원인을 추정함.

3) 돌기 사진
  Fig 1. 전처리 후 Sample의 동 표면 상태 (돌기 형상 없음)

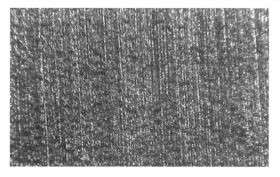

Fig 2. 동 도금 후 표면 상태 (돌기형태)

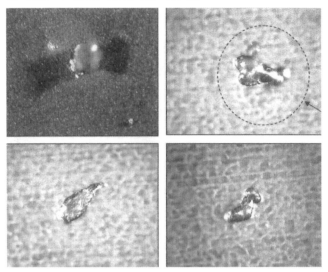

Fig 3. 동 도금 후 표면 상태 (실오라기 형태)

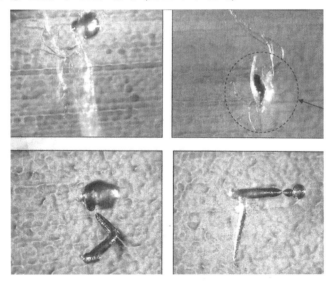

Fig 4. 불량 부위 Stripping후 표면 상태 (돌기 형태 불량을 CuCl₂ Etching 액으로 동 표면을 부식 후 사진)

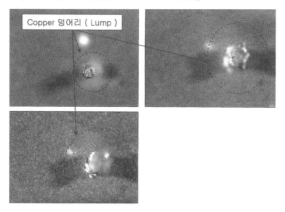

Fig 5. 불량 부위 Stripping후 표면 상태 (실오라기 형태 불량을 CuCl₂ Etching 액으로 동 표면을 부식 후 사진)

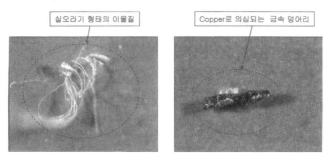

Fig 6. 도금액에 대한 HULL CELL TEST 사진 (원내는 2.3 ASD 전류밀도에 서의 확대 표면 사진 : 특이사항 없음)

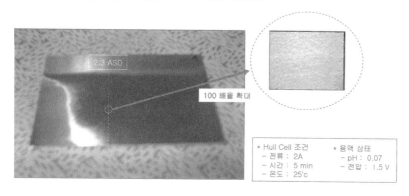

4) 관찰 사항 (Findings)

2가지 형태의 돌기 불량, 즉 단순한 돌기 모양과 실오라기 형상을 가진 Nodule 불량 Sample을 $CuCl_2$ Etching 액으로 Stripping 결과 동 소재 표면에 Copper 덩어리 및 PP 재질로 보이는 가느다란 실 모양의 이물질이 각각 관찰 되었습니다.

이러한 이물질의 유입경로에 대해서는 추가적인 조사가 이루어져야 하겠지만, 우선적으로는 도금액 내의 각종 이물질이 Filtering이 되지 않은 것으로 보여지며, 아울러 도금 전 소재상에 이물질의 잔존 여부의 가능성도 배제하기는 어려울 것으로 판단됩니다. 즉, 도금공정 전 공정에서의 Source 제공에 대해서도 세밀한 관찰이 필요하다고 보여집니다.

HULL CELL TEST 및 용액의 Parameter Reading 값을 고려할 때, 용액 자체의 문제 가능성은 상대적으로 희박하다고 여겨집니다.

3. 돌기 불량 원인 및 대책

1) 원인추정

① 광책제 함유량의 부족 즉, 농도의 부적절
② 동분가루 혹은 유산동 이물질로 인하여 유산동 탱크 오염
③ 유산동 온도 상승으로 유기물 증가
④ 새도우 미에칭으로 표면 돌기 발생

2) 돌기 재현테스트

① 더미보드 정상적인 도금 => 200㎛의 유산동 슬러지 돌기 발생
② 더미보드 디버링~디스미어공정 후 도금

   => 200㎛의 유산동 슬러지 돌기 발생
③ 더미보드 디버링만 실시 후 도금 => 200㎛의 유산동 슬러지 돌기 발생
④ 더미보드 디버링 미실시 후 디스미어~새도우 후 도금

   => 20㎛ 정도의 작은 돌기발생
⑤ 더미보드 디버링~새도우 후 미에칭후 도금 => 새도우 입자의 돌기 발생

⑥ 더미보드를 바로 도금 => 돌기 없음

결론 : 표면에 조도가 없는 더미보드에서는 돌기가 발생하지 않음. 표면 레벨러 기능 상실.

3) 대책

① 유산동 온도 상승으로 인한 유기물성 돌기제거

    => 전기동 탱크 카본 필터링 실시 (1회/2개월)

② 유산동 슬러지로 인한 돌기 제거

    => 필터 교체 주기 변경 (1회/30일 => 1회 20일)

③ 새도우 미에칭으로 인한 돌기 제거

    => 에칭단 E/R 관리 철저

4) 결론

① 유산동 슬러지 돌기 및 새도우 미에칭돌기는 90%이상은 관리 조치가 가능함.

② 금번 발생한 돌기는 자글자글한 돌기와 유기물 돌기, 유산동돌기가 한꺼번에 발생한 것인데 유산동 온도 상승으로 유기물이 증가하여 광택제의 레벨링이 깨짐으로 발생함. (온도 25℃ 이하로 유지하는 방향으로 설비팀과 점검, 카본 필터 처리 등을 실시)

③ 유산동의 유기물 제거 후 액의 활성화 전까지의 자글자글한 돌기를 제거하지 못함. 작은 돌기 제거 테스트 실패함.

(연구 과제로써 계속적으로 연구하겠음)

▶ 돌기 유형 사진

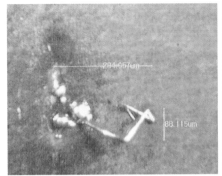
유기물에 의한 돌기

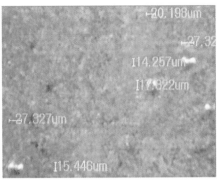
레벨러 기능 상실로 인한 돌기

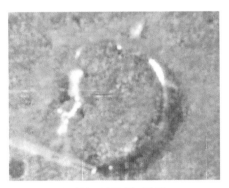
전기동 이물질 돌기

8. BBT찍힘

8-1. 찍힘 형태

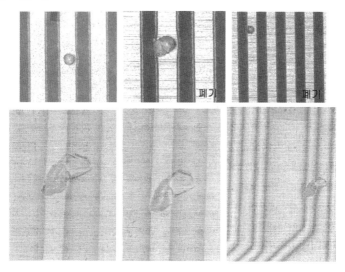

❖ 5W1H 원인분석

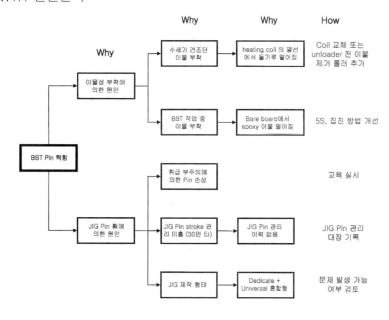

8-2. DRILL

1. 유형

① HOLE 누락 ② HOLE 편심 ③ ROUGHNESS

2. 형태

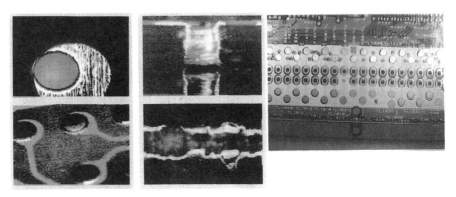

9. BURR → FPCB

1. 내용

홀 중간 부분은 약간 튀어나와 있지만 문제되지는 않고 외곽 부위에 튀어 나와 있는 부위가 금도금 진행되면 위의 사진과 같이 홀 형상이 제대로 나오지 않아 문제가 되는 불량 현상임

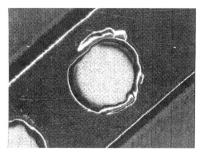
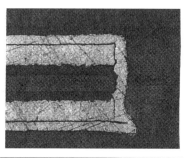

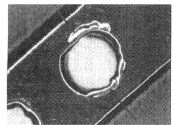

2. 불량 분석 방법

① Micro Section한 시료의 EDX 분석

② 동도금 공정에서 발취한 시료의 IR분석

③ 문제가 되는 외곽부위 튀어나와 있는 부분을 분석함

3. 분석결과

1) Section한 시료의 확인

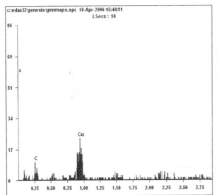 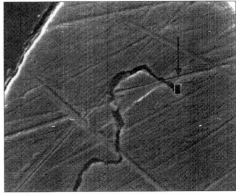

성분	Wt%	At%
CU	38.48	76.79
C	61.52	23.21

2) 동도금 공정에서 발췌한 시료의 확인

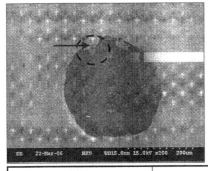 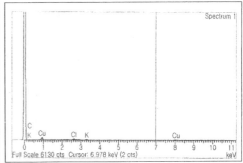

성분	Wt%	At%
CU	49.93	22.05
C	25.26	59.02
CL	15.33	12.13
K	9.48	6.80

4. 분석결론

1) 두 가지 방법으로 문제되는 Point의 성분 분석한 결과 원자재 (CCL)의 Adhesive의 성분은 검출되지 않음

   ① 두 가지 모두 문제 Point에서 CU성분이 검출되었고 기타 C, Cl, K, 성분만 검출됨

   ② 분석 Point에서 CU성분과 동박 표면처리에 사용하는 K 성분이 검출되었다는 것은 이 부분이 동박이라는 결론임

   ③ 불량 원인인 CCL 접착제에서 흘러나온 성분에 의해서 발생되었다는 성분은 검출되지 않음

   → I사 자재의 경우 접착제의 주성분이 Br로 이루어져 있으며 불량 Point가 원자재 접착제에서 흘러나온 물질이라면 Br성분이 미량이라 도 검출되어야 함.

2) 불량 원인이 되는 Point의 성분 분석 결과 DRILL 가공업체에서 제시하는 원자재에 의해 불량이 발생 되었다는 성분은 검출되지 않았으며 CU성분 즉, 동박이 잔류하여 발생된 불량으로 판단됨

별첨 #1. Coverlay 내부 표면 사진 및 Microsection Data.

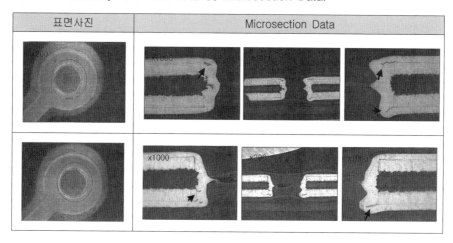

표면사진	Microsection Data		

별첨 #2. 표면도금 부 표면 사진 및 Microsection Data

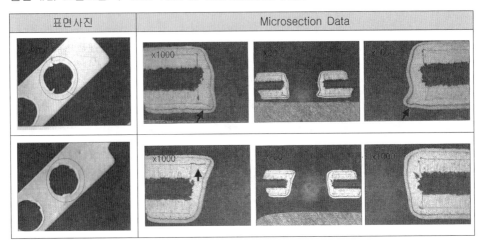

별첨 #3. 표면도금 부 표면 사진 및 Etching후 사진.

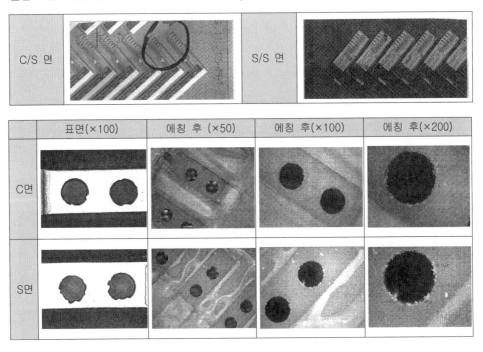

10. CCL (COPPER CLAD LAMINATE)

10-1. 원판(CCL)불량

1. 원판 불량의 종류

NO	유형	내용
1	MEASLING	① CONFORMAL (보호막)이 도포된 PCB상에 나타나는 현상으로 기판과 도포막 사이의 접착력 저하로 인해 도포막층이 들뜨거나 기포가 발생한 상태 ② MEASLING은 주로 보호막 도포공정에서 도포된 기판상에 잔류하는 오염물질 때문에 발생하여 고습의 환경조건에 노출된 후에 많이 발생한다. ③ 적층 원판의 매부에서 발생하는 결함상태로서 유리섬유가 직교되는 교차점에서 수지(RESIN)가 유리섬유(GLASS FIBER)와 분리되어 발생한다. 백색반점이나 십자모양으로 나타나며 보통 열충격후에 심해진다.
2	DELAMINATION	① GLASS EPOXY의 층과 층사이가 분리되고 부풀린 상태 ② 층막과 수지가 들뜨는 현상 (층간박리) ③ 단일 혹은 두물체간의 접합면이 얇게 벌어져 공간이 생기는 현상 ④ 표면 실장형 반도체 PACKAGE에서 문제가 많이 발생됨 ⑤ 습기를 빨아들인 부품이 납땜 공정에서 열을 받게 되면 ⓐ 흡습된 습기가 부품 내부에서 급격히 기화하여 내부압력을 상승시키고 ⓑ 부품을 에워싸는 컴파운드는 유리화 온도 이상인 납땜 온도에서 그 강도가 급격히 저하하여 부품 DELAMINATION을 더욱 가속한다. ⑥ 기재 내부의 층간에 분리, 기재와 도전박간의 분리 기타 PCB에 발생하는 전면 평면상의 분리

2. 평가

SAMPLE 제품을 육안검사결과 불량명은 MEASLING 및 DELAMINATION 현상으로 보여짐.

일반적으로 이러한 현상은 CCL 적층 시 외부작업조건 미흡으로 발생되는 경우가 있으나, SAMPLE의 경우는 BARE BOARD를 장기간 보관 후 후처리 없이(예:POST BAKING) ASSEMBLY 과정에서 발생한 것으로 판단됨.

　참고 : PCB의 보관 조건 (일반적 권유사항)

　　　① 온도 : 22±2℃

　　　② 습도 : 50±5%

　　　③ PACKAGE상태 : 진공포장 된 상태에서 MIN6개월 MAX12개월 보관요

10-2. 적층 시 CCL 불량

1. MEASLING

1) 발생원인

① Resin 함량 미달

② 압력과다

③ 압력 편차 : 동박 점유율이 높은 부분에서 집중 발생

2) 개선 대책

Lay-up Spec 구조 변경

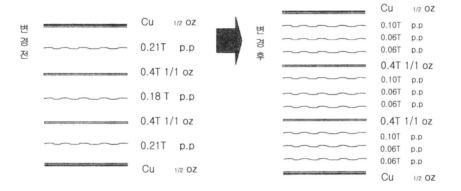

2. AIR VOID

1) 발생원인

① 진공 부족으로 인해 Hot Press시 Gas 배출 불량

② 옥사이드 처리 후 Lay-up시 이물질 삽입(당사 의견)

2) 개선 대책

① 진공 펌프 점검/관리 강화로 균일한 진공유지(650㎜Hg 이상)

　　Hot Press History 점검 항목 Check list에 추가 1회/일 점검

　　⇒ Hot Press 정상 작동 여부 확인

② Lay-up실 내 이물질 관리 철저

⇒ 방진복 착용 철저 (현장교육 실시 2회/월)

⇒ 동박 재단기 청소 : 1회/주

③ 옥사이드 건조단 청소 : 1회/월

3. CRACK & NAIL HEAD

1) 발생원인

ⓐ 업체의 요구 사항에 맞게 NEW BIT로 가공

(TOSHIBA, SUMITOMO NEW BIT)

CHAMPION BOARD 및 중요 MODEL은 전량 NEW BIT만 사용

ⓑ TOSHIBA BIT의 CHIP 배출 능력이 떨어지는 관계로 TOSHIBA BIT의 수요를 줄이고 SUMITOMO와 TCT UCHA BIT로 BIT 사용을 늘려나가는 단계에서 잔여분의 TOSHIBA NEW BIT와 SUMITOMO NEW BIT를 함께 사용하여 가공

ⓒ 가공 중 일부 TOSHIBA BIT의 CHIP배출이 잘되지 않아 ROUGHNESS 상태가 고르지 못한 것으로 보임

2) 개선 대책

ⓐ 문제가 발생한 0.3ϕ TOSHIBA BIT의 사용은 금지 하였으며 전량 SUMITOMO 와 TCT로만 사용중이다.

ⓑ 현재 SLOT BIT와 일부 ϕ를 제외한 모든 DRILL 가공엔 TOSHIBA BIT를 사용하지 않는다.

3) 도금 물성 Test 자료

- CONTROL RANGE

ⓐ Thickness : 40 ~ 60μm

ⓑ Tensile Strength : 284 ~ 343 N/mm²

ⓒ Elongation : 14 ~ 25%

Thickness			
1	2	3	Ave.
55.4	54.9	53.1	54.5

Tensile Strength			
1	2	3	Ave.
318.1	315.0	315.6	316.2

Elongation			
1	2	3	Ave.
23.6	18.2	21.6	21.1

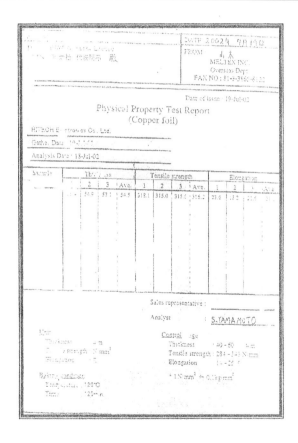

4. PEEL STRENGTH

1) 발생원인

  ① Dipping Time 관리

  ② 약품 농도 관리

2) 개선 대책

① Dipping Time 관리 : 작업 속도 3.6±0.2 m/min 관리

② 약품 농도 관리

소공정	항목	변경 전		변경 후	
Cleaner	Make-up	10±2v%	60 sec	10±2v%	60 sec
	온도	55±10℃		55±5℃	
Pre-Dip	Make-up	2±1 v%	30 sec	2±1 v%	30 sec
	온도	26±4℃		25±3℃	
Conversion Coating	Make-up A제	KA-1 8v%	60 sec	KA-1 8v%	60 sec
	Make-up B제	KR-2 10 v%		KR-2 10 v%	
	H2SO4	4.0±0.5v%		5.0±0.5v%	
	H2O2	3.0±0.5v%		3.5±0.5v%	
	온도	40±10℃		40±5℃	

3) Peel Strength Test 결과(2002.08.21)

Press	일진 동박				미쓰이 동박			
	조건.1	조건.2	조건.3	조건.4	조건.1	조건.2	조건.3	조건.4
하이테크	0.78	0.68	0.83	0.75	0.76	0.73	0.81	0.83
대일 메스램	0.74	0.72	0.78	0.81	0.58	0.56	0.87	0.64

① 동박 업체별 비교 ⇒ 미쓰이 동박에 비하여 일진 동박이 안정적임.

② 공정 조건별 비교

    (a) 약품 농도 변경 전 : H_2O_2 3.57%, H_2SO_2 4.98%, 동농도 23.51g/ℓ

    (b) 약품 농도 변경 후 : H_2O_2 4.00%, H_2SO_2 5.50%, 동농도 23.51g/ℓ

        ⇒ H_2SO_2 농도의 영향보다는 H_2O_2 농도를 일정하게 유지하는 것이 안정적임

    (c) 통롤러 영향 최소화

        ⇒ 타 조건 대비 최소 0.05 이상의 Peel 강도 상승을 보임

        ⇒ 향후 공정 개선 예정

    (d) 옥사이드 Zone Dipping Time : 70 sec

        ⇒ 기존 60 sec보다는 높은 값을 보이고 있으나 생산성을 고려할 경우 무의미함

③ Press 업체별 비교 ⇒ Press 조건에 의한 차이는 미미함.

4) 옥사이드 Peel Strength 유지 관리

① 내층 Peel Strength Test Board 제작 방법

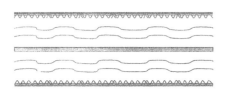

Cu 1/1 oz

0.1T Pre-Preg (2X)

1.0T Epoxy

0.1T Pre-preg (2X)

Cu 1/1 oz

② 내층 Peel Strength 측정 방법

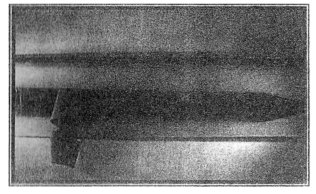

(a) Press 완료된 Test Board를 30㎜/100㎜로 절단한다.

(b) 측정 부위 동박 10㎜를 절단한 후 주위의 동박을 제거한다.

(c) 측정 부위를 Tester 장비에 고정시킨 후 Peel Strength를 측정한다.

③ 내층 Peel Strength 및 관리

· 45° 측정 : 0.6 kgf/㎠ ⇒ 당사 측정 기준

· 1회/주 Peel Strength Test

10-3. CCL WARPAGE

1. 유리 섬유의 뒤틀림 분석

동박 에칭 후 내부의 유리섬유 뒤틀림은 없었음

2. 두께 및 층구성 분석

1) 분석 결과 두께는 0.4t가 아니고 0.3t이었습니다.

2) 층구성을 분석한 결과 2116×3으로로서 TUC의 0.4t, 7628×2, 0.3t, 1506×2 층구성과 다른 것입니다.

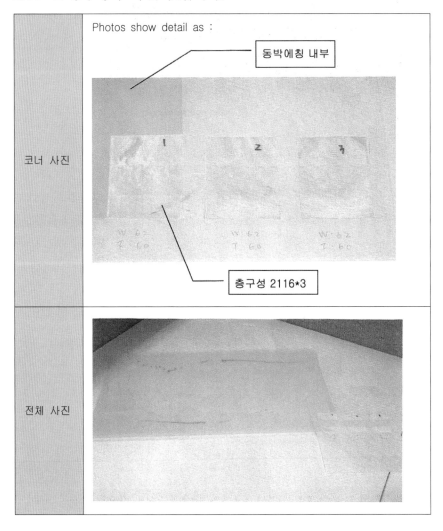

3. 동박 뒷면의 색상확인

아래의 사진과 같이 시료의 동박 뒷면 색상이 현재 TUC에서 사용하는 동박과 다름.

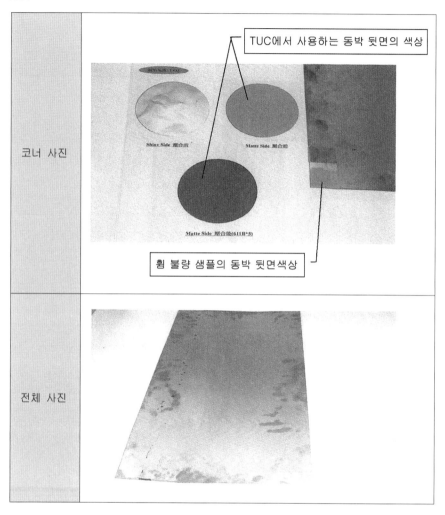

4. 결론

1) 분석 결과 불량 제품은 TUC의 제품이 아님.

2) 불량 샘플의 심한 휨은 타 원판 회사의 비정상적인 제조 공정에서 발생된 것이며 Hitech의 재단에서 발생된 것이 아닙니다.

11. DIMENSION(박판)

자료 : H산업

1. 문제사항

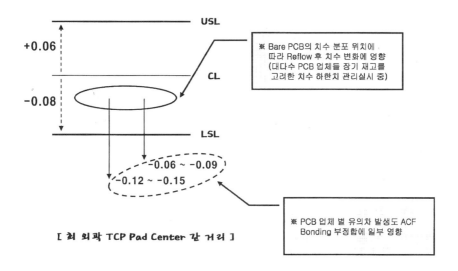

※ Bare PCB의 치수 분포 위치에
따라 Reflow 후 치수 변화에 영향
(대다수 PCB 업체들 장기 재고를
고려한 치수 하한치 관리실시 중)

※ PCB 업체 별 유의차 발생도 ACF
Bonding 부정합에 일부 영향

[최 외곽 TCP Pad Center 간 거리]

2. 고객 검토 요청사항

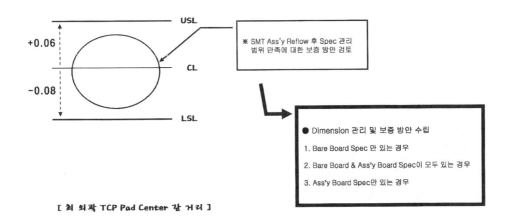

※ SMT Ass'y Reflow 후 Spec 관리
범위 만족에 대한 보증 방안 검토

● Dimension 관리 및 보증 방안 수립

1. Bare Board Spec 만 있는 경우

2. Bare Board & Ass'y Board Spec이 모두 있는 경우

3. Ass'y Board Spec만 있는 경우

[최 외곽 TCP Pad Center 간 거리]

3. 검토사항

■ Dimension 관리 및 보증 방안 검토

1) Bare Board Spec만 있는 경우

→ Bare Board 관리 범위에 대한 조정 (상향 Spec 범위 완화 또는 상향으로 Spec 조건 Shift) 반영 후 기존과 동일하게 Bare Board 관리

① 장기 재고를 고려하여 PCB 제조 시 최 외곽 TCP PAD Center 간 거리를 규격 값 대비 Target Position을 $-30\mu m \sim -40\mu m$로 샘플 단계에서 Simulation 하여 검증하고 양산 LOT에 대한 치수 관리 실시중임

② 고객사에서 PCB 제조사 별 Ass'y Reflow 변화율 Test 결과에 대한 평균적인 변화율을 고려하여 Upper Spec 공차의 완화

☞ Reflow Data 반영하여 PCB 제조 시 전체적인 Spec 조건 대비 상향 관리로 변경 실시 (단, 장기재고 기준 및 상한 공차 기준에 Reflow 신축 폭을 고려한 충분한 반영이 전제되어야 함.)

2) Bare Board & Ass'y Board Spec이 모두 있는 경우

→원판의 열적 특성 변화치에 대한 명확한 Ass'y 후 Spec 기준 수립 어렵고 장기간 LPL과 PCB 제조사 간의 상호 Test와 검증이 이루어져야 하며, PCB 제조사는 PCB의 장기 재고 및 함습에 의한 팽창 등으로 치수간거리에 대한 보정 관리를 유지해야 하므로 두 가지 Spec을 동시에 관리 및 만족하기가 매우 어려움. 특히, 일반적으로 원판의 두께 공차 $\pm10\%$를 고려한 편차에 의해 열에 대한 변동이 일괄적이지 못하고 원판업체에서도 수치화하여 제시를 하지 못하는 형편임. 발생된 산포 범위에 대해서 LOT 별로 또는 원판 각 sheet별 획일적인 Spec 범위를 규정하기는 쉽지 않음.

3) Ass'y Board Spec만 있는 경우

→ Assembly Board Spec으로 치수 판정을 할 경우 기존 Board spec에 대한 Reflow 변화폭의 보정 값을 Spec에 반영하는 시간적소요가 오랜 기간 필요할 것이며, 양산 LOT에 적용 시 모델 별 & LOT 주기 변경 별 추가적인 Reflow 치수 검증 작업으로 인해 납기적인 문제가 일정 부분 발생이 될

것으로 판단됨.

☞ Bare Board 상태의 Reflow 변화폭과 부품 실장 Assembly 상태의 변화폭이 어느 정도 차이가 나는지 고객사의 사전 검증 후 Spec 수립에 반영 필요

12. LAND 함몰

1. 현상

2. MICRO-SECTION

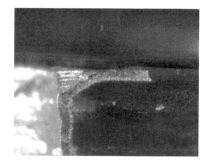

3. JIG

WET-TO-WET용 지그의 사진

4. 발생위치

부품홀(Top면 고정)

5. 발생경로

WET TO W대, 양면 동시 인쇄제품 인쇄 진행시 Double print pin의 고정 위치 불량에 의해 SR도포 시 squeeze 압력에 의해 발생

6. 발생원인

Double print pin의 고정 위치 불량

7. 불량 발생경위

→ TOP면에 지그를 붙이고 작업

지그가 바닥을 향하게 되고 Double print pin은 제품 TOP면의 일반 부품 홀에 고정. SR도포 시 Squeeze에 의해 압력이 가해지는데, 이때 Double print pin에 의해 PAD Annular ring이 함몰되는 불량 야기함.

13. LEACHING (먹힘, 용해)

13-1. LEACHING 이란

1. 액체 Solder가 금속 Coating을 녹이는 공정. PCB위의 Ag도금된 곳에 녹은 땜납이 흘러 들어오면 Ag가 땜납과 용해되어 합금화 된다. 이와 같은 것을 "은 먹힘"이라고 한다. 일반적인 금속 용어로서 Leaching은 A, B 등의 복합액으로부터 어느 특정한 물질(고체 또는 융체)을 선별하는 것을 의미하는 경우가 많은데 이때에는 추출이라고 한다.

2. 설탕을 그대로 녹이는 것은 꽤 온도가 필요하지만, 물에 설탕을 넣으면 상온에서도 간단하게 녹아버린다. 금속에서도 마찬가지 현상이 일어나는데, 고체금속 고유의 융점으로 올리지 않아도 용융 액체에 담그는 것만으로 고체 금속이 액체 금속으로 녹아 나오는 것을 알 수 있다. 이 현상은 "용해"라고 한다.

   자주(솔더 용식), (은 용식), (구리 용식)이란 단어를 들었겠지만 이들이 바로 용해에 해당된다.

   용해현상은 특히 마이크로 솔더링과 같이 미소 접합에 잘 발생되어 패드(pad) 소실 등의 문세를 일으키기 때문에 실게를 포함하여 주의할 필요가 있다. 여기서는 은(AG)-필라듐(Pd) 도체의 용해 모델을 그림에 보인다. 이것은(은 용식)을 용해를 감소시키는 대책으로는, 용해량이 적은 금속을 일정량 솔더에 혼입시킴으로써 어느 정도 방지할 수 있다.

   (예) 동 세선의 용식 : 동(Cu)이 들어간 솔더를 사용하는 것으로 저감할 수 있다.

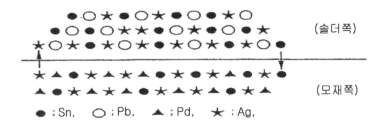

(솔더쪽)

(모재쪽)

● ; Sn,   ○ ; Pb,   ▲ ; Pd,   ★ ; Ag,

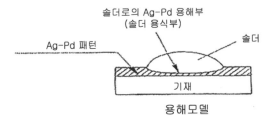

솔더로의 Ag-Pd 용해부
(솔더 용식부)

Ag-Pd 패턴

솔더

기재

용해모델

【참고】

Sn-Pb계의 솔더에서 중요한 금속의 용해속도를 큰 순서대로 영거하면 다음과 같다.

주석(Sn) > 금(Au) > 은(Ag) > 동(Cu) > 팔라듐(Pd) > 백금(Pt) > 니켈(Ni)

3. 리칭의 예

X-ray 사진

- 어떤 고체의 금속이 용융된 액체 금속에 잠겨있는 동안에, 금속의 고용현상에 의하여, 고체가 액체 금속 내부로 녹아 들어가는 현상을 리칭(침식)현상이라고 한다.

- 주로, 웨이브 솔더링에서 많이 나타난다. 부품의 리드가 솔더 포트에 잠기면서 용융된 솔더 속으로 녹아들어가서, 솔더링 후에 리드침식으로 인하여, 리드가 가늘어진다.

- 리플로우 솔더링에서도 리칭 현상이 나타나기도 한다. 즉, 전극의 특정 성분이 용융된 솔더 속으로 녹아 들어가면서 전극 침식이 있어난다.

13-2. 리치 현상의 문제점

■ 리칭 현상에 의한 리드 단면적의 변화

   (사진 : KMJA2003 세미나 자료)

    – 솔더링 전의 리드(수리) 단면적 : 100%
    – 아래의 사진에서 보이듯이 솔더 성분중에서 구리 성분
      이 많을수록 리칭 현상이 덜 일어난다.

솔더링 후의 리드(구리) 단면적 잔존률 : 솔더 성분별 비교

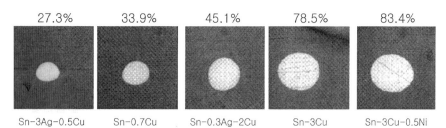

27.3%	33.9%	45.1%	78.5%	83.4%
Sn-3Ag-0.5Cu	Sn-0.7Cu	Sn-0.3Ag-2Cu	Sn-3Cu	Sn-3Cu-0.5Ni

13-3. 리치 현상과 불량사례

■ 리칭 현상에 의한 불량 사례 (사진 : KMJA2003 세미나 자료)

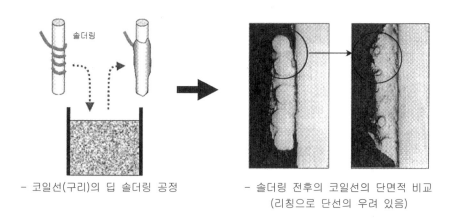

- 코일선(구리)의 딥 솔더링 공정

- 솔더링 전후의 코일선의 단면적 비교
(리칭으로 단선의 우려 있음)

- 아래의 그림과 같이 와이어 솔더링 공정 / 혹은 보충 솔더링 공정에서도
가는 코일선이 리칭현상에 의해 단선되는 사례가 있다.

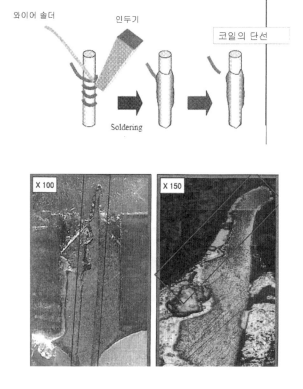

13-4. 리치 현상의 예방대책

■ 리칭 현상의 고찰과 예방 대책

① 부품의 리드선이 구리 성분일 경우에 특히 리칭 현상이 심하게 발생하므로 주의 할 필요가 있다. 코일과 같이 얇은 구리선은 특히 주의를 요함.

② 리칭은 부품 전극부 성분, 솔더의 성분과 깊은 관련이 있다.

즉, 부품의 리드선과 같은 성분이 솔더의 성분 중에 많이 포함될수록 리칭의 양은 줄어든다. 그 이유는"고용 한계의 원리"때문이다. (합금 상태도 참조)

따라서, 사용하는 솔더 합금이 리칭 예방에 적절한 것인가를 우선검토해야 한다.

리칭 발생 시 기판문제 보다는 부품 전극부와 솔더 성분으로 대응하는 것이 좋을 것으로 봄

③ 솔더링 온도가 높을수록, 시간이 길수록 리칭 현상은 심하게 발생하므로, 코일의 수작업 솔더링을 할 때에는 인두기의 온도를 낮추고, 시간을 가능한 한 짧게 한다.

14. IMPEDANCE PATTERN SIMULATION

14-1. 불량제품 #1

Layer	Test Item	Section Data	Impedance Simulation	Result
1 Layer	63Ω ± 10% [56.7 ~ 69.3Ω]			Pass
	105Ω ± 10% [94.5 ~ 115.5Ω]			Pass
4 Layer	63Ω ± 10% [56.7 ~ 69.3Ω]			Pass
	105Ω ± 10% [94.5 ~ 115.5Ω]			Pass

14-2. 불량제품 #2

Layer	Test Item	Section Data	Impedance Simulation	Result
1 Layer	63Ω ± 10% [56.7 ~ 69.3Ω]			Pass
	105Ω ± 10% [94.5 ~ 115.5Ω]			Pass
4 Layer	63Ω ± 10% [56.7 ~ 69.3Ω]			Pass
	105Ω ± 10% [94.5 ~ 115.5Ω]			Pass

14-3. 불량제품 #3

Layer	Test Item	Section Data	Impedance Simulation	Result
4 Layer	63Ω ± 10% [56.7 ~ 69.3Ω]	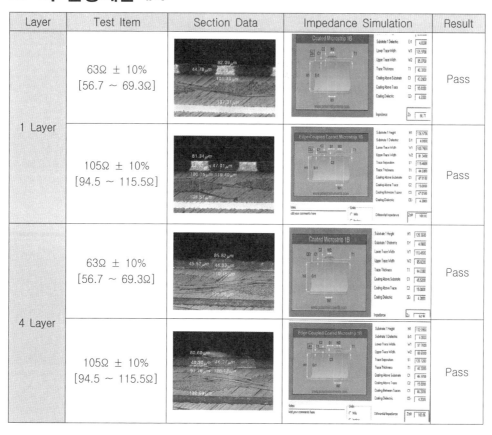		Pass
	105Ω ± 10% [94.5 ~ 115.5Ω]			Pass

14-4. 불량제품 #4

Layer	Test Item	Section Data	Impedance Simulation	Result
1 Layer	63Ω ± 10% [56.7 ~ 69.3Ω]			Pass
	105Ω ± 10% [94.5 ~ 115.5Ω]			Pass
4 Layer	63Ω ± 10% [56.7 ~ 69.3Ω]			Pass
	105Ω ± 10% [94.5 ~ 115.5Ω]			Pass

14-5. 불량제품 #5

Layer	Test Item	Section Data	Impedance Simulation	Result
1 Layer	63Ω ± 10% [56.7 ~ 69.3Ω]			Pass
	105Ω ± 10% [94.5 ~ 115.5Ω]			Pass
4 Layer	63Ω ± 10% [56.7 ~ 69.3Ω]			Pass
	105Ω ± 10% [94.5 ~ 115.5Ω]			Pass

15. PTH 불량

15-1. 유형

1	PLATING VOID	21	RESIN RECESSION
2	WEDGE VOID	22	WICKING
3	PLATING,BARREL CRACK	23	GLASSIBRE PROTRUSION
4	FOIL CRACK	24	BURR
5	BURNED PLATING	25	NODULE
6	DELAMINATION	26	INNERLAYER INCLUSION
7	DELAMINATION PINIKRING	27	INNERLAYER SEPARATION
8	BLISTERING	28	ETCHBACK NEGATIVE
9	CRAZING/MEASLING	29	ETCHBACK POSITIVE
10	LAMINATE VOID	30	SHADOWING
11	PREPREG VOID	31	NAIL HEADING
12	RESIN RECESSION INNERLAYER	32	ARROW HEADING
13	STRESS CRACK	33	WEAVE EXPOSURE
14	RESIN CRACK	34	WEAVE TEXTURE
15	FIBREBUNDLE CRACK	A	UNDERCUT
16	DRILLING CRACK	B	OUTGROWTH
17	LIFTED LAND CRACK	C	OVERHANG
18	LIFTED LAND/PAD LIFTED		
19	PAD ROTATION		
20	PULL AWAY		

15-2. 형태

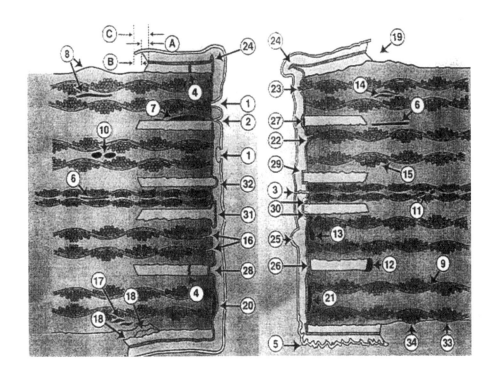

■ PTH 결손 용어

NO	항목	설명
1	PLATING VOID	도금된 특정부위 상에 석출된 금속물이 없는 상태(도금기공)
2	WEDGE VOID	PTH 동도금시 도금 전처리 액이 내층으로 스며들고 나중에 도금이 방해되어 도끼로 찍어 놓은 것처럼 VOID가 발생하는 현상
3	PLATING CRACK BARREL CRACK	열충격을 가했을 때 Z축 팽창을 견디지 못하여 도통홀 내벽부의 도금층이 끊어지는 현상
4	FOIL CRACK	외층의 동박에 금이 간 상태
5	BURNED PLATING	과도한 전류 밀도 때문에 주로 발생하며 산화물이나 기타 이물질이 함유되기도 하여 거칠고 접착력이 떨어져서 불만족스럽게 도금된 상태

NO	항목	설명
6	DELAMINATION	(1) 기자재의 각 층간 또는 기저금속(동박) 사이에 발생하는 분리(박리) 현상 (2) MEASLING이나 CRAZING이 좀 더 발전된 단계로서 FIBER GLASS CLOTH(유리직조섬유)의 층간이 완전히 박리된 상태이며 주로 기판의 외곽 부위에 발생하는 MEASLING 현상에서 비롯됨 (3) PREPREG가 LAMINATION 전에 PREPREG가 외부에 노출되어 습기를 흡수하여 LAMINATION이 되지 않는 현상
7	PINKRING	각종 약품 처리나 도금 시 HOLE 속을 통해 약품이 침투하여 ANNULAR RING 위의 OXIDE를 용해시켜 RING 모양으로 분홍색 모양의 동박을 드러내는 현상
8	BLISTERING	(1) 적층된 기자재층 사이나 기자재 층과 도체회로층(동박) 사이가 부분적으로 분리되어 들뜨거나 부풀음 (2) 기판의 회로 표면과 RESIST COATING 사이가 분리 또는 박리된 상태를 말하며 COATING층이 깨지지 않은 상태로 색깔이 하얗게 보임 (3) 홀 가공 후 잔존한 EPOXY RESIN이 무전해 동도금시 도금 부위에 작게 또는 전체에 도금층과 떨어져 물집과 같은 모양으로 나타난 상태
9	CRAZING/ MEASLING	(1) CRAZING : 기계적 충격에 의하여 발생. CONFORMAL COATING(보호도포막)의 표면이나 내부에 아주 미세한 CRACK이 NETWORK(망사) 형태로 발생한 현상. 또는 기계적인 비틀림에 의하여 절연기판 중의 유리섬유가 수지와 떨어지는 현상 (2) MEASLING : 1) 적층 원판 내부에서 발생하는 결합 상태로서 유리 섬유가 직교되는 교차점에서 RESIN이 유리 섬유와 분리되어 발생한다. 십자 모양으로 나타나며 보통 열충격 후에 디옥 심해짐. 2) 기자재내에 밝은 색깔의 사각이나 십자가 모양으로 분명하게 보이는 작은 점들을 가리키며 그 크기는 약 30mil(1/32인치) 정도임. 이 반점들은 유리섬유가 서로 겹쳐진 매듭 위에 발생한 기공(VOID) 때문에 생김.
10	LAMINATE VOID	적층 원판상 정상적으로 적층용 기자재가 들어 있어야 하는 부위에 기자재의 일부(GLASS나 RESIN)가 결핍된 공동(空洞)현상. 정상적으로 RESIN이 있어야 할 곳에 RESIN이 없는 상태

NO	항목	설명
11	PREPREG VOID	PREPREG에서 정상적으로 적층용 기자재가 들어 있어야 하는 부위에 기자재의 일부(GLASS나 RESIN)가 결핍된 공동(空洞)현상. 정상적으로 RESIN이 있어야 할 곳에 RESIN이 없는 상태
12	RESIN RECESSION INNERLAYER	레진부분이 갑작스런 온도 상승 및 냉각으로 인하여 내층 동박 부분의 레진 부분이 함몰된 것
13	STRESS CRACK	열 충격에 의하여 홀 주위의 레진에 금이 간 상태
14	RESIN CRACK	레진에 금이 간 상태
15	FIBREBUNDLE CRACK	절연층의 직조를 이루고 있는 유리 섬유에 금이 간 상태
16	DRILLING CRACK	부적합한 드릴 작업으로 인해 홀 벽에 금이 간 상태
17	LIFTED LAND/ PAD LIFTED	LIFTED LAND 현상으로 인하여 절연층에 금이 간 상태
18	PAD ROTATION PAD LIFTED	열충격을 가했을 때 PTH의 LAND가 수지 부위에서 떨어져 위로 들리는 불량. LAND가 작을수록, 원판의 내열성이 낮을수록 많이 일어남
19	PAD ROTATION	PAD가 돌아간 상태(밀림)
20	PULL AWAY	도금층이 홀 벽과 분리되어 떨어지는 현상
21	RESIN RECESSION	고온에 노출시킨 기판의 PTH(도통홀)를 마이크로 섹션 했을 때 홀 내벽과 PTH 사이에 발생한 기공(VOID). PTH 내부의 레진 부분이 무전해 동도금 시 갑작스런 온도 상승으로 인하여 레진 부분이 함몰된 것. 기판이 가열될 때 수지 성분이 수축되어 도통 홀의 각 층과 벽이 밀린 것처럼 보이는 현상
22	WICKING	PTH를 도금할 때 DRILL 시 충격을 받아 들뜬 유리 섬유를 따라 도금이 침투해 들어간 현상
23	GLASSIBRE PROTRUSION	홀 벽으로 유리 섬유가 돌출되어 나온 현상
24	BURR	DRILL 작업에서 홀 주위의 동박이 연성에 의해 깨끗하게 절단되지 않고 늘어나 띠 모양으로 돌출 된 형태

NO	항목	설명
25	NODULE	(1) 전기 석출 도금 시 CATHODE(음극, 피도금물) 상에 형성되는 둥근 모양의 돌출물 (2) 홀 내벽에 금속 돌출물이 튀어나온 현상 (3) 부식 공정 후 회로의 모서리에 형성되는 둥글고 작은 금속 돌출물로 주로 SOLDER에 의해 형성됨
26	INNERLAYER INCLUSION	내층과 도금 사이에 들어가 있는 이물질
27	INNERLAYER SEPARATION	내층 동박과 도금이 분리된 상태
28	ETCHBACK NEGATIVE	내층 도체 회로층(내층동박)이 주위를 둘러싼 기자재층보다 상대적으로 뒤로 물러나도록 처리된 에칭백(ETCHING BACK)을 말하며 이런 경우에는 내층의 동박층과 홀 내벽의 전기적 연결이 상대적으로 약해질 수 있다.
29	ETCHBACK POSITIVE	과도한 디스미어 처리 등으로 인하여 내층 동박이 홀 벽에서 튀어나온 상태
30	SHADOWING	내층 절연체에 대한 디스미어 처리 중에 발생하는 현상으로 비록 디스미어 처리가 허용할 만큼은 되었지만 내층 동박과 인접한 부위에서 불충분하게 실시된 상태
31	NAIL HEADING	다층 기판에 홀을 가공했을 때 내부 도체층의 동박이 깨끗하게 잘리지 않고 늘어지는 현상으로 내부 회로층간의 절연 간격이 좁아지거나 심하면 SHORT가 발생하는 경우도 있음.
32	ARROW HEADING	NAIL HEADING과 비슷한 현상이나 내층 동박의 끝부분이 화살촉 모양으로 튀어나온 상태
33	WEAVE EXPOSURE	(1) 파손되지 않고 잘 직조된 유리 섬유가 수지에 의해 균일하게 도포되지 못한 적층 원자재 상의 표면 결함 상태 (2) BUTTER COAT층의 두께가 유리 섬유를 봉합하기는 하나 CLOTH 패턴을 매끄럽게 도포할 만큼 충분하지 못할 때 발생하는 현상
34	WEAVE TEXTURE	절연기판 내 유리 섬유가 수지로 덮인 상태에서 그 직조 문양이 보이는 것
A	UNDERCUT	에칭 공정에서 에칭 RESIST(잉크 혹은 납) 부분의 도체가 에칭되면서 양쪽 또는 한쪽의 측면이 레지스트 폭보다 안쪽으로 에칭된 것. 에칭에 의해 도체 패턴 옆면에 홈이나 오목한 모양이 나타남.

NO	항목	설명
B	OUTGROWTH	도금에 의해 형성된 도체 회로의 한 쪽 면에서 도체 회로 폭이 모델별 상세 도면상에 주어진 치수 이상으로 증가된 상태
C	OVERHANG	OUTGROWTH에서의 (+)된 도체폭과 UNDERCUT에서 (-)된 도체 폭을 더한 전체 폭을 오버행이라 한다. 만약 UNDERCUT가 발생하지 않았다면 오버행은 단지 OUT-GROWTH만의 크기임

16. SCRATCH & 찍힘

16-1. SCRATCH / 찍힘유형

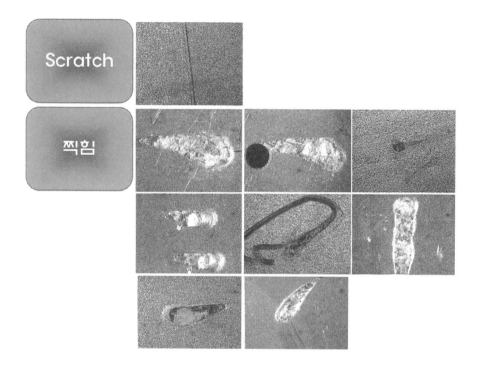

16-2. PSR 작업 전 SCRATCH

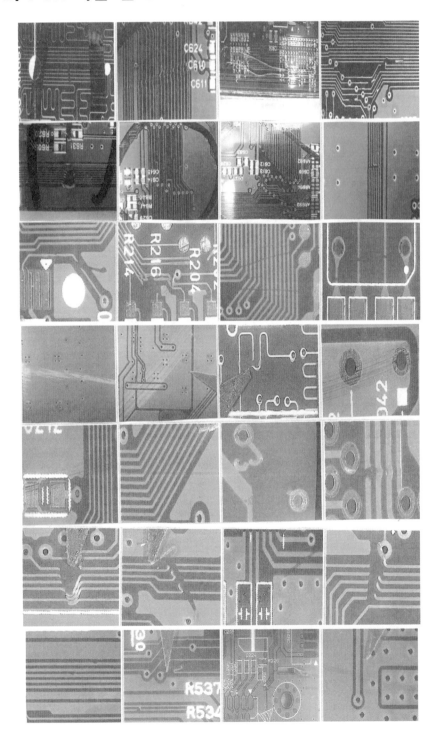

16-3. PSR 작업 후 SCRATCH

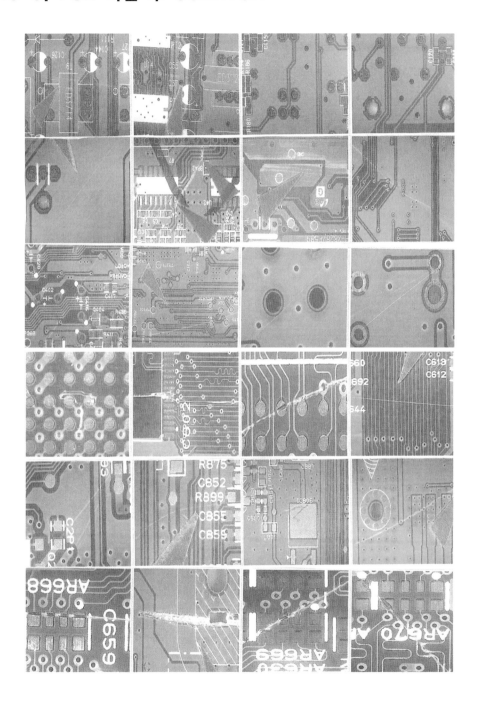

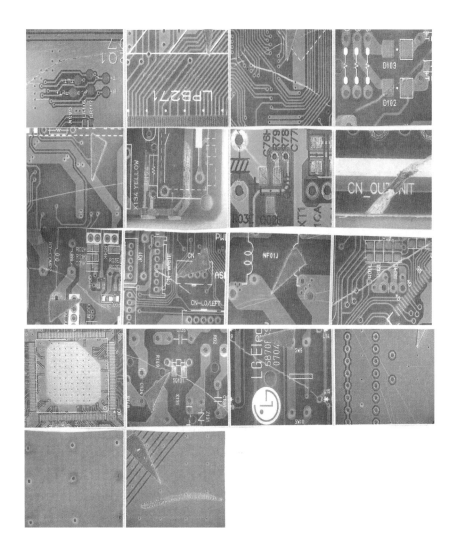

16-4. 찍힘

발생 위치 : 회로 patten

발생 경로 : 외층 D/F이전 제품 취급
　　　　　　상의 부주의에 의해 발생.

발생 원인 : D/F이전 제품 취급 불량

17. SHRINKAGE(신축)

1. 목적

만약, PCB Board에서 발생하는 열에 의한 shrinkage 변화폭을 해석할 수 있다면, LCD제품의 F/M간 거리 변화폭을 사전에 예측할 수 있다.

따라서 외층부식공정과 출하공정사이에서 발생하는 열적 shrinkage 변화율을 경험치(data)을 근거로 해석하여 1차 방정식으로 함축 표현하기 위함이다.

2. 결론

① PCB Board의 shrinkage는 Board 길이와 함수관계에 있다.

② D/S Board와 MLB 제품은 서로 다른 방정식을 갖는다.

③ PCB Board shrinkage 해석 1차 방정식

  (a) x축 : PCB Board 길이 (단위 : mm)

  (b) y축 : PCB Board shrinkage (단위 : 나노미터, nm)

  (c) slope (기울기) : PCB Board 길이가 1mm 이동할 때 최종 제품의 shrinkage
    는 slope 나노미터만큼 수축한다.

  (d) 1차 방정식[LCD 제품 F/M간거리 DATA 이용]

적용대상	x축	y축	slope	1차 방정식	오차 범위	비고
D/S Board &0.4ℓ MLB	PCB Board 길이 (단위 : mm)	PCB Board shrinkage (단위 : 나노미터, nm)	207.73	y = 207.73 x	20 μm	열에 의한 수축
0.6 ~ 1.2t MLB&Baked board			169.59	y = 169.59 x	20 μm	열에 의한 수축

3. 검증

1) 모델 : [양면 LCD제품]

F/M 간거리 SOEC = x	1차 방정식	Shrinkage(μm) = y	오차범위	비고
328.15mm	y = 207.73 x	68.17	20μm	

열적 Shrinkage에 의해 F/M 간 거리 변화폭이 48~88μm내 발생한다.

2) 모델 : [MLB]

F/M 간거리 SOEC = x	1차 방정식	Shrinkage(μm) = y	오차범위	비고
336.55mm	y = 169.59 x	57.08	20μm	

열적 Shrinkage에 의해 F/M 간 거리 변화폭이 37~77μm내 발생한다.

4. 참고자료

LCD 제품 F/M간거리 DATA

제품 사양 및 작업 방법	외층부식-마킹공정 Shrinkage			비고
	AVE.	MAX.	MIN.	
D/S Board	68μm	85μm	54μm	
Baked Board	55μm	64μm	44μm	
MLB	57μm	63μm	52μm	

5. SHRINKAGE(신축) 개선

1) 목적

제품 신축으로 인한 외각 동 노출을 방지하는데 있다.

2) 방안

KIT와 KIT사이에 동박으로 다리를 연결하여 공정 진행 시 신축을 최소화한다.

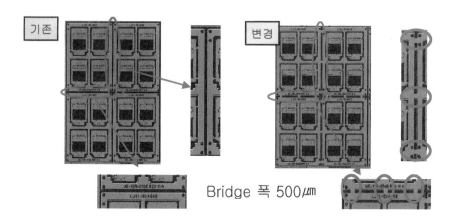

기존　　　　　　　　　　변경

Bridge 폭 500㎛

3) 예상 효과

　　제품 신축 최소화

　　⇒ 동노출 방지

4) 문제점

　　DUMMY 동 노출 발생

　　⇒ 상하좌우 각 각 3 EA

18. TENTING 터짐

18-1. TENTING 터짐

1. TENTING 문제

Tenting 또는 이전 공정 문제에 대한 논란은, 일단 TENTING 문제로 봄이 타당할 것입니다. 그 이유는 HASL 처리 이전의 SAMPLE에 대한 Hole의 단면 절단 (Cross-Section) 사진을 통해서 Etching 액에 의한 표면 부식 흔적이 발견된 점과 Copper Foil의 측면 Etching (Undercut) 현상이 발견되었습니다. (첨부 참조)

2. 원인 및 대책

TENTING에 기여하는 Factor는 여러 가지가 있으나 (Lamination 조건, Etching 압력, 등등), 이러한 공정 변수들이 정상적인 관리하에 있다면 무엇보다 중요한 것이 ETCHANT 내부의 염산 (HCL) 농도 관리일 것으로 판단됩니다.

저 염산농도 (0.5 Normality 이하)에서는 DRY FILM Resist가 Etching 액에 대한 내성이 강하나 고 염산농도 (강산성, 2Normality 이상)에서는 DFR의 종류 및 작업조건 (온도, 압력, 시간 등)에 따라서 다소 차이는 있으나 보편적으로 DFR 손상 문제를 가지고 있습니다.

따라서, Etching 액의 염산 농도를 확인하여 저 염산 농도에서의 작업이 권장됩니다.

3. 분석방법

① 입수된 Sample을 확대경 하에서 양품과 불량을 확인하고,
② TENTING 문제인지 혹은 이전 공정의 문제 (동 도금 또는 Shadow 공정)인지를 규명하기 위해 단면 절단 분석 (Cross-Sectional Analysis)을 진행하여
③ 그 현상을 토대로 문제의 원인을 규명하고자 함.

▶ Fig. C HASL 처리 전 단면 절단 사진 (좌측 : 불량, 우측 : 양품)

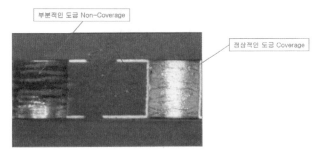

▶ Fig. D HASL 처리 후 단면 절단 사진 (좌측 : 불량, 우측 : 양품)

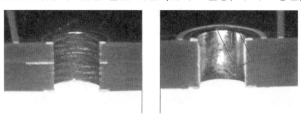

▶ Fig. E 양품과 불량에 대한 표면 확대 사진 – 증거 1
(우측의 양품 표면은 전착 도금된 형태가 그대로 남아있는 반면, 좌측의 불량의
표면은 매끄러운 형태로 Etching 액으로 부식이 된 양상을 보여줌.)

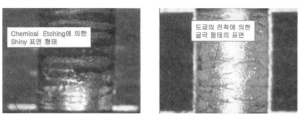

▶ Fig. F 불량에 대한 PHT 주변 확대 사진 – 증거 2
(오른쪽 그림에서 보듯이, PHT 주변의 Copper Layer에서 Etching 액으로 인한
Side Etching 흔적을 발견할 수 있음.)

4. 관찰사항 (Findings)

문제 부분에 대한 단면 절단 사진에서 알 수 있듯이, HOLE 내부의 동 도금 층이 Etching 용액에 의한 Chemical 부식, 즉 다시 말하면 이 문제는 이전 공정의 SHADOW 또는 동 도금 문제가 아니라 ETCHING 과정에서 발생되는 TENTING 문제로 밝혀졌습니다.

이는 2가지의 증거로 알 수 있는데,

① 동 표면이 용액의 침식으로 인한 Shiny Surface와, (Fig. E 참조)
② HOLE과 접한 동 소재의 측면이 Etching에 의한 Side Etching의 흔적 (Fig. F 참조)이 그 증거라 하겠습니다.

주어진 Sample 상에서 Hole Size의 크기에 관계가 없이 이와 같은 TENTING 문제가 발생됨을 미루어 Etching 용액의 염산농도가 높음으로 인해 발생한 문제로 사료됩니다.

18-2. TENTING 터짐(장충)

1. 불량 유현 : 텐팅터짐

2. 불량 수량 : 불량률 11.7%

3. 불량 분석결과

 1) 특정부위 장공홀 텐팅 터짐 불량 발생함.
   ; PNL[338×608]내 12개의 장공홀 중 가장자리의 세로방향의 장공홀에서만 발생함.

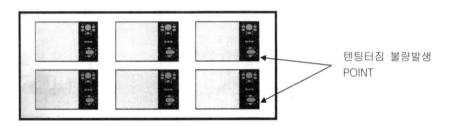

텐팅터짐 불량발생
POINT

4. 추정원인

 1) L/A HOT ROLL 압력 편차 (좌, 우 가장자리의 압력이 가장 높다.)
 2) ROLL 방향과 직각으로 장방향 쪽으로 교차하는 장공홀의 ROUGHNESS

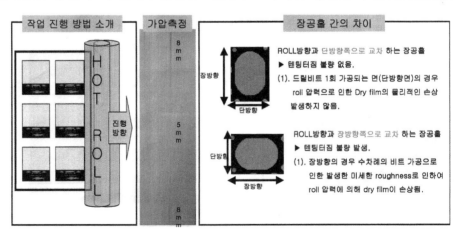

3) 불량품 사진

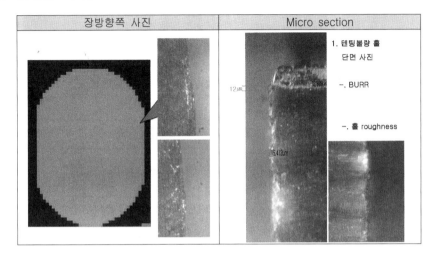

장방향쪽 사진	Micro section

5. 개선대책

1) DRILL 작업 완료 제품 :

　 - L/A 압력 저하시켜 작업함 [5 → 3kg/㎠]

　 - 노광량 증가 [8 → 8.5단]

　 - 현상약품 처리 시간 감소 [현상 속도 4.4m/min → 4.6m/min]

2) DRILL 작업 이전 제품 :

　 - 제품 연 배열 변경 [장공홀을 PNL 내부에 놓는다.]

기존	변경

6. 대책 실행결과

구분	작업조건				불량률 %
	정면	L/A압력	노광량	현상속도	
기존작업	브러쉬	5 kg/㎠	8단	4.4	106KIT [11.7%]
개선 1.	브러쉬	3 kg/㎠	8.5단	4.6	66KIT [7.33%]
개선 2.	벨트+브러쉬	3 kg/㎠	8.5단	4.6	9KIT [1.00%
연배열 변경	브러쉬	3 kg/㎠	8단	4.4	3KIT [0.33%]

7. 결론

1) 텐팅터짐 불량 원인 : 장공홀 장방향 부위 BURR

2) BURR로 인한 텐팅터짐불량의 대표적인 사진 :

- BURR로 인한 LAND 부위의 드라이필름 손상됨
- HOLE 내벽의 ETCHING 경로는 LAND부터 시작된다.
- HOLE 내벽 중심부부터 ETCHING되는 경우 없음

18-3. PCB 표면처리 시 VIA-HOLE TENTING 문제

1. 무전해 TIN 처리 후에 Tenting hole의 수세가 극도로 어렵다.

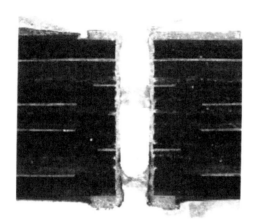

      이는 무전해 TIN 처리뿐만 아니라 무전해금도금, OSP 처리 제품 모두에 해당됨.

2. 실제 양산에서의 품질 발생 예

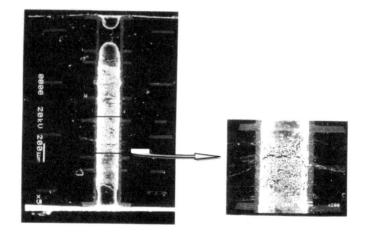

  ① 2.0t, 12L Network Bd에서 무전해금도금 사양의 제품이 업체에서 Assy 후 Open 발생하여 분석결과 상기 불량 발생.

  ② Lot 불량 처리

3. 불량현상

* Voids can be found in almost all the holes with tented holes
* Normal condition in other P.T.H (No voids)
* Void propagates from the point contacted with P.S.R.

19. PURE TIN 표면 변색 & SKIP

1. 현상

① 변색

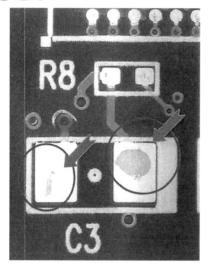

② SKIP

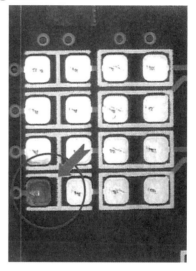

2. 원인

① 동박표면에 이물질부착

② 표면산화

③ TIN 액 흐름 불충분

3. 대책

① 먼지, 이물질관리

② TIN 액 농도 CHEEK

20. 불량개선 전/후

NO	항목	개선 전	개선 후
1	BLACK PAD (Ni도금 인(P) 함량 관리)	 인(P)함량 OVER	인(P)함량 SPEC관리 (6~8%)
2	ENIG 제품 SOLDER ABILITY	 Au도금 미달 또는 OVER로 WETTING 불량	 ENIG SPEC 관리로 WETTING유지 {표}구분 / MIN / MAX Ni / 3㎛ / 8㎛ Au / 0.03㎛ / 0.08㎛
3	TIN THICKNESS	주석도금두께 0.6㎛ 	주석도금두께 0.8㎛

표 내용 (개선 후, ENIG SOLDER ABILITY):

구분	MIN	MAX
Ni	3㎛	8㎛
Au	0.03㎛	0.08㎛

NO	항목	개선 전	개선 후
4	PEELABLE COATING	UNBALANCE 휨 발생	BALANCE 휨 불량 개선
		단 배열 (작업 40초)	연 배열 (작업 4 ~ 6초)
5	WARP(휨) 발생	3.5m/m 이상 휨 불량발생 	DESIGN 개선 보강대 설치

NO	항목	개선 전	개선 후
6	GUIDE HOLE (GUIDE HOLE 의 위치가 표준 이 안 되어 좌 표 틀어짐)	10mm	GUIDE HOLE 표준화 5mm
7	GUIDE RAIL 표준	삽입불량 PCB 두께 2.4±0.2㎜ Guide Rail 내경:2.6±0.1㎜	삽입불량개선 PCB 두께 2.4±0.2㎜ Guide Rail 내경:3.0±0.1㎜
8	QFP PITCH (NCH/METRIC 불일치)	PITCH 불일치로 SHORT 발생	PITCH 0.5㎛ 표준
9	QFP PAD 소실	D/F 밀착불량	D/F 밀착선 강화

NO	항목	개선 전	개선 후
10	CONNECTOR PIN PITCH	PIN 삽입불량(휨) PITCH 불균일로 PIN이 HOLE속에서 압력을 견디지 못하고 휨	PITCH 균일
11	QFP PAD PITCH	PIT내 불일치로 SHORT 발생 	0.5 PITCH로 표준화
12	FIDICIAL(인식) MARK	인식 MARK 미표준화 인식 MARK 박리	인식 MARK 미표준화

NO	항목	개선 전	개선 후
13	VIA HOLE (WAVE SOLDERING) (양면 REFLOW)	[단면] [양면] 약품 흐름성 부족 발생 Via Hole Open	[단면] [양면] Via Hole 신뢰성 확보

21. 공정별 불량

21-1. PCB 사양

1. PCB SPEC 관리

1) 사례

	적용 SPEC
1	· 더미 부위 외곽에서 0.2mm 이격 후 동박 처리 할 것 (전층) 　(missing hole과 동박은 0.1mm, missing hole 부위 동박은 직각처리) · 덧살 부위 모델명 삽입 (그림 참조) – 제품상 rev표기면에 삽입 　→ 하측 : 제품명(ASS'Y명) 및 REV 표기 동박으로 SCR 후 실크로 인쇄 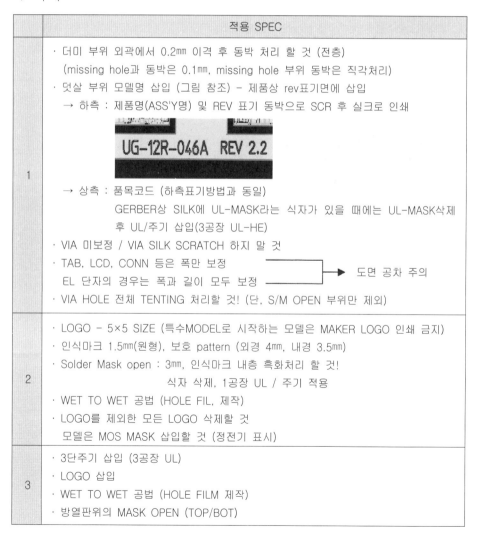 　→ 상측 : 품목코드 (하측표기방법과 동일) 　　　　　GERBER상 SILK에 UL-MASK라는 식자가 있을 때에는 UL-MASK삭제 　　　　　후 UL/주기 삽입(3공장 UL-HE) · VIA 미보정 / VIA SILK SCRATCH 하지 말 것 · TAB, LCD, CONN 등은 폭만 보정　　　　　　　　　　도면 공차 주의 　EL 단자의 경우는 폭과 길이 모두 보정 · VIA HOLE 전체 TENTING 처리할 것! (단, S/M OPEN 부위만 제외)
2	· LOGO – 5×5 SIZE (특수MODEL로 시작하는 모델은 MAKER LOGO 인쇄 금지) · 인식마크 1.5mm(원형), 보호 pattern (외경 4mm, 내경 3.5mm) · Solder Mask open : 3mm, 인식마크 내층 흑화처리 할 것! 　　　　　　　식자 삭제, 1공장 UL / 주기 적용 · WET TO WET 공법 (HOLE FIL, 제작) · LOGO를 제외한 모든 LOGO 삭제할 것 　모델은 MOS MASK 삽입할 것 (정전기 표시)
3	· 3단주기 삽입 (3공장 UL) · LOGO 삽입 · WET TO WET 공법 (HOLE FILM 제작) · 방열판위의 MASK OPEN (TOP/BOT)

	적용 SPEC
4	· WET TO WET 공법 (HOLE FILM 제작) · 26-series 모델 UL / 주기 → 동박면에 삽입 (주의 : ETCHING후 식자 판독 가능하도록 크기 조절) · 주주년년 삽입
5	· UL / 주기 삽입 양면 : 2 , 다층 : 5
6	· 모든 PCB GUIDE 삽입 · DUMMY에 PCB CODE (10600~)인쇄 – TOP SILK · SMD가 있는 제품 – DUMMY상 인식마크 삽입 · TOP / BOT MIRROR 주의 할 것!!
7	· 공통 APERTURE사용 · UL-MARK 및 주기 삽입 방법 (FR4 MULTI인 경우) **ℜ■7 ▲ 94V-0** **H0120** · 원산지 및 업체 로고 삽입 할 것! → Made in Korea · DUMMY 부위 THROUGH $\phi4\times4EA$ 처리 · DUMMY 부위 인식마크 처리 – 인식마크 $\phi1$, S/M $\phi3$ · DUMMY 부위 CHAMFER 처리 인식마크 4.0 th 3.0 mm 5.0 mm · 식각관리 중요 – 패턴(30μm) 보정할 것
8	· 로고 삽입, 3단주기 삽입 · LOGO 삽입 유무 확인 · GERBER와 기구도면 상이할 경우 기구도면 우선 작업 · DUMMY 인식마크 – $\phi1$, S/M – $\phi3$ 보호 pattern (외경 4mm, 내경 3.5mm)

	적용 SPEC	
9	· WET TO WET 공법 (HOLE FILM 제작) · 공단자 삭제 · 더미 쿠폰 단자부의 끝선과 일치하게 맞추어 B/D 외과까지 일자 면취 · 전 모델 3공장 UL삽입할 것 · 내층 단자부분 동박 동노출 나지 않는 범위 내에서만 스크래치 작업할 것 · 4층 (내층 T/C : 1.2T 사용) - 1.6T 기준 · 두께 관리 1.6T +0.16, -0.08 · 금단자 도금두께 0.76 μm 이상 · 면취길이 : 1.15+, -0.1, 잔족폭 : 0.64-0.77㎜	파란색 - CAM 적용사항 빨간색 - 생산부서 적용 사항
10	· DUMMY상 동박 삽입 금지 (내, 외층), 주기 주주년년으로 삽입	
11	· 디지털 주기 (년년주주로 삽입)	
12	· 0.4 ¢ 이하 VIA PSR 도포 (DATA상 MASK OPEN으로 접수 시 삭제할 것) · 공단자 삭제	

13	· DUMMY SPEC준수 (기구홀 및 인식마크 위치)
	  → DUMMY 길이 8㎜
	    외곽 모서리에서 5×5㎜ 지점에 기구홀 4 ¢
	    기구홀 center에서 5㎜ 지점에 인식마크 1 ¢
	· VIA HOLE에 MASK는 무조건 삭제
	· 보조 더미 무조건 삭제 할 것
	· PCS간 ROUTER간격 - 2㎜ (KIT배열시)
	· R값 적용안함 (DATA기준으로 작업)	

14	· WET TO WET 공법 (HOLE FILM 제작) → data상 open시 확인 후 진행	
15	· 주기 밑에 1 ¢ 크기 삽입 ────────▶ 0200	

	적용 SPEC
16	· NON - FUNCTION PAD 삭제 금지 · 덧살에 도트처리
17	· 업체 GERNER DATA대로 작업(보정이나 변경 하지 말 것) → 문제가 되는 경우는 업체 확인 후 진행할 것 · ARC로 인한 SHORT 자주 발생 모델 - 작업 시 확인할 것!!!
18	· UL / 주기 삽입 금지
19	❖ 공통 적용 사항 1. 메탈 board 및 heavy copper UL표기 (메탈 : HTE-M, HEAVY COPPER : H 4) 2. 외국업체 - HOLE POINT 작성 및 업체 GERBER 수정하지 말 것!!! 3. 3단주기 업체 4. HOLE POINT FILM생성 기준 (DRILL SIZE와 동일하게 생성) � BGA제품, 5㎡ 이상, 두께 2.0T 이상, 50PNL이상 5. 모든 VIA 처리 기준 (MASK) → TENTING인 경우 : VIA MASK 삭제 (TOP/BOT) → WET TO WET인 경우 (HOLE FILM 제작) 0.3 ∮, 0.4 ∮에 대해서는 MASK 삭제 (메꿈 작업) 0.5 ∮ 이상에 대해서는 HOLE 만큼 OPEN → TOP 도포, BOT OPEN 인 모델 (BGA 포함해서) : BOT MASK는 DONUT 모양으로 생성한다. 상기 SPEC 내용은 투입되는 각 업체 전모델에 대해서 적용하는 것을 원칙으로 한다. 단, 발주서 특기사항에 COMMENT가 있는 모델은 제외함

2. 업체별 SPEC

① L전자

A 사업부

PCB 두께	± 10%		
외곽공차	± 0.15 ㎜		
HOLE 공차	PTH	∅ 1.00이하	±0.08
		∅ 1.00이하	±0.1
		∅ 5.00이상	±0.15
	NPTH		0.05
도금두께	Min 20㎛ 이상		
S/R 두께	10㎛-20㎛		
S/R DAM	80±10㎛		
HALI 두께	2.5㎛-25㎛		
회로폭	±15%		
Annul	50㎛ 이상(Via 25㎛이상)		
휨	대각선길이의 0.6%		
무전해금	Min 0.05㎛ 이상		
단자금도금	Au : 1.3㎛-2.0㎛		
인식마크	∅ 1.5 주위 ∅ 3.0동박 처리		
QFP	0.4 PITCH	210 ±20㎛	
	0.5 PITCH	300 ±20㎛	
	0.635 PITCH	335 ±30㎛	
	0.65 PITCH	351 ±30㎛	
	0.7 PITCH	측정치 ±30㎛	
LG LOGO	5㎜×5㎜		
포장	10 PCS		

B 사업부

휨	1㎜ 이하 관리	
드릴공차	+ 0.1, -0.0 (TH, NTH 공통)	
QFP	0.5 PITCH	200㎛ - 250㎛
	0.4 PITCH	160㎛ - 190㎛
VIA HOLE처리	일반 TENTING	
두께 공차	± 10%	
인식마크	∅ 1.0 + 0.00, -0.1	

② L DISPLAY

표면처리	Ni도금	Min 3.5㎛
	Au도금	Min 0.05㎛
SILK	SILK CUT 금지	
각홀	틀어짐 없을 것	
LOGO	회사 LOGO 삭제	
EPOXY BURR	CONECTOR 부위 EPOXY BURR 없을 것	
외형	끝에서 3㎜ EPOXY 처리	

더미에 층수 삽입
PNL KIT 번호 기입
Align Mark 진원도 : ±0.03
Align Mark 간 거리 : +0.06/-0.08
Pad 식각 : ±0.03
Pitch간 거리 : ±0.03
Align Hole 진원도 : ±0.05
Align Hole간 거리 : ±0.08
Align Hole간과 Pad Center간 거리 : ±0.08
항상 업체 도면 기준 할 것 (공차는 업체 지정 9개 항목 필히 적용)

③ S NET-WORK

휨	대각선길이의 0.75%
TWIST	1.6㎜ 이하
포장단위	20 PCS
제품두께	±10%
각홀공차	±0.15
라운드홀	±0.076
주기형식	3단주기
S/M 두께	CENTER 10㎛
	EDGE 3㎛ 이상
도금 두께	MIN 18㎛, 평균 25.4㎛
	MAX : 최종 HOLE SIZE 만족
HASL 두께	500㎛ SMD PAD 이하
	MIN 2㎛, MAX 25㎛
단자 금도금	Ni : Min 2.54㎛

무전해금도금	Au : Min 0.76㎛	
	Ni : Min 2.54㎛	
	Au : Min 0.03㎛	
V-CUT	각도 : 30돈 ±5도	
	깊이 : PCB두께의 30%	
HOLE 공차	1.0mm 이하	±0.076
	1.0mm 초과 6.0mm 이하	±0.1
	6.0mm 초과	±0.2
	NPTH	+0.1, -0.0

④ S, COMPUTER

QFP	0.5PITCH	250㎛ - 280㎛
	0.635 PITCH	330㎛ - 360㎛
	0.65 PITCH	
GUIDE 홀공차	+0.076, -0.00	
V-CUT잔존폭	0.5±0.1	
휨	0.8mm 이하	
두께공차	1.6T	+0.1, -0.16
	1.2T	±10%
BGA	585㎛ - 635㎛	
도금두께	양면	MIN 20㎛ 이상
	MULTI	MIN 25㎛ 이상
	무전해동	0.3㎛ - 0.4㎛
	PNL 도금	10㎛ - 15㎛
	HASL	8㎛
	PATTERN 도금	15㎛
	단자금	0.5㎛
	NI도금	MIN 5㎛

⑤ S DISPLAY

V-CUT	0.35±0.1
휨	0.4≤ T = 3.0%
	0.4< T ≤ 1.0 = 2.0%
	1.0< T ≤ 1.5 = 1.0%
	1.5< T ≤ 1.6 = 0.7%
두께 측정	SILK TO SILK(±10%)

동도금	무전해	MIN 0.1
	PNL	MIN 7
SOLDER	1㎛ - 20㎛	
무전해금도금	Au	MIN 0.03㎛
	Ni	MIN 3㎛
단자금	Au	MIN 0.03㎛
	Ni	MIN 3㎛
SOFT	Au	MIN 0.03㎛
	Ni	MIN 3㎛
연배열 필히 확인		
CTQ 필히 지정		

⑥ 일본 C사

도금두께	MIN 15㎛			
HASL 두께	1㎛ - 100㎛			
HOLE 공차		NC	금형	
	PTH	±0.05	-	
	NPTH	±0.05	±0.1	
최소랜드폭	외층	부품면	MIN 50㎛	
		VIA 랜드	MIN 0㎛	
		내층 랜드	MIN 0㎛	
S/R 두께	기초재료 위			
	동판 위			
외형가공				
가공방법	기판치수에 따른 홀간 치수 공차			
실장기준홀	실장가공홀	250㎜ 이하	250㎜ - 300㎜	300㎜ 이상
금형	금형	±0.10	±0.15	
금형	드릴	±0.15	±0.20	±0.05
드릴	금형	±0.15	±0.20	
드릴	드릴	±0.10	±0.15	
가공 방법	실장 기준홀과 CHIP LAND의 위치 정밀도			
	250㎜ 이하	250㎜ - 300㎜	300㎜ 이상	
드릴	±0.10	±0.15	±0.05	
금형	±0.15	±0.20		

⑦ H DISPLAY

인식마크	500 ±30㎛	
S/R 두께	EDGE	MIN 5㎛
금도금	무광처리	
	Ni	MIN 3.0㎛
	Au	MIN 0.03㎛
휨	대각선길이의 1.0%	
IC PAD폭	A	230 ±20㎛
	B	220 ±20㎛
	C	190 ±20㎛
TCP PAD폭	A	220 ±30㎛
	B	220 ±30㎛
	C	220 ±30㎛
QFP	0.4 PITCH	190 ±20㎛
	0.5 PITCH	220 ±30㎛
M/K	BLACK	
전 모델 SMT 방향 표시		
UL LOGO는 반드시 GROUND에 삽입		

⑧ PCB 제조회사

도금두께	MIN 20㎛ - MAX 50㎛	
홀공차	PTH	±0.1
	NPTH	±0.05
S/R 두께	CENTER	MIN 10㎛ - MAX 30㎛
	EDGE	MIN 3㎛
HASL	MIN 3㎛ - MAX 50㎛	
무전해 금도금	Au	MIN 0.03㎛ - MAX 0.15㎛
	Ni	MIN 3.0㎛ - MAX 8㎛
단자금도금	Au	MIN 0.76㎛ - MAX 2.00㎛
	Ni	MIN 3.0㎛ - MAX 8㎛
두께공차	± 10%	
외곽공차	± 0.1 & ±0.2	
휨	대각선 길이의 0.7%	

⑨ GRAPHIC CARD

HASL	$2\mu m$ – $25\mu m$	
Au	MIN $0.76\mu m$	
Ni	MIN $3\mu m$	
동도금	MIN $20\mu m$	
두께	1.6T (±0.1/−0.08)	
QFP	0.5 PITCH	250 ±25

⑩ 일반 BOARD

휨	장축 0.35% 이하				
면취	ISA : 45, PCI : 20				
인식마크	1.0 ± 0.1				
외형공차	50mm 이하		± 0.1		
	50 – 200mm		±0.15		
	200 – 350mm		±0.2		
	350mm 이상		±0.3		
HOLE 공차	Ø0.8	NPTH	±0.03	PTH	±0.08
	Ø0.89 – Ø1.6	NPTH	±0.05	PTH	±0.1
	Ø1.6 – Ø5.0	NPTH	±0.08	PTH	±0.15

3) KIT ARRAY 작업 FLOW

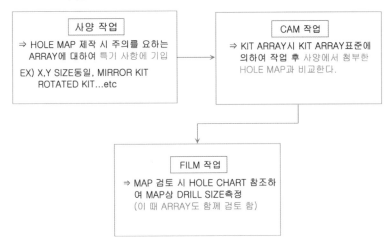

사양 작업
⇒ HOLE MAP 제작 시 주의를 요하는 ARRAY에 대하여 특기 사항에 기입
EX) X,Y SIZE동일, MIRROR KIT ROTATED KIT...etc

CAM 작업
⇒ KIT ARRAY시 KIT ARRAY표준에 의하여 작업 후 사양에서 첨부한 HOLE MAP과 비교한다.

FILM 작업
⇒ MAP 검토 시 HOLE CHART 참조하여 MAP상 DRILL SIZE측정
(이 때 ARRAY도 함께 검토 함)

▶ KIT ARRAY 작업 표준

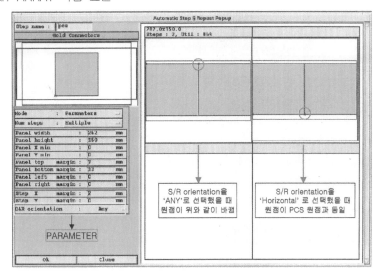

1. 위 그림과 같이 ARRAY시 S&R Orientation의 parameter에 대해서 PCS
   Profile의 원점이 바뀔 수 있으므로 Array후 반드시 사양에서 첨부함
   Hole Map과 비교 검토한다.

▶ KIT ARRAY

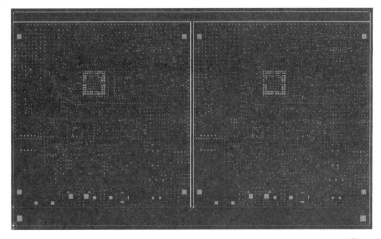

2. 위의 Array Map을 보면 Kit Profile안에서 PCS Profile이 어떤 방향으로
   돌아갈 지 알 수 없음.
   ⇒ 업체에서 지정한 Array대로 작업이 안 된다면 업체에서 SMT시 문제가
      발생 됨.
   결론 : Array후 반드시 업체 Fabrication Drawing 또는 사양에서 첨부한
          Hole Map과 비교 검토한다.

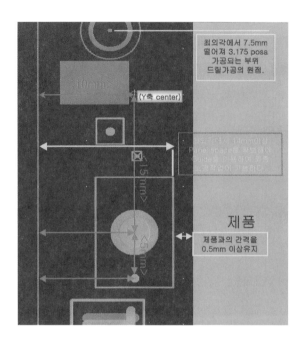

제품과 guide의 Space

venting 최 외각에서 외층 노광 guide까지는 최소 14 mm 이상 확보되어야 외층 자동노광작업이 가능하다.

단 multy-posa 위치를 7.5 mm에서 최소 5mm 위치로 이동하여 작업이 진행된다 면 2.5㎜정도 여유 space 가 생기며, 가장 최소간격 은 제품과 최외각에서 12.5㎜의 space가 유지되 어야 함.

▶ Panel array 배열상태

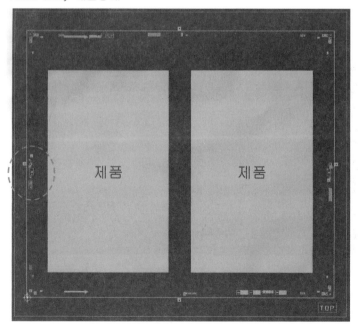

4) 주기 관리 표기 개선

① TEST 목적

- 주기 변경에 대한 개선 제안서 접수에 따라 업무 개선을 위한 TEST
  실시

② 업무흐름 비교

- 기존

(a) 주가 변경될 때마다 CAM에서 DATA를 수정

(b) 수정된 DATA를 필름실에서 필름 재출력

(c) 재출력 된 필름으로 제판에서 망제작 실시

(d) 현장 불출

- 개선 후

밀번주기를 적용함으로써 최초 출력된 필름으로 제판에서 주기 수정 가능

③ TEST 결과

- 주기 변경에 대해 합리적으로 접근함으로써 업무의 효율 및 원가절감
  등의 이익이 아래와 같이 기대되며 조속한 적용이 요구 됨.

(a) 주기 수정을 위한 CAM DATA 수정 시간 절감

(b) 주기 수정을 위한 필름 재출력이 필요 없음

(c) 주기 수정에 따른 망제작이 필요 없음

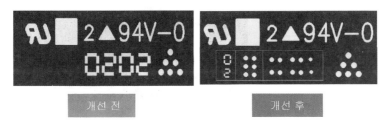

개선 전   개선 후

개선전 : 주차 표시- 디지털 주기로 주가 바뀔때 마다 필름을 재출력함

개선후 : 밀번 주기를 적용함으로써 제판에서 자체적으로 수정이 가능하여

　　　　필름의 재출력이 필요 없어짐

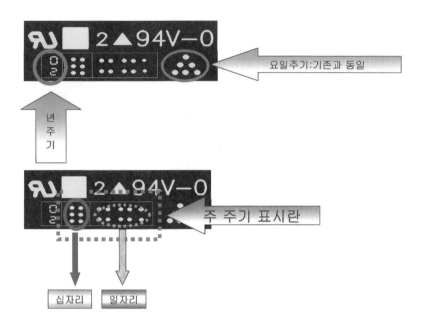

요일주기:기존과 동일

년 주 기

주 주기 표시란

십자리

일자리

적용 예

1) 1주차 작업시

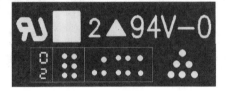

2) 35주차 작업시

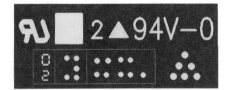

5) 표준 규격 관리건

구분	관리 항목	관리 규격	구분
기본사양	SEC_CODE	PCB 동박 인쇄 PBA Silk 인쇄	
	Rev. 표기	개발 : R01 양산 : 01	
	Model 표기	Silk 인쇄	
	Layer 표기	Layer P.P Vendor 표기	
	재질표기	Vendor 표기 Grade 표기	
	Oxide	Vendor 표기 Grade 표기 Color 표기	
	Solder Mask	Vendor 표기 Grade 표기 Color 표기	
	Via Hole Tent	Max 40um 전용 Pallet : Capping of Solder Stop Wave Solder : Plugging or 3도 인쇄	
치수	두께 표기	Epoxy To Epoxy ±10% Copper To Copper ±10%	
	외곽 Size	A * B±0.1㎜	
	Hole 치수	Finish 기준 할 것	
	설계 단위	Metric 설계 준수	
표면처리	HASL	Min 3um(BGA, 작은 Pad 기준)	
	Solder Pot Cu 함유량	Max 0.025%	
	무 전해 Au	Min 0.08um Max 0.15um	
	P(인) 함량	6~8% (SEM/EDS 분석)/주별 관리	
	무 전해 Ni	Min 3.0um	
	단자 전해 Au	Min 1.0um	
	단자 전해 Ni	Min 3.0um	
	무 전해 Tin	Min 0.8um Max 1.5um	

구분	관리 항목	관리 규격	구분
동 도금	Hole	Min 25um	
	Pattern	Min 15um	
Bow & Twist	Bow Twist	Max 1.0mm 대각선 1%	
Peel Coat	두께	Min 1mm Balance Design/연 배열 Design	
Impedance	50,000Ω	± 10, 20, 50%	
Carbon	저항 값		
V-Cut	각도 깊이	30~45° 0.6mm	
면취	각도 깊이	30± 10° 0.5~0.6mm	
Array	–	2,4,8	
Vision Mark	사각 설계	외곽 3.0mm Mark 1.27mm	
Scratch (Solder Mask 수정)	S/R 수정 폭	Max 3mm	
	길이	1cm이하 5개 허용 2cm이하 3개 허용 4cm이하 1개 허용 단 수정된 표면이 양호 할 것	
보관기준	HAL니	진공 포장 1년 Baking 가능	
	Immersion Au	진공 포장 3개월 Bar Code 후 작업	
	Immersion Tin	진공 포장 6개월 Bar Code 후 작업	
	OSP	진공 포장 3개월 Bar Code 후 작업	
Baking	목적 및 조건	목적 : 습기 제거 조건 : 2~4hr @300°F(150℃)	
내층/외층	Dust 관리	대만 : 1,000Class 국내 : 5,000Class	
신규 PCB	신뢰성 시험	납땜성 검증 Via Hole 신뢰성 확보 Impedance 관리 Pad 설계 준수 확인	출하 후 7일내

3. ART-WORK 수정

▶ SILK CUTTING 금지에 대한 件

→ SMD 및 VIA HOLE에 대한 SILK를 CUTTING을 희망합니다.
　(SILK가 CUTTING이 되지 않아 간혹 튀어 SMD에 올라탐으로 인해 불량 발생함)

→ 모델명 및 CUTTING 금지 구역을 따로 지정하여 모델 전체 CUTTING 금지를 부분 CUTTING 금지로 전환을 승인하여 주시기를 희망합니다.

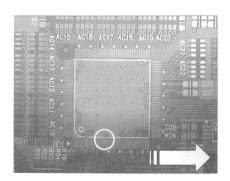

▶ QFP 내부 VIA HOLE 부분 SILK CUTTING 되지 않아 보기와 같이 PAD위로 MARKING 가 튀어 불량 발생됨

→ 대책 : VIA HOLE 및 SMD 부분 SILK CUTTING

→ SIZE (MASK +100㎛)

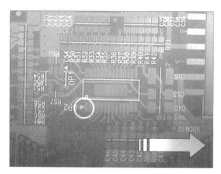

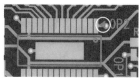

▶ 표시부분 SILK도 VIA SCRATCH 를 하지 않아 근접 PAD로 튀어 불량발생

→ VIA SIZE + 100㎛으로 CUTTING시

→ MARKING튐을 빙지 힐 수 있습니다.

21-2. DRILL

1. Drill 공정이란 무엇인가?

Drill은 다층 PCB에 있어서 내층과 외층 간의 전기적인 접속을 할 수 있도록 하며, 부품 및 기구물에 제품을 삽입할 수 있도록 Drill Bit라는 절삭 공구를 사용하여 Hole을 가공해 주는 것을 주 목적으로 하는 공정이다.

PCB Holde 가공 방법 이외에도
- Punch(Press)가공(적은 홀 수 외곽 Tooling홀 가공 시 사용)
- Laser Drill(단면 단차 가공) 가공 방법 등이 있다.
  (관통홀(Via Hole) 등에도 작업을 하나 가공성이 떨어져 일반적으로 단면 단차 가공에 적용한다)

2. Holde의 종류

1) PTH(Plated through hole), Via hole
   내, 외층간 도통 접속을 하기 위하여 홀벽에 금속(주로 Cu)으로 도금 되어진 Hole, 통상 Via hole이라고도 한다.

2) NPTH(Non Plated through hole), Location hole, Tooling hole
   정확한 위치를 결정하기 위한 Hole, 통상 도금이 되지 않는 홀로 비 도통홀 이라고도 한다.

3) Blind & buried via hole
   다층 PCB의 2층 이상의 도체층 간을 접속하는 도금 관통 Hole 이며 PCB를 관통하지 않는 Hole, buried via hole은 통상 IVH(Inner via hole)이라고 한다.

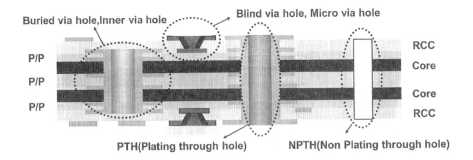

3. Drill Bit

1) Bit 소재

초경합금으로 텅스텐 카바이드(WC)를 주성분으로 코발트(Co)를 결합재로 하고 재종에 의해서는 WC 이외의 탄화물 특 티탄 카바이드(Tic), 탄탈 카바이드(TaC) 등을 첨가하여, 분말 치금법에 의해 제조함.

2) Bit 형상 및 명칭

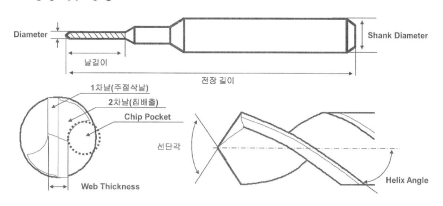

3) Drill Bit type

Type	형상	비고
ST (Straight Drill)		– 일반적인 형태로 범용적이며 0.10Φ~3.15Φ까지 사용한다. – MLB 보다는 D/S에 적합하며 Roughness가 uc Type에 비해 심하다.
UC (Undercut Drill)		– MLB 작업에 우수하며 Hole 내벽과의 마찰을 극소화한 Blt로 0.10Φ~0.50Φ까지 소구경 위주로 사용한다.
RD (Reverse drill)		– 3.20Φ~6.50Φ를 지칭하며 대구경 가공 시 사용한다.
SD (Slot Drill)		– 일반 Bit로 가공이 불가능한 장공홀 전용으로 가공시 휨에 대한 내구력이 있으며 Chip 배출은 미약하나 파손은 적다.

4. Drill Bit 검사 기준

1) 비트 형상별 불량명 및 발생 불량

<정상>	<GAP>	<OVERLAP>	<FLAIR>
	• 2차면이 커진 사태로 선단 사이가 뜸 • 편심 불량 유발	• 1차면이 커진 상태로 편심이 생기고 BIT의 부러짐이 발생함 • 편심 불량 유발	• 1차날이 외부로 갈수록 커짐 • 스미어 불량 유발

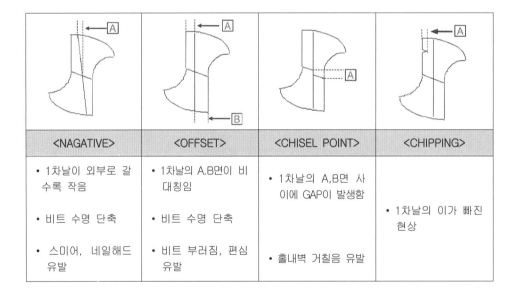

<NAGATIVE>	<OFFSET>	<CHISEL POINT>	<CHIPPING>
• 1차날이 외부로 갈수록 작음 • 비트 수명 단축 • 스미어, 네일해드 유발	• 1차날의 A.B면이 비대칭임 • 비트 수명 단축 • 비트 부러짐, 편심 유발	• 1차날의 A,B면 사이에 GAP이 발생함 • 홀내벽 거칠음 유발	• 1차날의 이가 빠진 현상

2) Drill Bit 검사 Spec

불량명	BIT 규격	검사 SPEC	원인
GAP(갭)	0.6Φ 이하	0.005mm 이하	연마부주의
	0.6Φ 이하	0.010mm 이하	
OVERLAP (오버랩)	0.6Φ 이하	0.005mm 이하	연마부주의
	0.6Φ 이하	0.010mm 이하	
FLAIR (플레어)	0.6Φ 이하	0.015mm 이하	연마부주의
	0.6Φ 이하		
NAGATIVE (네가티브)	0.6Φ 이하	0.015mm 이하	연마부주의
	0.6Φ 이하		
OFFSET (오프셋)	0.6Φ 이하	80% 허용	연마, BIT의 자체 문제
	0.6Φ 이하		
CHISEL POINT (치절 포인트)	0.6Φ 이하	0.020mm 이하	연마부주의
	0.6Φ 이하		
CHIPPING (칩핑)	0.6Φ 이하	0.003mm 이하	취급부주의
	0.6Φ 이하	0.005mm 이하	

5. Entry Board

1) Entry Board는 Stacking 상부에 위치하며 CNC Drill 작업 시
   ① PCB의 Copper 부의의 상처 방지
   ② Burr 발생 억제
   ③ Hole 위치 정밀도
   ④ Drill Bit 열 분산
   ⑤ Drill Bit Chip 감김
   등의 목적으로 사용된다.

2) Entry Board 종류
   - 일반적으로 Al foil(0.15mm)을 주로 사용하며 소구경 제품 작업 시 LESheet (Al foil에 윤활제 코팅)등을 사용한다.

6. Back up board

1) Back up board는 Stacking 하부에 위치하며 CNC Drill 작업 시
   ① PCB 충분한 관통(CNC M/C Table 보호)
   ② Stack 하판의 Burr 발생 억제
   ③ Drill Bit Chip 감김 등의 목적으로 사용된다.

2) Back up board 종류
   ① Aluminum-Clad, Paper-Clad, Phenol, Melamine, Hardboard 등의 재질
   이 사용되고 있다.
   ② 일반적으로 Melamine Coating Board를 주로 사용되며 두께는 2.4T를
   주로 사용한다.

7. Drill 작업 순서

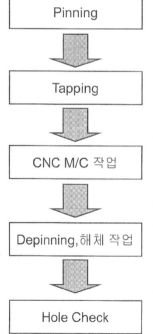

- CNC Drill 작업 시 작업 Table에 제품을 고정할 수
  있도록 홀에 Stack Pin 을 삽입하여 고정하는 작업

- Entry Board +제품+Back up board를 Book 형태
  로 하여 제품의 유동을 막기 위해 Tape 로 고정해
  주는 작업

- Stacking 되어 있는 제품을 CNC M/C에 넣어 가공
  Program을 입력하여 Tool(Drill Bit)을 이용해 Hole
  을 가공해 주는 작업

- 제품을 고정 했던 Stack Pin을 제거 한다.

- Entry Board+제품+Back up board를 Book 형태로
  되어 있는 제품을 Entry Board, Back up board를
  제품과 분리하여 주는 공정

- 제품의 하판을 별도 추출하여 Pin gauge로 Hole
  Size를 검사하는 작업

8. Pinning 작업 방법 및 주의사항

1) 작업지시서의 제품 두께와 제품 사양을 확인하여 최소 Drill Bit를 확인하여 중첩수를 결정한다.
   - 과도한 중첩수는 Bit파손의 원인이 되므로 적절한 중첩을 한다.

2) 중첩 전 제품 사이에 이물을 제거한다.
   - Trimming 후 부산물이 제품 사이에 분포 되어 있어 작업 전 제품을 수세를 진행하는 것이 바람직하며 없을 경우 Air로 제품을 붙어 내어 이물을 제거한다.

3) Stack M/C으로 제품에 Stack Pin 삽입 시 Stack Hole이 상하지 않는지 확인한다.
   - Stack Hole이 손상을 받을 시에는 외층과 내층간에 틀어지는 문제가 발생한다.
   - Stack M/C의 Stack Pin을 눌러주는 Pin의 휨 관리를 하여 Stack Hole손상을 방지 한다.

< Stack M/C >

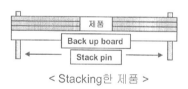

< Stacking한 제품 >

4) 0.4T이하 제품에 대해서는 Guide ring을 삽입하여 이동 중 제품이 빠지지 않도록 한다.

9. 제품 두께별 최소 Drill Bit에 따른 중첩수 Table(참조용)

두께 최소 Bit	양면					MLB					
	0.5T	1.0T	1.6T	2.0T	2.4T	0.4T	0.8T	1.2T	1.6T	2.0T	2.4T
0.25 ø	5					5	2	2	1	1	
0.30 ø	5	3	2	1	1	5	2	2	2	1	1
0.35 ø	5	3	3	2	1	5	4	3	3	1	1
0.40 ø	6	4	3	2	1	6	5	4	3	2	1

- 제품 Stack수는 Copper두께 및 Drill Bit의 Flute Length 에 따라 정해진다.
  (Stack 후 제품 두께는 Drill Bit의 Flute Length의 60%이상을 넘어가지 않게 한다.)
- MLB의 경우 층별 Land의 수에 따라 Bit 파손율이 차이가 발생함으로 설계에 따라 Stack수는 차이가 발생할 수 있다.
- 내층, 외층 Land의 Annular ring Size에 따라 Stack수를 하양 조절 한다.
  일반적으로 Annular ring Size 100 ~ 150㎛이하의 경우 하판의 Hole 위치 정도를 확인하여 Stack 수를 조정한다.

10. Tapping 작업 방법 및 주의사항

1) Entry board Size는 제품 Size를 사용한다.
   - 제품 적재 시 꺾임 및 휨 방지

2) Back up board Size는 제품 Size와 동일하거나 2.0㎜ 정도 크게 사용한다.
   - 제품 적재 시 꺾임 및 휨 방지

3) Entry board 에 Tape 부착 시 제품 내부로 5.0㎜ 이상 들어가지 않게 한다.
   - Hole 가공 부위와 겹칠 시에 편심 및 Bit 파손의 원인이 된다.

4) Tape 부착 시는 기본 10 Point를 부착시킨다.

5) Stack pin위치는 Hole을 가공하여 Entry board 가 뜨는 것을 방지한다.

6) Entry board 가 휨 및 Scratch 발생 시 편심 및 Bit 파손의 원인이 됨으로 취급에 주의한다.

< Tapping M/C >

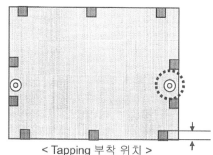
< Tapping 부착 위치 >

Guide pin에 의해 Entry Board가 뜨는 것을 방지하기 위해 Hole을 가공하여 준다.

5.0㎜이내에 부착한다.

11. CNC M/C 작업 방법 및 주의사항

< CNC M/C 작업 >

1) Down Limit값 오입력에 의한 미관통 유, 무를 확인한다.
2) Up Limit값 오입력에 의한 Entry board Scratch에 주의 한다.
3) Bushing 마모에 의한 집진력 약화
   - 1회/월 교체 주기를 설정하여 마모정도를 Check 한다.
     (침 배출이 되지 않아 도금이후 Hole 이물의 원인이 된다.)

< X-Ray 사진 >

4) Bushing 상처 및 이물 박힘
  - 상처 및 이물 박힘에 의해 Entry board에
    상처를 발생시켜 편심 및 Bit 파손이 발생
    한다.
    (Bit 파손 발생이 될 경우 Bushing에 Bit
    조각이 박힘 유, 무 확인한다)

5) 작업 중 제품 들뜸을 방지하기 위해 제품 Edge부위에 Tape를 부착한다.

6) Tool 지정 Miss에 의한 Hole Dimension 이상이 방생하지 않도록 주
   의한다.

7) Multi Layer Board 작업 시에는 16Page의 그림과 같이 Hole 대비 내
   층 Match 정도를 확인하여 보정 작업을 한다.

8) 작업 완료 후 X-Ray로 제품 내부를 투과하여 보고 이상 유,무를 재
   차 확인한다.

12. Tool 작업 조건(참조용)

직경	KRPM	INFEED (mm/sce)	RTR (mm/rev)	CHIP LOAD (μm/rev)	BIT LIFE
0.20	125	19	44	9	2000
0.25	125	27	64	13	2000
0.30	110	28	65	15	2500
0.35	105	32	74	18	3000
0.40	100	33	79	20	3000
0.45	95	35	82	22	3000
0.50	90	38	89	25	3000
0.55	85	40	94	28	3000
0.60	80	44	104	33	3000
0.65	75	46	109	37	3000
0.70	70	47	110	40	3000
0.75	70	49	116	42	3000
0.80	65	48	113	44	3000
0.85	65	50	118	46	3000

직경	KRPM	INFEED (mm/sce)	RTR (mm/rev)	CHIP LOAD (μm/rev)	BIT LIFE
0.90	60	48	113	48	3000
0.95	60	50	118	50	3000
1.00	55	48	113	52	3000
1.05	50	45	106	54	3000
1.10	50	47	110	56	3000
1.15	48	46	110	58	3000
1.20	45	45	106	60	3000
1.25	45	47	110	63	3000
1.30	42	45	106	64	3000
1.35	42	46	109	66	3000
1.40	40	45	107	68	3000
1.45	40	47	110	71	3000
1.50	38	44	105	69	3000
1.55	38	46	108	73	2000
1.60	36	43	102	72	2000
1.65	36	44	105	73	2000
1.70	35	43	102	74	2000
1.75	35	44	103	75	2000
1.80	33	41	97	75	2000
1.85	33	41	96	75	2000
1.90	32	39	93	73	2000
1.95	32	38	91	71	2000
2.00	30	36	85	72	2000
2.05	30	35	83	70	1000
2.10	28	33	77	71	1000
2.15	28	32	75	69	1000
2.20	26	29	70	67	1000
2.25	26	29	68	67	1000
2.30	24	26	62	65	1000
2.35	24	26	60	65	1000
2.40	24	26	60	65	1000
2.45	24	25	59	63	1000
2.50	22	26	54	63	1000
2.55	22	22	52	60	1000
2.60	22	22	52	60	1000
2.65	22	21	50	57	1000
2.70	20	19	46	57	1000
2.75	20	19	44	57	1000
2.80	20	19	44	57	1000
2.85	20	18	43	54	1000
2.90	20	18	43	54	1000
2.95	20	17	41	51	1000
3.00	20	17	41	51	1000
3.05-3.15	20	17	39	51	1000

직경	KRPM	INFEED (mm/sce)	RTR (mm/rev)	CHIP LOAD (μm/rev)	BIT LIFE
3.20-3.55	20	17	39	51	500
3.60~3.85	20	16	38	48	500
3.90~4.15	20	15	36	45	500
4.20~4.35	20	15	35	45	500
4.40~4.55	20	13	30	39	500
4.60~4.70	20	12	28	36	500
4.75~4.90	20	11	26	33	500
4.95~5.05	20	10	24	30	500
5.10~5.20	20	10	23	30	500
5.25~5.40	20	9	21	27	500
5.45~5.55	20	8	19	24	500
5.60~5.75	20	8	18	24	500
5.80~5.95	20	7	16	21	500
6.00~6.30	20	6	14	18	500
6.35~6.50	20	5	12	15	500
	20				

❖ 용어 설명

① FPM : Spindle의 분당 회전 속도

② INFEED : Spindle의 가공 진입 속도

   − Infeed가 빠른 경우 Bit 파손이 다발함 Bit 경에 따라 Infeed를 조정하여 작업한다.

   − Hole 위치정도, Hole Roughness에 영향을 준다.

③ RTR : Spindle의 가공 후 퇴출 속도

   − RTR이 빠른 경우 Bit 파손 및 Burr가 발생 및 Hole Roughness에 영향을 준다.

④ CHIP LOAD : Spindle 1회전 당 가공 깊이

   − 단위가 mm/sec인 경우 = ((Infeed*60)/RPM)×1000

   − 단위가 m/min인 경우 = ((Infeed/RPM)×1000000

     단위가 m/sec인 경우 = ((Infeed*60)/RPM)×1000000

⑤ BIT LIFE : Bit 1개당 가공하는 Hole수

   − 과다한 Bit 사용 시 Bit 파손, Hole 위치정도, Hole Roughness에 악영향을 준다.

   − Bit연마 수율을 저하시킨다.

13. Multl Layer Board 작업 시 보정 방법 및 주의 사항

- 제품 외곽의 보정홀을 가공 후 X-Ray 확인하여 설비에서 좌표 이동을 하여 Hole 과 내층을 맞추는 작업을 한다.

14. Depinning, 해체, Hole Check 작업 방법 및 주의사항

① 작업이 완료된 제품에 대해 Stack pin을 제거한다.
② Entry Board, 제품, Back up Board를 순서대로 분리한다.
   - Entry Board는 폐기
   - 제품은 하판을 별도로 추출하여 검사 대기한다.
   - Back up Board는 한쪽면 사용 시 반대쪽을 사용하기 위해 Edge 부위에 붙어있는 Tape를 제거한다.

③ 제품 취급 시 Entry Board 및 제품에 의해 Scratch가 발생하지 않도록 취급에 주의한다.
④ 별도 추출한 하판 제품에 대해서는 Pin Gauge를 이용하여 검사를 실시한다.
   - Hole 경이 1.0Φ인 경우 0.95Φ Pin Gauge를 삽입하여 약하게 힘을 주어 쉽게 들어가는 경우는 1.0Φ Pin Gauge를 다시 삽입하여 검사를 하며 일반적으로 0.95Φ Pin Gauge 들어가는 경우 "OK", 안 들어가는 경우는 "NG"별도 협의가 필요하다.

15. 공정 주요 불량 유형 별 원인 및 대책

불량유형	원인	불량사진
홀 경 틀림	- Drill Bit 사용 Miss(Bit 오 삽입) - 과도한 Bit 연마로 인한 Bit 경 축소 - 설비 Run-out Spec out으로 홀 결 확대	
	대책	
	- 설비 Bit 경 측정 용 Sensor 점검 - Bit별 연마 차수 지정 및 사용 후 계기 - 주기적인 설비 관리 및 점검(Spec 20㎛) Collet 청소 및 Spindle 교체	\<정상\> \<불량\> Bit 오 삽입

원인		불량사진
편심	- Bit 연마 Miss - Entry Board scratch - M/C Bushing 편마모 및 찍힘 - Bit life Over 사용으로 인한 선단각 마모 - 설비 내부 및 Room 온도	
	대책	

	- 연마 Bit 입고 후 수입검사 실시
	- 제품 취급 주의. 작업자 교육 실시
	- Bushing 교체 주기 설정 및 Bit 파손 시
	  Bushing 찍힘 검사
	- Bit life 점검 및 사용 후 Bit 정돈 철저히
	  작업자 교육
	- Room 항온 항습 유지 및 설비 내부 온도
	  관리	

	원인	
Burr	- Entry Board 두께 - Back up Board 재질 - 제품 사이 밀착력 저하	
	대책	
	- 대책두께 150㎛이상 사용(작업 시 뜸 방지) - 멜라닌 코팅 Board 사용 - Stacking 후 제품 취급 주의 및 Tapping point 점검	
	원인	
미관통	- M/C Down 값 입력 Miss - Bit Color Ring Setting 길이 Miss	
	대책	
	- Back up board 두께별 Down limit 값 표 준화 - M/C Bit 감지 Sensor 점검	

16. CNC 설비 점검 기준 및 점검 주기(HITACHI 기준)

구분	점검항목	점검내용	SPEC
일상	AIR 압력	AIR Dryer 정상 가동 및 압력 확인 (설비 Maker별로 차이가 있음 H : 6.0~7.0)	6.0~7.0kg/㎠
	집진 압력	집진기 압력 및 호스 터짐 및 배관 막힘없을 것	900mm /Aq~1200mm /Aq
	Bushing 상태	Bushing의 마모 및 찍힘이 없을 것	이상이 없을 것
	Collet 청소	Collet내에 방청유를 뿌리고 Cleaning Pin 이용하여 청소 실시	1회/주 실시
월간	Run-out	Spindle에 기준 핀을 물리고 회전 시 흔들림 정도 측정함.	20㎛이하
	Spindle 높이	Spindle 에 기준 핀을 물렸을 때 TABLE에서 기준 핀 끝까지의 높이를 측정함.	61±50㎛
	Collet 장력측정	Collet의 장력을 측정함.	300g이상
	Tool Post장력측정	Tension Gauge을 이용하여 Tool post장력을 측정함.	350g이상
반기	구리스 주입	X,Y,Z축 Guide. X,Y,Z베어링 및 스크류	주입
년간	Alignment	Table위치정도 측정 및 보정	±30㎛

17. Collet 청소 방법

작업순서	구조설명	소요공구	주의사항
1. 스프레이 노즐을 Collet 입구에 넣고 끝으로 향해 뿌린 후 Chuck Release를 10회 연속 반복한다. 2. 1항의 조작을 3회 반복 한다. 3. Chuck Loose 상태에서 깨끗이 닦은 ∅3.18의 PIN을 회전하면서 10회 정도 떨어뜨려본다. 4. Chuck 입구를 가제로 닦는다.	 스프레이 청소핀	☆ SPRAY(스프레이) – 방청유 ☆ 청소PIN(∅3.18) ☆ 가제(면보루) 청소주기 1회/주	1. 장시간 정지 할 때는 BIT를 물려 줄 것(48HR 이상) 2. Chuck는 조심스럽게 취급할 것.

18. Run-out 측정 방법

작업순서	구조설명	소요공구	주의사항
1. Collet을 청소한다. 2. 기준핀(∅3.175)을 Collet에 삽입한다. 3. 다이얼 게이지의 끝을 기준핀에 대고 높이를 Collet에서 10mm가량 밑의 위치에 맞춘다. 4. 마그네틱 스텐드를 M/C Table에 고정을(손잡이 ON) 시킨다. 5. 기준핀을 시계, 반시계 방향으로 회전을 시키며, 다이얼 게이지의 움직이는 수치를 확인한다.	SPINDLE 마그네틱스텐드 기준핀 다이얼게이지 ON OFF TABLE	☆ 마그네틱 스텐드 ☆ 다이얼 게이지 ☆ 기준 PIN (∅3,175) ☆ 면보루, 알코올 **관리기준** 2-μm이내 **점검주기** 1회/월	1. Table을 청소 후 마그네틱 스텐드를 고정 한다. 2. 기준핀에 다이얼 게이지를 접촉 시 시계, 반시계방향으로 움직일 수 있도록 한다. 3. 기준치 이하일 경우 1차로 Collet을 교환 후 재 측정실시 그래도 기준치 이하일 경우 Spindle 교체한다.

19. Collet 장력 측정 방법

작업순서	구조설명	소요공구	주의사항
1. Collet을 청소한다. 2. 장력측정 Bar에 Remove Jig를 끼워 Collet에 삽입한다. 3. Remove Jig로 Collet을 고정하여 왼손으로 잡고 있는다. 4. 텐션 게이지를 오른 손으로 잡고 장력 측정 Bar의 홈이 있는 부분에 걸고 당겨 척력을 측정한다.	SPINDLE 장력측정 Bar Remove Jig 텐션게이지	☆ 장력측정Bar ☆ Remove Jig ☆ 텐션 게이지 ☆ 면보루, 알코올 **관리기준** 300g 이상 **점검주기** 1회/월	1. Collet이 회전이 되지 않도록 Remove Jig로 Collet을 고정한다. 2. 기준치 이하일 경우 1차로 Collet을 교환 후 재측정 실시 그래도 기준치 이하일 경우 Spindle 교체한다.

20. 주요 품질 관리 항목

1) Hole 내벽 거침(Roughness) ⇒ Spec : 20μm이내

- Hole내벽 거침은 Hole가공 후 Hole 내벽의 거침 정도를 말하며, Hole내벽이 거칠 경우에는 도금 두께 미달 및 도금 접속 강도 부족의 원인이 된다.

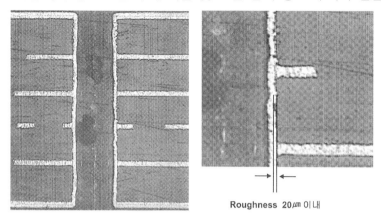

Roughness 20μm 이내

2) Smear 발생률 30% 이하

- 수지가 드릴 가공 중 절삭 마찰열에 의해서 연화된 내층의 도체 표면에 부착 된 것으로 도통 불량 및 도금 밀착력을 저하 시키는 원인이 된다.
  Desmear 처리 후 Hole Section하여 관찰 결과 Smear가 보이지 않아야 한다.

디스미디어 전 홀속   디스미어 후 홀속

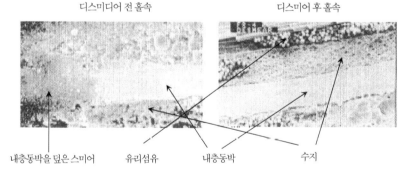

내층동박을 덮은 스미어   유리섬유   내층동박   수지

3) 네일 헤드(Nail Head) ⇒ Spec 내층 Copper 두께의 50% 이내

- 드릴 Bit 의 마모에 의해 다층 제품의 내층에서 발생되는 것으로 Hole 가공된 부위의 내층의 동박이 못의 머리 모양과 같이 되는 향상을 말한다.

4) 액침투(Wicking) ⇒ Spec : 30㎛이하

- Hole 속의 절연층 부분에서 홀 내부의 Prepreg 사이 함유되어 있는 Grass Fiber에 도금액이 침투하는 현상

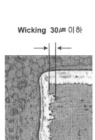

Wicking 30㎛ 이하

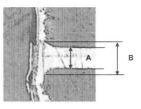

Nail Head 내층 Copper 두께의 50% 이내
(A=40㎛일 경우,B 가 60㎛ 이내 일것)

21. PTH 단면 섹션 시 관찰 포인트

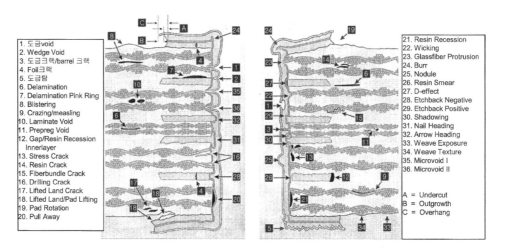

1. 도금void
2. Wedge Void
3. 도금크랙/barrel 크랙
4. Foil크랙
5. 도금탐
6. Delamination
7. Delamination Pink Ring
8. Blistering
9. Crazing/measling
10. Laminate Void
11. Prepreg Void
12. Gap/Resin Recession Innerlayer
13. Stress Crack
14. Resin Crack
15. Fiberbundle Crack
16. Drilling Crack
17. Lifted Land Crack
18. Lifted Land/Pad Lifting
19. Pad Rotation
20. Pull Away

21. Resin Recession
22. Wicking
23. Glassfiber Protrusion
24. Burr
25. Nodule
26. Resin Smear
27. D-effect
28. Etchback Negative
29. Etchback Positive
30. Shadowing
31. Nail Heading
32. Arrow Heading
33. Weave Exposure
34. Weave Texture
35. Microvoid I
36. Microvoid II

A = Undercut
B = Outgrowth
C = Overhang

❖ FPC DRILL 가공 조건표

DIAM(∅)	구분	RPM	INFEED (M-min)	RTR (M-min)	Z-OFFSET	HIT	연마	비고
3.17=3.19		35	1.8	14	0	2,000		
2.01		35	2.0	19	0	2,000		
0.15	D/S	140	2.0	10	−0.2	2,500	1차	
	MLB							
0.20	D/S	135	1.8	8	−0.2	3,000	1차	
	MLB	130	1.8	8	−0.2	2,500	NEW	

DIAM(∅)	구분	RPM	INFEED (M-min)	RTR (M-min)	Z-OFFSET	HIT	연마	비고
0.25	D/S	120	2.3	8	−0.3	4,000	1차	
	MLB	130	1.6	8	−0.3	2,500	NEW	
0.30	D/S	130	2.0	7	−0.3	4,000	1차	
	MLB	110	1.8	7	−0.3	3,000	NEW	
0.35	D/S	130	2.0	8	−0.3	4,000	1차	
	MLB	110	1.8	7	−0.3	3,000	NEW	
0.40	D/S	100	2.2	9	−0.2	4,000	1차	
	MLB	105	2.1	9	0	3,000	NEW	
0.50	D/S							
	MLB	90	2.2	9	−0.1	3,000	NEW	
0.55	D/S	80	2.2	8	−0.1	4,000	1차	
	MLB							
0.80	D/S							
	MLB	75	2.5	18	0	2,000	NEW	
0.90	D/S							
	MLB	75	2.8	18	0	2,000	NEW	
1.05	D/S	75	2.8	15	0	2,500	1차	
	MLB							

❖ DRILL STACK 표준

BIT∅	0.2					0.25					0.3					0.35				
Flute Length	3					3.5 ~ 4					5					5				
Layer / Thickness	2	4	6	8	10	2	4	6	8	10	2	4	6	8	10	2	4	6	8	10
0.20이하						10	8	8			10	8	8			12	10	10		
0.3						9	8	7			8	7	6			8				
0.4	5	4	4	3	2	6	5	4	3		7	5	5	4		8	7	6	5	
0.5	4	3	3	3	2	4	4	4	3	2	6	4	5	5	4	7	6	6	5	4
0.6	3	3	3	3	2	4	4	4	3	2	5	4	5	4	3	6	6	5	4	4
0.8	2	2	2	2	1	3	3	3/2	3/2	2/1	4	3	4	4	3	5	4	4	4	3
1.0	2	2	2	1	1	2	2	2	2	1	3	2	3	3	2	3/4	3	3	3	3
1.2	1	1	1	1	1	2	2	2	2	1	3	2	2	2	2	3	3	3	2	2
1.4	1	1	1	1	1	2	2	1	1	1	2	2	2	2	2	2	2	2	2	2
1.6	1	1	1	1	1	1	1	1	1	1	2	1	1	2	2	2	2	2	2	2
2.0	1	1	1	1	1	1	1	1	1	1	2	1	1	1	1	2	2	2	2	2
2.4						1	1	1	1	1	1	1	1	1	1	1	1	1	1	1
3.2														1	1	1	1	1	1	1

❖ DRILL STACK 표준

BIT∅	0.4 ~ 0.45					0.5 ~ 0.65					0.7 ~ 0.75					0.8이상				
Flute Length	7					7					8					8 ~ 12				
Layer / Thickness	2	4	6	8	10	2	4	6	8	10	2	4	6	8	10	2	4	6	8	10
0.20이하	15					18														
0.3	14					15														
0.4	10	9	8			10	9	9			12	9	9			12	10	9		
0.5	9	8	7	6	4	10	9	7	6	4	12	9	7	6	5	12	10	9	7	6
0.6	7	7	6	5	4	9	9	7	6	4	9	9	7	6	5	9	9	7	6	5
0.8	6	5 6	5	4	3	6	6	5	4	3	7	7	6	5	4	8	7	6	5	4
1.0	4	4	4	3	3	5	4	4	3	2	6	5	4	4	3	7	5	5	4	3
1.2	4	4	4	3	2	4	4	4	3	2	4	4	4	4	3	5	5	4	3	3
1.4	3	3	3	3	2	3	3	3	3	2	4	4	3	3	3	5	4	4	3	3
1.6	3	3	3 2	2	2	3	3	3	3	2	3	3	3	3	2	4	4	4	3	2
2.0	2	2	2	2	2	2	2	2	2	2	3	3	3	3	2	3	3	3	3	2
2.4	2	2	2	2	2	2	2	2	2	2	2	2	2	2	2	2	2	2	2	2
3.2	1	1	1	1	1	1	1	1	1	1	1	1	1	1	1	1	1	1	1	1

21-3. 동도금(CU-PLATING)

1. 동도금 공정 개선

1) 목적 : 도금 공정의 문제점을 해결하기 위해 아래의 개선안을 작성함
2) 도금 불량 유형 : 도금 편차, 찍힘, 돌기 과도금

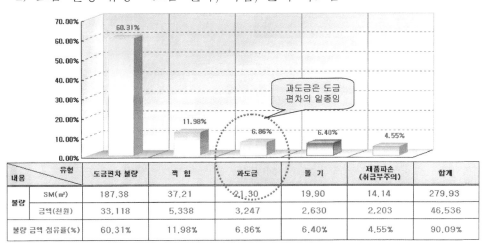

내용	유형	도금편차 불량	찍 힘	과도금	돌 기	제품파손 (취급부주의)	합계
불량	SM(㎡)	187.38	37.21	21.30	19.90	14.14	279.93
	금액(천원)	33,118	5,338	3,247	2,630	2,203	46,536
불량 금액 점유율(%)		60.31%	11.98%	6.86%	6.40%	4.55%	90.09%

① 도금편차, 찍힘, 돌기 과도금

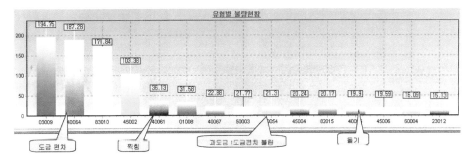

② 4월 접어들면서 사고성 보이드 불량이 사라져 현재 도금 공정에 가장 큰
영향을 미치는 불량은 도금 편차 불량임을 알 수 있다.
→ 총불량 금액 ₩50,570,782
(위 그래프에서 표시되지 않은 막대들은 타공정 불량 및 미판정 상태를
보임)

③ 불량별 분석 사진

    (a) 도금 편차 : 눈물도금, 과도금을 포함

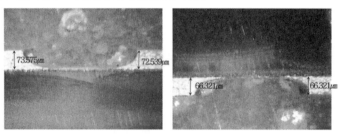

과도금 불량 : 도금 두께 66~72㎛(동박 제외 : 48~54㎛)

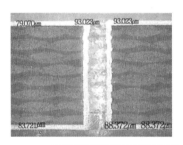

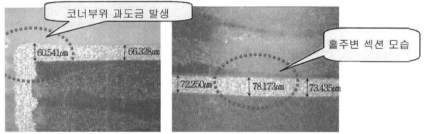

눈물도금 불량 : 홀주변과 land 부위 10~8㎛ 편차 및 과도금

    (b) Void 불량 : 홀막힘, 미세도금, via hole open, 제품 겹침 유형 포함

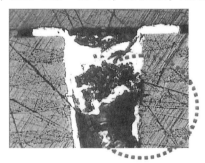

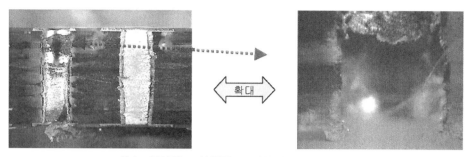

홀속 이물질 : 이물질 구성물질은 탄소, 규소, 망간

A번 홀의 섹션

B번 홀의 섹션

 섹션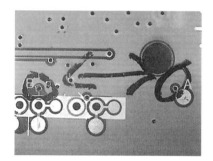

미세도금 : 홀속 도금 3~5㎛

보이드 : via hole open

제품 겹침 : 전기동에서

(c) 표면 불량 : 돌기, 덧살, 찍힘 겹침 유형 포함

  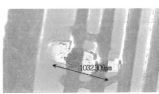

돌기 : open 발생

덧살 : base copper층 미부식

찍힘 : open 발생

미부식 불량으로 인한 덧살로 도금공정
불량과 구별 방법은 크로스 섹션으로
미부식층 두께를 측정함

3) 불량 유형별 원인 및 대책

구분	항목	원인	대책	설비	비고
주요불량	도금편차 (눈물도금, 과도금 포함)	1) 광택제 공급 장치의 고장 2) 디버링 불량 3) 유산동액 교반 장치 불량	1) 수리조치완료, 체크리스트 등록 2) 드레싱보드 입고, 체크리스트 등록 3) 이덕트 파손탱크 점검(A,B탱크), 순환 펌프의 용량 보강	1) 전기동 M/C 2) 디버링 M/C 3) 전기동 M/C	완료 완료 완료 설비팀 조치 예정
	보이드 (홀막힘, 미세도금 포함)	1) 제품의 겹침 2) 전처리 불량 3) 이물질의 홀 막힘 4) 전기동 프로그램상에서 입력 전류값의 사라짐	1) 콘베어 점검, 설비팀 체크리스트 등록 새도우단 콘베어 체크 인원 배치 2) 약품 관리, 작업 조건 관리 기준 준수 3) 디버링단 고압수세단 보강 및 콘베어단 청소 주기 준수 4) 모니터 요원 배치, 컴퓨터 점검 프로그램 점검 예정	1) 디스미어, 새도우M/C 2) 새도우 M/C 3) 디버링 M/C 4) 전기동 M/C	완료 완료 체크리스트 관리 검토요망 체크리스트 관리 완료 실시 예정
	덧살	1) 전처리과정에서 표면 이물질 미제거	1) 에칭단 건욕주기 조정 : 2회/일→3회/일 콘베어단 주기적인 청소관리	1) 디스미어 새도우 M/C	완료 스케줄 작성
	돌기	1) 노후 가이드 프레임 농분 석출 2) 충돌 사고시 제품 빠짐 3) 아노드볼 빠짐	1) 가이드 프레임 교체 2) 설비 주기적인 예방 점검 3) 아노드 보충 방법 개선	1) 전기동 M/C 2) 전기동 M/C 3) 전기동 M/C	실시 예정 검토 중 (설비/기술)

4) 주간 도금 라인 정비 방안

❖ 생산량 증감

① 매주 화요일 설비 점검으로 생산일 2일 감소 : 4,000sq meter 감소

② 교대주는 주간 정상 생산, 야간 라인 stop 실시 : 2,000sq meter 감소

③ 설비 에러 감소로 인한 작업 시간 loss 감소 : 약 34시간 loss time 절약으로 약 2,800sq meter 증가(설비에러 월별 현황 참조)

④ 제품 불량 감소로 인한 재작업 감소 : 약500sq meter 불량 감소 (2월 총 불량률에서 70%)

⑤ 청소실시로 실제 월간 2,700sq meter(6000-2800-500) 생산량 감소하나, 품질 향상 기대할 수 있음

※ 매주 화요일 도금라인 정비 시 장단점(기존의 교대주 1회 정비사와 비교)

항목	장점	단점	비고
매주 화요일 설비 점검	관리자 지도하에서 신속, 정확한 정비 가능 많은 점검항목이 충분히 실행 가능해짐 예방점검으로 인한 설비사고가 감소 설비 미점검으로 인한 사고성 불량이 감소	생산량이 감소 : 월 2,700sq meter 예상 작업자가 주말에 쉬지 못함 (주간에 교대 휴일)	
교대주만 설비 점검	월간 생산일수를 최대 28일 유지한다. 작업자가 주말에 쉴 수 있다.	관리자 부재시 정비 진행 : 점검 미흡 요소 설비 청소 미흡으로 불량발생율 감소가 어려움 교대주 야간은 분석실 근무자가 없어 액분석이 안됨 → 제품 품질 신뢰성 저하 정비시간 부족으로 청소 스케줄 미준수	

5) 결론

① 첫 번째 도금 공정의 가장 큰 불량은 편차 불량이다.

광택제 관리

이덕트 주간 점검

순환 펌프의 용량 증대

체크리스트 관리 → 교반 조건을 개선 → 편차 불량 감소

② 보이드 불량 예방 방안

전처리 작업자의 제품 겹침 확인

모니터링 요원의 도금 입력 data 확인

보이드 검사요원의 제품 검사

상사 설비 점검 및 청소 상태 관리 유지가 필수

체크리스트 관리

③ 돌기 불량의 감소는 도금 편차 불량 감소를 위한 활동과 병행

주간 상사 설비 정비 체제로 실시

체크리스트 관리

불량 유형	개선 대책	완료	미완료
홀 막힘 (홀 속 이물질)	디스미어단의 개선 : 퍼망간 필터링 개선, 중화단 필터링 개선 EPR Cell의 교체, 수세단의 청소주기 조정 퍼망간 회수단 청소주기 1회/주→1회/일 퍼망간 및 회수단 스프레이 펌프 수리	EPR Cell 교체, 디버링 수세단 청소주기 조정 퍼망간 회수단 청소 주기 변경 완료	필터링교체 미완료 스프레이 펌프교체 미완료 EPR cell추가 교체 예정(2ea)
가스/찍힘	레킹 조립/해체 작업의 자동화 (자동 레킹조립/해체기 도입) 이동시 제품에 대한 취급 주의 사항 재교육	레킹 조립/해체기 도입 완료 최급 사항에 대한 교육 실시(조간 meeting시)	추가적인 교육

(a) 홀막힘 분석 자료

DATA 출처 : electrochemical(대만)
검사 시료 : 디스미어처리 후 발생한 홀 속 이물 및 표면

1. picture and component of particles from hole plug :

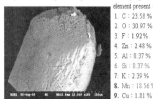

element present :
1. C : 23.58 %
2. O : 30.97 %
3. F : 1.92%
4. Zn : 2.48 %
5. Al : 0.37 %
6. Si : 0.37 %
7. K : 2.39 %
8. Mn : 18.56 %
9. Cu : 1.81 %

2. Comment for hole plug :
  i. The element Mn present in the EDS report, it should came from Desmear Oxidizer tank.
  ii. To statistic the whole experience of hole plug at HITECH, we can find that problem always caused by particles with Si and particles with Mn. This data show us that the hole plug always came from :
    a. Dirty or poor "Brush"
    b. Dirty roller in Desmear Oxidizer module.

3. picture and component of foreign material on surface :

element present :
  i. C : 78.52 %
  ii. O : 8.86 %
  iii. Mg : 0.16 %
  iv. Al : 1.64 %
  v. Si : 2.24 %
  vi. S : 0.88 %
  vii. Cl : 4.19 %
  viii. Ca : 0.21 %
  ix. Fe : 1.03 %
  x. Cu : 2.26 %

4. Comment for foreign material on surface :
  It's difficult to say about the result. But we can see the "Si" and "Al". So we suppose that this material was from epoxy or drill etc. You have to check what kind of material with the similar element to this EDS result.

(b) 2차 재현 테스트 진행 내용

테스트 목적 : 홀속이물 및 표면 불량 원인 분석용

테스트 내용 : 제이스텍 모델 900PNL의 도금 전후 홀 속/표면 검사 진행

테스트 검사 단계

: 드릴 후 검사 → 도금 전 검사 → 도금 후 검사 → D/F보이드 검사 → 외층 검사

테스트 결과 분석 : 공정별 발생 불량유형 및 수량의 증감 분석

도금 후 불량 분석 결과 (수량 : 300PNL, 도금전 모두 양품)

불량유형	도장 지국	표면 이물	홀속 막힘	홀속 이물	덴트/ 주름	스크 래치	표면 얼룩
불량수량	12	19	1	1	8	6	24

(c) 향후 조치 예정 사항

공정	예정 사항
디버링/ 디스미어	브러쉬 교체주기/청소 기타 개선 방안 마련 퍼망간 액절롤러 점검/스프레이펌프수리 퍼망간회수단 액절롤러 점검 중화단 여과 펌프 수리/중화단 점검
새도우	새도우 전후 제품의 정밀 표면 분석(도금 표면 이물 불량 발생 요인 확인)
전기동	유산동액의 활성탄 처리 진행 6번 수세단의 오염 개선 탈지/수세/10%황산단의 청소주기, 수세액 관리 주기, 필터교체 주기 재점검

(d) 사진 자료 #1(도금 설비)

Pic 1. 퍼망간 액절 룰러

Pic 2. 중화단 여과 펌프 수리 중

Pic 3. 퍼망간 #2번 스프레이 펌프 수리 중

Pic 4. 도금후 표면 사진 : 서클 내부는 얼룩

■ 사진 자료 #1(도금 표면불량)

Pic 1. 표면이물로 인한 미도금

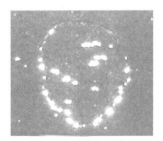

Pic 2. 표면 이물로 인한 자국

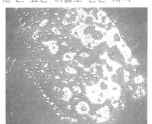

Pic 3. 표면 이물로 인한 불량

2. 전기동도금 문제점 및 대책

1) 동도금 BUSBAR의 RACKING BLOCK의 접지능력 향상

(기판 간 도금 편차 발생)

개선대책 : ① RACK BLOCK의 동산화물 철저히 제거

② 접지 능력향상을 위한 BLOCK에 물기가 흐르도록 Block 개조

③ TANK별 접지 능력 차이를 없애기 위한 수직연속 시 도금 장비 도입

2) ANODE와 동도금 기판 사이가 벌어져서 과전류 발생이 발생하는 것을 최소화함(기판 내 도금편차 발생)

대책 : ① 기판 끝부분에 SHIELD BAR & SHIELD판을 부착함

② 기판과 기판사이 공간이 발생하지 않도록 RACKING 작업함

③ 기판을 동도금용 RACK JEG을 제작하여 사용함

④ ANODE COPPER 90%이상 채워지도록 철저 관리

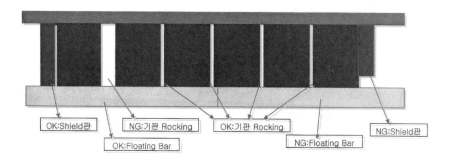

3) 항목별 원인 대책

항목	원인	대책
고전부의 탐(Burning)	· 동 농도의 저하 · 욕 농도가 낮다. · 전류밀도가 높다 · 교반 부족 · 광택제 부족	· 유산동 보충 · 욕 온도를 올린다(23~27℃) · 전류밀도를 낮춘다.(2A/d㎡~3A/d㎡) · 교반을 강하게 한다. · M-Conc를 0.2 ㎖/ℓ~0.6㎖/ℓ 첨가한다.
균일 전착성의 저하	· 동 농도가 높다 · 유산농도가 낮다 · 욕 온도가 높다	· 유산동 농도를 낮춘다. · 유산을 보충한다. · 욕 온도를 낮춘다.

항목	원인	대책
과다한 광택제 소모	· 용액의 온도가 너무 높음 · 유기 불순물 · ANODE FILM이 적당치 않음	· 활성탄 처리 · ANODE FILE 확인 관리
고르지 못한 도금 거친 도금	· 도금용액에 알맹이가 있을 때	· 용액을 여과(저장탱크에 BATCH 여과함) · 부식율을 유지시키기 위해 양극의 면적을 증가시킴 · 양극주머니의 TEAR를 점검함 · 모든 양극 주머니의 SIZING과 여과 카트리지를 세척 · 탱크 바닥의 이물질들을 점검함(널판지, 클립, 걸이 등) · 먼저한 도금에서 떨어진 도금액에 떠 다니는 알갱이니 DRAG-IN에 의한 생긴 물질을 점검합니다.
핏트(Pit)현상	· 도금용액에 기름이나 유지류 ·염소이온의 농도가 너무 높을 때	· 양극의 인산성분을 낮춤 · 구리양극에서 기름이나 유지를 제거하기 위해 약한 과황산으로 에칭제 탈지 · 기름나 유지류의 오염이나 전처리 세척 과정으로부터의 DRAG-IN에 의한 오염물 등을 점검한다. · 탄소처리하고 광택제를 보충한다. · 공기 교반을 증가시키며, 염소이온을 분석한다.
줄무늬 도금 (STREAKING) 광택제의 부족	· 세척이 불충분할 때 · 양극, 분극현상, 고전압, 저전류 · 염소이온의 불균형 · 온도가 높을 때 · 탄소처리가 필요할 때	· 도금과정중의 세척과 수세과정을 점검함. · 양극면적을 증가시킴 · 황산과 황산농도를 점검 · 철, 니켈, 아연 등과 같은 금속오염물을 점검 · 양극주머니의 구명을 점검 · 엄소이온을 짐검 · 염소이온 농도가 낮으면 양극분극 현상의 원인이 된다. · 양극의 인산성분을 점검합니다. · 인산성분이 높은 것 역시(0.065이상) 양극분극현상을 초래 · 광택범위가 좁다면 염소이온의 농도를 40-70ppm으로 유지 · 온도를 20-30℃(최적 25℃)로 유지합니다. TEFLON, 티티늄, 냉각코일로 식힌다. · 용액을 탄소(활탄) 처리합니다.

3. 도금 두께 및 전류밀도 기준표

(홀 속 25㎛ 기준)

제품두께	Hole/도금두께/전류밀도	2	3	4	5	6	7	8	9	10이상
0.4T	HOLE 크기(최소)	0.2Φ								
	도금두께/전류밀도	24.4㎛ 1.7A								
0.6T	HOLE 크기(최소)	0.3Φ	0.2Φ							
	도금두께/전류밀도	24.4㎛ 1.7A	25㎛ 1.8A							
0.8T	HOLE 크기(최소)	0.4Φ	0.25Φ	0.2Φ						
	도금두께/전류밀도	25㎛ 1.8A	25㎛ 1.8A	25㎛ 1.8A						
1T	HOLE 크기(최소)	0.5Φ	0.35Φ	0.25Φ	0.2Φ					
	도금두께/전류밀도	25㎛ 1.8A	25㎛ 1.8A	27㎛ 1.9A	27㎛ 1.9A					
1.2T	HOLE 크기(최소)	0.6Φ	0.4Φ	0.3Φ	0.25Φ	0.2Φ				
	도금두께/전류밀도	27㎛ 1.9A	27㎛ 1.9A	27㎛ 1.9A	28㎛ 2.0A	28㎛ 2.0A				
1.4T	HOLE 크기(최소)	0.7Φ	0.45Φ	0.35Φ	0.3Φ	0.25Φ	0.2Φ			
	도금두께/전류밀도	33㎛ 2.3A	33㎛ 2.3A	33㎛ 2.3A	33㎛ 2.3A	33㎛ 2.3A	33㎛ 2.3A			
1.6T	HOLE 크기(최소)	0.8Φ	0.55Φ	0.4Φ	0.35Φ	0.30Φ	0.25Φ	0.2Φ		
	도금두께/전류밀도	33㎛ 2.3A	33㎛ 2.3A	33㎛ 2.3A	33㎛ 2.3A	33㎛ 2.3A	33㎛ 2.3A	34㎛ 2.4A		
1.8T	HOLE 크기(최소)	0.9Φ	0.6Φ	0.45Φ	0.35Φ	0.3Φ	0.25Φ	0.25Φ	0.2Φ	
	도금두께/전류밀도	33㎛ 2.3A	33㎛ 2.3A	33㎛ 2.3A	33㎛ 2.3A	33㎛ 2.3A	33㎛ 2.3A	34㎛ 2.4A	34㎛ 2.4A	
2T	HOLE 크기(최소)	1.0Φ	0.65Φ	0.5Φ	0.4Φ	0.35Φ	0.3Φ	0.25Φ	0.2Φ	
	도금두께/전류밀도	34㎛ 2.4A	34㎛ 2.4A	34㎛ 2.4A	34㎛ 2.4A	34㎛ 2.4A	34㎛ 2.4A	35㎛ 2.5A	35㎛ 2.5A	
2.2T	HOLE 크기(최소)	1.1Φ	0.75Φ	0.55Φ	0.45Φ	0.35Φ	0.3Φ	0.3Φ	0.25Φ	0.2Φ
	도금두께/전류밀도	34㎛ 2.4A	34㎛ 2.4A	34㎛ 2.4A	34㎛ 2.4A	34㎛ 2.4A	35㎛ 2.5A	35㎛ 2.5A	35㎛ 2.5A	35㎛ 2.5A
2.4T	HOLE 크기(최소)	1.2Φ	0.8Φ	0.6Φ	0.5Φ	0.4Φ	0.35Φ	0.3Φ	0.25Φ	0.25Φ
	도금두께/전류밀도	34㎛ 2.4A	34㎛ 2.4A	34㎛ 2.4A	34㎛ 2.4A	34㎛ 2.4A	35㎛ 2.5A	35㎛ 2.5A	35㎛ 2.5A	35㎛ 2.5A
2.6T	HOLE 크기(최소)	1.3Φ	0.85Φ	0.65Φ	0.5Φ	0.45Φ	0.35Φ	0.35Φ	0.3Φ	0.25Φ
	도금두께/전류밀도	35㎛ 2.5A	35㎛ 2.5A	35㎛ 2.5A	35㎛ 2.5A	35㎛ 2.5A	35㎛ 2.5A	35㎛ 2.5A	35㎛ 2.5A	35㎛ 2.5A
2.8T	HOLE 크기(최소)	1.4Φ	0.95Φ	0.7Φ	0.55Φ	0.45Φ	0.4Φ	0.35Φ	0.3Φ	0.3Φ
	도금두께/전류밀도	35㎛ 2.5A	35㎛ 2.5A	35㎛ 2.5A	35㎛ 2.5A	35㎛ 2.5A	36㎛ 2.0→1.8A	36㎛ 2.0→1.8A	36㎛ 2.0→1.8A	36㎛ 2.0→1.8A
3T	HOLE 크기(최소)	1.5Φ	1.0Φ	0.75Φ	0.6Φ	0.5Φ	0.45Φ	0.4Φ	0.35Φ	0.3Φ
	도금두께/전류밀도	36㎛ 2.0→1.8A	36㎛ 2.0→1.8A	36㎛ 2.0→1.8A	36㎛ 2.0→1.8A	36㎛ 2.0→1.8A	36㎛ 2.0→1.8A	36㎛ 2.0→1.8A	36㎛ 2.0→1.8A	36㎛ 2.0→1.8A
3.2T	HOLE 크기(최소)	1.6Φ	1.05Φ	0.8Φ	0.65Φ	0.55Φ	0.45Φ	0.4Φ	0.35Φ	0.3Φ
	도금두께/전류밀도	36㎛ 2.0→1.8A	36㎛ 2.0→1.8A	36㎛ 2.0→1.8A	36㎛ 2.0→1.8A	36㎛ 2.0→1.8A	36㎛ 2.0→1.8A	36㎛ 2.0→1.8A	36㎛ 2.0→1.8A	36㎛ 2.0→1.8A
3.4T	HOLE 크기(최소)	1.7Φ	1.15Φ	0.85Φ	0.7Φ	0.55Φ	0.5Φ	0.45Φ	0.4Φ	0.35Φ
	도금두께/전류밀도	36㎛ 2.0→1.8A	36㎛ 2.0→1.8A	36㎛ 2.0→1.8A	36㎛ 2.0→1.8A	36㎛ 2.0→1.8A	36㎛ 2.0→1.8A	36㎛ 2.0→1.8A	36㎛ 2.0→1.8A	36㎛ 2.0→1.8A
3.6T	HOLE 크기(최소)	1.8Φ	1.2Φ	0.9Φ	0.7Φ	0.6Φ	0.5Φ	0.45Φ	0.4Φ	0.35Φ
	도금두께/전류밀도	36㎛ 2.0→1.8A	36㎛ 2.0→1.8A	36㎛ 2.0→1.8A	36㎛ 2.0→1.8A	36㎛ 2.0→1.8A	36㎛ 2.0→1.8A	36㎛ 2.0→1.8A	36㎛ 2.0→1.8A	36㎛ 2.0→1.8A
3.8T	HOLE 크기(최소)	1.9Φ	1.25Φ	0.95Φ	0.75Φ	0.65Φ	0.55Φ	0.5Φ	0.4Φ	0.4Φ
	도금두께/전류밀도	36㎛ 2.0→1.8A	36㎛ 2.0→1.8A	36㎛ 2.0→1.8A	36㎛ 2.0→1.8A	36㎛ 2.0→1.8A	36㎛ 2.0→1.8A	36㎛ 2.0→1.8A	36㎛ 2.0→1.8A	36㎛ 2.0→1.8A
4T	HOLE 크기(최소)	2.0Φ	1.35Φ	1.0Φ	0.8Φ	0.65Φ	0.55Φ	0.5Φ	0.45Φ	0.4Φ
	도금두께/전류밀도	36㎛ 2.0→1.8A	36㎛ 2.0→1.8A	36㎛ 2.0→1.8A	36㎛ 2.0→1.8A	36㎛ 2.0→1.8A	36㎛ 2.0→1.8A	36㎛ 2.0→1.8A	36㎛ 2.0→1.8A	36㎛ 2.0→1.8A
4.2T	HOLE 크기(최소)	2.1Φ	1.4Φ	1.05Φ	0.85Φ	0.7Φ	0.6Φ	0.55Φ	0.45Φ	0.4Φ
	도금두께/전류밀도	36㎛ 2.0→1.8A	36㎛ 2.0→1.8A	36㎛ 2.0→1.8A	36㎛ 2.0→1.8A	36㎛ 2.0→1.8A	36㎛ 2.0→1.8A	36㎛ 2.0→1.8A	36㎛ 2.0→1.8A	36㎛ 2.0→1.8A
4.4T	HOLE 크기(최소)	2.2Φ	1.45Φ	1.1Φ	0.9Φ	0.75Φ	0.65Φ	0.55Φ	0.5Φ	0.45Φ
	도금두께/전류밀도	36㎛ 2.0→1.8A	36㎛ 2.0→1.8A	36㎛ 2.0→1.8A	36㎛ 2.0→1.8A	36㎛ 2.0→1.8A	36㎛ 2.0→1.8A	36㎛ 2.0→1.8A	36㎛ 2.0→1.8A	36㎛ 2.0→1.8A
4.6T	HOLE 크기(최소)	2.3Φ	1.55Φ	1.15Φ	0.9Φ	0.75Φ	0.65Φ	0.6Φ	0.5Φ	0.45Φ
	도금두께/전류밀도	36㎛ 2.0→1.8A	36㎛ 2.0→1.8A	36㎛ 2.0→1.8A	36㎛ 2.0→1.8A	36㎛ 2.0→1.8A	36㎛ 2.0→1.8A	36㎛ 2.0→1.8A	36㎛ 2.0→1.8A	36㎛ 2.0→1.8A
4.8T	HOLE 크기(최소)	2.4Φ	1.6Φ	1.2Φ	0.95Φ	0.8Φ	0.7Φ	0.6Φ	0.55Φ	0.5Φ
	도금두께/전류밀도	36㎛ 2.0→1.8A	36㎛ 2.0→1.8A	36㎛ 2.0→1.8A	36㎛ 2.0→1.8A	36㎛ 2.0→1.8A	36㎛ 2.0→1.8A	36㎛ 2.0→1.8A	36㎛ 2.0→1.8A	36㎛ 2.0→1.8A

※ 위의 표준 사항은 도금시간의 변경과 현장 작업 조건변동에 따라 일부 조정될 수 있습니다.

4. LOW THROWING POWER

1) 형태

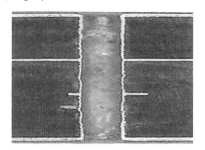

2) 원인

- 동농도가 높다
- 황산농도가 낮다
- 전류밀도가 높다
- 탈지제 부적합

3) 준수사항

도금 PART	제조기술	설비관리
농도분석DATA 확인	농도분석/확인	전류기 점검
탱크 온도점검	약품 탱크 농도/온도 확인	순수/시수배관점검
전류값 확인	전류값 확인	접점확인
BATH 상태 점검	BATH 상태 점검	밸브 OPEN/CLOSE 점검

5. 전처리 후 생긴 물방울 자국 종류

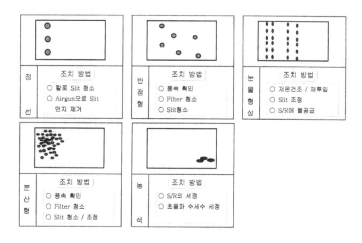

6. 도금 탐

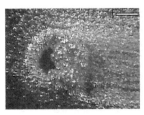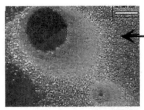

← 탄도금 발생 형태

1) 추정원인

① 1차 : 2.3ASD, 65분 도금 작업 조건에서 제품의 1PNL 홀소가 약2000여개로 FULL 레 킹 상태에 고전류가 유입될 때 레커의 접점이 불안정하여 제품에 순간적인 고전류가 흘러가게 하는 상 발생하여 이러한 탄도금 불량이 발생한 것으로 잠정 추정됩니다.

② 2차 : 새들부와 부스바의 결합이 완전하지 않아 접촉이 좋지 않을 경우 오실레이션 상 황에서 저항

③ 3차 : 고전류/면적대비 적은 홀수/레커 접점의 불안정/부스바의 휨 및 얇은 조건 등의 요인이 결합 복합적인 요인으로 발생한 경우

2) 대책

① 레커의 접촉성 문제는 신규 레커로 교체 예

② 부스바의 휨 문제는 설비팀과 함께 하나 하나 휜 부스바를 찾아 교정하여야 함

③ 부스바의 얇아진 것 : 도입 시 15 ~ 14mm두께에서 10 ~ 9mm두께로 얇아진 상태인데 교체 검토를 함

④ 일부 제품 중 판넬 내 홀수가 적은 제품은 단위 면적을 계산하여 적정 암페어 값을 산출하겠음

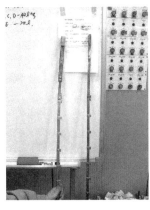

신규 레커 접촉면이 10mm 길어지고, 텐션이 강화

※ 현재 부스바는 15mm정도 두께에서 10 ~ 9mm두께 로 지난 2년간의 가동으 로 얇아져 기존의 레커 는 접촉이 느슨하여 레 커가 이동하는 현상 등 이 발생하여 제품이 서 로 겹치거나 떨어지는 현상이 발생

7. VOID

1) VOID형태

불량명	불량 시료	원인	대책
링 보이드 (유형 1)		WETTING 미흡으로 홀 속에서 AIR가 침	바이브레이터 정상 작동 점검 오실레이션 정상 작동 점검
링 보이드 (유형 2)		PTH 초리 미흡	PTH BATH 정상 교반 상태 점검 PTH 약품 라이프 점검 초음파 장치 점검
텐팅 깨짐		D/F 텐팅의 깨짐	D/F 라미네이션의 밀착력 점검 DES M/C의 압력 점검 D/F 전처리 상태 점검
크랙		프레스 조건 불안정 드릴시 과도한 충격	프레스 조건 점검 드릴 조건 점검
코너 크랙		유산동액의 유기 오염 광택제 과소 또는 과잉	활성탄 처리 HULL CELL 또는 CVS 분석을 통한 약품 농도 조정
부분 보이드		홀 벽에 부분 오염 스미어의 잔존 퍼망가네이트 잔사 잔존	전처리 상태(탈지) 점검 디스미어의 온도 및 약품 농도 점검 뉴트럴 라이져 농도 점검

■ Void 유형 사진

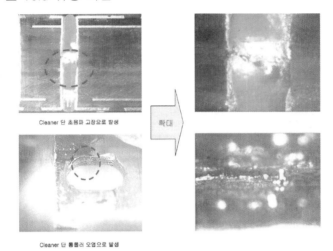

2) RING-VOID

① 형태

② 원인

전처리 불량 (새도우 처리 불량)

: 액성악화로 인한 그라파이트의 홀 속 밀착력 저하

③ 준수사항

도금 Part	제조기술팀	설비관리팀
U/S기 점검	전처리 라인의 농도 점검	U/S기 점검
저항치 점검	각 약품의 액상태 점검	노즐 및 펌프상태 점검
필터상태 점검	필터상태 점검	온도 및 수위 점검
온도 및 수위 점검	저항치 점검	정류기 점검
새도우 CHAMBER 점검	온도 및 수위 점검	밸브 OPEN/CLOSE 점검
노즐방향 및 뚫림 확인	약품 CHAMBER 점검	정류기 및 전류량 점검
정유기 및 전류량 점검	노즐 및 U/S기 점검	순수/시수배관 점검
AUTO DOSING 점검	유산동액 농도확인	
	HULL CELL 시험실시	
	WEIGHT LOSS 점검	

3) 점 VOID

① 형태

② 원인

전처리 불량

: 농도/온도 부적당으로 SMEAR 미제거

③ 준수사항

도금 PART	제조기술	설비관리
콘베이어 속도 확인 온도 및 노즐방향 점검 퍼망간 CHAMBER 점검 필터상태 점검 U/S기 점검 약품탱크수위 확인 EPR정류기 점검	전처리 라인의 농도점검 각 약품의 액상태 점검 필터상태 점검 저항치 점검 온도 및 수위점검 약품 CHAMBER 점검 노즐 및 U/S기 점검 유산동액 농도 확인 HULL CELL 시험실시 EPR정류기 점검	U/S기 점검 노즐 및 펌프상태 점검 온도 및 수위 점검 EPR정류기 점검 밸브 OPEN/CLOSE 점검 정류기 및 전류량 점검 순수/시수배관 점검 싸이클론시스템 점검

4) Air Void

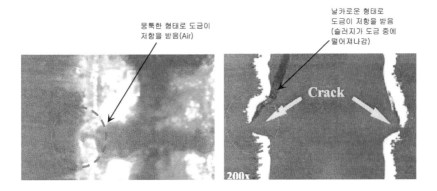

뭉툭한 형태로 도금이 저항을 받음(Air)

날카로운 형태로 도금이 저항을 받음 (슬러지가 도금 중에 떨어져나감)

Crack

200x

❖ EDS 분석

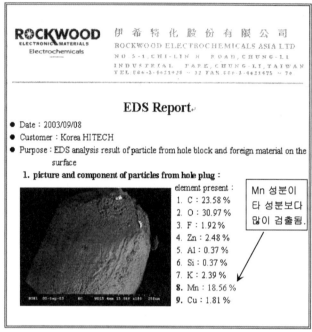

5) HOLE 분석에 의한 VOID ①

① 방법 : X-SECTION 후 PTH 품질분석

② 불량유형 : HOLE VOID발생

③ 분석내용 : 4EA의 HOLE을 X-SECTION 한 결과 2EA HOLE은 양품 2EA
　　　　　　　HOLE은 완전 VOID 발생으로 불량

④ VOID 유형

　(a) BBT 선별가능

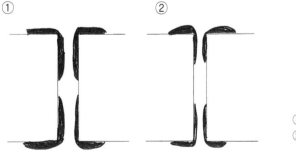

① RING VOID
② 중앙부위 VOID

(b) BBT 선별 불가능

① 부분 VOID
② 한쪽 SIDE 양품
  한쪽 SIDE VOID 경우

⑤ 발생원인

(a) 무전해 도금 시 관리 MISS 발생

(b) 무전해 도금 시 부분적으로 VOID 발생된 상태에서 전기동으로 연결되어 VOID 발생

(c) D/F 작업 시 TENTING 터짐으로 인하여 ETCHING시 HOLE 중 중앙부위에 부분적 발생

(d) PCB 표면처리 시 불만족하여 재표면 처리 시 HOLE속의 미세한 기포에 의하여 PSR INK에 침투되었던 SOFT ETCHING 액에 의하여 진행성에 의한 HOLE속 도금 감소에 의하여 VOID 및 HOLE WALL CRACK 발생

⑥ 결론

의뢰된 시료를 X-SECTION 해 본 결과 HOLE 내부의 완벽한 VOID이며 양품 POINT의 HOLE 도금두께는 22 ~ 26㎜으로 보아 무전해 도금의 VOID로 판명되며 이러한 VOID가 발생되었을 시에는 후공정인 BBT에서 NG로 판정이 되어야 함

⑦ X-SECTION 결과

양품 Point   불량 Point

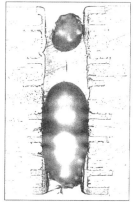

⑧ 불량명 : VOID

    (a) DIRECT PLATED 문제점

       : 촉매제(카탈리스트, 팔라듐, 화학동) 처리미흡

    (b) 전기동(Plating) 문제점

       : Hole속의 수소gas 및 공기유입

    (c) 금도금 및 FLUX 문제점

       : Hole속 에칭액 잔존

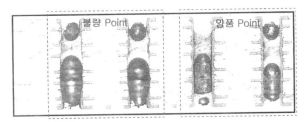

⑧-1 불량발생추정원인

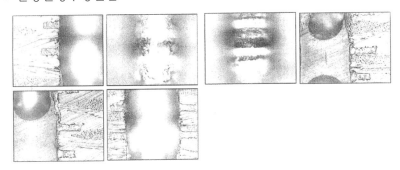

⑧-2 불량유형 세가지

    (a) Direct Plated(카탈리스트, 팔라듐, 화학동) 처리가 미흡하여 발생할 수 있으나, 촉매단에서 발생된 문제는 아니라 생각합니다. 만약 촉매단의 문제라면 기름성분이 약품단에 유입되어 발생할 수 있다.

    (b) 전기동에서 수소gas 및 공기가 발생하여 도금진행을 방해(1차 원인)

    (c) 금도금 및 FLUX 처리 시 Hole속의 에칭액 잔존(2차 원인)

      - 촉매단의 약품의 문제가 없다면, 전기동에서 1차적으로 도금이 원활하게 진행되지 않아 미세하게 도금되어 FLUX처리과정에서 Hole속의 애칭액이 잔존하여 진행성 Void가 발생한 것이라 추정합니다.

        ※ 1차 : 무전해도금에 의한 Void, 2차 : 전기동에 의한 Void, 3차 : 표면 FLUX 재처리 시 발생할 수 있는 Hole Defect(Void 또는 부분 Etching), 4차 : BBT 시 Ring Void 또는 부분적 완전 Void는 check 되어야 함.

6) HOLE 분석에 의한 VOID ②

① 제목 : PCB HOLE속 품질분석

② 분석내용

  (a) 공장 방문하여 자체 분석한 MICRO-SECTION DATA

  (b) ASS'Y BOARD 1SET MICRO-SECTION

③ 불량내용 : HOLE 속 VOID

④ VOID란

  PCB 공정 중 도금(무전해 + 전해)시 HOLE속 안에 규정에 의한 동도금이
  되어야하나 도금이 안 된 상태를 말함

⑤ VOID 종류

NO	유형	내용	원인	대책
1	전체 도금 안됨	무전해 도금 시 사고로 인하여 전체 HOLE속 도금 안됨	무전해 또는 전기 도금사고	설비점검
2	RING-VOID	HOLE속 안에 원형형태로 도금이 안된 상태. 전형적인 HOLE 속 VOID	무전해 도금시 부분적 동박산화 또는 도금 안됨 발생 전기 도금 시 도금 안됨	무전해라인 확인
3	CORNER VOID	HOLE 입구에 발생하는 결손	1. D/F TENTING 2. 무전해도금 결손 3. HOLE속 EPOXY 잔사	근본적으로 무전해 도금라인 확인 HOLE속 잔사 확인
4	미도금 (부분 VOID)	부분적으로 도금이 안 되어 발생한 결손	무전해 도금 결손	무전해 도금라인 확인

⑥ MICRO-SECTION 사진결과

  (a) 전체적으로 HOLE속 도금 불균일 및 미달

  (b) 전형적인 무전해도금 결손으로 인한 VOID 현상

  (c) 일부 CORNER VOID도 무전해 도금 결손으로 추정

⑦ ASS'Y BOARD MICRO-SECTION 결과

  (a) 5POINTS를 확인한 결과 전체적으로 양품수준

    (도금두께 X ROUGHNESS X SMEAR 등)

  (b) POINT4에서만 미세한 SMEAR 현상이나 신뢰성에는 문제없다고 판단

7) Void 불량 원인 및 대책

① 원인추정

(a) 부스바 통전 및 새들부위 접점 불량

(b) cleaner/conditioner단 초음파 고장으로 발생

(c) cleaner/conditioner단 제품 투입단 통롤러 오염으로 발생

(d) 전처리단(디스미어~새도우) 통롤러 오염으로 발생

② 대책

(a) DMS 프로그램 점검

새들 부분 접점 점검

(b) 크리너/컨디셔너단 초음파 교체

전처리 초음파 점검

(c) 크리너/컨디셔너단 건욕시 먼지 제거(1회/일)

(d) 통롤러 오염분 제거 및 교체

: 디스머어 퍼망간 수세단까지 통롤러 교체(중화단 이후 미교체)

새도우 #2 건조, 최종건조단 sus 통롤러 교체(중화건조, 새도우#1 건조 미교체)

③ 결론

(a) 부스바 통전 및 새들부위 접점은 설비점검시 월1회정도 전반적인 점검을 실시하겠습니다.

(b) 전처리단 초음파는 일일체크를 통하여 안정적인 라인가동을 실시하겠으며, 설비팀과 협조하여 spare로 최소 2ea의 초음파를 보유하여 이상 있을 시 즉시 교체하여 품질에 이상이 없도록 하겠습니다.

(c) 최근 issue화 된 통롤러 오염에 관해서는 1차적으로는 매주 설비점검 시 디스미어와 새도우라인을 구분하여 rotation으로 통롤러를 청소하고, 장기적으로는 오염 및 파손된 통롤러를 교체하도록 하겠습니다.

(d) '04년도는 void 발생인자를 하나하나 제거 목표를 설정하여 인자들을 제거해 나아가도록 하겠습니다.

8. CRACK

1) CRACK 형태

① BGA 표면

② 사례 1

동도금 두께 : 22.2㎛

③ 사례 2

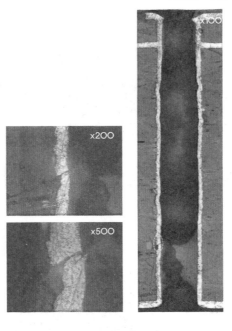

동도금 두께 : 21.1㎛

④ 사례 3

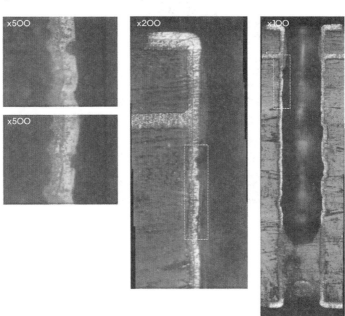

⑤ 사례 4

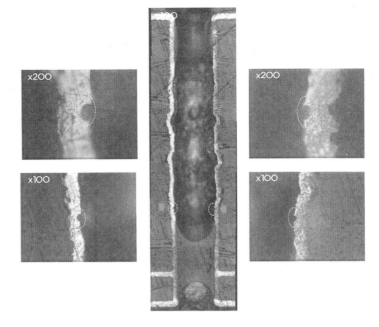

⑥ 사례 5

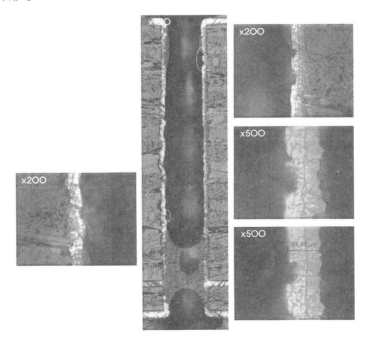

⑦ 사례 6

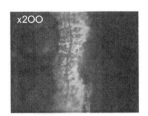

▶ PSR 하단부분 동도금층 attack 발생

▶ PSR 하단부분 동도금층 attack 발생

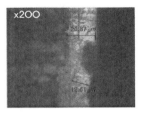

▶ 불량 point 外 추가 Hole Open 확인

⑧ 사례 7

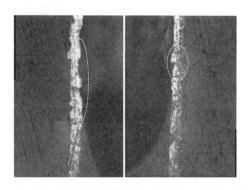

▶ 기타 PSR 하단부분 동도금층 미세한 attack 발생 사진

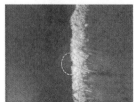

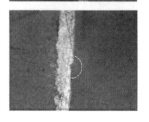

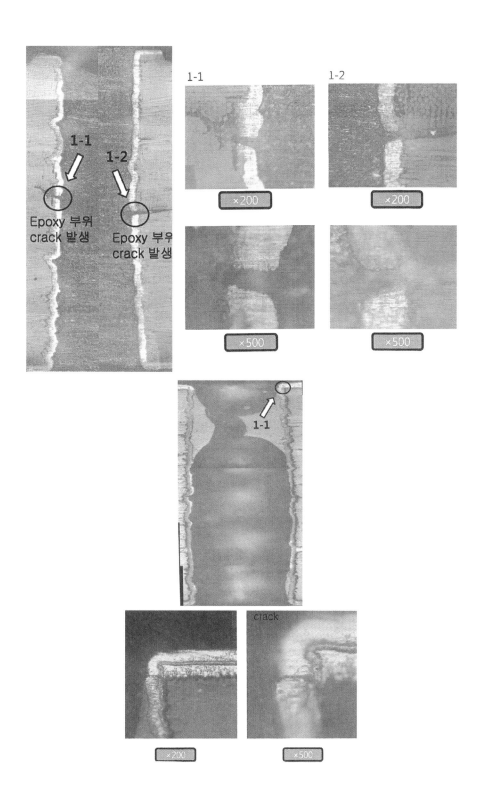

2) CRACK 발생 TEST

① 현상

(a) 고객사 발생 유형과 동일한 위치 및 형태로 발견됨

(b) 원자재까지 Crack이 발생됨.(고정적인 위치에서 발생)

→ 원자재 두께의 30%(65㎛)가 Attack을 받았음

(c) Hole과 Hole 사이에서 발생됨

→ Hole간 거리가 짧아서 상대적으로 Attack에서 약한 부분임.

(d) 일반 확대경으로는 식별 불가능함

→ Scope로 관찰/검출이 가능함

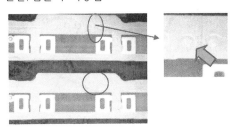

[표면 Scope 분석]   [Micro-Section 분석]

점등 불량과의
상관관계는 없음
→ Crack발생
   주변에 Pattern

X50 Image Scope

LED 장착부

Crack깊이

FPCB의 Bonding부

② 발생제조공정

▶ PCB 제조 공정

Crack 발생 공정

D/F ─ AOI ─ PSR/식자 ─ Au도금 ─ BBT ─ 외형가공 ─ 최종검사 ─ 출하검사 ─ 출고

③ 발생원인 분석

(a) 원자재의 두께가 얇음(0.2T)

(b) Halogen-Free 원자재는 일반 원자재보다 압력 및 외부의 충격에 Epoxy가
깨지기 쉬움

⇒ Halogen-Free 원지재는 20 ~ 25% 굴곡 강도기 약함(첨부 자료 참조)

(c) 설계 구조상 양면 동시 BBT작업을 실시하여야 하며, Pin의 압력에 의하여 PCB에 Attack이 가해짐

  → 상·하단 BBT Pin의 위치가 엇배열로 되어 Attack이 과도함

  → 엇배열 Pin위치에 Via-Hole이 가동되어 있음(원자재가 압력에 더욱 약해지는 부분임)

  ⇒ PCB의 "Crack 현상 알고리즘" 참조

④ Crack 현상 알고리즘

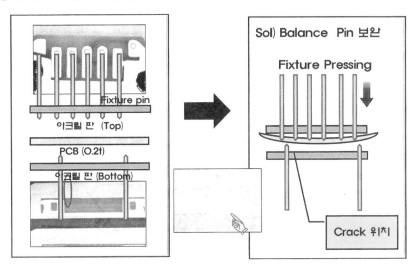

⑤ 개선대안(BBT Jig 개선)

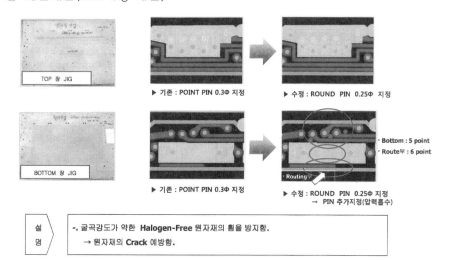

설명
-. 굴곡강도가 약한 **Halogen-Free** 원자재의 휨을 방지함.
→ 원자재의 **Crack** 예방함.

3) 합금층(IMC) CRACK

① 사양

LAYER	표면처리
2	IMMERSION, Ag

② Reliability Test 항목 & 결과

시험 항목		검토 결과	판정
환경 시험	열충격(보존)	시험 후 특성을 만족하여 Soldering 접합 상태 양호함	Fail
기계적 시험	낙하	시험 후 전 SPL 정상 동작 및 BGA+PCB 접합상태 양호함	Fail

※ 환경시험 완료 Sample PCB표면 Soldering접합부 분석 결과 : Fail
Thermal Shock Test & Drop Test SPL : IMC Layer 위에서 Crack 발생
(BGA & PCB 접합 Point)

③ 시험결과에 대한 의견 :

③-Ⅰ 일반사항

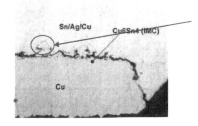

합금층 상부에서의
Crack은 없다고 판단 됨

③-2 합금층(IMC) Crack에 대한 견해

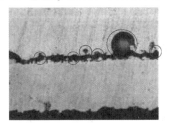

사진의 Crack은 본래 있었던 합금층 Soldering 과정에서 Heat Cycle
시험 중에 성장하나 도금(혹은 도금표면)에 이물에 의한 오염 등의 문제
가 있었으나, Soldering은 진행 됨.
그러나 계면에 미세한 Solder Void를 다수 가지고 있었음.
미세한 Void가 Heat Cycle이나 낙하충격에 의해 스트레스로 인하여
Crack 진행 된 것으로 사료됨.

③-3 VOID 발생에 대한 의견

※ 참고자료 : 무연 마이크로 솔더 실장 p. 192, 213, 220 (사)한국마이크로조이닝 연구조합

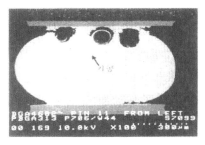

(a) Solder Paste 특성에 의한 Reflow 작업 시 조건 설정 부족(온도 Profile)

(b) BGA Ball 접착 시 (Reflow 조건) 발생되는 Flux GAS에 의한 Void 가능성으로 추측됨

(c) 사진 분석결과 금번 Test결과(BGA Ball Void)는 PCB표면 문제에서 기인된 문제가 아닌 것으로 사료되며, 당사에서 국내 의뢰기관에 동일(삼성현지 공장)조건으로 Test 진행분석을 통한 발생 원인분석 진행 협조 요망

④ Silver 표면 유기물 오염 경로

· Silver 도금 후 단자 부분의 masking tape 제거하여 2차 수세 과정에서 유기물 오염

　(단자부 silver 도금 방지을 위한 masking tape 사용)

· 2차 수세 진행을 탈지 수세단(♦)에서 진행함으로 인한 수세수에 함유된 유기물에 의한 silver 표면 오염

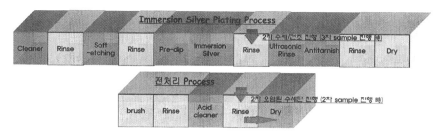

⑤ BGA Ball Void 관련 통합적 개선 진행사항

· 기존 BGA size spec. 하한치에서 상향 조정

: BGA size 안정화를 위한 동도금 공정 및 Imaging 공정조건 재설정

: 0.45㎜ ±10% (0.411~0.502㎜)

	1차, 2차 sample	3차 sample	비고
BGA Size	Avg. 0.417㎜	Avg. 0.430㎜	Top 기준

· Immersion Silver 도금표면 유기물 오염 방지방안

: masking tape 제거 후 2차 수세를 D.I Water 수세 진행

: 무황간지를 이용한 silver 표면 오염방지

· Immersion Silver 도금 업체 별 Test 의뢰

: 도금 광택 조건별 차이점에 대한 시험

	G사		T사		비고
	유광	무광	유광	무광	
수량(kit)	20	20	10	10	Marking 1 : 무광 Marking 2 : 유광
Tatal	40		20		

⑥ 원인 및 대책

· Silver 도금 후 (Tape Peel-off) Packing전 일반간지(재생 간지) 사용에 따른 Silver(Finished) 표면 오염에 따른 IMC 표면 Void 발생으로 사료 됨

· 전용 무황(sulfur free) 간지 사용

⑦ 생산/공정기술의 개발

· 사례

: 양명 FR-4 기판 QFP & BGA relfow 및 through hole wave soldering

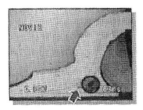

· 대응방안

· 승온 속도 감소 및 예열 시간 증대
  [충분한 flux outgassing 시간 확보]
· Peak 온도 및 용융 시간 증대
· 냉각 속도 제어
  [금속 냉각으로 Shrinkage 최소화]
· Pb free BGA ball 적용 [Ball 융점 증대]
· Solder paste power 크기 및 분포 제어
  [충분한 flux outgassing 공간 확보]

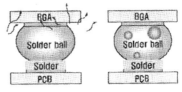

융점:Ball > Solder   융점:Ball < Solder
BGA void 발생 모식도

⑧ 고객사 신뢰성 평가 결과

NO	TEST ITEM	SPL Q'TY	FAILURE Q'TY	RES ULT	REMARK
1	Thermal Shock (2Chamber) −40℃==>>110℃30min, 100cycle	20	0	OK	
2	Drop test 76㎝, 3 time Free drop	20	0	OK	This sample thermal shock
3	Cross section IC BGA	4	4	fail	

- External & Internal Inspection
- Material Part no damage of the constriction and the value of performance characteristics shall be satisfied
- chassis, Cover, Jack, PCB, SAW FILTER, Terminal Pin no have rusty and Chip Componet no damage

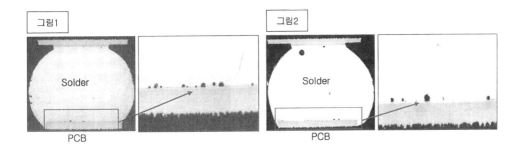

그림1

Solder

PCB

그림2

Solder

PCB

⑨ IPC-A-610C, IPC-7095

- Nevertheless, **the standards IPC-A-610C (acceptability of electronic assemblies)** and **IPC-7095 (design and assembly process implementation for BGAs)** define maximum void sizes for BGA solder joints.
- According to **610C**, the maximum acceptable percentage of the ball-to-board interface area covered by voids **should not exceed 10%**, joints with more than 25% voiding are classified defect. **IPC-7095** states values in **the range of 9% to 36%** depending on the vertical position of the voids and on the application of the assembly.

Bubbles inside joints
Voids are bubbles inside solder joints which appear as lighter spots in the X-ray image.
The impact of voids on the reliability of solder interconnections has not been investigated in detail yet, but some studies are currently performed.
Some earlier studies even point out that the reliability increases for solder joints that contain voids up to a certain size.
Nevertheless, the standards IPC-A-610C (acceptability of electronic assemblies) and IPC-7095 (design and assembly process implementation for BGAs) define maximum void sizes for BGA solder joints.
According to 610C, the maximum acceptable percentage of the ball-to-board interface area covered by voids should not exceed 10%, joints with more than 25% voiding are classified defect.
IPC-7095 states values in the range of 9% to 36% depending on the vertical position of the voids and on the application of the assembly.
In any case, the number of solder joints affected by voiding and the size of voids can indicate process control or improvements, and so it makes sense to measure both by a suitable image processing software (**figure 4**).

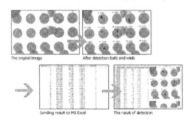

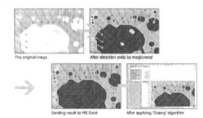

4) BGA CRACK

① BGA Crack 현상

귀사 제공자료 (발췌)

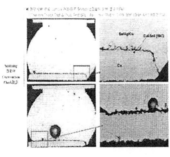

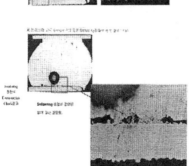

Crack 형상에 대해서

상기 사진에서 기판 Pad측에서 합금층과 Solder의 계면에서 Crack이 발생된 것으로 보임

Crack후에 BGA가 우측으로 약간 움직임

본 Sample은 Heat Cycle 시험 후 낙하충격시험을 거쳐 Crack이 발생됨

② 고찰

이와 같은 Crack의 경우 본래 기판의 표면이 어떠한 처리를 하였는지에 의해 원인고찰이 변화됩니다.

　(a) 무전해 금도금 처리

　(b) Solder도금 (혹은 HAL처리)

　(c) Cu박 + OSP 처리

· (a)에서 Crack이 발생된 경우

잘 알려진 바와 같이 Ni-P층과 Ni-Sn의 합금층의 사이에서 Crack이 발생되기 쉬움

이번 사진에서 본건은 이 경우가 아닙니다.

· (b), (c)에서 Crack이 발생된 경우

금번의 사진에서 Cu와 Sn의 합금층이 생성된 것으로 보입니다.

그렇게 생각하면 금도금 처리의 기판이 아닌 (b) 혹은 (c)의 기판으로 사려됩니다.

A : (c)의 기판에서 Crack이 발생된 경우에는 성장한 합금층 안에서 Crack된 경우가 있습니다. Heat Cycle 등에서 스트레스가 걸려 그 후의 낙하충격에서 Crack되었다고 생각하면 가능성이 있습니다. 이때의 Crack은 충격에 약한 합금층의 내부에서 발생됩니다. (SnPb 일 때에는 합금층과 Solder 사이에서 발생되는 경우가 있습니다만 PbFree에서는 합금층 내부에서 발생하는 Case가 대부분입니다. 이때의 단면상태는 Pad측에서도 Solder측에서도 합금층이 보이는 것이 특징입니다.

B : (b)의 경우 본래 있었던 합금층이 Soldering 시나 Heat Cycle 시험 중에 성장하나 도금(혹은 도금표면)에 무언가의 오염 등의 문제가 있어 Soldering은 일단 완료되었으나 계면에 작은 Void를 다수 가지고 있습니다. 그곳에 Heat Cycle이나 낙하충격에 의해 스트레스가 거려 Crack된 것으로 생각하면 일리가 있습니다.

특히 단면사진에서 Crack부에 작은 Void형태의 것이 보이는 것으로 사려됩니다.

상기 A 혹은 B의 원인으로 사려됩니다.
정확히는 Crack 부근을 EPMA로 분석하여 합금층이 어디에 있는가를 확인하는 것을 추천 드립니다.

※ 참고

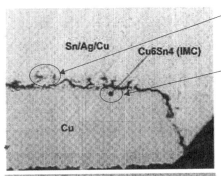

이와 같은 부분이 많으면 상기의 합금층 내부에서의 Crack은 없다고 사려됩니다.
Crack부의 EPMA에 의한 성분분석을 추천드립니다.

이 부분은 정말로 Sn-Cu입니까?
Sn-Cu라면 무전해 금도금이 아닌 다른 표면처리가 있었다고 추측됩니다.

부분은 연마에 의한 무너짐입니까?
외관에서는 작은 Void처럼 보입니다.

5) FLUX 공정 SOFT ETCH 재처리 결과

  ① SECTION 사진 결과

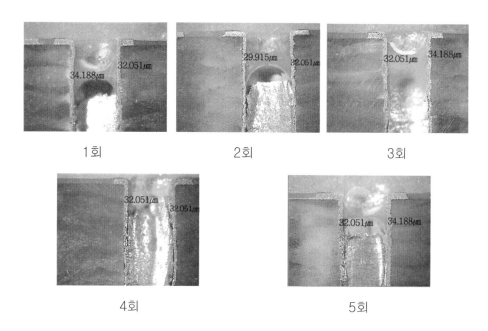

| 1회 | 2회 | 3회 |
| 4회 | 5회 |

  ② 도금두께 측정 결과

1	2	3	4	5
32.051	29.915	32.051	32.051	32.051

  ③ 결과

    FLUX 박리 시 사용되는 SOFT ETCHING은 HOLE에는 영향 없다.

    이유 : HOLE은 PSR TENTING 처리되어 SOFT ETCHING 액에 의한
         영향은 없다.

9. SMEAR

1) SMEAR 분석 ①

① PCB 사향

MODEL NO	두께	LAYER	PSR	주기
NF 1200 THERARY BD	1.6^T	4	BLACK	1012

② 분석시료수량 : ASS'Y BD 2SET(No 1, 4)

③ 분석방법 : MICRO-SECTION 실시

④ 불량명 : SMEAR 발생

⑤ 불량 발생부위

시료	0.4Φ	0.6Φ	0.9Φ	비고
No 1	미발생	발생	발생	① HOLE SIZE → 예측 SIZE
No 4	미발생	발생	발생	② 0.4Φ는 DRILL 가공시 HOLE속 조건 양호 (기술자료A-②참고)

⑥ 기타품질

시료	ROUGHNESS			NAIL HEAD			도금두께
	0.4	0.6	0.9	0.4	0.6	0.9	
No 1	양호	준양호	양호	양호	준양호	양호	평균 20-25μm
No 4	양호	양호	양호	양호	양호	양호	평균 20-25μm

준양호 : 4층 기준 SPEC 범위 허용

⑦ 일반적 DESMEAR SPEED : 2.6M/분당

⑧ 결론

DRILL 및 도금상태 양호한 것으로 보아 전처리 작업인 DESMEAR PARAMETER 불충분으로 발생된 것으로 판단

⑨ 첨부

(a) MICRO-SECTION DATA No 1, No 4

(b) SMEAR 기술자료

■ SMEAR 기술자료

① Smear의 발생원인 및 과정

    (a) 원인

        · Drilling 작업 시 온도 상승에 따른 Resin의 변화

    (b) 과정

        · Inner copper layer와 Drill의 가장 자리에 빈틈이 발생

        · 미세한 Resin 입자가 빈틈에 진입 축적 부착하여 Smear 발생

        · 더 깊게 Drill이 진입하여 틈이 발생하지 않음

② Resin의 종류와 구조

    · Difunctional Resin : long chain polymer로 구성된 단순 구조, Permanganate의 침입이 용이하다.

    · Tetrafuntional Resin : 네 개의 Epoxy group을 포함 경화제로 결합되었을 때 매우 복잡한 network를 지녀 결합 밀도가 높아 Permanganate의 침입이 어렵다.

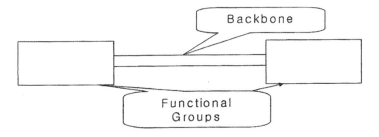

③ Smear의 발생요인

    · 외부요인 : 드릴의 상태, 드릴의 재질, 드릴의 연마도, 드릴의 절삭조건 - 회전수, 회전속도 기판의 겹진수

    · 내부요인 : Resin의 Tg값(Glass Transition Temperature, 유리전이 온도)

    · Tg값이 높을 경우 : 열변형에 대한 견딤이 우수하므로, 드릴시 열에 의한 Smear 발생이 상대적으로 적다.

    · Tg값이 낮은 경우 : 열변형에 대한 견딤이 약하므로, 드릴시 열에 의한 Smear 발생이 상대적으로 많다.

④ Smear의 영향

Stress Cracking(압력 분해), 수분흡수, Blow-hole의 원인이 되는 잠재적
인 Outgassing 전기 접속의 불량, 전기저항의 증가

⑤ Desmear 처리목적

Drill 작업시의 고열에 의해 inner layer나 홀벽에 발생하는 Smear의 제거.
홀벽에 거칠음을 제공하여 표면적을 증가시킴으로써 Epoxy표면에 무전해
도금의 결합력을 좋게 하기 위함.
무전해 공정의 효율을 증가시키는데 Void의 생성 여부를 결정하는 중요한
역할

⑥ Desmear Process Cycle

(a) Hole Conditioner(Solvent Conditioner, Sweller)
· Resin 표면을 팽윤시켜 Permanganate의 침투를 용이하게 한다. 즉 Epoxy
  resin 부위의 Swell 및 dust 제거한다.
· 과정 : Resin의 폴리머-폴리머 결합에 Solvent가 침입하여 폴리머 Solvent
  결합으로 변화시킨다.
(b) Alkaline Permanganate treatment
· 부풀어진 Resin의 폴리머 network의 공유결합을 산화시킴으로써 에칭하여
  미세한 거칠음으로 도금의 밀착성을 높인다.

⑦ 처리방법

(a) 습식법
· SMEAR를 부풀려(SWELLING) 과망간산(PERMANGANETE)으로 부식(ETCHING)
  하고 중화 처리하는 범용적인 공법
· 기존의 노말 TYPE 디스미어 공정 약품을 Tg가 150° C이하 수지의 스미어
  제거능력은 무난하지만 BT 수지같은 High tg 수지의 스미어 제거는 한계가
  있다.
· 습식법에서 스미어 제거 능력은 SWELLING 시켜주는 약품의 종류에 따라 성
  능이 결정된다.
· 기존 노말 타입의 경우 부틸카비톨(BUTYL CARBITOL)류의 유기봉매가 주로
  사용되고 있으며 이들은 HIGH Tg를 가지는 절연수지의 처리는 부적합하다.

· High Tg에 사용된 유기용에는 기존 노말 타입 제품의 유기용매보다 끓는점이 높고, High Tg 절연수지의 스미어에 대한 스웰링 능력이 탁월하다.
· High Tg용 디스미어 약품은 유리전이 온도에 관계없이 모든 Epoxy계열 수지 제품의 처리가 가능하다.
· PCB의 고밀화와 더불어 HOLE의 크기가 날로 작아지는 추세에 맞춰 미세 HOLE에 잘 침투할 수 있도록 적절한 계면활성제의 선택이 매우 중요하며 초음파 설비 등의 장비를 이용해서 미세홀에 대한 디스미어 능력을 향상 시킬 수 있다.

(b) PLASMA 가공

Plasma는 기체분자(혹은 원자)가 전자와 정이온으로 분리되어 존재하는 기체이다. Plasma는 아르곤 등의 가스 중에서 고주파 그로우 방전을 통해 발생시킨다. Plasma는 화학적인 활성이 강하므로 유기물을 분해할 수 있다. Plasma etching이나 Plasma Desmear는 그 응용 예이며, build-up법에서 via hole 가공법의 하나이기도 하다. 이 경우, 기판의 동박을 via부만 화학적으로 etching 하여, Plasma etching mask로 한다. Plasma는 desmear 이외에도 세정 등의 처리후 금속면 위에 남아있는 유기물의 제거나 금속면의 청정화에도 이용되고 있다.

⑧ Desmear Process

Drilling 작업 시 고열에 의하여 Epoxy 부분이 녹아 내려 Inner layer와 Hole 벽을 덮는 찌꺼기를 Smear라 말하며, 이 Smear를 제거하는 공정이다.

· DRILL 가공 시 HOLE 내부에 녹아내린 SMEAR(EPOXY) 제거
· 동박의 표면과 HOLE에 남아있는 이물질을 제거
· 동박의 밀착도를 높이기 위해 조도 형성

■ No. #1 제품 (1012)

내용 : ① 약 0.9Φ 홀에서 스미어 발생
　　　 ② 약 0.6Φ 홀에서 스미어 발생
　　　 ③ 약 0.4Φ 홀에서 스미어 미발생

홀 size	전체사진	X50배 확대(좌)	X50배 확대(우)	결과
약 0.9φ				스미어 발생
약 0.6φ				스미어 발생
약 0.4φ				스미어 미발생

■ No. #4 제품 (1020)

내용 : ① 약 0.9Φ 홀에서 스미어 발생
　　　② 약 0.6Φ 홀에서 스미어 발생
　　　③ 약 0.4Φ 홀에서 스미어 미발생

 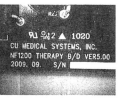

홀 size	전체사진	X50배 확대(좌)	X50배 확대(우)	결과
약 0.9Φ				스미어 발생
약 0.6Φ				스미어 발생
약 0.4Φ				스미어 미발생

2) SMEAR 분석 ②

① 불량분석 시료

② 제품 분석결과

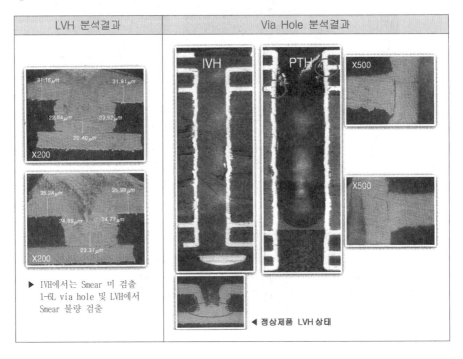

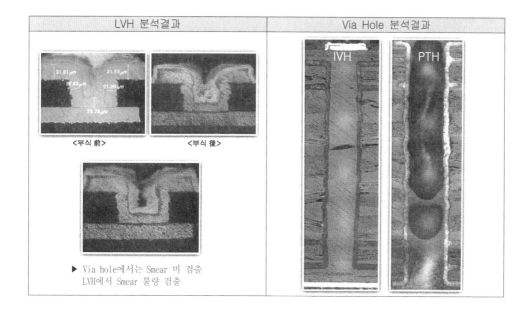

LVH 분석결과	Via Hole 분석결과

<부식 前>   <부식 後>

▶ Via hole에서는 Smear 미 검출
  LVH에서 Smear 불량 검출

③ 불량 발생원인

 · 불량 발생원인

  (a) 원인 공정 : PERMANGANATE

  (b) 불량 원인

   PERMANGANATE 공정은 작업온도 80°C로 높은 온도에 의하여 액 증발량이 높
   아, 수위 조절시 과량의 물이 공급된 상태에서 작업 진행

   → 약품 농도가 저하된 상태에서 작업이 진행되어 SMEAR의 일부가 잔존함.

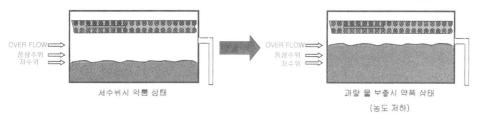

서수위시 악품 상태   과량 물 보충시 약품 상태
                              (농도 저하)

④ 대책

 · 장비에 물 보충 적정 수위 표시 : 물 보충 시 약품 분석

 · BUILD-UP 제품 도금 작업 완료 후 X-SECTION 및 결과 확인

 · 작업 지시서에 특별 작업 지침서 삽입 : 적정 작업 속도 재설정

 · 약품 분석 인원 증원/분석 빈도 증가

 · 신뢰성 분석 인원 증원/분석 빈도 증가

⑤ Desmear 분석 방법

Desmear

1) KEC145H

100㎖ 메스실린더에 시료 80㎖ 채취

250㎖ 비이커에 옮김 후 NaOH 8g 첨가하여 완전히 녹인다.

100㎖ 메스실린더에 옮겨서 완전히 총 분리될 때까지 방치하여 상층부 부피측정

계산법 : 상층부피×23.7

보충량 : (기준치-분석치)×1160(T/S)÷1,000

350-400-450

2) NaOH

250㎖ 비이커 시료 5㎖ 채취

증류수 100㎖

P.P 지시약 3 ~ 4방울 첨가

0.1N - HCl로 적정

종말점 : 분홍색 - 무색

계산법 : 적정소비량×0.1×40÷5

보충량 : (기준치-분석치)×1160(T/S)÷324

2.0-5.0-7.0

◎ **Permanganate**

1) KEC-155A & K_2MnO_4

100㎖ 메스플라스크 시료 5㎖ 채취

10.5 용액(증류수+NaOH용액)으로 100㎖ 첨가 후 교반

100㎖ 메스플라스크 위 교반한 용액 ㎖ 채취

10.5 용액으로 100㎖ 첨가 후 교반

셀에 시료 채취하여 UV측정기로 측정

KEC-155A 계산법 : (64.67×526)-(21.11×603)

보충량 : (기준치-분석치)×1910(T/S)÷1,000

65-70-75

K_2MnO_4 계산법 : (136.6×603)-(12.17×526)×0.8

기준치 : 30g/ℓ 이하

2) NaOH PH

250㎖ 비이커 시료 1㎖ 채취

증류수 50㎖

0.1N-HCl로 적정

PH 10.5 될 때까지

계산법 : 적정소비량×0.1×15

보충량 : (기준치-분석치)×1910(T/S)÷100

10-15-20

◎ **Neutralizer**

1) KEC-706H

250㎖ 비이커에 시료 1㎖ 채취

증류수 100㎖ 첨가

M.O 지시약 (4방울)

0.1N - NaOH로 적정

종말점 : 적색 - 노란색

계산법 : 적정소비량×7.95

보충량 : (기준치-분석치)×410(T/S)÷1,000

30-35-40

2) H_2O_2

250㎖ 비이커에 시료 1㎖ 채취

증류수 100㎖ 첨가

20% H_2SO_4 5㎖

ferroin 지시약 3~4방울 첨가

0.1N - C.A.S로 적정

황산사암모늄세륨

종말점 : 붉은 오렌지색 - 푸른색

계산법 : 적정소비량 × 4.25

보충량 : (기준치-분석치)×410(T/S)÷1,000 ÷1,313

10-15-20

3) ASS'Y BD SMEAR 분석 point

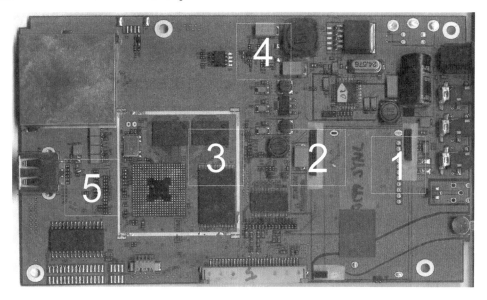

① point 1

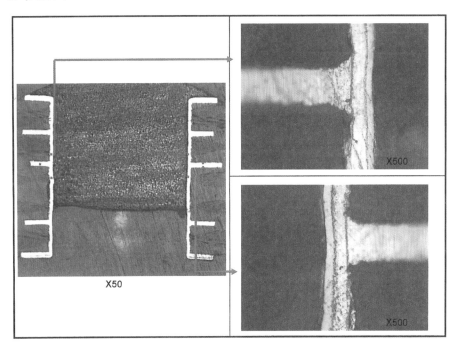

② point 2

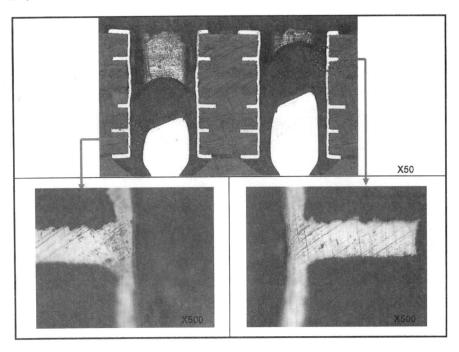

③ point 3

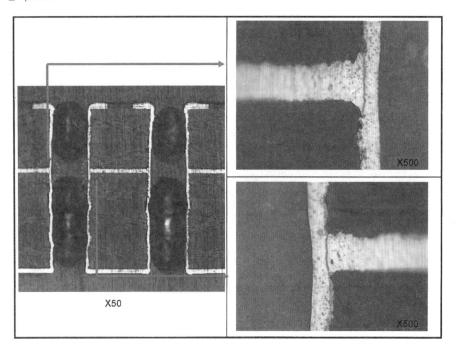

④ point 4

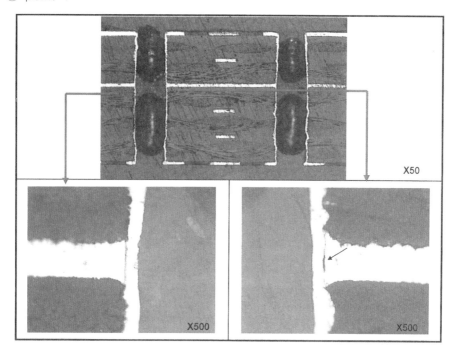

⑤ point 5

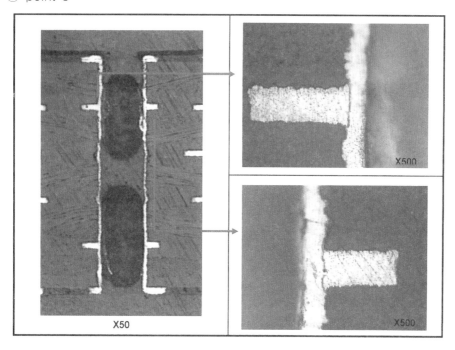

4) SMEAR → FPCB

　① 내용 : 5층 FPCB 불량 분석

　② 분석 내용 : SMEAR

　③ 현상

　　③-1 DRILL 작업 시 COPPER FOIL의 손상(SMEAR OR 밀림) 및
　　　　BONDING SHEET와 COVER LAY의 DRILL CRACK 발생

　　③-2 HOLE ROUGHNESS 발생

　　③-3 SMEAR 발생 - MIN 9.95μm
　　　　　　　　　　　- MAX 11.28μm

　　③-4 도금두께 → 12.6μm ~ 12.27μm

　④ 원인

　　④-1 DRILL 작업조전(특히 STACKING 조건)

　　④-2 DRILL BIT 문제

　　　　BIT LAYBACK, GAP, CHIP

　　　　참고 : BIT의 LAYBACK, GAP, CHIP이 발생시 HOLE 속 ROUGHNESS,
　　　　SMEAR 및 CRACK이 발생할 가능성이 높다.

　⑤ 결론

　　⑤-1 SMEAR 처리는 PLASMA 또는 약품처리(DESMEAR)로 하고 있으
　　　　나 평균 SMEAR가 1μm 이하일 경우 가능하나 현 제품은 불가함.

　　⑤-2 동도금 처리는 정상적으로 작업됨.

　　⑤-3 분석 의뢰된 제품에 대해서는 LOT별 DRILL 작업 검토가 필요함.

5) SMEAR 불량 원인 및 대책

　① 원인추정

　　(a) 디스미어단 초음파 기능 상실

　　(b) 드릴공정에서의 과다한 스미어 형성

　　(c) 기타 디스미어단 설비적인 에러(디스미어단 스프레이 고장 등) 및 약품 농도
　　　온도 에러

　② 현 작업 조건 및 설비 장애 조건에서 재현성 테스트
　　테스트 1. 제이스텍(JC 2213, 6층)

결과 : 콘베어 Speed 2.4m/min에서 퍼망간 처리가 되지 않을시 스미어 미제거,

콘베어 Speed 2.4m/min에서 정상 작업 조건 시 스미어 완전 제거

테스트 2. 다산(DS-OA~, 10층)

결과 : 콘베어 Speed 2.8m/min에서 정상 작업 조건에서 스미어 완전 미제거

콘베어 Speed 2.0m/min에서 정상 작업 조건에서 스미어 완전 제거

결론 : 퍼망간 처리가 되지 않고, 콘베어 Speed가 작업 조건을 상회할 경우
불량 발생 확인

③ 대책

(a) 설비점검 완료 : 초음파나 기타 설비, 약품 문제없음

(b) 제품 층수에 따른 콘베어 속도 변경 (재현테스트를 통한 검증)

: 5월 15일 ECN 발행(5page 참조)

(c) 초음파 1회/일 점검 실시

④ 결론

(a) drill 공정에서 두꺼운 smear 발생(디스미어단 관리 범위 초과량)

(b) 디스미어단 speed 변경으로 smear 제거 방안 확립

(c) ´02~03년도 항상 봄에 스미어 불량이 발생하는 것으로 보아 계절적인 요인이
작용한다고 판다.

´04년도 04월부터 스미어 불량이 발생하지 않도록 사전 예방 점검을 실시하겠
습니다.

■ Smear 첨부사진 및 ECN

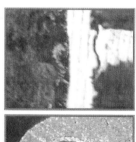
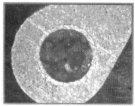

Desmear ECN 발행   Smear 사진

6) DESMEAR 공정 문제

① 디스미어 공정 문제점

(a) 스웰러 및 과망간산조의 Heater 봉이 일직선 TYPE으로 Tank내 균일한 온도를 위해서는 부족하다.

(b) 과망간산 에어쇼킹 2개중 1개 작동하지 않음, 디스미어 에어쇼킹 능력이 부족함.

(c) 과망간산조의 교반기가 임펠러가 두 개 중 한 개는 고장나있다.

② 디스미어 능력을 향상하기 위한 대책

(a) Tank내 Basket의 기판사이의 균일한 온도 유지를 위해서는 일직선 Heater가 아닌 Type의 Heater로 교체하여 균일 온도로 개선(더운 온도 대류 영양으로 위로 올라가고, 찬 온도는 아래로 감)

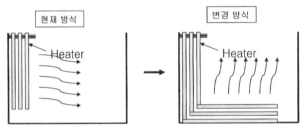

(b) BVH Hole내 미리 개포제거를 하여 Swelling시 Hole속에 침투 능력을 향상하기 위해 Desmear 전에 초음파 및 탕세(40℃)조를 제작하여 사전에 기판을 물에 침적한다.

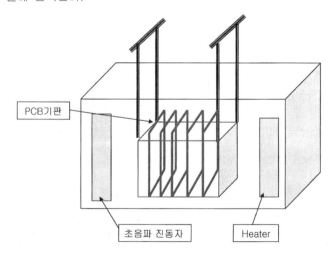

(c) Desmear Program 변경

공정명	Truly 현재작업 조건	변경조건
스웰러	69℃ * 5분 40초	70℃ * 7분
과망간산	78℃ * 13분	78℃ * 13분
중화	15℃ * 5분 40초	15℃ * 5분 40초

(d) Air Shocking 고장부분 수리 및 Air Shocking Cylinder 노후로 Air Shocking 능력이 부족함. Air Shocking Cylinder 고용량으로 교체 요망 – 하강시 충격이 가해지도록 할 것

10) DELAMINATION

(개념 : Laminate의 반대개념으로 접두어 De를 붙여서 Delamination으로 표기함)

① 정의

동박과 수지가 들뜨는 현상

② 발생원인

(a) 자재 수입검사 미실시

동박 외층 접착제(실란 커플링제) 불량

(b) 옥사이드 불량

미옥사이드, 과옥사이드, 수분과다

(c) 프레스 불량

B-Stage(반경화) 상태에서 C-Stage(완전경화) 상태로 되는 과정에서 프레스의 온도, 압력, 시간이 일정치 않아서 부위별 경화상태가 서로 다름으로 열충격(260℃, 288℃에서 10Sec, 3회) 시험하게 되면 동박과 수지가 벌어져서 회로단락의 원인이 된다.

(d) D/F, WET

드라이 필름 라미네이팅 박리 잔사가 WET 현상공정에서 미제거 되어 프레스 공정에서 제거되지 않은 상태에서 프레스하게 되면 동박과 수지가 접착이 되지 않음. 내층작업도중 외부먼지나 실오라기, 머리털, 습기 등이 완전 제거되지 않고 프레스 작업에서 함께 프레스 됨.

③ 해결방안

원자재 수입검사 실시(Peel Strength, Pull Off Strength ≥ 1.1kg/㎠)

미옥사이드, 과옥사이드 확인(작업조건+QC공정도+체크리스트)

프레스 온도, 압력, 시간 체크 후 완전경화 상태 확인(260℃, 288℃에서 10Sec, 3회)

프레스전 D/F, WET 잔존 이물질, 먼지, 수분 확인

베이킹후 프레스 실시

④ 용어

미즐링(Measling) : 열에 의한 동박과 수지의 들뜸.

크레이징(Crazing) : 드릴 등의 기계적 진동에 의한 들뜸.

블리스터(Blister) : 내층동박의 옥사이드 불량(산화동 처리 불량)으로 열
에 의한 내층동박과 수지의 들뜸.

⑤ DELAMINATION 사진

(a) 형태

(b) 원인

㉠ Pre-Preg 자재문제

· Pre-Preg의 Resin Flow 약화

· Glass Fabric과 Resin의 접착력 미흡

㉡ Press 조건

· 승온시간 부적절(Flow저하)

· 적층 Stack 과다

㉢ 제품의 보관

· 제품의 장기 보관에 따른 흡습.

(c) 대책

ⓐ Pre-Preg 관리

· Pre-Preg Resin Flow 조건 변경

(Pre-Preg Resin 함량 spec 내에서 상향 조정)

· Pre-Preg 수입검사 실시 (Gel Time)

ⓑ Press 조건 변경

· Press의 Profile 분석 : 성형조건 미세조정

· 원자재의 특성에 맞는 Press 조건 재설정

ⓒ 제품보관

· 제품보관상태 Audit실시 (25℃이하, 60%이하)

· 잔량에 대한 제품 Packing 상태 확인(Audit)

⑥ THERMASS STRESS TETST시 IL-2L Prepreg에서 발생

표면사진	전체사진	X500 확대

11) HOLE 막힘물량

11-1. 홀막힘 불량 원인 및 대책 (사례1)

① 원인추정

   (a) 드릴 후 epoxy 잔유물의 증가

   (b) 브러쉬 연마제가 홀속에 유입

   (c) 퍼망간단의 망간슬러지가 홀속에 유입 또는 망간회수조 온도차로 슬러지 발생

   (d) 전기동의 슬러기가 홀속에 유입

② 홀막힘 재현테스트

   (a) 디스미어까지 진행 후 홀막힘 발생 유무 => 망간단에서 홀막힘 발생 확인

   (b) 디스미어까지 양품보드 새도우까지 진행 후 홀막힘 유무 => 홀막힘 없음

   (c) 망간 회수조 온도(50±10℃) 일때 홀막힘 유무 => 홀막힘 발생

   (d) 망간 회수조 온도(60±10℃) 일때 홀막힘 유무 => 홀막힘 없음

   (e) 드릴 epoxy잔사 디버링 수세단(당사)에서 제거 유무 => 제거 안됨

   (f) 드릴 opoxy잔사 디버링 수세단(타사:아센텍)에서 제거 유무 => 99% 제거

   결론 : 현재 발생하는 홀막힘은 망간단에서 발생하는 것임. (9page EDS 분석 참조)

③ 대책

   (a) 고압수세기 설치

   (b) 망간 회수조 온도 변경(ECN 발행)

   (c) 망간 회수조 청소주기 변경(1회/주 => 2회/일)

④ 결론

   (a) 홀막힘이 발생하는 공정은 디시미어(퍼망간)으로써 집중적으로 관리를 해 나아가겠습니다.

(b) 망간단의 홀막힘 불량을 줄이기 위해 퍼망간 회수조 온도변경 및 청소주기 변경으로 홀막힘 불량 감소추세

(c) 완벽한 홀막힘을 제거하기 위해서는 디버링 수세단이 아닌 중화수세단에 고압수세기를 설치해야함.

하지만 '04년도 경영계획에 생산제품군이 1.0T이기 때문에 고압수세기 추진은 보류하겠습니다.

ⅠⅠ-2. 홀막힘 불량 원인 및 대책 (사례2)

① 문제점

(a) 디스미어 EPR 정류기 #1 CELL 마모로 인한 슬러지 증가

(b) 싸이클론 펌프 필터링 저하

(c) 퍼망간 회수조 온도차로 인한 회수조 슬러지 증가

② 3가지의 불량 발생 추정 순서도

(a) 디스미어 공정에서의 퍼망간네이트 슬러지가 홀속으로 유입

→ 브러쉬 후 디스미어 공정 진행중에 환원되지 못한 망간 슬러지가 홀속으로 유입

(b) 디스미어 공정의 퍼망간단 후 회수조로 진행시 온도차로 인한 슬러지 발생

→ 퍼망간 (80±5℃)에서 퍼망간 회수조(60±10℃)로 진행시 20℃의 온도차로 인해 Board에 묻은 퍼망간액이 고체의 상태로 변함.

(c) 1,2번 사항 공정 진행 후 유산동 탱크에서 도금이 형성되다가 Vibrator에 의해 이물질이 제거됨

→ 디스미어 공정에서의 홀막힘이 형성된 후 shadow가 Coating 되고 유산동에서 도금이 형성되다가 Vibrator에 의하여 이물질이 제거되고, 제거된 부분에 저항이 많이 걸리면서 도금이 끊기는 현상이 발생

③ 홀막힘 불량 대책

	문제사항	대책사항
Desmear	디스미어 퍼망간 싸이클론(여과장치)의 필터마모	싸이클론 필터 교체 및 청소주기 변경 : 1회/일 =>2회/일
	디스미어 퍼망간 EPR CELL 마모 (2ea)	EPR 정류기 CELL 교체/점검 점검 : 1회/월=>1회/2주
	회수조 온도차로 인한 슬러지 증가	회수조 온도 변경 : 60±10℃ => 70±10℃ 회수조 청소 주기 변경 : 1회/일 =>2회/일

④ 결론

    (a) crack 현상은 air로 인한 open과 이물질로 인한 open 유형 추정되어 진다. 하지만 당사에서 경험한 경우 hole 속 air로 인한 hole open은 도금이 끊기는 형태에 따라 원인을 추적할 수 있다.

        * 뒷장에 당사에서 경험한 air로 인한 hole open 유형의 사진 참조

    (b) Hole open 불량발생 원인으로는 디스미어 공정의 설비적인 error로 인하여 발생한 사항이며, 당사에서는 단기간에 불량을 해결하기 위하여 위 사항을 조치해 나가겠습니다.

        * 뒷장에 홀막힘에 대한 EDS 분석 data 참조 (동일제품 아님)

❖ 홀막힘 유형 사진

EDS 분석업체 : Electrochemicals

X-section and EDS Report

● Date : 2003/08/20
● Customer : Korea HITECH
● Purpose : EDS analysis result of particle from hole block

1. picture and component of particles from sample No.1

Particle No.1

element present :
1. C : 26.51 %
2. O : 49.79%
3. F : 5.37 %
4. K : 0.15 %
5. Mn : 43.28%
6. Cu : 0.63%

Mn 성분이 검출

2. Conclusion :
    Because of Mn exist in these particles , that were possible form Desmear process.

    3. recommend :
      i. To clean the Desmear Oxidizer tank.

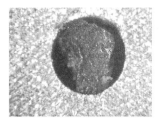 

홀 속 이물질 사진

❖ HOLE 막힘

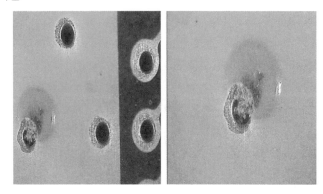

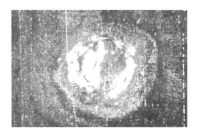

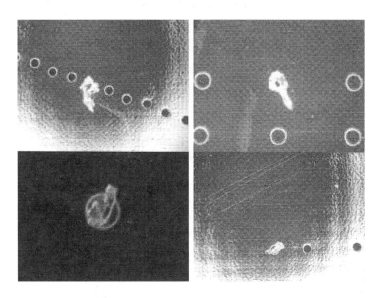

21-4. PSR & MARKING

1. PSR & MARKING 불량유형

1) 항목 : PSR(PHOTO SOLDER RESIST)

① 유형

    (a) INK떨어짐   (b) INK HOLE속 침투   (c) MISREGISTRATION

    (d) SOLDER-BALL   (e) 표면 미현상   (f) 재처리 후 잔사

② 형태

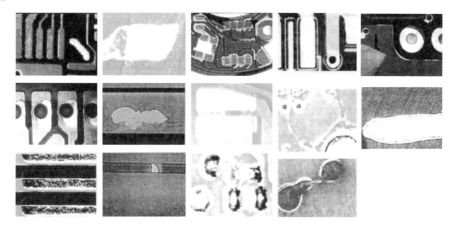

2) 항목 : MARKING

① 유형

    (a) 번짐   (b) 긁힘

② 형태

2. PSR INK 잔사의 기준

(PSR 성분, SOLDER 성분의 SEM분석)

1) PSR 잉크의 성분 및 SOLDER 성분

구분	성분	비고
PSR INK	B r(에폭시 계통)	※ 완전건조 후 PSR 미현상에 의해 LAND 위, SOLDER위에 남는 성분은 Br, Si임
	Barium (fillers 계통)	
	Silica (fillers 계통)	
	Talc (fillers 계통)	
	Phtaloyanen Green (착색제)	
	Leveling	
	소포제	
	아크릴계통	
SOLDER	Sn(함량:62%)	※ SEM촬영 시 Au를 사용하므로 Au(금)도 분석됨.
	Pb(함량:37.925)	
	Sb(함량:0.013)	
	Cu(함량:0.001)	
	Ag(함량:0.0005)	
	As(함량:0.0181)	
	Bi(함량:0.0267)	
	Cd(함량:0.0008)	
	Fe(함량:0.0042)	
	Ni(함량:0.0078)	
	Zn(함량:0.0018)	
	Al(함량:0.0011)	

※ PSR INK 성분은 지금의 DATA로는 액체상태에서 알 수 없고, 고체상태에서 SEM 촬영
   후 분석함. (PSR은 POST-CURE 후에는 용제는 모두 휘발하고 고용분만 남게 됨.)

2) 결론

LAND위, SOLDER위 등에 얼룩이 지거나 SOLDER가 올라가지 않는 경우
SEM촬영을 하였을 때 Br(브롬)이나 Si(실리콘)이 검출되면 잉크성분 중에
일부이므로 PSR 미현상일 확률이 아주 높음.

특히, Si(실리콘)이 검출되면 잉크 고유의 filler재료이므로 미현상일 확률이
가능성이 더욱 높다.

3. 인쇄공법 비교

종류	TENTING	WET TO WET	PLUGGING
인쇄공법 그림			
SECTION 사진			
인쇄공법 설명	※ VIA HOLE을 메우기 위해 TOP면 인쇄 후 건조, BOT면 인쇄 후 건조	※ VIA면과 BOT면 을 동시에 인쇄하며 VIA HOLE 을 진공상태로 만듦.	※ VIA HOLE속에 잉크를 미리 투입하고 넘치는 잉크를 정면작업으로 제거
장점	1. 표면상태가 깨끗하다. 2. 잉크잔사가 없다. 3. Land에 잉크볼이 없다.	1. Solder ball 발생율이 낮다.(양품수율:96%) 2. 잔사 및 잉크볼이 없다. 3. 잉크두께가 높다. 4. 표면상태가 양호하다.	1. 표면상태가 깨끗하다. 2. 잉크잔사가 없다. 3. 잉크볼이 없다.
단점	1. Solder ball발생율이 높다.(양품수율:92%) 2. 잉크두께가 일정하지 않다.	1. wet 상대로 작업됨으로 부품홀에 pin자국 이 있을 수 있음.	1. Solder ball 발생율이 높다.(양품수율:93%) 2. 잉크 투입량이 일정치 않을 경우 hole 주위 잉 크 두께가 얇을 수 있음.

4. PSR 작업시의 산화 방지책

공정	방지책
전처리	• 정면기 수세라인에서 증류수 사용. • 현 스펀지 롤러 방식에서 zet-dry 형식으로의 변경. 이온 미 제거 이온 제거됨 K+, Ca2+, Mg2+ [PNL]
건조	• N_2 gas charge로 가능하나 별로 사용하지 않으며 추천항목 아님. • BOX 건조기 내부의 clean화- 제품 투입 및 해제 시 수시 청소 (내부에 이물질 없게 함)
전처리 후의 방치시간	• 정면 완료 후 PSR 작업 대기시간 최소로 줄이고 현 20 ~ 60분으로 시행하고 있는데 이에 대한 적절한 표준 정해서 작업시행 및 준수.

5. PSR & MK 불량사례

1) PSR 불량사례

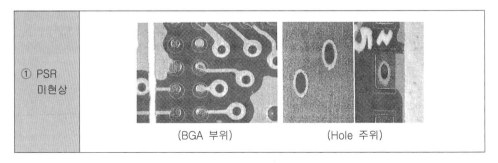

① PSR 미현상	(BGA 부위) (Hole 주위)

② PSR 노광 편심	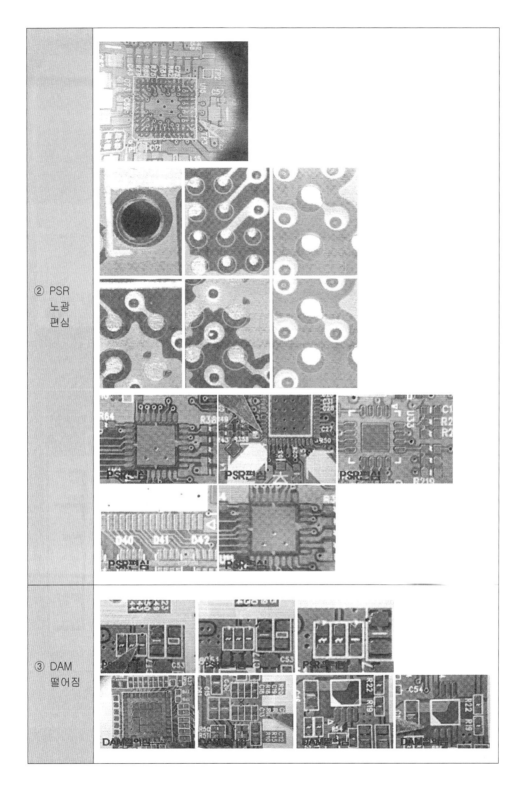
③ DAM 떨어짐	

④ 올라탐	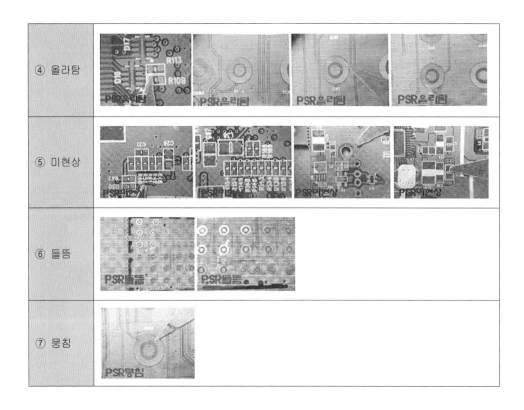
⑤ 미현상	
⑥ 들뜸	
⑦ 뭉침	

2) MARKING 불량사례

① M/K 덜빠짐	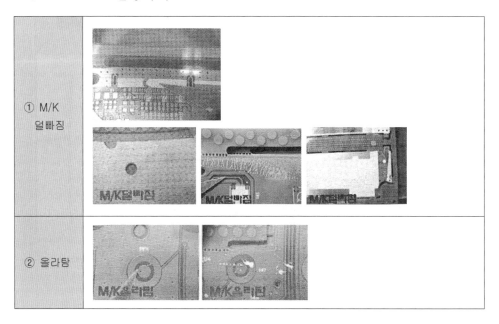
② 올라탐	

③ M/K 번짐	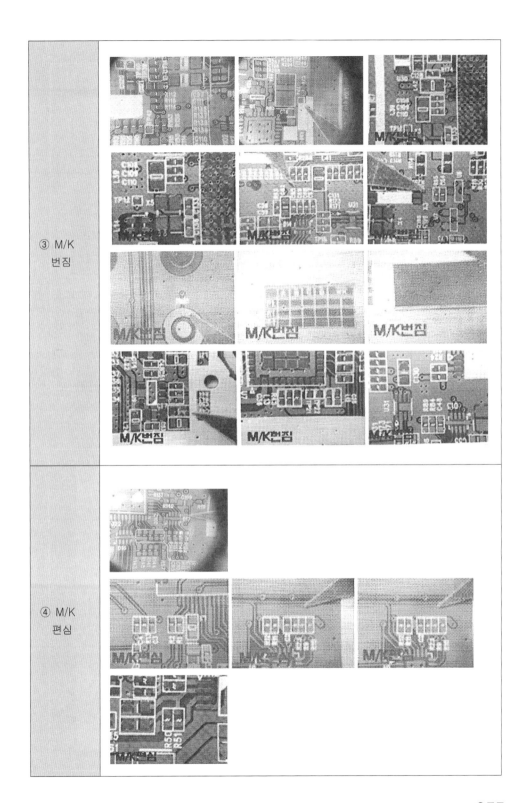
④ M/K 편심	

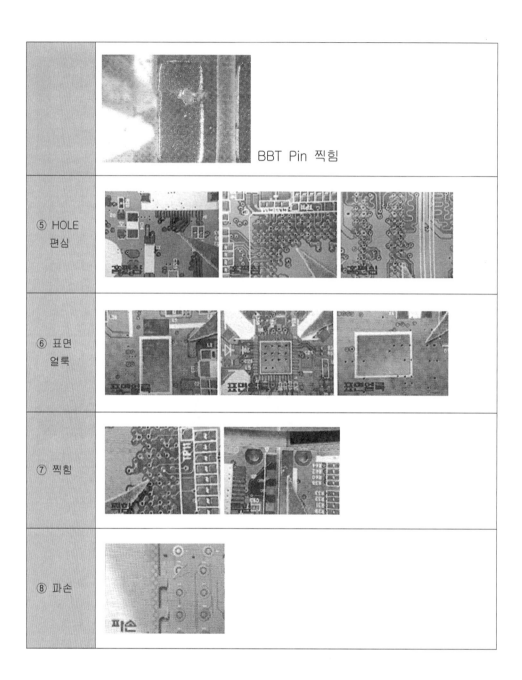

	BBT Pin 찍힘
⑤ HOLE 편심	
⑥ 표면 얼룩	
⑦ 찍힘	
⑧ 파손	

6. PSR 이물 불량

1) 불량 발생원인 분석

① 발생원인

(a) 제품 겹침에 의한 PSR 잔사 발생

· PSR 노광 전 제품 겹침에 의한 PSR 잔사 발생

· PSR 현상 시 제품 겹침에 의한 PSR 잔사 발생

(b) Conveyer belt에 의해 제품에서 PSR이 다시 Belt에서 제품으로 PSR 잔사 형태로 묻을 경우

· PSR가 건조 상태에서 이송 과정에서 덩어리가 묻어남 발생

(c) 제품이 건조를 위해 건조단 투입 시 Rack 등에 묻어 있던 PSR이 제품에 묻어나는 경우

· 자동 PSR 건조기 1차 단, 2차 단, Post cure 및 M/K건조기 lack 덩어리

(d) PSR 현상단 오염으로 인한 잔사 (Roll, Chamber)

· 현상단 청소 1회/주 (토요일 4시간)

· 인쇄반 인원 급격 변동 및 감소에 따른 설비 maintenance 관리 미흡

· PSR 인쇄 도포 불량 시 건조를 실시한 후 인쇄 박리(현상)를 해야 하나 작업량 또는 작업의 번거로움으로 인해 현상단에 투입하는 과정에서 많은 량의 PSR 잔사 발생됨

(e) PSR 인쇄실 내부 이물 과다로 인한 제품 도포 시 이물 유입

· 인쇄실 내부 주기적 5S 필요

• PSR 1차 가 건조단 Rack 관리 및 오염상태

건조단 Rack PSR 잔사에 의한 이물
(경쟁사 PSR 이물 불량 주요 발생
원인 검토 및 LGD 대책 제출 사항)

• PSR 현상단 관리 및 오염상태

현상단 Roller 및 Chamber 오염 심각

• VCO Line 이송 belt 오염상태

이송 belt PSR 이물 과다

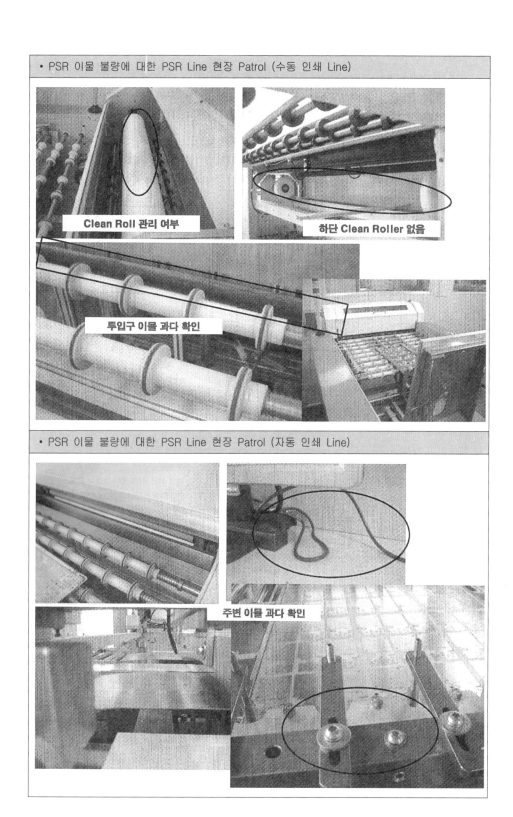

• PSR 이물 불량에 대한 PSR Line 현장 Patrol (수동 인쇄 Line)

Clean Roll 관리 여부

하단 Clean Roller 없음

투입구 이물 과다 확인

• PSR 이물 불량에 대한 PSR Line 현장 Patrol (자동 인쇄 Line)

주변 이물 과다 확인

7. PSR INK 떨어짐

1) PSR 떨어짐 → 정면부족

① 유형

② 항목별 원인 대책

구분	NO	원인	대책
Ink 밀착력 향상	1	물기제거 미흡 : 건조 전 스펀지롤 최후단 관리미흡 (최후단만 굳는 현상 발생)	건조부 열기차단막설치 및 열기차단 액절롤 위치 변경
			추가 Set 준비로 굳음 시 원활한 수시교체 (기존은 물 스프레이청소로 물기가 건조부로 유입)
	2	물기제거 미흡 : 최초 1,2단 스펀지롤 물기 많음으로 3단 스펀지를 통과 후 물제거 미흡	수세와 스펀지롤 부위 구조 취약 정면수세 4단에서 스펀지롤 전 1단 수세 OFF (스펀지롤로 과다한 물기 유입 방지)
	3	표면 산화 : 건조부 온도 상승으로 건조 후 산화발생 (85~100℃관리)	스팀배관 Sol-Valve 2중 설치로 건조온도 관리용이
			건조 블로워 흡입구 고온방지 → 블로워 흡입 배관 변경 (85℃ 관리)
	4	수세건조부위 개선안	수세성 강화 및 건조 향상을 위해 신설비 설치
	5	산화막 미제거	DTE 박리 후 S/E 처리 (PS-16)
기계적 충격	9	D/F preheater roll 노후	Pre heater roll 재질 변경 (sus→silicon)
	10	위켓 접촉에 의한 충격	비접촉 방법으로 전환 (Clamp type)

2) PSR INK 떨어짐 → 무전해 금도금

① 현상

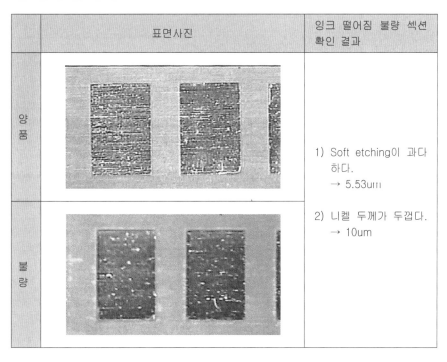

일자	SECTION 사진	SECTION 결과		
		부위	금도금 업체	A사
양품		S/R 하지	14.05	13.70
양품		AU/NI 하지	12.21	8.17
양품		Etching 정도	1.84	5.53
불량		S/R 하지	13.70	14.05
불량		AU/NI 하지	8.17	12.21
불량		Etching 정도	5.53	1.84

	표면사진	잉크 떨어짐 불량 섹션 확인 결과
양품		
불량		1) Soft etching이 과다 하다. → 5.53um 2) 니켈 두께가 두껍다. → 10um

② 1.6T 회로 형성 전 Board 이용 (2라인 정면기 S/E 처리)

일자	SECTION 결과		SECTION 사진
3/17	S/R 하지동	23.73	
	AU/NI 하지동	22.00	
	Etching 정도	1.73	
3/18	S/R 하지동	25.45	
	AU/NI 하지동	20.50	
	Etching 정도	4.95	
3/19	S/R 하지동	24.07	
	AU/NI 하지동	22.46	
	Etching 정도	1.61	

③ 원인 & 대책

원인	대책
Etching Rate가 높다.	1) Etching Rate관리 - 일 1회 확인, 관리범위 1~3um
	2) 소프트 에칭액 건욕 후부터 갱신까지의 Etch Rate 평가
	3) 현 약품 SPS type에서 황산 - 과수 type 약품 적용 평가 진행
니켈 두께가 두껍다.	1) Lot별 니켈 두께 측정 관리 - 니켈 두께 최소 3um~6um
	2) 니켈액 농도, 환원제, pH 관리 - 니켈농도, 환원제, pH 일별 확인
	3) 니켈액 건욕 주기 관리 - 3MTO시 건욕 진행
확인 미흡	1) 무전해금도금 작업 전 샘플 작업을 통한 사전 품질 확인
	2) 품질 문제 발생 시 보고 및 업체 통보 후 진행 여부 결정
	3) 불량 제품에 대한 한도 견본 작성 및 교육

④ SOFT ETCHING액의 ETCH-RATE 측정결과

　④-1. ENIG LINE의 SOFT ETCH 조 ETCH-RATE 측정

　　(a) 사용약품 : ACS500S + 황산

　　(b) 처리온도 : 25~35℃

　　(c) 처리 시간 : 1분 30초

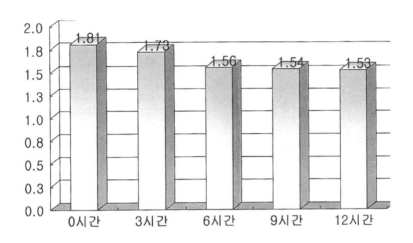

　④-2. 라인별 Etch Rate 측정

　　(a) 퍼미스라인 : 퍼미스 정면 라인

　　(b) 수평 S/E라인 : FPC 정면 라인

　　(c) 무전해 S/E라인 : 무전해금도금라인

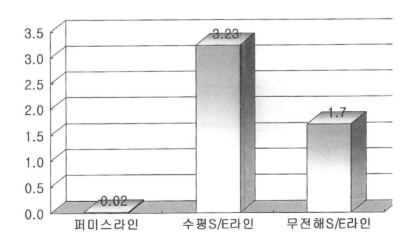

⑤ Au 도금 후 PSR 떨어짐 → PSR 들뜸현상

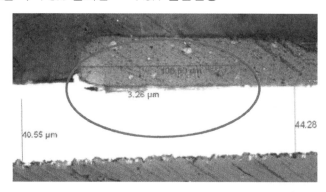

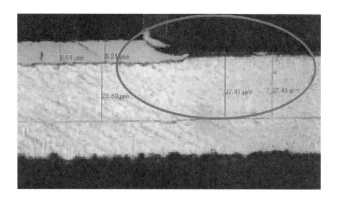

❖ 현상분석 결과

　　과다 S/E 발생 시 S/R 하지 동박의 Etching 현상이 발생됨.

　　현상 경계면을 기준으로 약 130㎛ 정도 Etching이 이루어짐으로 인해 S/R 들뜸
　　현상 발생함

3) PSR 떨어짐 → HASL 공정

구분	NO	원인	대책	비고
1. 전처리	1	SOFT-ETCH 액 농도	주 1회 청소 시 SOFT-ETCH 액 교환	농도 주 1회 의뢰
	2	완전 건조 상태	1. 스펀지 ROLL 작업자 필히 체크 후 청소와 교체	수시 청소 및 ROLL 교체
			2. DRY 온도유지 (65'~75'C)	1일 2회 체크 (온도계와 컨트롤러 일치 확인)
2. PRE-HEATER (예열기)	1	PRE-HEATER 온도	1. 초도 작업 시 TEST-B/D사용 온도 체크 후 양산진행	작업지침서에 따른 온도 확인, 방사선 온도계 사용
			2. B/D 두께별 온도 수시 확인	
3. 본체	1	TANK 내에 ROLL 마모 및 스프링 텐션	주 1회 정기 대청소 실시 본체 ROLL 전량 교체 및 베어링 교체 및 스프링 교체	1일 2회 청소상태 및 롤마모 정도와 스프링 텐션 확인 후 작업 진행
	2	롤 샤우드 휨	롤 교체	1일 2회 확인 후 작업진행
	3	SOLDER 온도 및 분무량	1일 2회 온도 체크 B/D 별 분무량 확인	온도 체크 시 온도계와 컨트롤러 일치 확인 (250℃)
4. 후처리	1	BRUSH 압력 조절	B/D 두께별 BRUSH 조정 후 작업	
5. 기타		PSR 떨어짐 발생	작업 시 PSR 떨어짐 발생 시 작업 중지 후 OVEN기에 한번 열처리 실시 (140'c ~ 1시간)	필히 TEST 후 작업진행

4) PSR 떨어짐 → DAM

① PSR DAM 떨어짐 : 지적된 DAM 사진에서 불량확인

② 원인

　(a) 과현상 (규격관리 지시 오류에 의한)

　(b) Hot air solder leveling (HASL)공정에서의 열충격

③ 불량 원인

(a) 과현상

상기 아래의 사진에서 알 수 있듯이 작업지시서에 DAM CLEARANCE가 90㎛ 으로 오 기재됨에 따라 현상 작업 속도를 감소시켜 작업함으로써 과현상 발생함.

　㉠ 현상 작업 SPEC :

　　　DAM CLEARANCE 80㎛ 시 → 현상속도 : 4.2m/min

　　　DAM CLEARANCE 90㎛ 시 → 현상속도 : 4.0m/min

　㉡ 과현상으로 인한 under cut 감소 :

　　　일반적인 관리 : 65%이상

　　　과현상시 : 귀사의 제품 (약 38%)

　　일반제품　　

　　불량제품　　

(b) HASL 공정에서의 열충격으로 인한 PSR DAM 떨어짐 발생 :

HASL공정에서의 작업 온도는 약 250℃정도이며, 따라서 DAM 잉크에 영향을 미친다.

SOLDER 욕조를 통과 후 AIR-KNIFE로 SOLDER LEVELING 형성 시 충격에 의한 발생하기도 함. (AIR-KNIFE : 3.6㎏/㎠)

④ 개선 대책

(a) 작업지시서에 DAM CLEARANCE MIN 관리

· 현상기 작업 일보에 현상 속도 기재 및 CHECH LIST 추가 삽입

· PSR 노광 시 광량 상승을 통한 DAM CLEARANCE 증가로 DAM 떨어짐 감소

변경 전 → DAM CLEARANCE 80㎛ 이하 : 노광량 TEST SST 12~14단

(약 450~550 mj/㎠)

변경 후 → DAM CLEARANCE 80㎛ 이하 : 노광량 TEST SST 15~17단

(약 700~800 mj/㎠)

8. PSR 편심

1) 부적합 사항

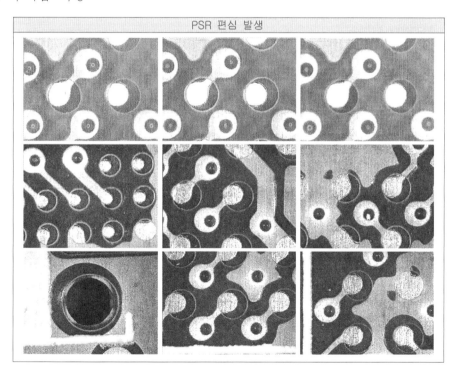

PSR 편심 발생

2) 사양 검토 및 공정작업 결과

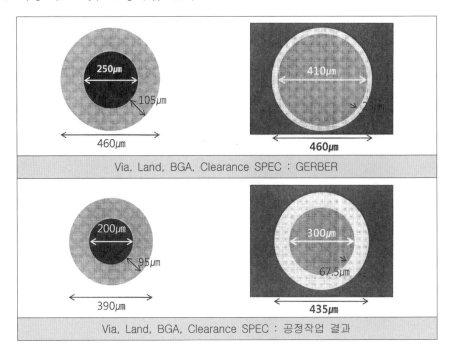

Via, Land, BGA, Clearance SPEC : GERBER

Via, Land, BGA, Clearance SPEC : 공정작업 결과

3) 문제점

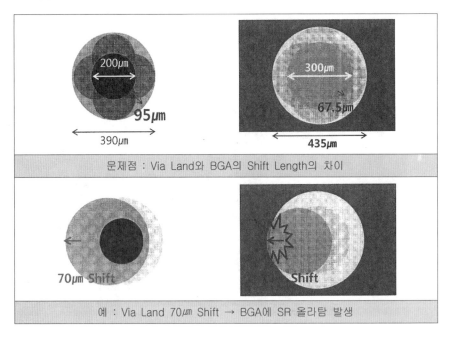

문제점 : Via Land와 BGA의 Shift Length의 차이

예 : Via Land 70㎛ Shift → BGA에 SR 올라탐 발생

4) 부적합 원인

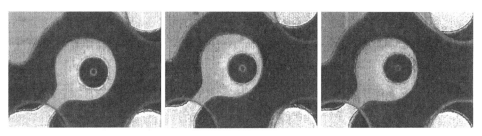

불량제품 : Via Hole & Land X/Y 좌표 측정결과 (shift 길이 분석)

		Land	Via	$V_{XY} - L_{XY}$	Shift Length
불량1	X 좌표	119.4778	119.548	70.2	72.75
	Y 좌표	101.5707	101.5516	19.1	
불량2	X 좌표	119.4765	119.5651	88.6	92.68
	Y 좌표	101.5381	101.5109	27.2	
불량3	X 좌표	119.4613	119.5315	70.2	70.83
	Y 좌표	101.5471	101.5565	9.4	

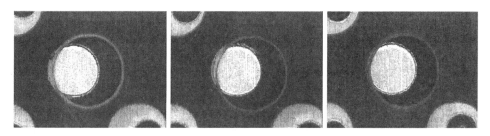

불량제품 : BGA & SR Clearance X/Y 좌표 측정결과 (Shift 길이 분석)

		BGA	SR Clearance	$SR_{XY} - B_{XY}$	Shift Length
불량1	X 좌표	119.8811	119.9633	82.2	83.80
	Y 좌표	101.1622	101.1459	16.3	
불량2	X 좌표	119.922	119.9981	76.1	80.23
	Y 좌표	100.9066	100.8812	25.4	
불량3	X 좌표	119.9242	119.9947	70.5	70.75
	Y 좌표	101.1325	101.1265	6.0	

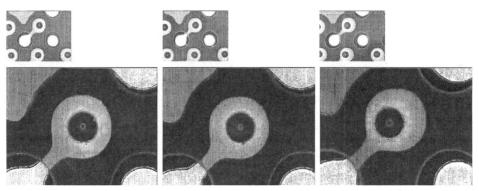

정상제품 : Via Hole & Land X/Y 좌표 측정결과 (shift 길이 분석)

		Land	Via	$V_{XY} - L_{XY}$	Shift Length
정상1	X 좌표	119.5289	119.5462	17.3	22.07
	Y 좌표	101.5743	101.5606	13.7	
정상2	X 좌표	119.4838	119.5008	17.0	22.34
	Y 좌표	101.565	101.5505	14.5	
정상3	X 좌표	119.5731	119.5192	53.9	54.91
	Y 좌표	101.5481	101.5376	10.5	

불량제품 : BGA & SR Clearance X/Y 좌표 측정결과 (Shift 길이 분석)

		BGA	SR Clearance	$SR_{XY} - B_{XY}$	Shift Length
정상1	X 좌표	119.9116	119.9242	12.6	34.11
	Y 좌표	101.1256	101.1573	31.7	
정상2	X 좌표	119.8881	119.8969	8.8	24.07
	Y 좌표	101.1448	101.1672	22.4	
정상3	X 좌표	119.9458	119.9066	39.2	40.13
	Y 좌표	101.1559	101.1473	8.6	

5) 분석결과 및 소견

① A MODEL 편심의 경우 앞의 문제점 (Via Hole과 BGA의 Shift거리가 다름)으로 발생함.

② D/F Image의 Shift로 인하여 후 공정인 PSR 노광에서 불량이 발생함.
  · 앞의 불량 사진을 보면, Hole과 SR은 거의 일치하나 D/F Image가 Shift 됨을 볼 수 있음.

③ D/F Image가 Shift된 이유는 P/T Artwork의 Scale 신축 변화 혹은 확인 없는 Scale 보정 등의 이유로 발생함.

④ D/F 및 인쇄팀 노광 Align은 Hole 기준으로 실시하나,
  · D/F 노광기는 Align Hole과 Artwork Align Mark 정합만 되면 노광이 실시됨. 내부 Hole과 Land의 정합은 인위적이지 못함. (Artwork의 신축변화, Scale이 맞지 않아도 Align Hole 2개만 정합되면 노광이 됨.)
  · PSR 노광은 Guide Pin 삽입방식으로 Guide Hole과 SR Mask의 Scale이 맞지 않으면 작업을 하기 어려움.
  · 또한 단순히 Clearance Size를 키운다고 해서 위 불량이 발생하지 않을 것이란 생각은 위험함.
    (D/F에서 Image Shift 발생 시 오히려 Pad, P/T, Ground 등으로 SR 올라탐이 확대됨)

⑤ D/F에서 Image가 Shift 되었다고는 하나 Via 편심에 의한 Land 파손은 없으므로 작업이 이루어졌다고 판단됨.

⑥ 그러나, 향후 디지털 큐브 제품과 같이 BGA, QFP 회로 제품 등 공정진행 시 PSR 편심을 방지하기 위하여 전 공정인 D/F 및 사양팀에서 정확한 Artwork Scale 관리 및 Image 편심이 발생하지 않는 범위에서 노광 작업이 이루어져야 함. (SR Clearance 크기 내에서 Image 편심 발생 허용)

■ 개선대책 사항

① D/F 자동 노광기 교체(현재 Maker별 3대를 동일 Maker로 통일): 사양팀의 Artwork Scale 관리에 용이한 큰 장점

② Model 공정투입 전 (Sample) Design Review 등을 통하여 공정진행 시

문제점/개선점을 사전도출, 타 모델 개발 시 문제되었던 이력을 검토/적용/공유하도록 함.

③ 동일 불량 재발 방지를 위한 작업자 교육

9. INK표면의 film자국 원인 및 대책

원인	대책
• PSR INK의 건조 조건 부적합 • 노광량(mJ/㎠)이 약할 때 – 현 노광량 500mJ/㎠ : 낮을 수록 film자국이 더 심해진다. • 현상이 over 될 때	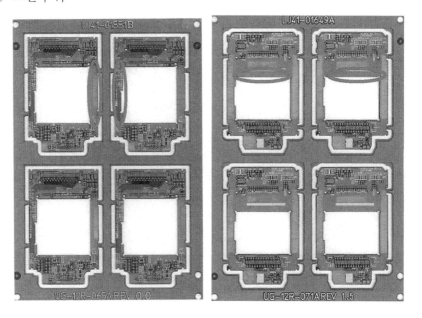
• 상기의 원인이 복합되어 나타나는 것으로 보이나 어디에 가장 큰 원인이 있는가는 Test필요.	• Test실시 내용 : 회로가 없는 일반 원판 10PNL을 전처리, INK도포, 건조까지 완료 후 금일 사이토씨와 실시키로 함. – 결과 별도 Test완료 후 보고예정. :09/20 오전 9시 실시예정.

10. 동노출

1) 노출부위

2) 노출부위 X-SECTION

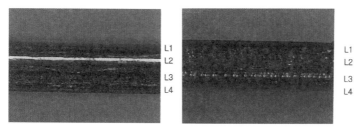

동노출 : 내층(2&3) 이동시에 발생한 것이 아니고 2L 또는 3L에서 발생

3) 쏠림발생확인

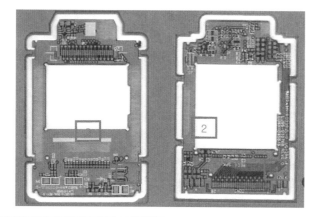

정상품	8942	25.936
불량품	8.901	26.063
GERBER	8.965	25.95
차이	0.041	0.041

비고 : ① ROUTER 가공 1⇒2만 측정

② HOLE 기준으로 ROUTER 가공면 측정

4) 결론

① 제품 확인 결과 라우터작업 시 불량의 소지는 없음

⇒ GABBER 확인 결과 250㎛ 여유 있음

② 동 노출 2층이나 3층 단독적으로 발생

⇒ 라우터 문제 시 2층 3층 동시 발생

따라서 금번 동노출 문제는 2층과 3층 쏠림으로 판단됨

11. HOLE속 PSR INK 빠짐

1) 형태

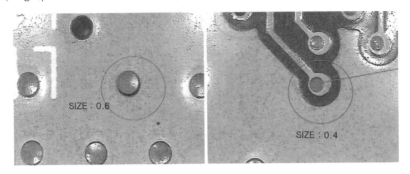

2) 현황

BARE BOARD 상태에서 충격을 받으면 HOLE 속 안의 INK가 떨어져 빠져
나옴

3) 문제점

SMT 작업 시 HOLE 속 INK가 높·낮이가 발생, METAL MASK 작업 시 들뜨
는 경우와 METAL에 INK가 부착되어 SCREEN에 SCRATCH 및 SOLDER
PASTE 덜 빠짐 발생

4) 원인

① PSR INK 경화 시 PARAMETER 조정 MISS 및 CONVEYOR 또는 OVEN
   기 조건에 의해 발생 가능
② REFLOW시 BARE BOARD가 팽창될 때 HOLE 속 INK가 분리될 경우

5) 대책

PSR 건조조건 재설정
온도조건 및 단계적 건조 검토

12. PSR INK-BALL

ACCEPTABLE	MARGINAL ACCEPTABLE	REJECTABLE
1. 기능상 문제없을 것.	1. INK BALL 상태 (미세한 경우) 2. 기능상 문제없을 것. 3. 부분적으로 INK BALL 은 있으나 부품 ASS'Y AREA보다 낮을 때.	1. INK BALL 심한 경우. 2. ASS'Y 작업 시 문제가 될 때. 3. INK BALL 형태가 부품 ASS'Y AREA보다 높을 때.

13. INK 뭉침

① 현상

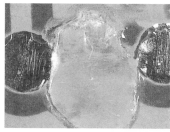 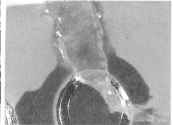

② 발생위치

부품홀 및 회로 주변

③ 발생경로

인쇄 이후 반건조 상태에서 제품 취급 부주의에 의한 제품 겹침.

이를 떼어낼 시 다른 쪽의 Ink가 한쪽으로 쏠리면서 발생한 불량

④ 발생원인

Racker에 제품 적재 불량

14. SOLDER-BALL 방지 TEST

1) 회사별 작업방법 비교

NO	항목	A사	B사
1	Jig 사용	사용	사용
2	스퀴즈 경도	80	70
3	사용 잉크	한국 다이요 G25K	한국 다이요 KT-33
4	인쇄 방식	Wet to Wet 방식 각 1회 인쇄	Tenting 방식 1차면(Top면) 3회 2차면(Bot면) 2회 인쇄
5	인쇄 조건	인쇄 압력 : 높음 (약150~200%) 인쇄 속도 : 늦음(약 70%) 스퀴즈 각도 : 70~75도 (화인 플럭스 전자 비교)	입쇄 압력 : 낮음 (Main 및 실린더 압력) 인쇄 속도 : 빠름 (당사 Tenting 속도) 스퀴즈 각도 : 75~80도
6	건조 방식	Box Oven	Conveyor Oven

2) 작업현황

	A사	B사
1. Jig 사용	두께 : 제품과 동일 Hole 크기 : $\Phi 2$ Jig 크기 : 제품과 동일 2차 Jig : 칼슨 핀 사용	두께 : 3.4T Hole 크기 : 제품 Hole × 4배 Jig 크기 : 650×700 2차 Jig : 사용 안함
비교	2차 Jig 사용 시 실제품 사용	Hole의 크기가 클수록, Jig의 두께가 높을수록 잉크의 Hole 충전이 쉬움

	A사	B사
2. Squegge	80도	70도
비교	Wet to Wet 방식으로 1차면 인쇄 후 2차면 인쇄 시 Hole 주위 잉크 뭉침 개선 1차 인쇄 시 스퀴즈의 경도로 인해 Hole 속 잉크 충전이 힘든 단점 발생	80도 스퀴즈에 비해 낮은 경도로 Hole 속 잉크 충전 쉬움 단, Top(1차 인쇄면)면 3회 인쇄 Bot(2차 인쇄면)면 3회 인쇄
3. 사용 잉크	한국 다이요 잉크 사 PSR 4000 G25K	한국 다이요 잉크사 PSR 400 KT-33
비교	HASL, 금도금 표면 처리 가능 제품	G25K의 Up-Grade 제품 2002년 Test 결과 G25K 대비 가격에 대해 품질적으로 큰 장점 발견하지 못함
4. 인쇄 방식	동시 인쇄(Wet to Wet 방식) 1차 인쇄(Bot)면 : 1회 2차 인쇄(Top)면 : 1회 1차 인쇄　　2차 인쇄	Tenting 방식 1차 인쇄(Bot)면 : 3회 2차 인쇄(Top)면 : 2회 1차 인쇄　　2차 인쇄
비교	1회 인쇄로 인한 작업 시간 단축 1차 인쇄 시 Hole 속 잉크 충전 상태 불량일 경우 Solder-Ball 및 Ink-Ball 발생 인쇄불량으로 현상 박리 후 재처리 제품 Hole 속 잉크 충선 상태 물량 발생	3회, 2회 인쇄로 Hole 속 잉크 충전 상태 양호(90%이상) Solder-Ball 및 Ink- Ball의 불량 요인 없음 다회 인쇄로 인한 작업 시간 증가
5. 인쇄 조건	인쇄 속도 : 5 ~ 7㎝/sec 인쇄 압력 : 0.6 ~ 0.8 Mpa 스퀴즈각도 : 70 ~ 75	인쇄 속도 : 7 ~ 10㎝/sec 인쇄 압력 : 0.4 ~ 0.6 Mpa 스퀴즈각도 : 75 ~ 80
비교	1회 인쇄로 Hole 속 잉크 충전을 위해 화인플럭스에 비해 인쇄 속도는 느리며 높은 압력과 누워진 스퀴즈 각도가 필요함	다회 인쇄(3회, 2회)로 Hole 속 잉크 충전 상태가 좋으며 인쇄 조건이 당사의 Tenting 조건과 거의 비슷함

	A사	B사
6. 건조 방식	Box Oven	Conveyor Oven
비교	총 건조 시간 : 63분 예열 시간 : 60℃ 15분, 80℃ 11분 건조 온도별 시간 : 60℃ 7분, 80℃ 30분 건조대기 시간 : Oven기 대차로 약 1시간대기 인쇄 완료 후 대차 적재 시간으로 건조대기 시간 및 Oven기 내부의 온도 편차 발생	총 건조 시간 : 30분 예열 시간 : 5분 건조 온도별 시간 : 75~79℃에서 18~19분 건조대기 시간 : 없음 인쇄 완료 후 건조대기 시간 없이 건조기에 제품 투입 및 Conveyor Oven기로 온도 편차 없음

3) 현상

① 인쇄

Wet to Wet 방식의 경우 생산성(1회 인쇄 및 1회 건조)이 좋지만 숙련된 작업자가 요구됨

(1차 인쇄 및 2차 인쇄 시 Hole 속 잉크 충전 확인 및 조치)

Multi Printing(다회 → 화인플러스 인쇄 방법)의 경우 비 숙련자의 작업이 가능하지만, 기존 Wet to Wet 방법에 비해 약 1.5배의 작업시간이 요소 됨으로 생산성에 대해서는 당사에서 사용하는 Wet to Wet에 비해 떨어짐.

② Jig

Wet to Wet에 사용되는 Jig는 2개로 1차 인쇄(Hole 메꿈)용과 동시 인쇄(실제품)용이 필요.

1차 Jig의 경우 동일 크기 및 두께, Hole의 크기는 ϕ2로 되어 있음.

Multi Printing용 Jig는 Hole 메꿈용만 사용하며, Hole의 크기는 기존 제품 Hole의 4배이며 크기는 650×700(고정), 두께는 3.4T의 Jig 사용.

Hole 메꿈은 Jig의 두께가 높고 Hole의 크기가 클수록 Hole 메꿈성이 양호함.

③ 건조

Conveyor Oven기는 인쇄 완료 후 바로 제품의 투입이 가능하여 건조 대기로 인한 불량 요인(제품 표면 및 Hole 속에서의 잉크 흐름, 대기 중 이물질 흡착 등)이 적으며, 레킹된 인쇄 제품의 열 편차가 거의 발생하지 않음.

당사에서 사용하고 있는 Box Oven기는 대차 사용으로 인쇄 완료 제품이 대차 적재의 시간 필요로 건조대기 시간이 길며(1~2시간), 이에 따른 불량 발생 요인(제품 표면 및 Hole 속에서의 잉크 흐름, 대기 중 이물질 흡착 등)을 가지고 있음.

4) 결론

Multi Printing방법의 당사 적용은 가능하며, 우선 Solder-Ball 발생 제품에 대해 실시 할 예정이며, Multi Printing 방법을 당사에 더욱 적합한 방법으로 개선(Wet to Wet + Multi Printing)하여 더 좋은 품질과 높은 생산성을 추구 할 수 있는 방법으로 개선하도록 할 것임.

5) TEST

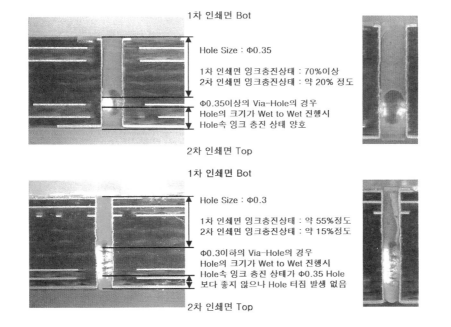

1차 인쇄면 Bot

Hole Size : Φ0.35

1차 인쇄면 잉크충진상태 : 70%이상
2차 인쇄면 잉크충진상태 : 약 20% 정도

Φ0.35이상의 Via-Hole의 경우
Hole의 크기가 Wet to Wet 진행시
Hole속 잉크 충진 상태 양호

2차 인쇄면 Top

1차 인쇄면 Bot

Hole Size : Φ0.3

1차 인쇄면 잉크충진상태 : 약 55%정도
2차 인쇄면 잉크충진상태 : 약 15%정도

Φ0.3이하의 Via-Hole의 경우
Hole의 크기가 Wet to Wet 진행시
Hole속 잉크 충진 상태가 Φ0.35 Hole
보다 좋지 않으나 Hole 터짐 발생 없음

2차 인쇄면 Top

① Solder-Ball 발생원인

(a) Hole 속 잉크 상태 불량(Hole속 잉크 충진량 확인 미비)

(b) 2차 인쇄면(Top면) Hole 터짐 발생(2차 인쇄 시 인압 부족 혹은 과다 숙련 부족)

② Solder-Ball 발생 제품에 대한 개선 방법

1차, 2차 인쇄면의 변경

　　기존 1차 인쇄면 : Bot면
　　변경 1차 인쇄면 : Top면

※기대 효과 : 1차 인쇄(C/S)면 Hole 터짐으로 인한 불량 발생 없음.

③ 인쇄면 스퀴즈 날 변경 Test

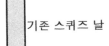 기존 스퀴즈 날　　　 변경 스퀴즈 날

※기대 효과 : 1차 인쇄(C/S)면 Hole의 잉크 충진 상태 양호 예상
　　　　　　　기존 인쇄 압력보다 작은 인쇄 압력으로도 Hole 속 잉크 충진 상태가
　　　　　　　양호 예상

6) S사 잉크 Hole Plugging Ink Test 결과

① VOD 모델 제품에 대해 총 4가지 잉크를 Test하였습니다.

일본 T사(2종류 : HBI-400DB4, THP-100DX1→LG 전자 기기 사용 품), S 잉크(PHP-900 NC-710→H사 사용품), Peters Ink(PP 2795-SD) 4가지 잉크 중 일본 T사 THP-100DX1과 S사 잉크 PHP-900 NC-710 2제품에서 좋은 결과가 발생되었고, 나머지 2가지 잉크에서는 Hole 속 함몰의 불량이 발생하였습니다.

T사의 2가지 잉크의 공정 진행도 및 결과는 DOM(TB59508100005)에 저장되어 있습니다.

차후 양산 진행이 될 경우 이 2제품 중 한 가지를 택하여 사용할 예정입니다. 작업성으로 비교해보면 S잉크의 제품이 T 잉크 제품에 비해 좋습니다.

인쇄 후 건조작업이 1회로 진행되며 이로 인해 인쇄 후 건조, 벨트 연마, 2차 도금으로 바로 연결이 가능하며, 잉크의 점도가 T 잉크보다 낮아 작업성이 우수합니다.

현재 가격적인 면에서 2회사에 견적서를 요구하였으며, 품질 면에서 큰 차이를 볼 수 없으므로 가격과 작업성을 확인 후 선택하도록 하겠습니다.

산영 잉크 제품

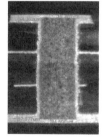

② T사 Ink 양산

금일 오전 T사 Ink 양산에 대하여 미팅

T사 Ink의 가격은 ₩21000/㎏으로 사용 중인 한국 T사 G25K(₩23900/㎏)에 비해 ₩2900/㎏이 저렴합니다.

만약 양산이 진행될 경우 1Ton/Month를 사용한다면 ₩2,900,000이 절감됩니다.

현재 보유중인 재고 80㎏은 새로운 Lot로 교환하여 사용할 것입니다.

200kg에 대한 T사 Ink의 구매 승인 바랍니다.

또, 양산 진행시 불량 발생에 대해서는 Ink 공급회사 쪽에서 책임을 지기로 하였습니다.

③ 다회 인쇄 공법(Multi-Printing) Test 모델 선정

· Jig 크기 : 700×600㎜
· Jig 두께 : 3.2T 이상
· Jig Hole 크기 : 제품 Hole × 4(규격 관리 Data 작업 완료)
· JC9960 : Φ1.6
· JC2233 : Φ1.4

15. PSR GROUND HASL침투

1) 불량 세부분석

① HASL 경계선 FLUX 침투
② 재처리로 인한 HASL 침투
③ PEEL-OFF 현상

2) 세부 불량내용

① HASL 경계면 FLUX 침투

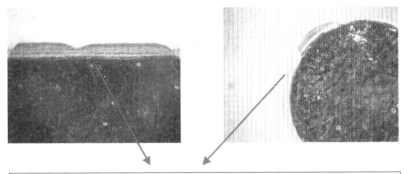

HASL 작업횟수가 늘어나면서 경계면의 FLUX 침투가 일어남
(경계면의 침투 무늬가 2, 3겹으로 구분됨)

② 재처리로 인한 HASL 침투

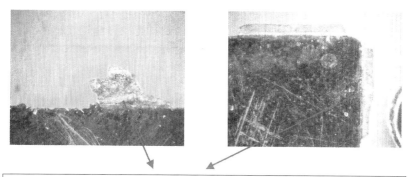

HASL 재처리 시 나타나는 침투현상으로 FLUX 침투 후 HASL 침투됨
(경계면의 침투 무늬가 2, 3겹으로 구분됨)

③ 기타 침투로 인한 PEEL-OFF 현상

중복 작업으로 인한 1차 침투면　　작업횟수가 늘어나면서 나타나는 2, 3차 침투면

3) 결론

① 최종 건조의 온도가 다소 높게 작업된 표면에 집중적으로 나타나는 불량
현상으로 추정되며 일반적인 HASL 작업 시에는 분세가 나타나지 않으나
재작업 횟수가 많으면 경계면으로 FLUX 및 Sn의 1차 침투가 일어나며
심할 경우 Pb의 침투로 인해 심하게 들뜸 현상이 발생함

(a) 정상제품에 비해 표면 열산화가 다소 심하게 나타남

(b) 침투면의 모양을 보면 한 번에 침투하지 않고 단계적으로 확산되어 침투함

(c) Press시 침투된 경계면은 강한 압력으로 Crack 현상이 나타남

(d) HASL 재처리 시 미세하게 침투가 일어난 상태에서 고온, 고압의 HOT롤을 지
나면 약해진 부분이 들뜰 수가 있어 최종적으로 Peel-off 현상이 발생 추정

▶ 우선 최종건조를 150℃ 수준으로 낮추어 작업하는 것이 HASL 품질은 물론 무전해금도금의 품질 향상에 도움이 되며 이번 불량은 HASL 재처리 횟수가 늘어나면서 나타난 것으로 추정됨으로 가능하면 HASL 횟수를 2,3회 이하로 제한하여 작업 할 것을 권장합니다.

16. PSR 떨어짐 방지를 위한 Sponge ROLLER 변경

1) 문제점

① Air-Knife단 하단 건식 스펀지 롤러 설치를 완료했으나, Air-Knife에서 분출되는 것에 의해 오염이 되고 있습니다.

Air-Knife Brower의 필터 설치로 오염에 대한 문제점을 해결 예정

② 인쇄대기 제품의 오염사항에 대한 전산 이동이 생산으로 인해 실행이 어려운 실정입니다. PSR 정면 1호기의 Etch-Rate의 경우 초기값이 약 2.5~2.7㎛으로 관리하고 있는 실정입니다. 이러한 높은 Etch-Rate에도 불구하고 표면 이물질이 제거되지 않고 있습니다. LCD 제품의 경우 Brush 작업이 없기 때문에 화학 정면으로만 표면 이물질 완전 제거가 무척 어려운 실정입니다.

수리업체의 개선이 필요하다고 생각합니다.

2) Sponge ROLLER 설치

잉크 떨어짐 관련 Air-Knife단 밑 건식 스펀지 롤러 설치 완료

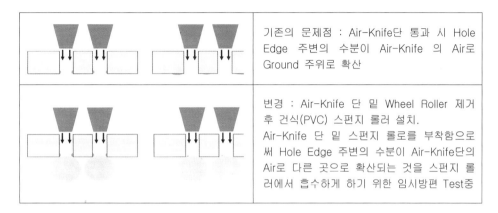

	기존의 문제점 : Air-Knife단 통과 시 Hole Edge 주변의 수분이 Air-Knife 의 Air로 Ground 주위로 확산
	변경 : Air-Knife 단 밑 Wheel Roller 제거 후 건식(PVC) 스펀지 롤러 설치. Air-Knife 단 밑 스펀지 롤로를 부착함으로써 Hole Edge 주변의 수분이 Air-Knife단의 Air로 다른 곳으로 확산되는 것을 스펀지 롤러에서 흡수하게 하기 위한 임시방편 Test중

17. MARKING COLOR 변색

1) Test 목적

– 무전해 금도금 제품의 SMT 작업 시 Marking변색 및 SMD PAD 납 땜성을 분석하고자 함

2) Test 방법

① Reflow Test (Marking 변색 확인)

(a) 조건 : Peck Temp 235 ~ 240℃

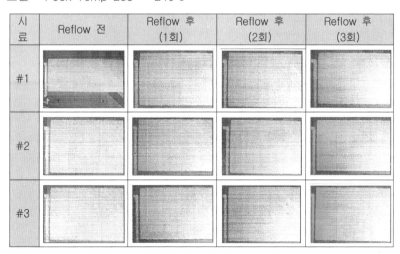

시료	Reflow 전	Reflow 후 (1회)	Reflow 후 (2회)	Reflow 후 (3회)
#1				
#2				
#3				

(b) 결과 : Reflow 전과 1~3회까지 조금씩 변화는 있음.

② Solder pot Test (Marking 변색 확인)

　(a) 조건 : 265℃ 5초

Solder pot 전	Solder pot 후	Solder pot 후

　(b) 결과 : Test 결과 변색은 Solder pot 진행 시 Flux로 인해 Marking 색상이 변화
　　　하는 것으로 보여짐.

③ 납 땜성 및 Marking 변색 Test (납 땜성 및 변색 확인)

　(a) 조건

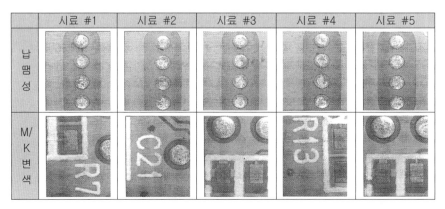

	시료 #1	시료 #2	시료 #3	시료 #4	시료 #5
납땜성					
M/K 변색					

　(b) 결과 : 납 땜성에는 문제가 없는 것으로 보이며 Marking 변색 Test에서는 미세
　　　하게 붉은 색상으로 변하는 것으로 보여짐.

3) Test 결과

　① Reflow Test 시 크게 문제는 없는 것으로 보여지고 자체 Solder pot
　　Test시 Marking이 flux에 반응하여 붉은색으로 변색이 발생 됨.

　② Au 두께 Spec 변경(0.04~0.05㎛) 작업 시 납 땜성에는 문제가 없는 것
　　으로 판단되며 Marking 변색은 약간의 붉은색이 일부분에 발생 된 것이
　　보여짐.

　③ Test 의견 : 상기 Test 결과 Au 금도금 Spec 변경하여 양산 작업에는
　　크게 문제가 없는 것으로 판단되며 Marking변색에 대해서는 2차 검증이
　　필요하다고 판단 됨.

4) 2차 Test 진행사항

  ① 진행업체 : OO사

  ② Reflow 및 Wave Soldering Test확인 결과

    (a) Reflow조건

       PEAK온도 : 240℃

       Reflow Time 승온도부 : 220℃ → 46.8sec

       Preheat부 : 150~200℃ → 90~120sec

    (b) Wave Soldering 조건

       Flux 비중관리 : 0.810±0.01 20%

       Older Flow관리 : 260℃ ±5℃

       Dip Time관리 : 1.0sec ~ 2.0sec ±0.5%

시료	Reflow 후 (1회)	Reflow 후 (2회)	Wave Soldering 후 (1회)
#1			
#2			
#1			
#2			

5) 2차 Test 결과

  ① 2차 Reflow 및 Wave Soldering Test확인 결과 Reflow 1회 ~ 2회 결과 점차적으로 색상이 변색이 발생되는 것으로 보여지고 Wave Soldering Test시 납 땜성이 불안전한 상태로 보여짐.

  ② 상기 1, 2차 Test확인 결과 Au 도금두께 및 Silk Process 변경은 양산 진행 시 문제점이 있는 것으로 판단 됨.

6) 결론

① Au 도금두께를 Min 0.076㎛에서 0.03~0.08㎛으로 변경 및 Silk Process 를 Silk 인쇄 후 금도금 작업 실시 순으로 Process 변경 시 납 퍼짐성 및 Silk 변색이 우려되기 때문에 변경 적용은 신중하게 고려해야 될 것으로 판단 됨.

② MARKING INK를 변색 안되는 것으로 교체 → INK 업체 개발완료

18. MARKING 누락

19. BLACK INK MARKING시 마킹번짐 감소 대책

[재판망 MESH변경(#300 → #350)에 따른 마킹의 장·단점]

NO	재판MESH	장점	단점	가격	비고
1	#300	1. 마킹 잉크량 조절이 용이하다. 2. 식자가 뚜렷하다. 3. 구입이 용이하다. 4. #350에 비해 가격이 싸다. 5. 재판 미현상의 우려가 적다.	1. 잉크량 조절이 쉬운반면 식자나 PAD 주위의 마킹이 번질 우려가 있다. 2. FINE PATTERN의 마킹 시 올라탈 우려가 있다. 3. 유재두께에 따라 마킹상태의 변화가 심하다. 4. BLACK 잉크의 경우 점도가 높아 마킹 번짐이 발생함.	#350망에 비해 저가임.	국내 수급이 용이하나, BLACK 잉크 사용 시 점도가 높아 마킹 번짐이 자주 발생함.

NO	재판MESH	장점	단점	가격	비고
2	#350	1. 일정한 폭의 마킹이 가능하다.	1. 가격이 #300에 비해 비싸다.	#300망에 비해 고가임.	수입해서 수급해야 하나, BLACK 잉크 마킹 시 마킹 번짐이 없다.
		2. FINE PATTERN의 마킹이 용이하다.	2. 수요가 많지않아 구입이 용이하지 않다.(일제)		
		3. 잉크량이 일정해 잉크의 번짐성이 적다.	3. 재판 미현상의 가능성 때문에 수정 시간이 많이 소요됨.		
		4. 유재두께에 따른 마킹상태 변화가 적다.	4. #300에 비해 탈막에 많은 시간이 소요됨.		
		5. 섬세한 마킹이 가능하다.	5. BLACK 잉크의 경우 점도가 높아서 인쇄 시 스크린과 붙음. (마킹번짐 발생)		
		6. 마킹잉크가 튀는 현상이 적다.	6. 재판망 관리가 어렵다.		

21-5. 표면처리

1. 유형

① HASL → SOLDER BALL, BRIDGE

② OSP → 산화, 재처리 시 HOLE속 결손

③ ENIG → BLACK PAD, 두께(NI&Ag)

④ PURE TIN → WHISKER

⑤ AG → 산화

2. 형태

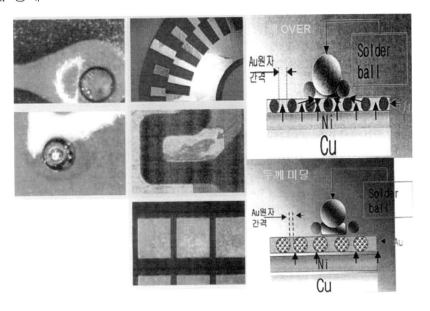

21-6. 금도금

1. 금도금과 SOLDERING 관계

1) 금도금

① 기초 이론

금속이온을 환원시켜 피도금물에 금속으로 석출시키는 것

$$M^{n+} \quad + \quad ne^- \quad = \quad M^0 \qquad (환원반응)$$
$$(금속이온) \qquad (전자) \qquad (금속)$$

예) 니켈도금 $Ni^{2+} + 2e^- \rightarrow Ni^0$
　　동도금　　$Cu^{2+} + 2e^- \rightarrow Cu^0$
　　금도금　　$Au^+ \ + \ e^- \ \rightarrow Au^0$
　　은도금　　$Ag^{2+} + 2e^- \rightarrow Ag^0$
　　석도금　　$Sn^{2+} + 2e^- \rightarrow Sn^0$

※ 치환반응의 산화는 전자를 잃는 산화반응으로써, 산소와 결합하여 산화물을 형성하는 산화와는 개념이 다름

$$A \ + \ B^+ \ \rightarrow \ A^+ \ + \ B \quad (치환반응)$$
$$(A^+ + e^- : 산화 \text{※}) \qquad (B^+ + e^- : 환원)$$

예) 금도금　　$Ni + 2Au^+ \rightarrow Ni^{2+} + 2Au$

② 금도금의 종류

(a) 환원방식(전자공급방법)에 따라

전해금도금 : 직류전원으로부터 전자를 공급
무전해금도금 : 환원도금 - 화학약품(환원제)으로 전자 공급
　　　　　　　치환도금 - 피도금물의 산화에 의해 전자 공급

(b) 금의 순도에 따라

순금도금 : 소프트금도금 (99.9% 혹은 24K)
합금도금 : 하드도금 (99.7%) - 약 0.3%의 니켈이나 코발트 합금
　　　　　 기타 장식용 도금 - 색상 변화를 위한 각종 금속을 합금

(c) Barrier층(Nickel층)의 유무에 따라

일반도금 - Cu/Ni/Au
다이렉트도금 - Cu/Au

③ 금도금의 종류와 적용

종류	무전해도금		전해도금	
	FLASH도금	두께도금	소프트도금	하드도금
환원 방법	치환도금	환원도금	직류전원	직류전원
금의 순도	소프트 (99.9%)	소프트 (99.9%)	소프트 (99.99%)	하드 (99.7%)
두께 한계(u) (일반적용두께)	유한(~0.1) 0.03/0.05/0.07	무한 0.3/0.5	무한 0.3/0.5/0.7	무한 0.3/0.75/1.0/1.3
적용	솔더링	솔더링 본딩	본딩 솔더링	콘넥터 키패드 스위치
도금 비용	낮다	높다	높다	낮다

④ 금의 확산

동에 금도금하면 금이 동 안으로 확산되어 고용체를 만드는데, 금 본래의 성질이 변하여 일반적으로 단단해지고 강해지며 연성 및 전성이 저하하고 전기나 열의 전도율이 저하한다. 이러한 변화는 전자 부품의 실장시 납땜성을 저하시킨다.

따라서 동에 금도금할 경우는 금의 확산을 방지하기 위해 필히 BARRIER층을 형성하게 되는데 주로 니켈도금이 이용되고 있다.

최근에는 니켈 BARRIER층이 없는 다이렉트도금이 성행하는데, 충분한 금두께(약 0.7u이상)가 필요하며, 장기간 보존성이 떨어진다.

⑤ 금도금 블랙패드

표면실장과 무연납 적용에 따라 많이 발생

(a) 현상

　㉠ 부품실장 후 발견 됨 - INCIRCUIT TEST후 결함부에서 발견

　　· WETTING불량(냉땜) 동반

　　· 패드와 부품간 솔더 접합의 결함과 니켈면의 산화

(b) 원인

  ㉠ 무전해금도금의 니켈 – 금 층간의 밀착력 부족

  ㉡ 금도금표면의 오염 및 PASSIVATION

  ㉢ 금도금두께 과잉

  ㉣ REFLOW조건의 불일치

(c) 대책

  ㉠ 금도금표면의 오염방지 및 제거

  ㉡ 실장 전 표면 클리닝 – 플라즈마 등

  ㉢ 가능한 한 금 두께를 낮게 관리 (0.03~0.05u)

  ㉣ REFLOW조건의 강화(온도를 높이고 시간을 연장)

⑥ 블랙패드 메카니즘

1. 금 표면 오염 및 PASSIVATION

2. 오염 및 PASSIVATION 극복을 위한 추가 가열시간 필요, 혹은 금 두께에 의한 용융 솔더 중의 금 농도 상승으로 융점 상승

3. 용융된 솔더/금 – 니켈 층간의 결합 불완전(불충분)

  · 금속간 화합물 미형성

4. 용융 솔더/금의 냉각(액상 -> 고상) 시응력 발생

5. 솔더/금 – 니켈 간 결합 실패

  · 작은 충격에도 층간 분리 발생

6. 노출된 니켈면의 고온 산화, 변색

  · 블랙패드

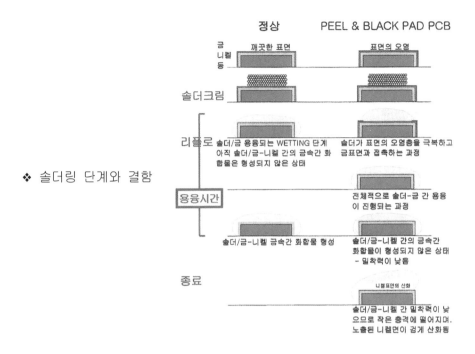

❖ 솔더링 단계와 결함

⑦ 금도금 냉땜 (dewetting, nonwetting)

(a) 금도금 표면의 오염

(b) 솔더 크림과 금 표면 사이의 접촉 장애

(c) 오염 층에 의해 표면장력이 커져 퍼짐이 둔화

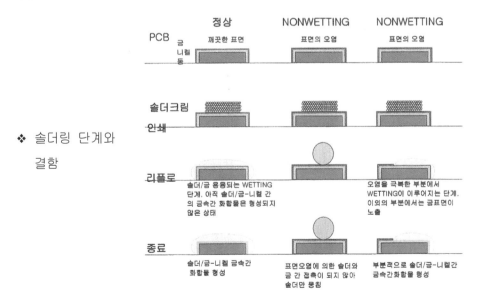

❖ 솔더링 단계와
  결함

⑧ 솔더링과 트러블

· 솔더링 단계에서 결함

· 리플로 프로파일

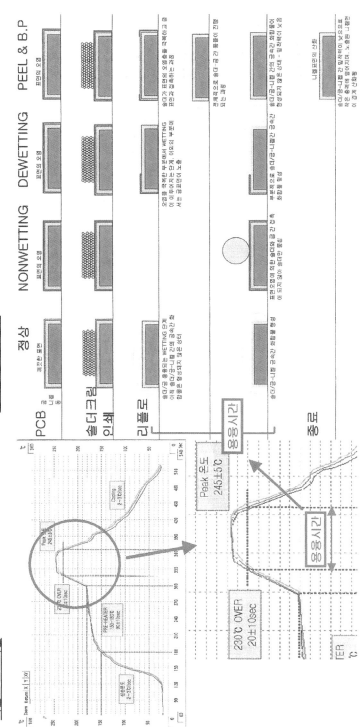

⑨ 금도금 제품의 주의사항

　금도금 표면 오염의 적극 방지

　　(a) 금도금 수세와 건조

　　　- 순수사용(1㏁이상) 및 완전건조

　　(b) MARKING 인쇄와 BAKING

　　　- 금도금 전 MARKING 인쇄

　　(c) ROUTER 인쇄와 BAKING

　　　- 순수사용(1㏁이상) 및 완전건조

　　　- 금도금 제품 전용 수세

　　(d) 외관검사 시 취급

　　　- 제품내부 접촉 금지

　　　- 용제(알코올류) 세정금지

　　(e) 제품의 보관

　　　- 청정 장소 보관

　　　- 방습 진공 포장

2) 솔더링

　①기초 이론

　　표면장력 : 액체방울의 자유표면에서 표면적을 작게 하려고 분자가 갖는 인력.
　　　　　　 표면장력은 단순히 액체의 자유표면뿐만 아니라 액체와 고체 경
　　　　　　 계면, 고체와 기체, 고체와 고체의 접촉면 등, 대체로 표면의 변
　　　　　　 화에 대한 에너지가 존재할 때 생기는 현상.

　　· WETTING(젖음)

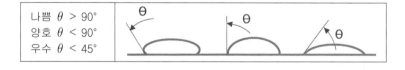

　② 솔더링의 종류

　　WAVE SOLDERING

　　IR REFLOW

③ 솔더링 종류/과정

    (a) IR REFLOW

        ㉠ PCB 클리닝

        ㉡ 솔더크림 인쇄

        ㉢ 부품 실장

        ㉣ 솔더링

          예열/활성화 – PCB 및 부품의 예열, 플럭스의 금표면 활성화

             리플로 – 솔더-금 접촉

                  – 솔더/금 용융, 합금

                  – 솔더/금-니켈 접촉

                  – 솔더/금-니켈 금속간화합물 형성

          냉각

        ㉤ 검사

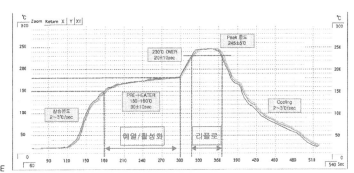

IR REFLOW PROFILE

    (b) WAVE SOLDERING

        ㉠ PCB 클리닝

        ㉡ 부품실장

        ㉢ 솔더링

          플럭스 – 플럭스의 금표면 활성화 – 산화 및 오염 제거

          예열 – PCB 및 부품의 예열

          솔더링 – 솔더-금 접촉

                – 솔더/금 용융, 합금

                – 솔더/금-니켈 접촉

                – 솔더/금-니켈 금속간화합물 형성

          냉각

        ㉣ 검사

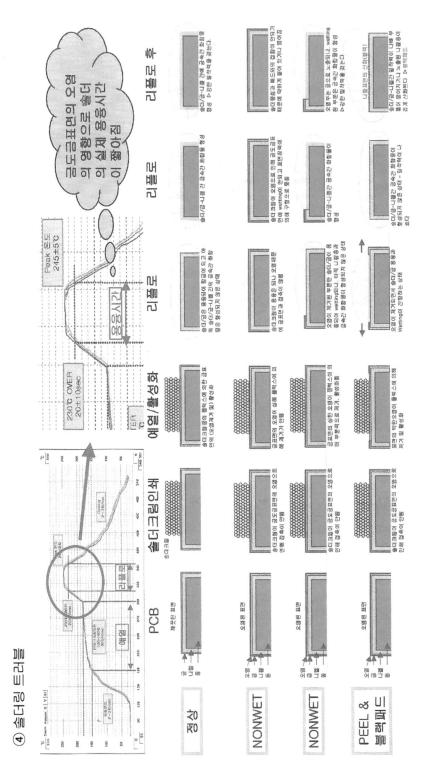

④ 솔더링 트러블

⑤ 부품 떨어짐

    (a) 금도금에서의 부품 떨어짐의 원인

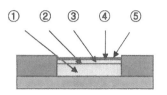

        요인고찰 : 무전해니켈도금 - ①
        무전해니켈-무전해금도금 계면 - ②
        무전해금도금 - ③
        무전해금도금 표면 - ④
        금도금표면의 오염, PASSIVATION - ⑤

    (b) 솔더접합단계

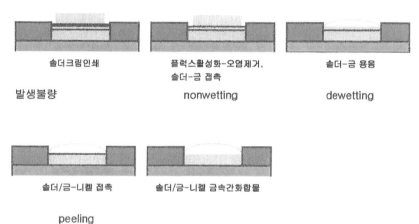

솔더크림인쇄	플럭스활성화-오염제거, 솔더-금 접촉	솔더-금 용융
발생불량	nonwetting	dewetting

솔더/금-니켈 접촉	솔더/금-니켈 금속간화합물
peeling	

2. ENIG(무전해 금도금) 제품 표면재검사

1) 목적

고객으로부터 무전해금도금 불량으로 판정된 것을 재검사 실시하여 원인조사를 철저히 하는데 목적이 있다.

2) 제품명

STN LCD PCB BARE BOARD

3) 검사방법

① 육안 검사 : 현미경으로 관찰
② 50X RUPE : 특정 DEFECT 부위 관찰
③ SAMPLE 사진 : 전자 현미경에 의한 표면 DEFECT부위 촬영

4) 검사 수량 : 1225kit

5) 결 과 : 첨부 LIST 참고

6) 검사 소견
　① 전체적으로 BRUSH에 의한 표면거침 발생
　② 공정 이동 시 제품 취급 부주의에 의한 SCRATCH 발생
　③ PCB업체와 주문(발주)업체 사이 육안검사 기준 설정 필요
　　(SPEC 이상의 육안 검사로 불필요한 폐기제품 발생)
　④ 도금 공정 ⇒ 잔 SCRATCH로 인하여 동 박 밀림 발생
　⑤ D/F 공정 ⇒ BRUSH자국 및 이물질 발생
　⑥ PSR ⇒ 전처리 시 과도한 정면으로 SCRATCH 발생
　　　　　⇒ 인쇄 시 SCREEN의 PIN HOLE로 인한 INK 잔산 발생
　⑦ 금도금 공정 ⇒ RACK의 약품 흐름으로 표면 층 도금 발생

7) 참고
　육안 검사인 관계로 검사 시각에 따라 원인 공정이 유동적일 수 있음.

표면검사결과

범례: ◎ 강함 ● 중 ○ 소

No	사진 No	불량 유형	원인	수량 (Kit)	비중 (%)	원판	취급	DRL	도금	D/F	PSR	M/K	금도금	R/T	비고
1	1-1 1-2	표면 거침	정면시 강한 브러쉬 자국 발생	310	25					◎	●				박판에 의한 정면 시 Brush 높낮이 조정 요망.
2	2-1 2-2 2-3	표면 얼룩	표면 처리 전 표면 이물질	156	13						◎		●		추후 재조사 필요하며 공정 별 취급관리 강화요망
	2-4		부분적 정면 압력							◎	●		○		
3	3-1 3-2 3-3	표면 층도금	금도금시 Rack에 묻어 있던 약품의 흐름	140	11								◎		금도금 line의 재분석 필요
4	4-2 4-3 4-5	Scratch (기스)	제품 이동 및 취급 부주의	124	10		◎	○	◎	◎	●			○	•PCB전 공정 주의 요망. •주문업체와 Scratch 범위 설정을 위한 품질회의 필요
	4-7 4-10		설비에 의한 Scratch												
	4-1 4-4 4-6 4-8 4-9		이물질에 의한 Scratch												
5	5-2 5-3	표면 거침	D/F 잔사	115	9	○	○			◎	◎			○	•금도금 떨어짐이 단순 금도금 공정보다 이물질에 의한 불량이 심함
	5-1		INK 스며듬												
	5-4 5-5 5-6		표면처리 방해물질												
	5A-1 ~7		•잔 사(Brush,장갑)에 의한 물질 •PSR 잉크 잔사												
6	6-1 6-2 6-3	PSR 불량	•Screen 망의 Pin-Hole로 인하여 잔사 발생 •재처리 시 미세척으로 잔사 발생	79	6						◎				•작업 조건 준수 Screen •전체적으로 PSR 공정 Audit 필요 •PSR 잉크의 Discolor가 많이 발생하므로 긴조 조건 검토필요
	6-4 6-5		이물질에 의한 잉크 떨어짐												
7	7-1 7-2 7-3	PSR 전 공정 Scratch	취급 및 정면 시 발생	57	5				○	◎	●				•D/F 및 PSR 공정에서 주로 발생

범례: ◎ 강함　◉ 중　○ 소

No	사진 No	불량 유형	원인	수량 (Kit)	비중 (%)	원판	취급	DRL	도금	D/F	PSR	M/K	금도금	R/T	비고
						발생 가능 공정									
8	8-1 8-2	Dent	원판 불량	40	3	◎									•원판 수입검사 보강 및 A급 CCL 사용요망.
9	9-1 9-2 9-3	Nodule	원판 불량 동도금 잔사	36	3	◉			◎						•원판 및 동도금 공정 Audit 필요 •동 파티클에 의한 잔사
10		금도금 잔사	금도금 작업 시 발생	18	1.5								◎		•액 관리 miss
11		표면 LAND 주위 검음	추후 재조사	15	1								◎		•원인 불확실하므로 추후 재검토 예정
12	12-1 12-2 12-3 12-4	표면 자국 발생	지문 또는 면장갑 자국	13	1		◎								•재확인 필요하며 장갑의 이물질 주의
13	13-1 13-2 13-3	Marking 불량	•번짐 •이물질	11	1							◎			•Marking 공정의 Audit 필요
14		금도금 Skip	금도금 작업 시 액 관리 miss	9	1							◎			•원인 분석 재검토 필요
15		D/F정면 자국	과 정면	9	1					◎					•정면전 드레싱 및 Foot Print 필히 실시
16		D/F잔사	D/F미현상	6	0.5					◎					•D/F공정 재검토
17	17-1 17-2 17-3	Brush 잔사	정면 작업 시 발생	4	0.5					◎	◉				•Brush 교체주기 재검토
18		Hole 미가공	Drill 작업 시 발생	4	0.5			◎							•잔사 검사 필요
19		Psr Ink 떨어짐		3	0.5				◉		◎				•동박 산화 또는 건조 조건 검토 필요
20		가공 miss	•Router 가공 불량	1										◎	•R/T 조건 검토
21		미도금	금도금 불량	1									◎		
22		Pad Demage	수정 miss	1			◎								
23		기타	표면 Minor Defect	73	6.5										•PCB 업체와 발주업체와 협의 필요 • 1PC Spec에도 양품 준 양품 구분이 있으며 가능한 토의 요망.
합계				1225	100										

■ 불량유형

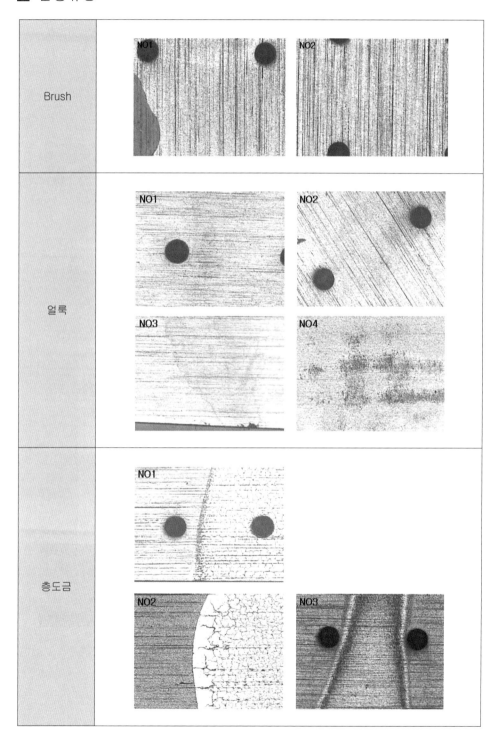

Brush	NO1 NO2
얼룩	NO1 NO2 NO3 NO4
층도금	NO1 NO2 NO3

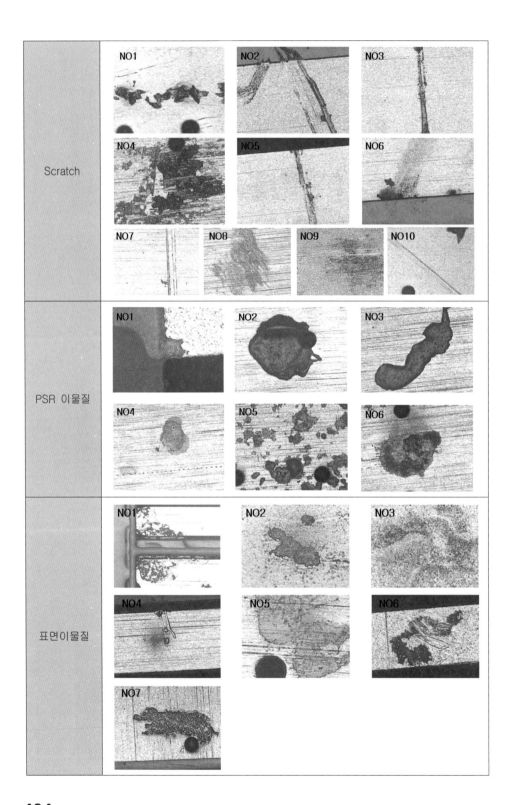

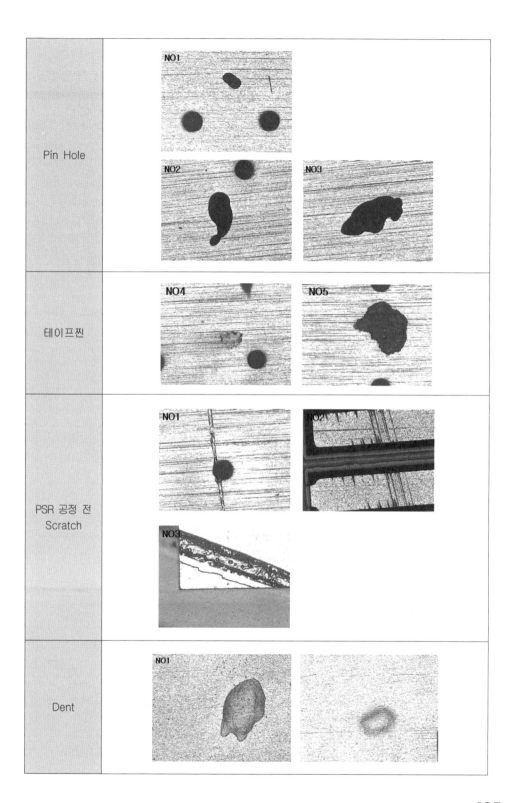

Pin Hole	NO1 NO2 NO3
테이프찐	NO4 NO5
PSR 공정 전 Scratch	NO1 NO2 NO3
Dent	NO1

돌기	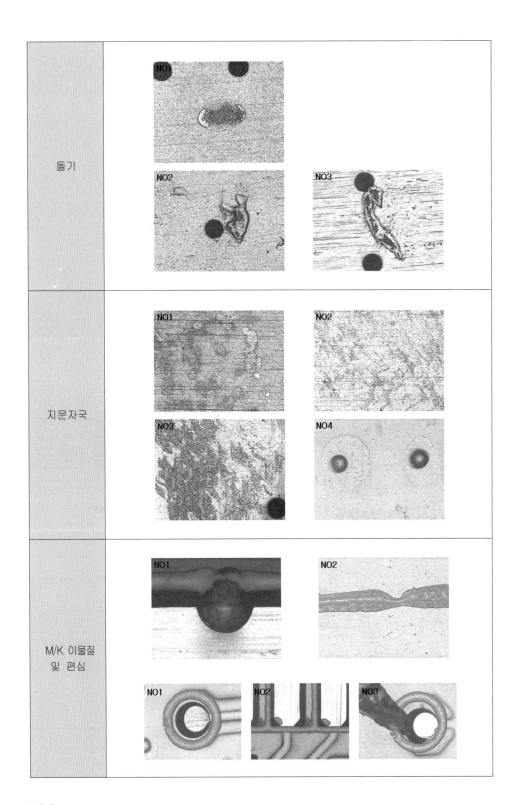
지문자국	
M/K 이물질 및 편심	

머리카락, Brush 잔사	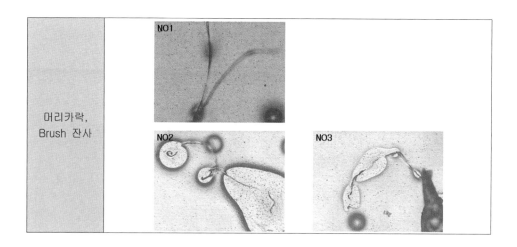

3. LCD PAD 금도금 상태비교

구분		D사	P사	H사
전처리		BRUSH 정면 (결 반대방향)	BRUSH 정면 (결 방향)	JET-SCRUBBER
금도금 표면				
두 께	Ni	5.133㎛	5.249㎛	5.133㎛
	Au	0.049㎛	0.06㎛	0.049㎛
Cu두께		17㎛	24㎛	17㎛

4. 금도금 불량유형

1) 표면거침

① 불량현상

무전해 금도금 후 TCP pad 및 Ground부분에 도금 거침 발생

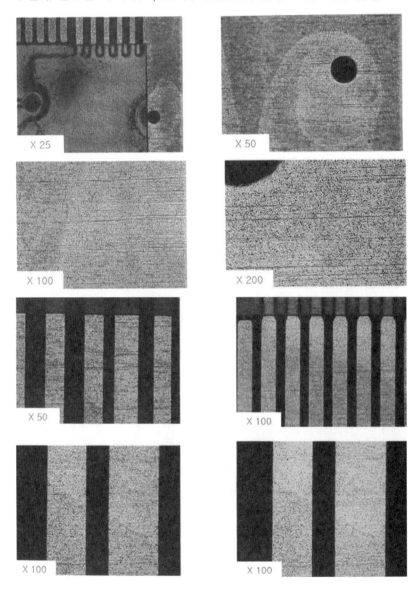

② X-Section 결과

도금 거침 발생 부분이 정상적으로 무전해 니켈/금도금됨

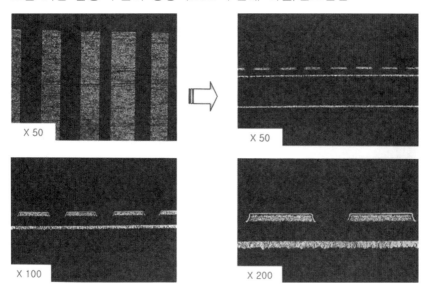

③ SEM 분석결과

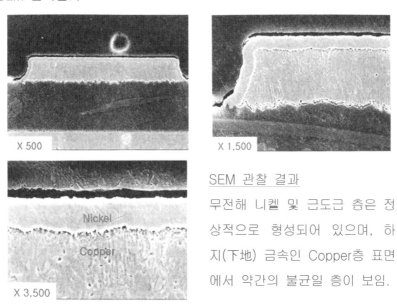

SEM 관찰 결과

무전해 니켈 및 금도금 층은 정
상적으로 형성되어 있으며, 하
지(下地) 금속인 Copper층 표면
에서 약간의 불균일 층이 보임.

④ 표면 오염도(SEC)측정결과

    (a) 측정기기 : OMEGA METER 600

    (b) 사용액 : IPA 50% + 순수 50%

    (c) 액량 : 5900ml

    (d) 측정 제품 면적 : $143.68\ln^2(14.8"\times4.55"\times2(양면))$

    (e) 측정 시간 : 15분

    (f) 측정 결과 : $0.0025mg\ NaCl/\ln^2(0.39\ SOD)$

- 표면 오염도의 분석은 액 속에 15분 동안 침지 후 제품에서 나오는 NaCl의 량을 측정함.
- 일반적으로 기준은 $0.0064mg\ NaCl/\ln^2(1.0\ SOD)$이하로 되어있음.
- 측정 결과 0.39 SOD로 제품의 오염상태는 양호한 것으로 판단됨.

⑤ 무전해 니켈 / 금도금 두께 측정 결과

		Specimen 1	Specimen 2	Specimen 3	Specimen 4	Specimen 5
Ni	#1	4.352	4.606	4.429	4.643	5.251
	#2	4.381	4.553	4.573	4.733	5.327
	#3	4.411	4.592	4.538	4.774	5.254
	#4	4.343	4.635	4.574	4.755	5.179
	#5	4.520	4.918	4.725	4.734	4.990
Max.		4.520	4.918	4.725	4.774	5.327
Min.		4.343	4.553	4.429	4.643	4.990
Range		0.177	0.365	0.296	0.131	0.337
Average		4.401	4.661	4.568	4.728	5.200
Std		0.071	0.147	0.106	0.050	0.129
Spec.		Min. 3.5	Min. 3.5	Min. 3.5	Min. 3.5	Min. 3.5
Au	#1	0.059	0.066	0.053	0.057	0.070
	#2	0.056	0.070	0.054	0.059	0.073
	#3	0.063	0.065	0.055	0.069	0.071
	#4	0.072	0.066	0.054	0.052	0.071
	#5	0.058	0.072	0.059	0.063	0.066
Max.		0.072	0.072	0.059	0.069	0.073
Min.		0.056	0.065	0.053	0.052	0.066
Range		0.016	0.007	0.006	0.017	0.007
Average		0.062	0.068	0.055	0.060	0.070
Std		0.006	0.003	0.002	0.006	0.003
Spec.		Min. 0.05	Min. 0.05	Min. 0.05	Min. 0.05	Min. 0.05

- 불규칙한 샘플링에 의해 제품 5 kit를 채취하여 시료별 불특정 SMC pad 5point를 측정함.
- 이상 제품의 도금 거친 부분과 양호한 부분 약 50%씩 측정
- 이상 발생 부분 및 정상 부분 모두 무전해 니켈 및 금도금 두께는 Spec 대비 양호한 결과를 얻음

⑥ 불량 분석 결과 고찰

→ LCD제품의 TCP pad 및 Ground부위의 부분적인 얼룩, 거침 현상에 대해 금속 현미경으로 관찰 결과 도금이 약간의 단차 층으로 인해 정상 부분과 광택의 차이로 구분되어지고 있으며, 브러쉬 정면 및 젯트 스크버브 연마의 표면 형태는 동일하게 영향받아 적용되어 있음.

→ X-SECTION 결과 Copper층 및 무전해 Ni/Au층이 정상적으로 도금되어 있음.

→ 표면 오염도 측정 결과 표면은 오염되어 있지 않음.

→ 무전해 니켈/금도금 측정 결과 거친 부분 및 정상 부분 모두 균일한 도금 두께를 나타냄.

- 도금 거침 발생 부분에 특별한 결함이 보여지지 않으므로 신뢰성적인 문제는 없을 것으로 사료됨.
- 발생 원인으로서는 Base층인 Copper의 표면 상태 거침 또는 Solder Resist의 영향으로 무전해 금도금 전처리 시 소프트 에칭의 부분적 영향으로 동표면에 불균일층이 형성되었을 것으로 추정됨.

⑦ 도금 거침 제품 재처리 결과

(a) 재처리 결과

　　다소 미약해지나 형태는 동일하게 남음

(b) 재처리 수량 : 10kit

(c) 재처리 방법

　　Au박리 → 젯트 스크러브 → 무전해 니켈도금 → 무전해 금도금 → 수세&건조 → 검사

⑧ X-REY기 비교 결과

		Hitech	Surfitech	D社
Ni	#1	4.411	4.665	4.673
	#2	4.257	4.625	4.755
	#3	4.517	4.677	4.828
	#4	4.354	4.729	4.645
	#5	4.415	4.988	4.876
Max.		4.517	4.988	4.876
Min.		4.257	4.625	4.645
Range		0.260	0.363	0.231
Average		4.391	4.737	4.755
Std		0.095	0.145	0.098
Spec.		Min. 3.5	Min. 3.5	Min. 3.5
Ave. 대비		100%	108%	108%
Au	#1	0.058	0.065	0.078
	#2	0.050	0.065	0.076
	#3	0.053	0.070	0.071
	#4	0.045	0.061	0.072
	#5	0.047	0.064	0.071
Max.		0.058	0.070	0.078
Min.		0.045	0.061	0.071
Range		0.013	0.009	0.007
Average		0.051	0.065	0.074
Std		0.005	0.003	0.003
Spec.		Min. 0.05	Min. 0.05	Min. 0.05
Ave. 대비		100%	128%	145%

- H사에서 무전해 니켈/금도금 제품의 두께 미달에 대해 Issue하여 각사 도금 두께 측정기별 두께를 확인함.
- 측정 장비는 각사 동일함.(CMI)
- 측정 위치 및 측정 시간은 동일하게 실시
- 무전해 니켈 도금 두께는 각사 비슷한 수준이나 금도금 두께는 H사 대비 S사가 28%, D사가 45% 높은 결과를 얻음.
- 현 단계에서는 H사의 측정 결과가 다소 낮은 것으로 판단되나 장비업체의 정확한 Calibration이 필요함.

⑨ 최종 수세 점검 의견

(a) 탕세 온도 65℃은 너무 높은 건 아닌지.

· 탕세 온도가 높은 이유는 기판 표면 이물을 효과적으로 제거하기 위해 설정된 것으로 생각되나 이는 HASL제품의 Flux/Oil 제거에는 효과가 있을 것이나 무전해 금도금 제품에는 제품의 산화를 더욱 유발되지 않을까 우려됨.

· 온도가 높으면 동표면이나 금표면에는 산화 발생이 쉽고 또는 순수를 적용하지 않

고 일반 상수를 사용하는 상태에서 무전해 금도금 제품 표면에 오히려 수세 이물이 부착될 가능성이 높다고 판단됨.

· 최종 수세에서 탕세보다는 온수세(30~40℃)의 검토가 요망됨.

(b) 무전해 금도금 제품의 최종 수세를 순수 적용은 어떨런지.

· 무전해 금도금 제품의 외관은 반광택의 금도금으로 인해 깨끗한 상태이므로 쉽게 오염이 관찰되고, 또 이것이 설령 진짜로 솔더링에 영향을 주지 않더라도 오염된 표면에 대해서는 항상 문제 제기가 되므로 이에 대한 관리가 필연적임.

· 일반적으로 무전해 금도금 제품에 대해서의 취급은 금도금후의 수세수는 순수를 사용하고, 제품의 취급도 제품내부 접촉을 금하며, 깨끗한 장갑만을 착용하도록 권장하고 있음.

· H사 최종 수세라인에서의 적용은 건조 전 수세 2~3단에 대해서 무전해 금도금 제품 처리시만 제한적으로 순수 사용이 좋을 듯함.

⑩ 거침불량 분석 결과 (Ⅱ)

⑩-Ⅰ. summary

(a) 시편 : 무전해 금도금 제품

(b) 목적 : 거침 원인 분석

(c) 불량유형 : Ground PAD부 거침 현상 발생.

(C/S면은 양호하나, S/S면의 GND부에서 발생빈도가 높음)

(d) 분석장비

㉠ SEM - Hitachi, S-3000N, 가속전압 20kV

㉡ EDX - Horida E-MAX, WD 15㎜, Processing time 120sec

(e) 분석결과 및 고찰

㉠ EDX 분석결과

㉡ 도금두께 : Ni-1.34~1.16㎛, Au-0.014~0.016㎛

성분	Au표면		Au박리 후 Ni표면		Ni박리 후 Cu표면	
	정상부	거침부	정상부	거침부	정상부	거침부
산소(O)	-	-	-	-	2.12	0.92
인(P)	-	1.61	8.79	14.63	-	-
니켈(Ni)	73.50	55.58	91.21	85.37	-	-
금(Au)	26.50	42.81	-	-	-	-
동(Cu)	-	-	-	-	97.88	99.08

ⓒ 고찰

　　- 분석결과 침식부에는 Soldering(접합)등의 신뢰성도 우려가 크므로 Via-tenting
　　　방법에 있어 근본적인 대책을 수립토록 End user와 긴밀한 협조가 요구된다.

　　- Ni표면 관찰시 거침부 Nickel grain boundary에 국부적인 침식이 매우 심
　　　하며, P함량도 매우 높다.(약 14%), 추정원인으로는 Via-Hole메꿈부 이물질
　　　(수세 매우 어려움), resist gas 등에 의한 Ni도금 방해 또는 RESISR 주변부
　　　와의 → Via-Hole 수세 강화, RESIST 경화방법, 시간, 온도 등의 조건 등에
　　　검토가 요구된다.

⑩-2. 분석 제품

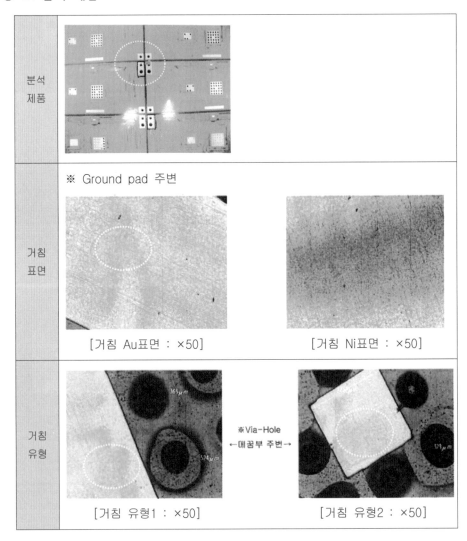

분석 제품	
거침 표면	※ Ground pad 주변 [거침 Au표면 : ×50]　[거침 Ni표면 : ×50]
거침 유형	[거침 유형1 : ×50]　[거침 유형2 : ×50]

⑩-3. 표면

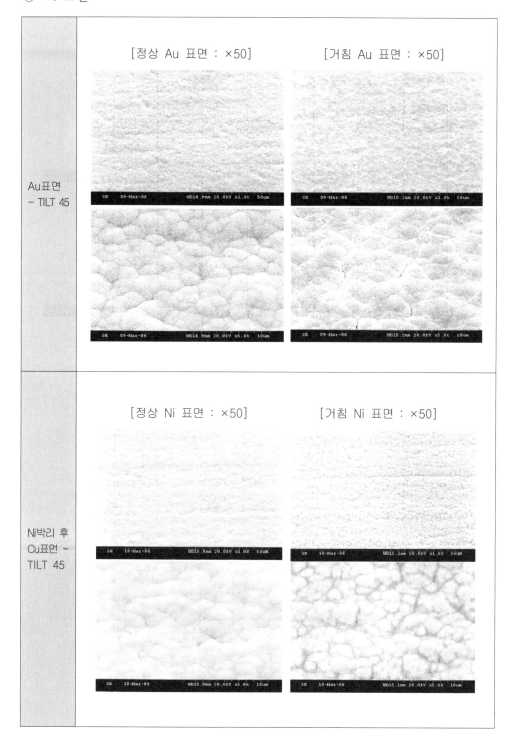

| Au표면
- TILT 45 | [정상 Au 표면 : ×50] | [거침 Au 표면 : ×50] |

| Ni박리 후
Cu표면 -
TILT 45 | [정상 Ni 표면 : ×50] | [거침 Ni 표면 : ×50] |

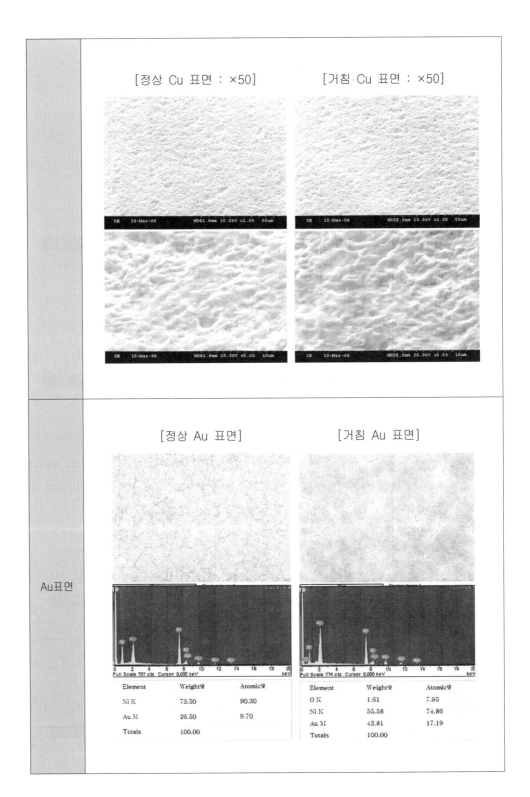

[정상 Cu 표면 : ×50]

[거침·Cu 표면 : ×50]

[정상 Au 표면]

[거침 Au 표면]

Au표면

Element	Weight%	Atomic%
Ni K	73.50	90.30
Au M	26.50	9.70
Totals	100.00	

Element	Weight%	Atomic%
O K	1.61	7.95
Ni K	55.58	74.86
Au M	42.81	17.19
Totals	100.00	

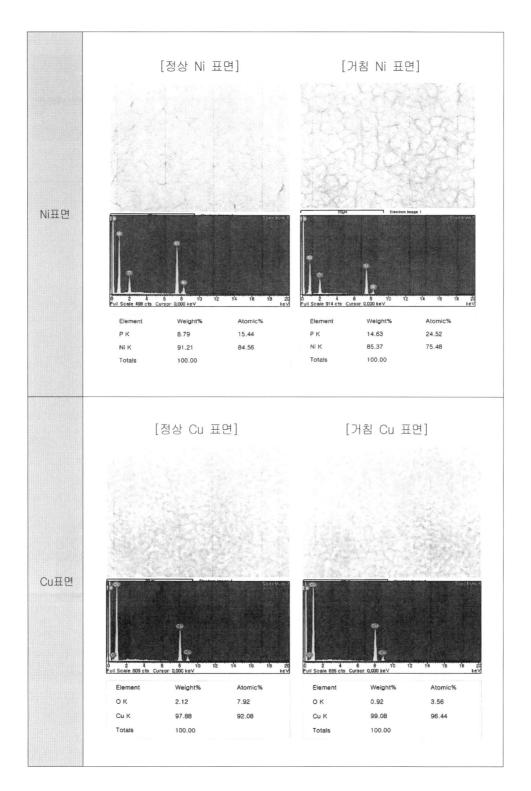

Element	Weight%	Atomic%
P K	8.79	15.44
Ni K	91.21	84.56
Totals	100.00	

Element	Weight%	Atomic%
P K	14.63	24.52
Ni K	85.37	75.48
Totals	100.00	

Element	Weight%	Atomic%
O K	2.12	7.92
Cu K	97.88	92.08
Totals	100.00	

Element	Weight%	Atomic%
O K	0.92	3.56
Cu K	99.08	96.44
Totals	100.00	

⑪ RACK 문제

(a) 부적합 발생원인

- RACKKING 작업 시 발생.
- RACK의 관리 문제

RACKKING 작업 후 대기 상태에서 RACK에 잔류되어 있던 수세수 및 약품이 제품으로 떨어지면서 산화되어 탈지 공정과 SOFT ETCH 공정을 거쳐도 제거 되지 않으면서 표면 거침 불량 발생.

(b) 부적합 방지 대책

항 목	대 책
RACK	- RACK 관리 방법 변경. 　현재 : ㄱ. 사용 후 수평 적 제 보관 　　　　ㄴ. 수세수의 잔류 상태에서 RACKING 진행 　　　　ㄷ. RACKING 작업 수량 제한 규정 없음. 　변경 : ㄱ. 사용 후 수직 및 경사 적제 하여 보관 　　　　ㄴ. RACK 부족 시 보루를 사용하여 수세 수를 닦아 낸 후 　　　　　 RACKING 실시 　　　　ㄷ. RACKING 작업 수량 제한 규정 설정 　　　　　 # 변경 전 : 무한 　　　　　 # 변경 후 : 10 RACK 이하 유지(5 CYCLE 分)

(c) 첨부 사진 및 설명

변경 전　　　　　　　　　　　　변경 후

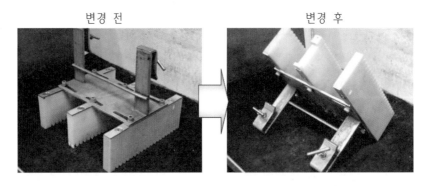

RACK 사용 후 수평 적재하여 보관 및 RACK에 물기가 묻어 있는 상태에서 바로 RACKING 하면서 물기가 제품에 떨어지면서 산화막을 형성하여 발생

RACK 사용 후 위 그림과 같이 보관하여 RACK에 물기를 흘러내리도록 조치하며, 물기가 묻어 있는 상태에서 바로 RACKING 작업 할 경우 보루를 사용하여 물기를 제거 후 RACKING 하여 산화막 형성 방지

2) NODULE (돌기)

① LCD 제품 생산량 증가와 도금 설비관리 불량으로 도금 공정 중 돌기 불량율이 급격히 상승
(Ex. 탱크 내부 보드 빠짐, 잦은 여과기 고장, 여과가 필터의 필터링 기능 부족)

② 도금이후 돌기 제거를 위한 장비인 밸트 샌딩기의 잦은 고장으로 표면 돌기가 제거되지 못한 제품의 뒷 공정 진행이 증가
현재: 0.4T 제품의 처리에 있어서 작업 중 세심한 노력이 필요함, 0.6T 이상 제품은 밸트 샌딩처리에 문제없음

③ 일부 금도금 돌기 혹은 이물질 불량이 꾸준히 도금 불량으로 판정되어 외부 금도금 업체에 대한 불량 시정 활동이 미흡함

④ 돌기 불량 감소를 위해, 필터관리, 유산 등 탱크 오염도 관리, 아노드포 교체, 도금 후 제품의 밸트 샌딩 처리 등 앞에서 언급된 모든 방법을 동원하여 돌기 불량 감소 활동을 진행 예정임.

⑤ 지금 까지 섹션 작업으로 추록하면, 현 돌기 불량의 20~30%가 금도금 불량과 연관 있음

▶ 돌기 불량의 유형분석

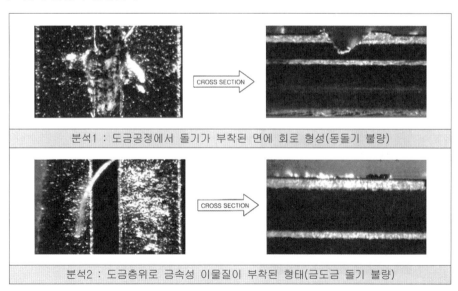

분석1 : 도금공정에서 돌기가 부착된 면에 회로 형성(동돌기 불량)

분석2 : 도금층위로 금속성 이물질이 부착된 형태(금도금 돌기 불량)

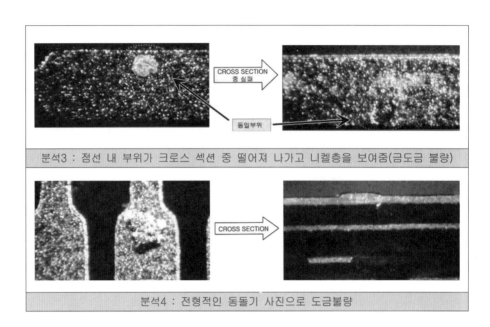

분석3 : 점선 내 부위가 크로스 섹션 중 떨어져 나가고 니켈층을 보여줌(금도금 불량)

분석4 : 전형적인 동돌기 사진으로 도금불량

▶ 불량 원인 분석과 대책

불량 유형	불량 원인	대책
	금도금 공정에서 이물질로 인한	금도금 제품 수입 검사 철저 금도금 외주처의 라인 AUDIT 요망
	동돌기 : 유산동 탱크의 오염, 필터링 불량 탱크내의 이물질	사용필터의 전량 교체 : 10㎛에서 5 ㎛으로 필터 관리 기준 재설정 : 탈지여부 수입검사 유산동 탱크 청소 : 이송여과 시 완전 filtering 탱크 주변 절연 상태 점검 무전해 금도금 제품의 밸트 샌딩 처리 : 가능한 모든 두께 제품 실시 노후 한 여과포의 완전 교체
	금도금 공정 이물질	금도금 제품 수입 검사 철저 금도금 외주처의 라인 AUDIT 요망

■ NODULE 불량 분석

· 개요

1) 목적 : Au 도금 완료한 Pad의 표면에 돌기 발생.

2) Sample : 불량품 1종

3) 분석 :

- 표면 불량 형태 확인
· 광학 현미경
- 불량 부위 Section 단면 확인
· 광학 현미경
· SEM/EDS

4) 결론

① 돌기 부분 Section해서 확인결과 Cu 표면에 이물질이 덮여있음
② 이물질 위에 도금이 되어 돌기 형상으로 보임.
③ 성분 분석 결과 Si, Br등이 검출된 것으로 보아 PSR 잔사로 예상됨.
④ 이물질의 크기가 폭 100㎛, 높이 7~13㎛으로 상당히 두꺼워 전처리만으로 이물질 제거가 어려울 것으로 예상됨.

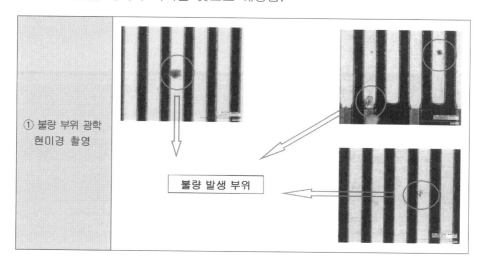

① 불량 부위 광학
현미경 촬영

불량 발생 부위

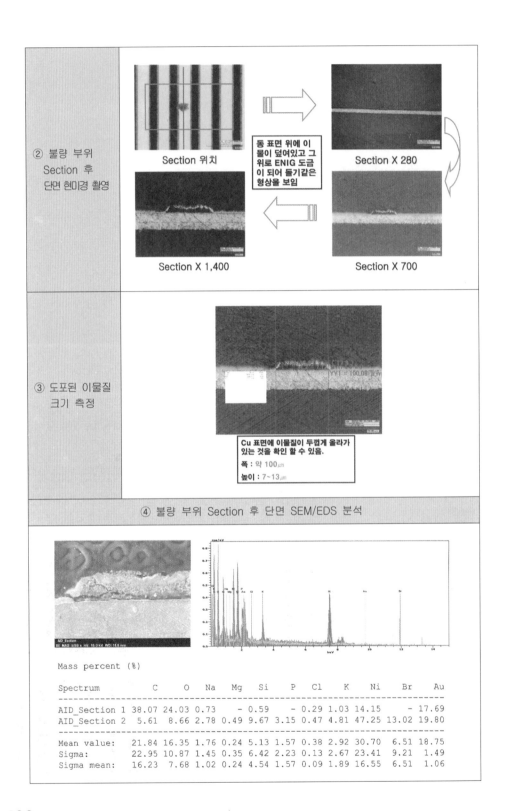

| ② 불량 부위 Section 후 단면 현미경 촬영 | Section 위치 | 동 표면 위에 이물이 덮여있고 그 위로 ENIG 도금이 되어 돌기같은 형상을 보임 | Section X 280 |
| | Section X 1,400 | | Section X 700 |

③ 도포된 이물질 크기 측정

Cu 표면에 이물질이 두껍게 올라가 있는 것을 확인 할 수 있음.
폭 : 약 100㎛
높이 : 7~13㎛

④ 불량 부위 Section 후 단면 SEM/EDS 분석

Mass percent (%)

Spectrum	C	O	Na	Mg	Si	P	Cl	K	Ni	Br	Au
AID_Section 1	38.07	24.03	0.73	-	0.59	-	0.29	1.03	14.15	-	17.69
AID_Section 2	5.61	8.66	2.78	0.49	9.67	3.15	0.47	4.81	47.25	13.02	19.80
Mean value:	21.84	16.35	1.76	0.24	5.13	1.57	0.38	2.92	30.70	6.51	18.75
Sigma:	22.95	10.87	1.45	0.35	6.42	2.23	0.13	2.67	23.41	9.21	1.49
Sigma mean:	16.23	7.68	1.02	0.24	4.54	1.57	0.09	1.89	16.55	6.51	1.06

3) PAD 덧살

① 목적

TFT LCD 금도금 후 TCP PAD 덧살(잔사)발생 시 원인 공정을 규명하는데 목적이 있다.

② TCP PAD 표면상태 비교

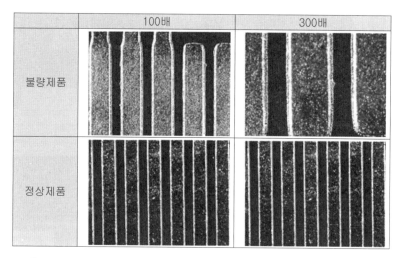

⇒ 육안 확인 시 Ni액 번져 TCP PAD Bot 면 매끄럽게 도금되지 못하고 굴곡을 이루며 Top면에 비해 Bot면이 넓어 ETCH FACTOR가 안 좋게 보인다.

③ SECTION 결과

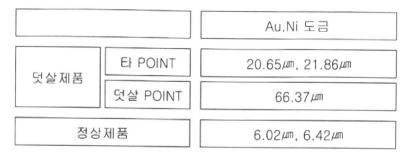

		Au.Ni 도금
덧살제품	타 POINT	20.65㎛, 21.86㎛
	덧살 POINT	66.37㎛
정상제품		6.02㎛, 6.42㎛

⇒ 덧살 제품 Cu층 발견되지 않았으며 전체적으로 TCP PAD 번짐 발생. 전체적으로 전상제품에 비해 14㎛ Ni 번짐을 보임.

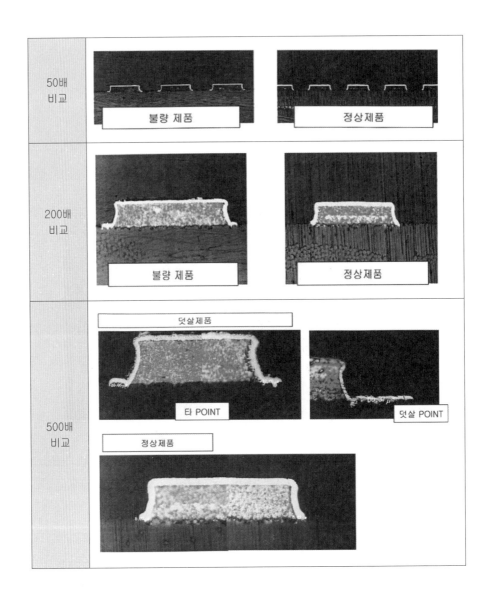

④ 결론

금도금 공정 시 발생되는 덧살은 TCP PAD 전체적으로 Ni 번짐을 보이
며 덧살은 부분적으로 과하게 Ni이 번져 덧살을 형성한다.

　　Ni 도금 정상 : 8㎛이하

　　Ni 도금 번짐 : 8㎛이상

※ Ni 도금 10㎛ 이하 시 형성되는 덧살은 금도금 전 잔류동에 의한 덧살임.

⑤ 덧살 발생 유발 인자.

   – 덧살 발생 유발하는 주요인자

     · 촉매제 내의 착화제 농도 저하

     · 수세조 오염 및 부족

     · Pd 농도 증가 / HCl농도 저하

     · 무전해 니켈의 활성도 증가

     · 소재면에 Cu 잔사 존재

4) SKIP

  ① Test 목적

    test를 통하여 금도금 skip에 대한 원인 파악이 목적임

  ② Test 방법

    test 1 : Ni 도금액 MAKE-UP 후 30분전에 도금

    test 2 : 전 처리 과정(SOFT E/T, 탈지) 제외하고 금도금

    test 3 : Ni 도금액 MAKE-UP 후 1시간 경과 후 도금

  ③ Test 결과

    (a) 표면 상태

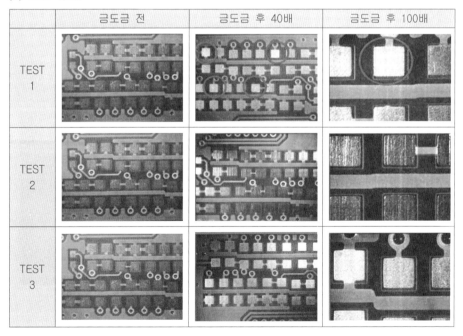

	금도금 전	금도금 후 40배	금도금 후 100배
TEST 1			
TEST 2			
TEST 3			

(b) TAPING TEST

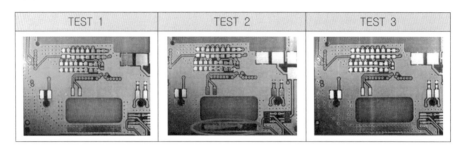

TEST 1	TEST 2	TEST 3

(c) TEST 결과 해석

    test 1 : Ni 도금액 MAKE-UP 후 30분전에 도금

        ⇒ 일부 PAD 전체적으로 금도금 되지 않음.

          정상적으로 금도금 된 부분 금도금 밀착력 이상 없음.

    test 2 : 전 처리 과정(SOFT E/T, 탈지) 제외하고 금도금

        ⇒ PAD 금도금 되지 않은 부분은 없으나 광택이 나며 거칠게 도금이

          되며 밀착력 test 시 하지 Cu와 금도금 부분 떨어짐.

    test 3 : Ni 도금액 MAKE-UP 후 1시간 경과 후 도금

        ⇒ 육안 및 밀착력 이상 없음

④ 결론

    test 결과 전 처리 공정 이상 시 금도금 불량은 금도금 거침, 밀착력 저하로 인한 떨어짐 불량을 유발하며, Ni액의 활성화 부족 시 발생하는 유형은 일부 PAD 금도금 안됨(SKIP) 불량을 유발함을 알 수 있다.

⑤ 실 TEST 제품 첨부

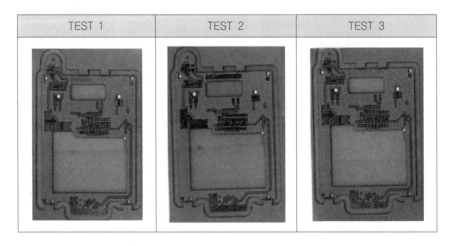

TEST 1	TEST 2	TEST 3

■ SKIP 불량분석

1. 부적합 발생원인

- 니켈의 활성화 부족
- 니켈 자동 공급 장치 관리 MISS
- 니켈 도금 조 수위조정에 의한 니켈온도 저하

2. 부적합 대책

항목	대책
활성화 부족	· 처음 작업 진행에서는 더미를 20~30분 니켈 조에 넣어 활성화 시킨 후 작업을 진행 한다.
니켈 자동 공급 장치	· 자동 공급장치의 수치와 니켈 용액의 습식 분석 DATA와 비교 분석하여 관리. · 자동 공급장치의 check sheet를 작성하여 관리 한다.
니켈온도 저하	· 수위 조정을 주기적으로 하여 니켈의 온도 저하 방지 > 현재 : 수위 저하 시 일시적 처리 > 변경 : 시간마다 수위를 점검
	· 니켈의 수위 자동조정 장치를 설치.

5) 금도금 반사광

① SP사

반사광 상승 요건

(a) Ni 액 : Ni 액 유동 증가시(바이브레이터 이용)

(b) 금도금 전처리 : 조도 증가시 반사광 떨어짐

반사광 상승 process

psr ⇒ brush ⇒ soft etching ⇒ 금도금

＊ 위 process 진행 시 금도금 밀착 유려 있음

반사광 : 무전해 금도금 액보다 금도금 전처리 좌우

② SD사

반사광 상승 요건

금도금 전처리 : 조도 증가시 반사광 떨어짐

반사광 상승 process

psr ⇒ jet-scrubber ⇒ brush ⇒ soft etching ⇒ 금도금

반사광 : 무전해 금도금 액보다 금도금 전처리 좌우

③ 소견

반사광 요인

:test 결과 및 타 업체 의견 종합 시 금도금 액보다는 금도금 전처리 좌우

추후 test process

psr ⇒ jet-scrubber ⇒ brush + soft etching ⇒ 무전해 금도금 (SPT사)

psr ⇒ brush + soft etching ⇒ 무전해 금도금 (SPT사)

psr ⇒ jet-scrubber ⇒ brush + soft etching ⇒ 무전해 금도금 (SPT사)

5) BLACK-PAD

① 발생 경과 조사

(a) RACK가 Ni 통에서 수세 제1통에 떨어뜨릴 때 RACK 걸이에 의해 떨어져 제1통 수세통 위에 걸리도록 떨어뜨림

(b) 공정이상이 발생한 상황을 확인해 작업자 2명이 RACK 걸이를 정지해 제1수세통 위에 걸렸던 RACK를 제1수세 넣어 통상처리시간(10초)를 고려해 세척을 수작업으로 실시 RACK를 정지한 후 순차 투입되어 있는 제품을 RACK걸이가 각각 있기에 영향을 받지 않아 문제가 되지 않습니다.

(c) 제1수세로부터 빼내 당 도금공정의 스타트 부분으로 이동해 방치

(d) 방치시간 확인

작업시간: NI/AU 도금 공정의 작업완료까지 1시간 20분

방치시간: 공정이상으로 발생한 제품을 공정에서 밖으로 재차 투입하기 때문에 다음 스타트까지 기다림.

통상 전 공정은 1시간 20분으로 되어 있는데, 부적합발생공정까지 RACK를 보내기 위한 시간이 17분 40초를 더해, 1시간 37분 40초가 방치시간으로 있었다고 판명됨.

재투입 후 공정 이상으로 작업까지 진행한 시간 (무전해금도금 완료까지 시간) 17분 40초가 공정에서 RACK를 제거했던 시간이 방치시간으로 되어 1시간 57분으로 판명되었습니다.

상황 상기 공정이상 발생 시에 1차 수세에 수작업으로 넣었던 작업을 재현한 결과, 기판이 25 RACK에 들어가 있던 경우는 중량이 무겁기 때문에 RACK가 수세통에 투입되어 있던 시간이 15초 정도로 판단하였습니다.

② 재현 TEST

    (a) 시료숫자 : 1699 SET

    (b) 변색제품 : 37 SET

    (c) NG율 : 2.18%

        방치시간과 산화막 관계

        표준으로는 NI통으로부터 제1수세통에 이동까지의 20초를 표준으로 해서 30초
        에서 30분의 NI 도금 후 제1수세까지의 방치된 시간을 설정해 평가를 실시

방치시간	20초	30초	45초	1분	3분	5분	10분	30분
변색유무	양품	-	-	변색	변색	변색	변색	변색

③ 결 론

    1분의 방치시간에도 변색(Ni 산화)은 발생하기 때문에 표준 시간을 넘는
    제품은 NG임.

④ 참고

    정상 제품과 변색 제품 PHOTO

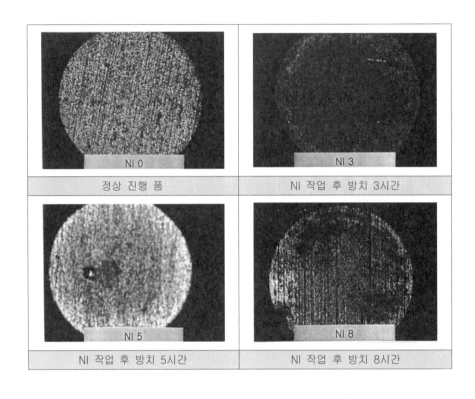

NI 0	NI 3
정상 진행 품	NI 작업 후 방치 3시간
NI 5	NI 8
NI 작업 후 방치 5시간	NI 작업 후 방치 8시간

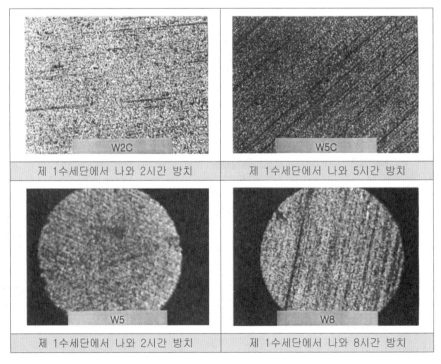

W2C	W5C
제 1수세단에서 나와 2시간 방치	제 1수세단에서 나와 5시간 방치
W5	W8
제 1수세단에서 나와 2시간 방치	제 1수세단에서 나와 8시간 방치

■ BLACK PAD TEST → Au 박리 후 Ni표면

일자	4월 4일	4월 5일
	0	0
금속현미경		
전자현미경		
X선 분석		
일자	5월 1일	5월 2일
	0	0
금속현미경		
전자현미경		
X선 분석		

일자	5월 3일	5월 5일	6월 1일
금속 현미경	O	X	O
전자 현미경			
X선 분석			

6) Au 재처리 FLOW

① 재처리 업무 FLOW

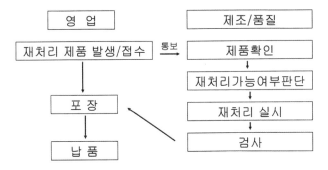

* 절대적인 사항이 아니면 가능한 재처리 금지

② 재처리 PROCESS

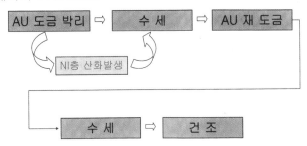

③ 신뢰성 보증 방안

  (a) Au 박리 TEST

    ㉠ 목적 : 일반적으로 "Black Pad"라고 하는 것은 부품 이탈 불량 발생 시 노출
       되는 PCB상의 Pad 표면이 검은색(Black) 계열을 나타내기 때문

    ㉡ 방법 : 금도금 박리액으로 금도금 완료된 Pad 표면에 떨어뜨리면 금도금이 박
       리 되면서 Ni 층의 색상이 나타남

    ㉢ 판별기준 : 육안 판별

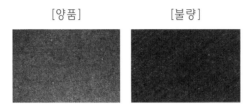

[양품]　　　　　[불량]

    ㉣ 관리기준 : Lot별 입고 시 업체에서 성적서에 붙여서 입고시킨다.

박리테스트

1 PNL

니켈 색상이 은백색일 것

  (b) Peel Test

    ㉠ 목적 : "Black Pad" 발생 시 부품 이탈되는 현상에 대해서 부품 실장을 가상
       하여 Test Coupon에 납땜을 하여 Peel Test로 금도금 층에서의 문제
       를 확인하기 위함.

    ㉡ 방법 : 수땜으로 Panel의 Coupon에 납땜을 하여 잡아당겼을 경우의 상태 확인

    ㉢ 판별기준 : Pad가 띨어져아 나가면 징상임.

    ㉣ 관리기준 : Lot별 입고 시 업체에서 성적서에 붙여서 입고시킨다.

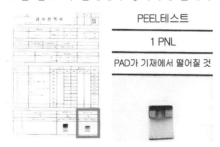

PEEL테스트

1 PNL

PAD가 기재에서 떨어질 것

(c) Solder Ball Test(납퍼짐성 Test)
　　㉠ 목적 : 금도금이 정상적으로 이루어졌을 경우에 대해 납 퍼짐성 Test를 하여 금도금
　　　　　　신뢰성 / 표면상태 신뢰성 확보하기 위함.
　　㉡ 방법 : Φ0.35 Solder Ball을 임의의 Pad에 올려놓고 납조에서 Solder의 반대면을
　　　　　　올려놓아서 열을 가해 퍼짐성을 확인
　　㉢ 판별기준 : 3배 이상 퍼지면 양품
　　㉣ 관리기준 : 2회/주 실험실에서 외주 업체 제품을 평가하여 보관.

NO	TEST ITEM	SPEC	UNIT	RESULT	DECISION	REMARKS
1	SOLDER BALL TEST	Solder ball 0.35Φ Solder POT 215 ±5℃ (~0.8T:30SEC간, 　0.1T~:45SEC간) Solder ball이 3배 (1.05Φ)이 상 퍼질 것	Φ	2.00	OK	FIG. 1~2

[FIG 1]　　　　　　　　　　　　　　　　[FIG 2]

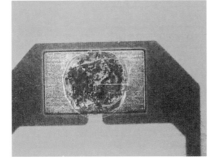

7) 무전해 금도금제품 → 납강도 TEST
　　① REFLOW 공정에서의 납강도 불량 발생하여 발생원인 대책을 확인 한 잠
　　　정적인 결과
　　② 분석현황
　　　(a) PCB기판 내에서의 납강도의 편차가 심하게 나타나고 있음.(별첨의 인장강도
　　　　SHEET참조)
　　　(b) 수납땜을 하여도 강도의 편차가 심함.(별첨의 인장강도 SHEET참조)
　　　(c) 완성품의 SAMPLE을 측정한 결과 LOT적으로 편차는 없음(출하 완료 품에
　　　　대한 보증가능 함)

③ 납인쇄의 형태

후락스가 NI-TAB에 침범하는
대책으로 납인쇄를 한쪽으로
편심하여 인쇄 함.

③-1. Ni-TAB의 실장 형태

④ REFLOW이후의 납 젖음성 확인 결과

분석은 동일 기판에서의 납 젖음성 확인 → Solder Paste와 Ni관계

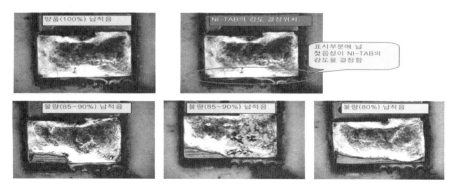

⑤ Ni-TAB 실장이후의 외관확인 결과

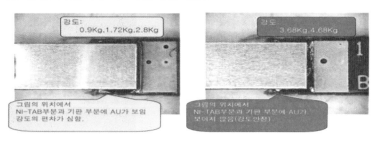

⑥ 공정 재고 대응(득성검사공정, 조립공성)

현재의 공정재고에 대하여 강도율 검증(20개/LOT별)한 결과에는 문제점
을 발견 할 수가 없었습니다만, LOT성(PCB기판의 검증) 검증이 현재의
단계에서 불가능함으로(이유:PCB MAKER에서의 검증연락 무) 출하 대응
시에는 Ni-TAB와 PCB의 끝단에 Au가 보이는 것을 전수 선별 대응하여
할 것으로 판단됨.

❖ NI TAB부품의 납FILLET 판정기준

· 정상품

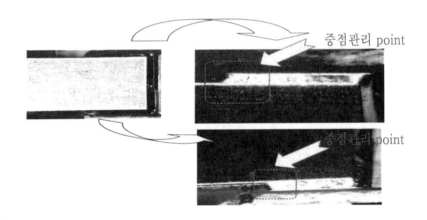

· 이상품

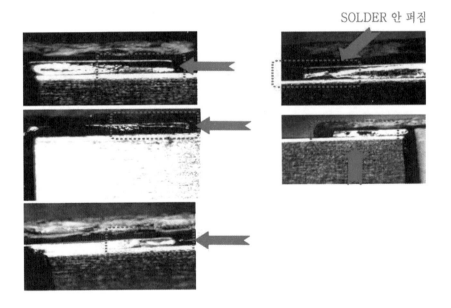

❖ Ni TAB 인장강도저하관련

1. 인장강도측정 DATA

	2/12 09:50		2/13 10:00		2/13 PM		Au-t측정(SFT-7000)		SPARKLE solder(S26?)		PCB 2회 Reflow후		본품 2회 Reflow후-		본품 2회 Reflow후-2	
	Ni TAB 인장강도		Ni TAB 인장강도		Ni TAB 인장강도		Au두께 [μm]		PCB기판 Au솔착강도		PCB기판 Au밀착강도		Ni TAB 인장강도		Ni TAB 인장강도	
	B+	B-	B+	B-	B+	B-	B+	B-	B+	B-	B+	B-	B+	B-	B+	B-
1	4.10	2.50	2.20	3.50	1.96	1.68	0.049	0.051	2.28	2.92	4.41	5.31	3.82	3.38	4.10	3.90
2	4.50	2.10	2.30	2.10	2.09	4.41	0.052	0.059	1.74	1.55	4.10	4.00	1.66	5.21	2.21	3.42
3	3.80	2.00	1.80	1.40	3.00	2.83	0.056	0.070	1.63	2.24	4.90	4.60	4.99	2.36	1.77	2.11
4	4.60	2.60	1.20	2.00	1.90	1.61	0.055	0.060	1.89	3.91	5.20	4.70	4.36	2.30	1.96	3.89
5	4.40	2.20	1.50	3.50	1.66	2.75	0.047	0.064	2.74	2.81	3.31	4.00	4.20	2.75	1.92	3.58
6					1.49	2.01	0.053	0.057	1.60	1.98	4.74	4.84	4.00	1.85	4.07	2.11
7					1.50	1.65	0.048	0.063	2.40	2.60	5.10	5.00	3.81	2.20	3.90	1.81
8			인장강도 저하발생		1.20	2.00	0.043	0.067	4.04	1.51	5.05	5.09	4.45	3.51	4.01	1.85
9			으로 기품에 연락		1.34	3.01	0.045	0.063	4.25	4.00	5.00	5.07	4.31	4.60	3.44	2.00
10					1.99	4.43	0.044	0.059	2.10	1.64	5.00	5.02	2.20	1.60	3.70	2.68
11					1.58	1.80	0.044	0.068	1.30	2.20	3.80	5.19	1.93	2.23	2.00	2.25
12					3.50	2.09	0.051	0.061	2.31	2.40	4.62	4.89	2.21	1.61	5.10	1.21
13					3.31	2.98	0.037	0.064	2.49	1.80	5.11	4.57	1.50	1.50	4.49	2.12
14					2.49	2.61	0.040	0.057	3.90	2.20	4.56	4.99	3.81	4.59	3.76	3.49
15					4.25	2.28	0.060	0.065	3.06	1.86	5.22	3.90	2.89	2.00	3.90	4.10
16					2.10	2.61	0.049	0.057	1.55	5.60	3.81	4.93	1.31	4.59	3.50	3.44
17					1.24	1.20	0.060	0.058	5.22	4.72	5.20	5.01	3.92	3.35	4.44	2.50
18					1.80	2.90	0.047	0.052	3.20	4.19	3.60	4.80	3.78	4.99	4.44	1.89
19					2.07	2.10	0.049	0.070	5.08	2.81	2.03	4.76	3.81	2.30	4.40	2.48
20					4.76	2.10	0.049	0.057	2.00	4.20	2.74	4.27	4.12	1.89	4.00	2.74
AVE	4.280	2.280	1.800	2.500	2.262	2.453	0.049	0.061	2.735	2.808	4.375	4.747	3.321	2.941	3.556	2.679
MAX	4.60	2.60	2.30	3.50	4.76	4.43	0.060	0.070	5.22	5.60	5.22	5.31	4.99	5.21	5.10	4.10
MIN	3.80	2.00	1.20	1.40	1.20	1.20	0.037	0.051	1.30	1.51	2.03	3.90	1.00	1.50	1.77	1.21
R	0.80	0.60	1.10	2.10	3.56	3.23	0.023	0.019	3.92	4.09	3.19	1.41	3.99	3.71	3.33	2.89
3S	0.981	0.777	1.391	2.854	3.004	2.535	0.018	0.016	3.550	3.595	2.711	1.228	3.569	3.725	3.036	2.527
Cp	3.06	0.73	0.94	2.08	1.86	1.98	-	-	2.40	2.47	3.93	3.77	2.98	2.62	3.16	2.20
판정	OK		NG		OK		-		OK		OK		NG		OK	

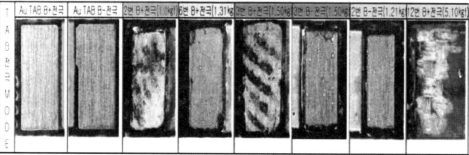

TAB 전극 MODE: Au TAB B+전극 | Au TAB B-전극 | 2번 B+전극(1.0kg) | 6번 B+전극(1.31kg) | 3번 B+전극(1.50kg) | 3번 B-전극(1.50kg) | 2번 B-전극(1.21kg) | 12번 B+전극(5.10kg)

2. 완성품 재고의 인장강도 측정 DATA

key-no:	28091756		28091768		28091770		28091782		28091821		28091845		28091794			
	완성품 Ni TAB강도		완성품 Ni TAB강도		완성품 Ni TAB강도		완성품 Ni TAB강도		완성품 Ni TAB강도		완성품 Ni TAB강도		완성품 Ni TAB강도			
	B+	B-	B+	B-	B+	B-	B+	B-	B+	B-	B+	B-	B+	B-	B+	B-
1	3.42	3.80					3.43	2.60			3.41	3.40	3.51	4.23		
2	3.69	2.70					3.20	2.68			3.30	4.23	3.48	3.99		
3	4.63	4.83					3.94	2.65			4.30	3.98	3.39	4.35		
4	3.91	4.55					3.08	2.32			3.82	3.92	3.79	4.00		
5	3.09	3.85					3.52	2.92			3.91	3.79	3.18	3.42		
6	3.50	4.60					3.10	3.10					3.71	3.75		
7	3.41	3.89					3.00	2.81					3.60	4.32		
8	3.67	3.31					3.33	3.56					3.35	4.03		
9	4.07	3.39					3.13	2.50					3.88	2.68		
10	3.37	3.61					4.39	2.39					4.00	4.24		
11													3.76	4.02		
12													3.90	3.06		
13													3.75	4.25		
14													3.82	3.78		
15													4.09	4.08		
16													4.37	4.17		
17													3.99	4.21		
18													3.51	4.10		
19													3.73	4.44		
20													3.73	4.09		
AVE	3.676	3.853	#DIV/0!	#DIV/0!	#DIV/0!	#DIV/0!	3.412	2.753	#DIV/0!	#DIV/0!	3.748	3.864	3.727	3.961	#DIV/0!	#DIV/0!
MAX	4.63	4.83	0.00	0.00	0.00	0.00	4.39	3.56	0.00	0.00	4.30	4.23	4.37	4.44	0.00	0.00
MIN	3.09	2.70	0.00	0.00	0.00	0.00	3.00	2.32	0.00	0.00	3.30	3.40	3.18	2.68	0.00	0.00
R	1.54	2.13	0.00	0.00	0.00	0.00	1.39	1.24	0.00	0.00	1.00	0.83	1.19	1.76	0.00	0.00
3S	1.313	1.975	#DIV/0!	#DIV/0!	#DIV/0!	#DIV/0!	1.325	1.107	#DIV/0!	#DIV/0!	1.210	0.914	0.838	1.330	#DIV/0!	#DIV/0!
Cp	2.76	3.25	#DIV/0!	#DIV/0!	#DIV/0!	#DIV/0!	2.51	1.67	#DIV/0!	#DIV/0!	2.76	2.55	2.30	3.06	#DIV/0!	#DIV/0!
판정	OK						OK				OK		OK			

❖ Ni TAB 납 FILLET판정기준에 따른 인장강도 측정 data

1. 방법 : 별첨의 선별기준으로 제조에서 선별한 제품 중 1매 /LOT 발취하여 인장강도를 측정한다. (측정전납 Fillet 재확인)

2. 선별기준 : 별첨참조

3. 인장강도기준 : MIN치 1.2㎏ f이상, 평균치가 2.0 kgf 이상

4. 측정 data

	Key No 28091833		Key No 28091871		Key No 28105674		Key No 28105662		Key No 28091819	
일시	2/12 13:30~15:30		2/20 02:10~03:10		2/21 10:20~11:20		2/21 11:20~13:20		7(작업일지기록무)	
외관	제조독사→기술검증		제조독사→기술검증		제조독사→기술검증		제조독사→기술검증		제조만 독사	
딜럭Mode	A		B		C		D		E	
	B+	B−	B+	B−	B+	B−	B+	B−	B+	B−
1	5.42	5.51	2.09	2.31	5.60	2.40	4.17	4.39	3.65	2.00
2	3.89	5.05	2.50	3.54	3.35	5.57	4.65	3.79	4.32	3.61
3	4.13	3.35	2.69	3.41	3.71	4.00	2.15	2.61	3.92	2.92
4	3.50	5.87	3.98	4.10	3.45	3.21	4.19	2.98	3.89	4.65
5	3.43	4.23	2.94	2.32	3.32	3.29	2.20	4.82	4.27	3.98
6	5.65	5.00	3.60	2.42	3.38	4.19	4.11	4.90	4.01	2.60
7	2.91	3.39	2.89	2.35	5.27	3.87	4.11	4.89	3.69	1.69
8	3.87	3.40	3.83	2.49			2.00	5.27	4.20	1.02
9	3.15	5.47	3.03	2.10			3.79	4.22	2.15	2.69
10	3.02	5.01	2.89	2.21			3.80	4.30	3.81	1.40
11	5.00	5.13	2.39	3.65			3.87	4.20	4.15	2.09
12	4.56	5.00	4.45	3.32			3.64	4.85	4.23	2.42
13	4.12	5.39	2.69	3.50			1.97	4.90	4.01	3.83
14	5.16	3.65	5.59	2.47					4.25	2.98
15	3.92	4.81								
16	4.07	4.92								
17	4.15	5.61								
18										
19										
20										
AVE	4.115	4.752	3.254	2.871	4.011	3.790	3.435	4.317	3.896	2.706
MAX	5.65	5.87	5.59	4.10	5.6	5.57	4.65	5.27	4.32	4.65
MIN	2.91	3.35	2.09	2.10	3.32	2.4	1.97	2.61	2.15	1.02
R	2.74	2.52	3.5	2.00	2.28	3.17	2.68	2.66	2.17	3.63
3S	2.455	2.496	2.832	2.018	2.957	2.974	2.920	2.366	1.643	3.130
CP	3.63	4.27	2.83	2.28	3.61	3.39	3.02	3.81	3.17	2.32
판정	OK		OK		OK		OK		NG	

기종 확인 결과 이상MODE(3개)

기종 확인 결과 이상MODE(6개)

기종 확인 결과 이상MODE(13개)

기종 확인 결과 이상MODE(7개)

제조의 외관검출력은 다소 부족함.

황색표시부분: 제조의외관검사후 선별양품20개중 기술팀담당자가 재선별한 불량수임.

기술팀중에서 확인하지 않고 제조외관검사 양품을 그대로 인장강도 측정결과 NG품이 발생함. →외관품질검출력에 대한 재교육및 전문화가 필요함(전담검사자 지정)

※결론 : 상기의 TEST결과 제조작업자의 Ni TAB Fillet부분의 정확한 외관기준의 외관기준의 인식이 부족함으로 재교육을 실시하여 재검증후 인장강도에 이상이 없을시 출하판정하는 것이 좋다고 판단 됨.

· Ni TAB M/T 작업이력

1.Ni TAB M/T Line : C
2.Cream Solder : OZ2062-606F

월일	Key No	양종수	시간	작업자	구분	R/W 인장강도 측정결과 [N=5]			출하품의 인장강도 측정결과 [N=10]			비고
						MAX	AVE	MIN	MAX	AVE	MIN	
2.09	28074023	2,000 / 100	23:30-24:50	은하	B+							2/15출하:1985개
					B-							
2.10	28051986	2,000 / 100	24:50-03:10	"	B+							
					B-							
	28052009	2,000 / 100	03:10-04:25	"	B+							2/15출하:1975개
					B-							
	28074011	2,000 / 100	04:25-05:30	"	B+							2/15출하:1975개
					B-							
	28051998	1,140 / 57	05:30-06:30	"	B+							2/15출하:1977개
					B-							
	28051998	860 / 43	08:00-08:30	신하	B+							
					B-							
	28074035	1,000 / 50	08:30-09:00	"	B+							2/15출하:996개
					B-							
2.12	28091770	2,000 / 100	09:00-10:00	"	B+	4.60	4.28	3.80				
					B-	2.60	2.28	2.00				
	28091768	2,000 / 100	10:00-11:00	"	B+							
					B-							
	28091782	2,000 / 100	11:00-12:00	"	B+				4.39	3.41	3.00	출하대기
					B-				3.56	2.75	2.32	
	28091794	2,000 / 100	12:00-14:00	"	B+				4.37	3.73	3.18	출하대기
					B-				4.44	3.96	2.68	
	28091756	2,000 / 100	14:00-15:00	"	B+				3.68	4.63	3.09	출하대기
					B-				3.85	4.83	3.00	
2.13	28091821	2,000 / 100	08:00-09:00	"	B+							
					B-							
	28091845	2,000 / 100	11:00-12:00	"	B+	2.30	1.80	1.20	4.30	3.75	3.30	출하대기
					B-	3.50	2.50	1.40	4.23	3.86	3.40	
TOTAL	IC 수 / 매 수	25,000 / 1,250										

이상발생LOT

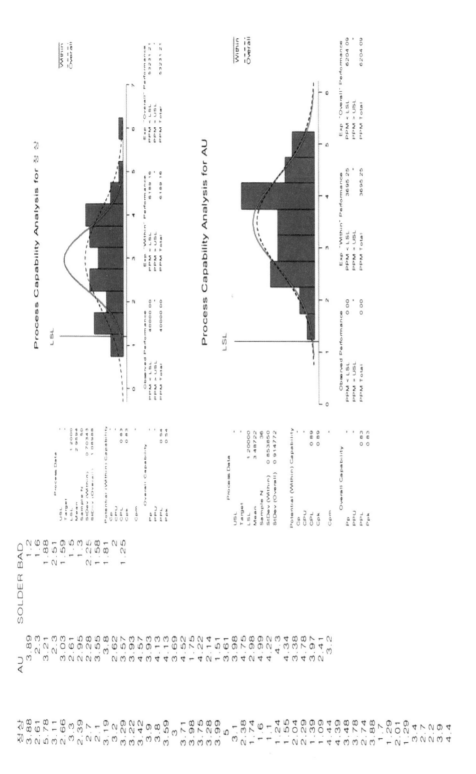

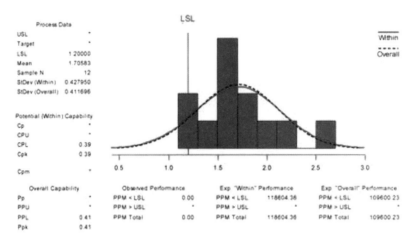

Process Capability Analysis for SOLDER

Process Data	
USL	*
Target	*
LSL	1.20000
Mean	1.70583
Sample N	12
StDev (Within)	0.427950
StDev (Overall)	0.411696

Potential (Within) Capability	
Cp	*
CPU	*
CPL	0.39
Cpk	0.39
Cpm	*

Overall Capability	
Pp	*
PPU	*
PPL	0.41
Ppk	0.41

Observed Performance	
PPM < LSL	0.00
PPM > USL	*
PPM Total	0.00

Exp "Within" Performance	
PPM < LSL	118604.36
PPM > USL	*
PPM Total	118604.36

Exp "Overall" Performance	
PPM < LSL	109600.23
PPM > USL	*
PPM Total	109600.23

1. 외관이후에 양품을 100개를 강도 측정하다.

   TAB의 강도 측정은 제조과의 측정자가 실시한다.

   data의 확인 및 다음공정으로 진행 판정은 기품에서 실시

2. 강도 평가의 기준은 현행의 기준(MIN 1.2 ㎏, 평균 2 ㎏)

3. 외관한도 기준은 별침의 외관기준으로 실시한다.

■ Bond Strength Test

	업체명	Test Method	Spec	비고
1	LG PHILIPS LCD	Wire를 SMD Pad에 납땜 -> Full Test	0.83kgf/2.34㎟	
2	삼성 SDI	wire pull strength	1.0kgf/㎟	
3	하이테크 전자	Lead 끝에 Push-pull 측정기를 고정시켜 45℃방향으로 인장강도 측정.	19.6N/㎠이상 (2kgf/㎠이상)	
4	IPC-650	After wire soldering land pull the wire by tensile tester (90℃ 방향)		
견본				

8) Ni 처리 후 시간경과에 따른 표면문제 진행 Test

① Test 목적

Ni처리 후 방치 시간 별 진행성 산화 정도의 확인을 위함.

② Test 방법 :

②-1 제품을 투입하여 Ni zone까지 정상 (Auto-process) 진행

②-2 Ni 처리 후 식별표기 하여 방치 후 시간대 별 Interval을 설정하여 각각 Manual 작업으로 금도금 처리하여 Au 박리 후 Ni 상태의 변화를 본다.

③ Test 결과

Test Result of Au stripping (Ni 도금 후 시간경과 시편)

방치 시간	20sec	30sec	45sec	1min	3min	5min	10nim	30min
제품								
색 유무	양품	양품	양품	불량	불량	불량	불량	불량

5. 금도금표면 → DEWETTING

1) 불량발생 추정원인

① 무전해 금도금 욕조 중 Nickel 도금욕조의 P(인) 함유량 증가에 따른 Dewetting 발생

② 금도금 표면의 기타 유기물질의 오렴에 의한 Dewetting 발생

2) 추정원인에 대한 불량분석

① GFP 부분 및 기타 pad 부분에서의 금도금 표면이 다소 거친유형을 나타냄.

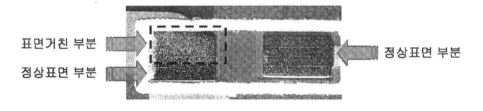

표면거친 부분
정상표면 부분
정상표면 부분

② 표면거침 부분에 대한 Test 진행
   - 금도금 표면에 대한 SEM/EDM 분석
     : 금도금 표면조직 및 유기물질 분석
   - 금도금 박리 후 Nickel 하지도금의 SEM/EDM 분석
     : Nickel 표면조직 및 P(인) 성분 분석
   - Reflow Soldering Test
   - Gold & Nickel 도금두께 측정

3) 분석결과

① 금도금 표면에 대한 SEM/EDX 분석결과

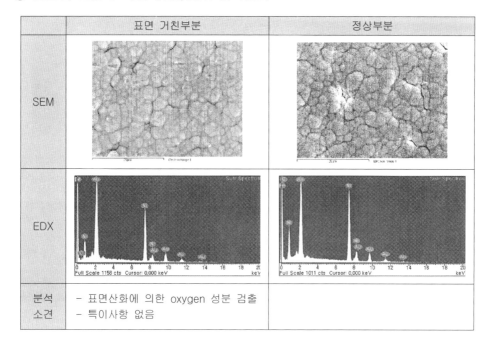

	표면 거친부분	정상부분
SEM		
EDX		
분석 소견	– 표면산화에 의한 oxygen 성분 검출 – 특이사항 없음	

② 금도금 박리 후 Nickel 하지도금에 대한 SEM/EDX 분석결과

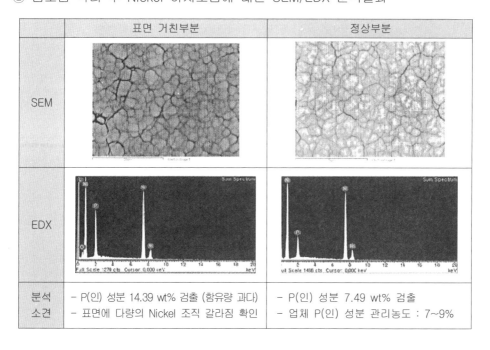

	표면 거친부분	정상부분
SEM		
EDX		
분석 소견	– P(인) 성분 14.39 wt% 검출 (함유량 과다) – 표면에 다량의 Nickel 조직 갈라짐 확인	– P(인) 성분 7.49 wt% 검출 – 업체 P(인) 성분 관리농도 : 7~9%

③ Reflow Soldering Test

	Soldering Test 전	Soldering Test 후
분석 소견		- 표면거친 부분에서 dewetting 현상 재현 - PCS 별 동일 위치에 동일 현상 발생 확인

▶ Reflow Temp. profile

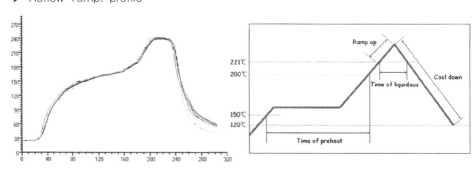

	Time of preheat	Ramp up (℃/sec)	Time above of liquidous(sec)	P e a k temp	cool down	Time of reflow	R e m arks
	150 ~ 200℃	Avg. 221 ~ 260℃	221℃	–	Avg. 260 ~ 150	120℃	
Reflow temp profile	85±2	Max. 1.5 Avg. 0.8	74±2	260±1	Max. 3.0 Avg. 2.1	5min ±2sec	

▶ Solder paste

    (a) 제조사 : 동화다무라

    (b) 모델명 : LFSOLDER

    (c) 모델번호 : TFL-204-105-1

    (d) 성분함량 : Sn 96.5/ Ag 3.0/ Cu0.5

▶ Reflow m/c의 heating zone

	#1	#2	#3	#4	#5	#6	#7	#8	#9	#10	비고
상	150	160	160	170	190	200	220	250	280	140	
하	150	160	160	170	190	200	220	250	280		

④ Au 및 Ni 도금두께 측정 Data

No	Gold	Nickel	Results
Min	0.093	2.638	
Max	0.168	4.401	NG
Range	0.075	1.763	
Avg	0.115	3.805	

No	Gold	Nickel	측정오차
1	0.107	3.625	
2	0.118	4.262	
3	0.137	3.456	
4	0.113	4.213	
5	0.095	3.553	
6	0.095	3.775	
7	0.093	3.513	
8	0.100	3.299	
9	0.127	3.807	
10	0.096	2.638	
11	0.104	2.789	
12	0.114	3.821	
13	0.119	4.036	
14	0.140	4.401	
15	0.168	4.272	
16	0.141	4.242	
17	0.096	4.310	
18	0.144	4.237	
19	0.093	3.721	
20	0.093	4.126	
Avg	0.115	3.805	
Min	0.093	2.638	
Max	0.168	4.401	

4) 결론

① 금도금 거침부분 및 Dewetting 부분에 대한 SEM/EDX 분석결과 P(인) 함유량이 관리기준을 초과함.

	P(인) 함유량	비고
Dewetting 부분	11.64 wt%	Soldering 표면 EDX 분석
Au 박리 후 Nickel 부분	14.39 wt%	

② 금도금 거침부분에 대한 Reflow Soldering Test 결과 Dewetting 현상 재현됨.

③ 상기 Test 결과에 따라 Dewetting 발생원인은 Nickel 도금욕조의 불순물인 인(P) 함유량 과다에 의한 Nickel 침식으로 인한 Dewetting 현상 발생으로 판단됨

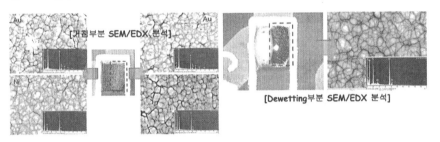

6. Au 박리 후 표면 분석

1) 검토 개요

- ENIG 도금 이상부위에 대한 분석

2) 분석 Sample

- A에서 제공받은 LCD 제품

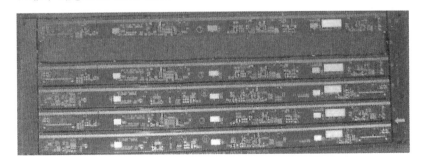

3) 검토 진행 사항
 - Au/Ni 박리 진행, 도금표면 광학 현미경 및 SEM/EDX 분석 진행

4) 분석 결과 (세부사항 별첨 참조)
 - EDX 성분분석 결과, 유기물 오염과 PSR 잔류물로 의심되는 성분 검출됨.
 - 광학 현미경 및 SEM표면 관찰결과, Cu 표면에 얼룩이 Au/Ni 표면과 연결된 것을 알 수 있음

5) 최종 결론
 - 확인 결과 Cu 표면 굴곡 및 유기 오염물과 PSR 잔류물이 증착된 것으로 추정되며 전처리과정(pumice)에서 제거되지 않고 잔존하여 Au/Ni 도금 표면에까지 나타난 것으로 추정됨.

■ 분석과정

	Au 박리 전	Au 박리 후	Ni 박리 전
X140			
X280			
	Au 박리 전	Au 박리 후	NI 빅리 진
X140			
X280			

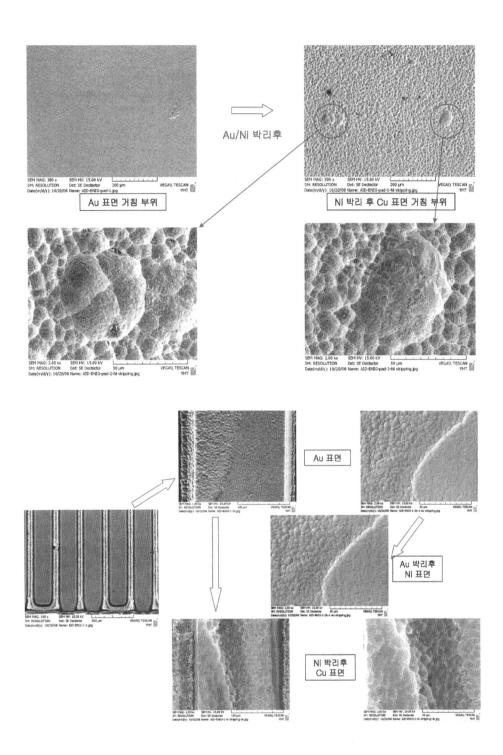

Au 표면 거침 부위

Au/Ni 박리후

Ni 박리 후 Cu 표면 거침 부위

Au 표면

Au 박리후
Ni 표면

Ni 박리후
Cu 표면

❖ AID재료 ENIG 도금 이상부위 EDX 성분분석 결과

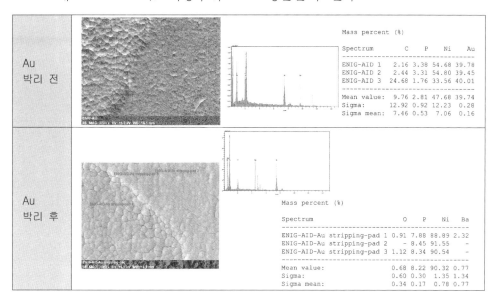

Au 박리 전		Mass percent (%) Spectrum C P Ni Au ------------------------------------ ENIG-AID 1 2.16 3.38 54.68 39.78 ENIG-AID 2 2.44 3.31 54.80 39.45 ENIG-AID 3 24.68 1.76 33.56 40.01 ------------------------------------ Mean value: 9.76 2.81 47.68 39.74 Sigma: 12.92 0.92 12.23 0.28 Sigma mean: 7.46 0.53 7.06 0.16		
Au 박리 후		Mass percent (%) Spectrum O P Ni Ba --- ENIG-AID-Au stripping-pad 1 0.91 7.88 88.89 2.32 ENIG-AID-Au stripping-pad 2 - 8.45 91.55 - ENIG-AID-Au stripping-pad 3 1.12 8.34 90.54 - --- Mean value: 0.68 8.22 90.32 0.77 Sigma: 0.60 0.30 1.35 1.34 Sigma mean: 0.34 0.17 0.78 0.77		

21-7. 외형가공 (ROUTER & PRESS)

1. 외형가공 불량유형

 1) 항목 : 외형가공

  ① 유형

   (a) 외형가공 종류 → ROUTER / PRESS / V-CUT / 면취

   (b) EPOXY 잔사 ⓒ V-CUT미스   ⓔ PUNCHING 후 오염

  ② 형태

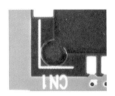

V-cut 단면	재질	가공치수				비고
		A	B	C	D	
D A B C	Phenol	0.4	0.6	0.8	30 or 40도	
	Glass Epoxy	0.6	0.6	0.4	30 or 40도	

2. 외형가공 비교

NO	문제점	H사	D사	지적사항
1	0.8T 이하의 제품작업은?	0.8T~2.4T까지는 DV-2로 작업하고 0.8T 이하의 제품은 외주처리중	0.8T 이하의 제품은 DV-2로 작업하고 이하의 제품은 쇼다M/C를 전용으로 사용	FEEDING BELT의 간격 조정 후 작업 (0.3㎜정도로 set)
2	V-CUT시의 깊이 정도차의 문제는?	투입부와 배출부의 깊이의 차가 0.1이상 발생	이상없음	FEEDING BELT의 간격 조정 후 작업 (0.3㎜정도로 set) - 엔지니어 재조정 필요
3	V-CUT의 평행정도는?	투입부와 배출부의 평행이 상이하여 일직선 불량 발생(약0.3㎜이상)	이상없음	투입부와 배출부의 평행간격 재조정

NO	문제점	H사	D사	지적사항
4	면취 작업시 두께에 따른 면취깊이의 불량은?	면취작업 시 B/D의 두께차이는 미세하지만 면취각이 작아 길이 차이는 약 3.5배정도로 면취길이의 오차정도가 큼(약0.3㎜이상)	면취기의 작업방식이 근본적으로 상이함(마이크로 전자의 면취기와 같은 방식사용)	20도 면취 시 단자 떨어짐의 원인은 스핀들의 RPM 또는 엔드밀의 마모
5	수세시탕세 온도 및 건조기 온도는?	탕세온도 65도 건조온도 80도 설정 1일 1회의 물교환 금도금제품과 HAL제품과 선택적으로 상수와 순수사용	고압수세단-수세(상수)-브러시-수세(이온수)-RAM JET-건조 순으로서 RAM JET단이 특이하여 건조의 안정성 확보 및 1일 4회의 물교환, MODULE을 위하여 브러시단 추가(BURR)	1일 4회 교환 검토
6	ROUTER BIT의 수명 관리는?	1.6T 4STACK 기준으로 60~70M 사용	현재 50M로 사용 (단자면취제품의 경우 35M 사용)	-
7	ROUTER의 RPM 및 FEED RATE는?	RPM = 22000, FEED RATE = 1300㎜/MIN	RPM = 30000, FEED RATE = 1500㎜/MIN	-
8	0.9T 이하의 제품작업은?	0.8T~2.4T까지는 DV-2로 작업하고 0.9T 이하의 제품은 외주처리중	0.8T 이하의 제품은 DV-3로 작업하고 이하의 제품은 쇼다 M/C을 전용으로 사용	FEEDING BELT의 간격조정 후 작업(0.4㎜ 정도로 set)
9	V-CUT시의 깊이 정도차의 문제는?	투입부와 배출부의 깊이의 차가 0.2 이상 발생	이상없음	FEEDING BELT의 간격조정 후 작업(0.4㎜ 정도로 set) - 엔지니이 제조전 필요
10	V-CUT의 평행정도는?	투입부와 배출부의 평행이 상이하여 일직선 불량 발생(약0.4㎜이상)	이상없음	투입부와 배출부의 평행간격 재조정

3. ROUTER 가공

1) 문제점 및 대책

문제점	원인	대책
EPOXY가루 잔존	BIT 종류 선정 부적당	BIT 종류 재선정
	절삭 조건 부적당	절삭조건 재선정
	집진능력 부족	집진능력을 높임
BIT 부러짐	EPOXY 가루 잔존	절삭조건에 적당한 BIT 선정
	절삭 부분에 부하가 많이 걸림	회전수를 낮추어 TEST 실시
	SPINDLE 문제	콜렛, 베어링 CHECK
	BIT의 정도, 강성 부족	
제품 정도 부족	절삭 부하가 클 경우	절삭조건에 적당한 BIT 선정
	SPINDLE 문제	회전수를 낮추어 TEST 실시
	BIT의 정도, 강성 부족	콜렛, 베어링 CHECK
가공면 불량	EPOXY 가루 배출 불량	BIT 재선정
	BIT 마모	BIT 수명 RECHECK
	절삭조건 부적합	회전수 및 FEEDING 속도 CHECK
	기판 불량	기판의 재질을 CHECK
이바리	BIT 마모	BIT 수명 RECHECK
	BIT 부적합	BIT 재선정
	절삭 조건 부적당	회전수 및 FEEDING 속도 CHECK

2) 날 우회전 방향 BIT

① 절삭 주축이 우회전이고 부절삭축이 좌회전인 날을 말한다.

② 절사분(EPOXY가루) 배출성에 우수한 특성을 가지고 있음

③ 반면, 기판을 위로 당기는 힘이 작용함으로 절삭면 상태가 좋지 않고, BIT가 쉽게 부러져 제품정도에 영향을 줄 수 있는 단점을 가지고 있음.

3) 날 좌회전 방향 BIT

① 절삭주축이 좌회전이고 부 절삭축이 우회전인 날을 말한다.

② 기판을 아래로 밀착 시키는 힘이 작용함으로 절삭중에 진동이 적고, 절삭면이 우수하며 소음도 적은 특징을 가지고 있음

③ 반면 절삭분(EPOXY가루) 배출성이 떨어지는 단점을 가지고 있음.

4. V-CUT

1) 일반적인 V-CUT 가공 치수

가공상황 재질	CUTTER종류	가공치수				V-CUT 단면
		A	B	C	D	
페놀기판	초경 CUTTER	0.4	0.4	0.8	30°-0.22	
	다이아몬드 CUTTER				45°-0.34	
COMPOS ITE 기판	초경 CUTTER	0.4	0.4	0.8	30°-0.22	
	다이아몬드 CUTTER				45°-0.34	
GLASS- EPOXY	초경 CUTTER	0.6	0.6	0.4	30°-0.33	
	다이아몬드 CUTTER				45°-0.54	

※ 기판 두께가 1.6T일 경우의 일반적인 가공상황임

45도는 일반적인 기판에서 사용하며, 30도는 고밀도 PATTERN 기판에 적용.

2) 박판 작업방법(0.1T 이하 제품)

① 제품을 작업할 축을 선정한다. (박판 작업 시 축은 1축만 사용한다.)

② V-CUT 날을 상하날 위아래로 올리고 내린다.

③ SUB 아대를 충분히 뺀다.

④ 제품을 FEEDING시켜 클램프 중간에 걸리게 한다.

⑤ 클램프 높이를 조절한다.

　※ 주의사항 : 클램프 높이 조절방법 (각 부품에 명칭은 숫자로 표기)

　(a) 클램프 고정 랜찌 볼트를 푼다. (랜찌 볼트 1)

　(b) 클램프 높이 조절 고정너트를 풀른 후 높이조절 볼트를 돌려 제품의 높이
　에 맞춘다. (고정너트 2, 조절볼트 3)

　(C) 클램프 높이를 조절 후 고정너트로 고정시킨다. (고정너트 2)

⑥ 제품을 FEEDING시켜 본나.(클램프 높이가 꼭 조여 있으면 제품에 벨트
자국이 생길 수 있으니 조절 및 TEST)

⑦ 제품이 클램프 중간에 왔을 때 FEEDING 정지 후 제품의 움직임이 있는
지 확인한 후 움직임 없을 시 V-CUT날을 맞추어 작업을 한다.

⑧ 작업 시 조건이나 이상상태를 발견하였을 경우 SHIFT장이나 PART장에
게 보고한다.

⑨ 발견된 조건이나 이상상태 조치 후 작업한다.

⑩ 작업자는 UNLOADER에서 제품의 상태를 CYCLE마다 확인하면서 진행한다.

3) JUMP V-CUT TEST 현황

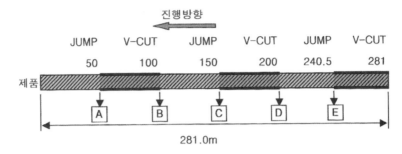

실측 \ 설정값	A 50	B 100	C 150	D 200	E 240.5
1	40	104.07	138.89	203.2	228.04
2	41	103.79	138.06	203.06	228.22
3	40	103.88	139.07	203.41	229.11
4	40.25	103.79	137.87	203.05	228.43
5	38.75	102.98	138.67	203.09	228.38
6	40.75	104	140.02	204.26	228.51
7	42	104.61	139.19	203.58	228.5
평균값	40.4	103.9	138.8	203.4	228.5
설정값-측정값	9.6	-3.9	11.2	-3.4	12.0

결론 : JUMP V-CUT시 JUMP와 V-CUT의 간격이 최소 16㎜의 여유가 있어야 작업가능
(시작점때문) 하고 JUMP는 3회까지 가능합니다.

5. ROUTER, 역가공에 의한 GUIDE HOLE OPEN

1) 현상

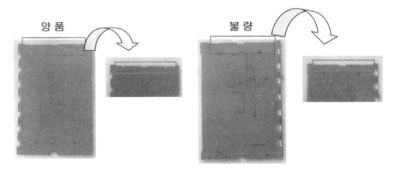

2) 발생원인

  ① Marking 작업 후 Panel을 대차에 적재 시 일부 Panel이 뒤집힌 상태에
     서 적재됨.
  ② Router 작업자가 Panel의 Stack 적재 시 뒤집힌 제품을 확인하지 못함.
  ③ Router 작업을 위해 Guide Pin에 Panel을 삽입 시 뒤집힌 제품 또한 동
     일하게 삽입됨.

3) 개선 대책

  ① 전 모델 역삽입 방지 PIN 적용.

4) 역삽입 방지 PIN 표준

  ① PIN Φ : 2.5~3.0Φ
  ② PIN 가공 위치 : Panel Dummy부의 인쇄 Guide Hole에 Hand Drill을 이
                    용하여 가공.
  ③ 적용 범위 : Route 가공 전 모델.

5) 역삽입 방지 PIN 적용상태

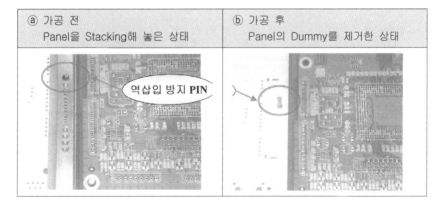

6. 외형가공 → EPOXY 잔사

1) 제품 : 2LAYER 박판

2) 부적합 사항 : 내부 Router 부분의 Epoxy 잔사

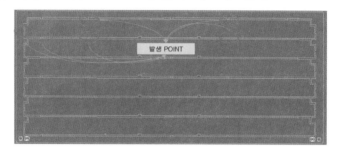

3) 발생원인 : Router 가공 시 Chip 배출이 적시에 되지 않아 발생.

4) 개선대책

   ① Router Program 변경 : Start Point에 Router Program으로 Second Drill
                     가공.

   ② Router 가공 BIT 변경 : 1.5Φ

                     내부 PCS 사이의 Gap이 1.6㎜인 제품.

   ③ Router 작업 전 Back-up Board에 사전 작업 시 2.0Φ로 가공.

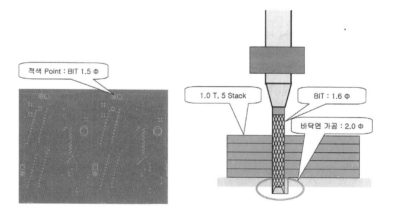

5) 효과파악

   ① Epoxy 잔사 완전 제거 : Re-Touch 시간 감소 및 검사 시간 감소.

   ② 생산성 향상 : Cycle Time이 41 min에서 37min으로 감소.

· 개선 전

　: 0.10 SM/분 ⇒ 6.01 SM/시간 ⇒ 144.14 SM/일 ⇒ 4324.55 SM/월

　　60 KIT/CYCLE ⇒ 2107 KIT/일

· 개선 후

　: 0.11 SM/분 ⇒ 6.65 SM/시간 ⇒ 159.72 SM/일 ⇒ 4791.69 SM/월

　　60 KIT/CYCLE ⇒ 2335.15 KIT/일

　　개선 전 대비 생산성 11% 향상.

6) 추가 개선 사항

　현재 ROUTER 공정에서의 Second Drill로 해결하였으나, Drill 공정에서 First Drill을 하면 추가적으로 Cycle Time의 감소가 가능.

　규격관리와 협의 예정.

7. 금형 편심 → SHORT

1) 문제점

　① 불량내용 : PCB G/Hole 금형 편심으로 제조 공정 검사 시 (Check 장작)
　　　　　　　 Guide Pin을 통한 GND와 인접 Pattern(5V Line) Short 발생
　　　　　　　 → Pattern 및 L902 연소

　② 불량수량 : 10개

　③ 불량위치 : 5V Pattern 인접 Guide Hole(Array 기준 2개소)

　④ 생산주기 : 특정 생산주기 구분 없음

　⑤ 불량현상

[불량] [양품]

상향(0.20~0.25mm) 편심 타발됨
* Guide Hole Size : Φ4.0

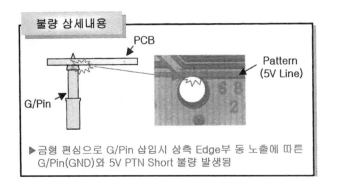

불량 상세내용

PCB

Pattern
(5V Line)

G/Pin

▶금형 편심으로 G/Pin 삽입시 상측 Edge부 동 노출에 따른
G/Pin(GND)와 5V PTN Short 불량 발생됨

2) 확인사항

① 같은 Model 금형 편심여부 확인

   (a) 편심 현상은 불량발생(노출) 부위에서만 나타나는 것이 아니라 전체적으로
       금형편심 현상 나타남

   (b) 다른 부위 : 인접 PTN 없는 관계로 Short 불량소지 없음

           (단, Guide Hole 편심으로 인한 T/P CHK 틀어짐으로 SMT 및
           제조 검사공정 가성불량 소지 있음)

            → 같은 문제의 원인은 금형 편심에 의한 불량발생이나, PTN
              과 Hole의 Clearance 미확보(0.2㎜)에 따른 향후 문제소지
              有로 설계 Data 수정 필요

② 다른 Model Clearance 확보여부 확인

   (a) SMT 및 수삽 부품 : 전체 Model 확인결과, Clearance 확보됨(IQA 관리
              실시중 : 개발단계~)

   (b) 정/장공(치구 Hole 포함) : Combo(JC3, JC4) Model Clearance 확보 필요

3) 근본 대책

① 설계 Data 수정

   (a) 문제 부위 : PTN 0.2㎜ 이동(0.4㎜이상 Clearance 확보)

   (b) 동(同) 설계 구조 Model : JC2, JC4 수정 실시

② 금형편심 개선대책 입수

③ 개발 Model 품질확보 방안 수립

   · 동(同) 사례(정/장공 Clearance 확보) CHK List 추가 관리
    실시통한 개발단계 설계구조 완성도 향상 활동 실시

4) 임시대응 : 제조 Ass'y 처리 Guide Pin 삭제부위

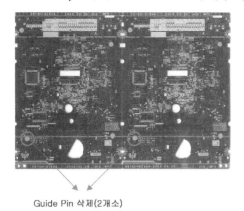

Guide Pin 삭제(2개소)

8. V-CUT → BURR

1) 유리섬유 Bur 발생됨

2) 원인 분석

① 1.1t 1/1oz CCL로 만든 PCB에서 확대사진을 확인 결과 v-cut이 양쪽이
비대칭으로 작업되어 절단 시 기판을 물리적 힘에 의하녀 유리 심유가
돌출되어 나옴.

Fig.1 : Right V-CUT on both   Fig.2 : Interlace V-CUT on
        side (정상 대칭 작업)   both side (비대칭 작업)

(Without physics stress)   (Physics stress existing)

② As Fig 2

비대칭 v-cut의 섹션 사진

③ 대칭으로 작업된 부분의 섹션사진 - 기판 절단 후 bur가 남지 않음.

3) 결론

절단면의 유리 섬유 bur는 v-cut 작업의 양쪽면이 비대칭으로 이루어져 발생된 것이므로 공정 개선을 희망합니다.

9. 단자 면취

1) 관리 기준

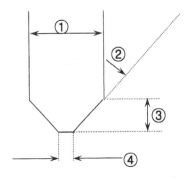

회사명 SPEC	A	B	C	D
① 두께	1.6+0.1/−0.08 (1.52~1.70)	1.6±0.1 (1.5~1.7)	1.6±0.1 (1.5~1.7)	1.6±0.16 (1.44~1.76)
② 면취 각도	20°±2 (18~22)	20°	20°±2 (18~22)	20°
③ 면취 길이	1.15㎜±0.1 (1.05~1.25)	1.15㎜±0.1 (1.05~1.25)	1.14㎜±0.1 (1.04~1.24)	1.14㎜±0.1 (1.04~1.24)
④ 면취 잔존폭	0.64~0.77㎜	0.77㎜ 이하	0.64~0.77㎜	0.64~0.77㎜
⑤ 비고	면취 잔존폭 관리	면취 길이 관리	면취 잔존폭 관리	면취 잔존폭 관리

※ A사 6층 제품 잔존폭 관리 기준은 0.56~0.77㎜ ▶ 4층 제품 관리 기준으로 통합 관리함.
0.64~0.77㎜

* 특기사항

　－ 면취 잔존폭, 길이 관리 철저

　－ Burr 허용 안함

　－ 라운드 단자시

　　· 동박기준 리드선 없을 것

　　· 1/2까지 Pin Touch 허용

　－ 사각 단자시 : Pin Touch 허용 불가

2) CARD류 공통 면취 SPEC

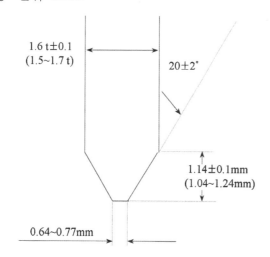

1.6 t±0.1
(1.5~1.7 t)

20±2°

1.14±0.1mm
(1.04~1.24mm)

0.64~0.77mm

3) 변경 후의 단자 모양 (직각 ⇒ ROUND 처리)

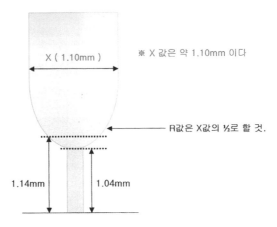

X (1.10mm)

※ X 값은 약 1.10mm 이다

R값은 X값의 ½로 할 것.

1.14mm   1.04mm

4) 그래픽 card 업체별 면취 SPEC

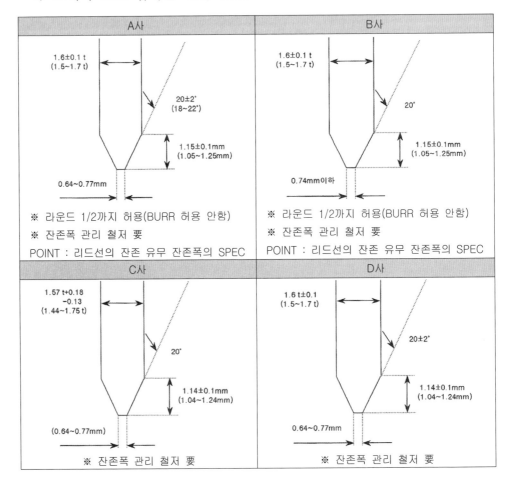

A사	B사
1.6±0.1 t (1.5~1.7 t)	1.6±0.1 t (1.5~1.7 t)
20±2˚ (18~22˚)	20˚
1.15±0.1mm (1.05~1.25mm)	1.15±0.1mm (1.05~1.25mm)
0.64~0.77mm	0.74mm이하
※ 라운드 1/2까지 허용(BURR 허용 안함) ※ 잔존폭 관리 철저 要 POINT : 리드선의 잔존 유무 잔존폭의 SPEC	※ 라운드 1/2까지 허용(BURR 허용 안함) ※ 잔존폭 관리 철저 要 POINT : 리드선의 잔존 유무 잔존폭의 SPEC
C사	D사
1.57 t+0.18 −0.13 (1.44~1.75 t)	1.6 t±0.1 (1.5~1.7 t)
20˚	20±2˚
1.14±0.1mm (1.04~1.24mm)	1.14±0.1mm (1.04~1.24mm)
(0.64~0.77mm)	0.64~0.77mm
※ 잔존폭 관리 철저 要	※ 잔존폭 관리 철저 要

10. PCB 덧살 치수 표준화 및 PSR 제거

1) 추진 목표

덧살 부위 Gerber와 제품 치수 상이로 인한 개발 샘플 NG 발생 감소

2) 추진 결과

LGD설계 PCB Design Check Sheet에 덧살 표준화 규격 추가 완료

3) 근거 Data

덧살치수(mm)	개수	점유율(%)
2.0	1	2.6%
2.6	1	2.6%
3.0	12	30.8%
4.0	1	2.6%
4.5	3	7.7%
4.6	1	2.6%
5.0	16	41.0%
5.8	1	2.6%
6.6	2	5.1%
9.1	1	2.6%
전체	39	100.0%

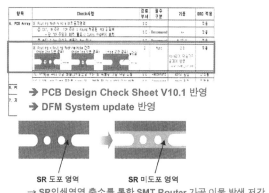

→ PCB Design Check Sheet V10.1 반영
→ DFM System update 반영

SR 도포 영역 → SR 미도포 영역
→ SR인쇄영역 축소를 통한 SMT Router 가공 이물 발생 저감

4) 향후 계획

SQA 효과성 검증 결과 불량 감소 효과 확인되어 모델 선정 진행 중

11. LED PCB 가공 방법 개선

1) 추진 목표

LED 단품 단축 설계 수정으로 라우터 가공방법의 효과적인 개선

2) 추진 결과

LED 설계팀의 Design 변경 협의 및 양산 변경 검토 진행

3) 근거 Data

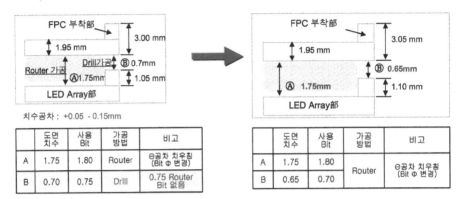

치수공차 : +0.05 - 0.15mm

	도면 치수	사용 Bit	가공 방법	비고
A	1.75	1.80	Router	⊖공차 치우침 (Bit Φ 변경)
B	0.70	0.75	Drill	0.75 Router Bit 없음

	도면 치수	사용 Bit	가공 방법	비고
A	1.75	1.80	Router	⊖공차 치우침 (Bit Φ 변경)
B	0.65	0.70		

4) 향후 계획

양산 적용 및 개발 모델 투입 시 CAM Data 재검토 필요

21-8. BUILD-UP

1. BUILD-UP 양산 시 문제점

1) 0.1¢ 이하 Conformal 노광 시 문제점

① 외층 노광에서 0.1파이 conformal mask가 자동노광에서 작업이 되지 않는 사례가 있다.

② 개선책

(a) 0.1파이 이하의 laser hole일 경우 final hole size를 감안해 master film을 약 25㎛ 줄여 투입하던 것을 hole과 film을 1:1로 작업해 노광을 하지만, 1.0T 이상의 제품은 진공 불량의 확률이 높으므로 최소 편측 에눌러링을 85㎛ 이상 확보 후 최대한 Conformal 크기를 늘려 투입하겠다. (현상 : 4.0m/min - TOK, 4.4m/min - 202J40, 부식:5.0m/min) 또한 동일 유형의 불량 점유율이 높은 제품은 특별 관리하여 conformal size를 작업 표준보다 확대해 몇차례 작업을 한 후 표준 개정에 들어가겠다.

(b) 0.1파이의 제품이 차후 BUILD-UP의 주류를 이룰 것으로 전망돼 0.1파이의 작업을 위해 노광기 점검, 노광 후 Hole point 검사 기준 강화 등 보다 구체적인 방안을 마련하겠다.

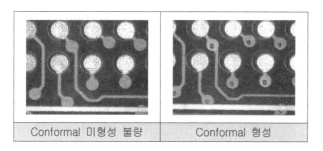

| Conformal 미형성 불량 | Conformal 형성 |

2) B-TYPE의 IVH 함몰 부위 Belt-sanding시 문제점

① 원인 : 2차 프레스시 발생되는 IVH HOLE에의 RESIN 함침에 따른 동박면 함몰 발생과 잦은 설비 고장

② 이의 제거를 위해 도금 후 Belt-sanding 작업을 거치나,

(a) 작업 시행 최소 3회로 작업 시간의 과다 소요에 의한 시간 loss 발생. (필수 불가결한 요인, 시행하지 않을 시 대량 open/결손 발생)

(b) 여러 번의 sanding 작업에 따른 스크래치성 open의 발생 우려

(c) 작업자의 skill에 따라 부분적으로 함몰 부위의 표면 연마가 되지 않아 결손 불량 발생 가능성

③ 개선책으로

(a) belt-sanding 작업 전 교체한 후 반드시 dressing 작업을 거친다.
   (dressing은 작업 표준에 준한다.)

(b) 장비 운전 시 최적의 조건을 맞추고 매회 표면 상태를 면밀히 관찰해 횟수를 결정한다.

(c) 설비 점검은 주기적으로 실시하며 궁극적인 trouble은 장비 업체에 배워 자체적으로 긴급 보수 할 수 있도록 능력을 배양한다.

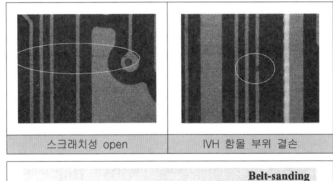

| 스크래치성 open | IVH 함몰 부위 결손 |

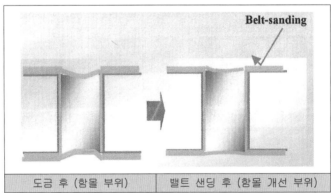

| 도금 후 (함몰 부위) | 밸트 샌딩 후 (함몰 개선 부위) |

3) SKIP VIA의 Resin 잔존 문제점

① Resin 잔존에 의한 불량 원인

(a) skip via는 기본적으로 RCC 프레스가 2회 이상 작업에 들어가고 내층의 패턴과 동박 점유율에 따라 층간 Resin 두께가 일정치 못하다.

(b) 1,2차 프레스 시 발생한 신축으로 인해 1,2차 conformal 작업 시 편심이 발

생 함.(자동 노광기로 작업 시 기계적인 편차도 발생)

(c) laser drill시 층간 편심에 의한 L2(혹은 반대 층)의 심한 돌출에 따른 Resin 의 완전 미 제거

(d) desmear시 미 제거 된 resin의 clear도 부족

(e) laser drill시 1~3 깊이를 관찰 할 수 있는 장비 없음.

② 개선책

(a) 1,2차 신축 발생 방지를 위한 정화간 back data 확보.(제품 사양과 동일 사양의 반복 시에도 각각 신축의 정도가 다르므로 쉽지 않다)

(b) laser drill시 resin의 완전 제거를 위한 가공 조건 확립(작업 표준 개정 후 현장 배포 완료)

(c) desmear 조건 변경 (2.8m/min → 2.2m/min)

(d) 홀 상태 관측용 현미경 확보 (일정 기간 후 확보 계획, 실험실 장비 확충 시 시편을 통한 resin 잔존 여부 확인)

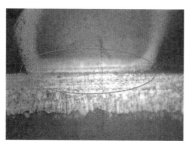

Resin remained

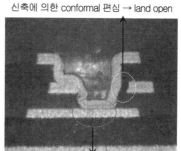

신축에 의한 conformal 편심 → land open

Laser drill / desmear 부적합층으로 층간 open

4) Laser drill 장비의 문제점

① 원인 : chiller(외부 순환) 핌프의 용량 초과로 장시긴 사용 시(3시간 이상) 기능정지.

② 현재 4RT의 기능을 갖추고 있으나 장착된 펌프는 그 용량을 극복하지 못 해 장시간 순환 시 온도과열로 장비 정지가 빈번 함.(재가동시까지 2~3시간 쉬었다해야하며, 그럴 경우 작업 시간에 지대한 영향을 미친다.)

③ 개선책으로 1일 24시간 이상을 풀가동해도 무리가 없을 정도의 용량을 가진 펌프로 교체하여야 한다.

2. CONFORMAL WINDOW로 인한 동도금 불량 사전방지
   HOLE SIZE 변경 → 80 ~ 100μm

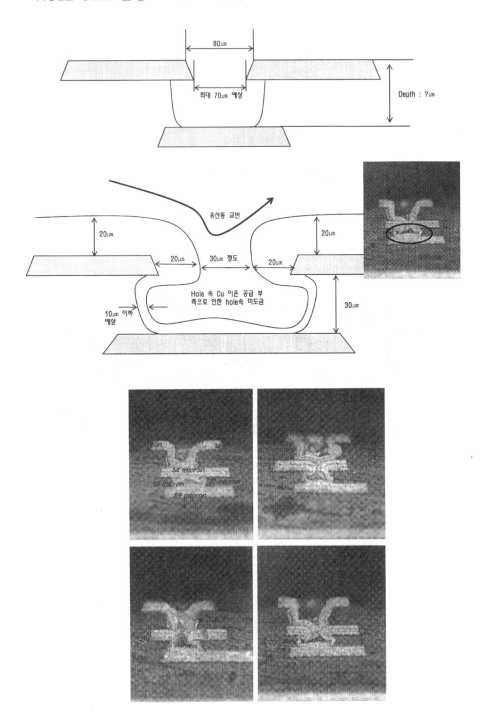

3. LASER DRILL 장비 이해

1) 목적 : LASER DRILL의 전반적 이해 습득과 미쯔비시 LASER DRILL
         MACHINE 이해

2) 미쯔비시 전기의 레이저 드릴 장비

① ML 605GTX III - 5100 U2 (CO2 Laser)

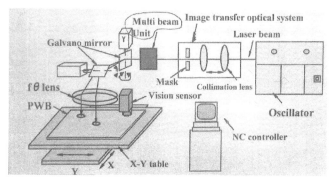

② ML 605LDX III - 5LQT3 (UV - YAG Laser)

3) Pulse wave와 Processing 사이의 관계

Pulse wave	Residual resin	Shape of hole cross section	Etching rate	Thickness of surface copper	Main application
High peak/ short pulse	Few	Taper	Few	Thick ~ 12μm	* Via hole * Copper direct via hole
Low peak/ long pulse	Much	Straight	Much	Thin~5μm	* Copper direct through hole

4) Copper direct processing의 적용

① 현행 공정

After laminating → Surface cleaning → Photo film laminating → Exposure → Developer → Etching → Laser drilling

② 신 공정

After laminating → Copper surface treatment → Laser drilling

5) 미쯔비시 Multi-beam Laser Drilling Machine

: Multi-beam은 동시에 하나의 f θ lens를 통한 두 개의 레이저빔에 의해 연속적으로 두 개의 홀을 가공할 수 있다.

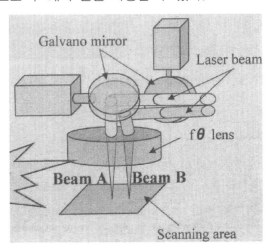

4. LASER HOLE

1) LASER DRILL

기판의 부품실장 밀도를 향상시키는 수단으로는 내층의 배선 밀도를 늘려서 내층과 외층과의 BH(BLIND VIA HOLE)로 접촉하는 방법이 효과적이다. 그러나 기존의 기계적인 드릴가공에 의한 BH 접속법에서는 절연층 두께의 오차에 의한 내층깊이의 오차가 크기 때문에, 내층 미관통과 절삭 과다로 인한 HOLE 하부와 다음 도체층과의 거리 부족으로 인해 접속의 신뢰성이 저하된다.(즉 가공깊이 조절이 용이하지 못하다.)

이런 문제점을 해결하기 위해서 개발된 방법이 CO_2 LASER DRILL을 이용한 가공법이다.

드릴 가공에 의해 1차적으로 유리 섬유층을 제거하고 2차로 LASER DRILL을 이용하여 나머지 수지층을 제거해 준다.

현재는 1차 유리 섬유층 제거 공정 없이 처음부터 유리 섬유층이 없는 RCC를 이용하여 LASER DRILL 공정만으로 BH를 가공하는 경우도 있다.

2) LASER 가공기기의 종류

항목	CO_2	UV/YAG Laser	Eximer Laser
가공 재료	유기재료 Glass Cloth 유기재료	유기재료 Glass Cloth 유기재료 FR-4	유기재료
가공 내용	Blind Via Through Hole	Blind Via Through Hole	Blind Via
Via 직경(μm)	50~	25~	~10
가공 Speed	◎	○	△
특징	실적 다수		미세가공 Via 잔류막의 제거

3) LASER DRILL PROCESS

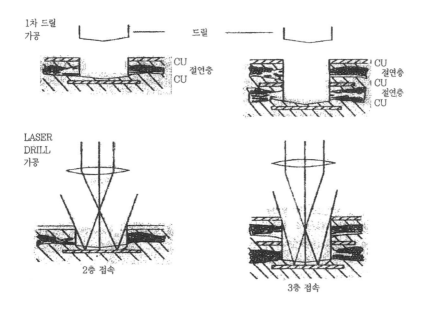

4) Laser Drill의 주요 가공 조건

ON Time	Laser Beam의 가공시간 (μsec)
Hz	Laser Beam 파장의 cycle
N	Laser Beam의 가공 횟수
Power	Laser Beam의 세기(ON Time과 비례하며, 자동 설정됨)
APT	Laser Beam의 직경의 결정하는 Lens

Maker : T사, Type : CO_2 Type

Hole Dia	ON	HZ	N
0.12	11.5	1000	4

5) 불량유형

① Problems

① Problems

② Void

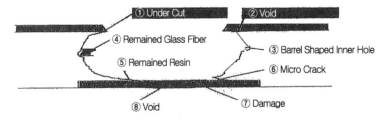

· Cause and Effect

- Heat accumulation from RCC copper surface

- Impact to the RCC surface by LASER Beam

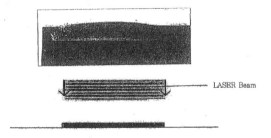

· Solution

- Short Pulse

- Reduce the pulse energy

② Problems

   ③ Barrel Shaped Inner Hole

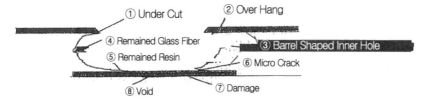

· Cause and Effect

   a. Reflection from hole bottom

   b. Incorrect position of Lazer mode(single mode) to the hole

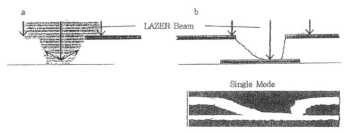

· Solution

   - Short Pulse (less than less)

   - The best suited number of shots

   - Multi-mode Beam

③ Problems

   ④ Remained Glass Fiber

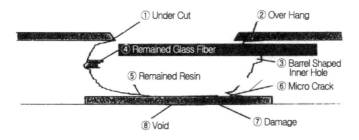

· Cause and Effect

   a. Difference Nature against heat between resin and glass

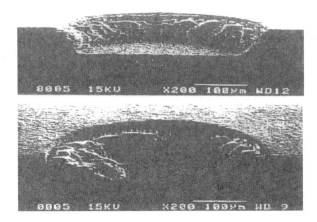

· Solution

   Ⅰ. High peak power processing

      | About 20J/cm² |

   Ⅱ. Cycle-mode processing

      | Less than 50Hz |

④ Problems

   ⑤ Remained Resir

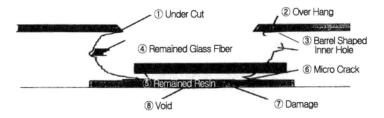

① Under Cut ② Over Hang ④ Remained Glass Fiber ③ Barrel Shaped Inner Hole ⑥ Micro Crack ⑤ Remained Resin ⑧ Void ⑦ Damage

· Cause and Effect

   a. Very thin smeared resin on the bottom of hole not reach sublimation point

b. Unstability of resin thickness

c. Single-mode processing

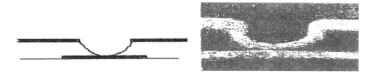

d. Unstability of LASER pulse energy

e. Incorrect postion of Laser Beam

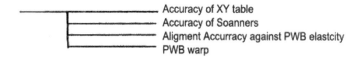

⑤ Problems

⑤ Remained Resir

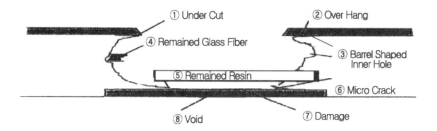

· Cause and Effect

Ⅰ. High Peak power, Short pulse

Ⅱ. Consideration of unstability of resin thickness

Ⅲ. Multi-mode processing

Ⅳ. Monitoring of Pulse energy and feed back

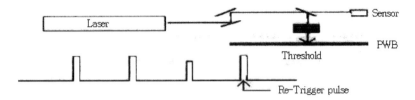

V. Full-closed position of scanners and temperature control of scanner box

VI. Real time hole checking system

VII. Development for new processing of no-remained resin by LASER

⑥ Problems

⑥ Micro Clack

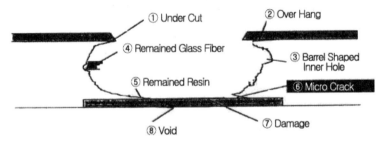

· Cause and Effect

a. The pressure from resin sublimation by LASER

· Solution

– Short pulse width(Less than 1μs)

– The best suited shape of LASER wave

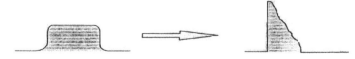

– The best pulse energy adapt to nature of material

⑦ Problems

　⑦ Damage　　⑧ Void

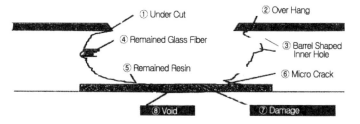

· Cause and Effect

　a. If the pulse width(irradiation time) is long the temperature of substrate surface is risen up

　b. Center portion of Cupper foil have damage due to single Beam

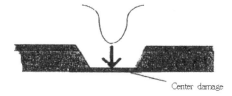

· Solution

　- Short Pulse

　- Multi-Mode Beam

⑧ Check Points of The Laser Drilled Via Hole Quality

　· Conformal Processing

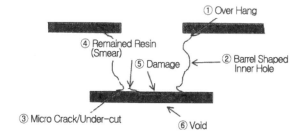

· Direct Processing

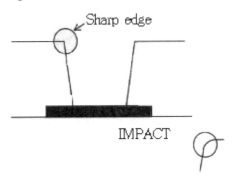

Sharp edge

IMPACT

The Key to Laser Processing Conditions

The choice of the energy density and number of shorts the latitude to insulation resin

⬇

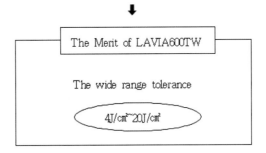

The Merit of LAVIA600TW

The wide range tolerance

$4J/cm^2 \sim 20J/cm^2$

The plating swells at the sharp edge
↑
Dog Bone

The thickness of the plating in the bottom corner part becomes thin when the bottom edge is sharp.

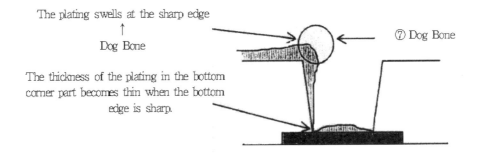

⑦ Dog Bone

6) 실가공시 문제점

① UNDER/OVER DRILL

※ Under Drill

Laser Drill 가공 조건 오류로 인하여 Resin 제거
가 안됨. beam power 및 shot 수가 약함

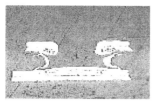

※ Over Drill

Laser Drill 가공 조건 오류 beam power 및
shot 수가 강함

② Pad shifting

1L와 2L층 편심으로 인한 드릴 HOLE SIZE 감소

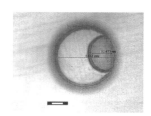 

③ Desmear 처리 미흡에 의한 Open 불량

일반적으로 Desmear etching rate 관리를 0.8~1.2㎛ 범위 내에서 관리
하고 있고 현재 당사 etching rate는 1.0㎛으로 측정되고 있습니다.

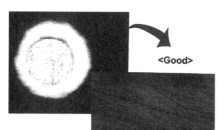 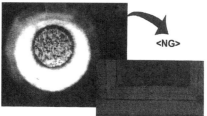

5. LASER HOLE 미가공

1) 원인 : Laser Drill 가공 중 Error(Alarm) 발생으로 Cable 교체 이력
   있음.

   – 전원 Box와 발진기를 연결하는 Cable에 (Connector 불량으로 추정)
   Noise 발생, 『Beam Power에 영향을 주거나』 또는 『명령어 수행 Error
   (Stroke shortage)』가 수반된 것으로 추정 됨.
   Noise는 장비의 전류, 전압, 주파수와 상관관계가 있어 Beam Power에
   영향을 줌
   – RF Cable 특성 : DC 48V, 60A에 관련된 전원을 공급하는데 용량 Over시
   Noise가 발생 할 가능성이 있음

2) 대책

   – 상기 원인에 대하여 Condition 설정 후 재현성 Test를 실시 할 것이며
   설비공급회사에서는 적극 협조하고, 문제 Connector 분석 결과를 설비
   공급회사에서는 그에 대한 분석 결과를 신속히 Feed back 한다.
   ※ 재현성 Test는 이후 진행 분 300K Laser Drill 가공 전 실시 예정 임.

   ▶ 레이저드릴 정상 가공 [BBT OK 제품]

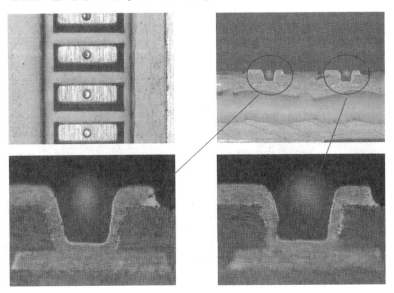

▶ 레이저드릴 가공 불량

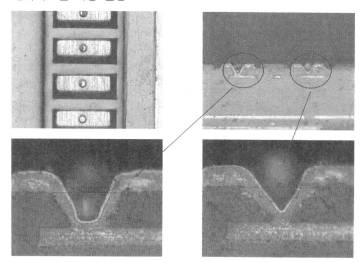

▶ 레이저드릴 가공 불량[BBT NG 제품]

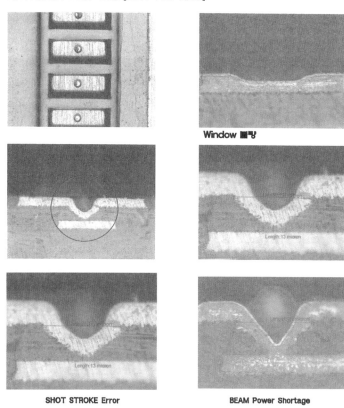

Window 불량

SHOT STROKE Error   BEAM Power Shortage

6. BUILD-UP, NON-OPENING

1) 불량 유형

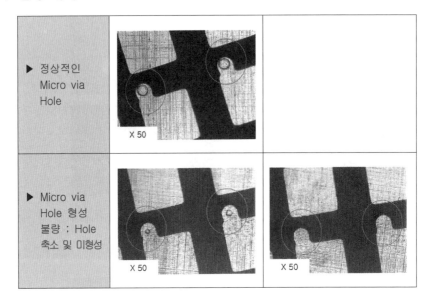

▶ 정상적인 Micro via Hole	X 50	
▶ Micro via Hole 형성 불량 ; Hole 축소 및 미형성	X 50	X 50

2) 발생원인 및 개선 대책

① 발생원인

(a) Micro via hole 형성을 위해 Cu opening 작업 시 사용된 Art Work Film에서Opening 형성이 축소 및 미형성 됨

; Lot 전량 발생 예상.

(b) Micro via hole 형성을 위해 Cu opening 작업 시 D/F 노광 과정에서 Art Work이 제품에 완전 밀착되지 않아 산란광에 의해 Opening 형성 불량 발생.

; Lot분 중 일부 또는 대부분 발생예상.

② 개선 대책

(a) Micro via hole 형성을 위해 Cu opening 적업 시 사용된 Art Work Film 폐기 및 재작성 후 검사하여 작업 진행.

(b) Micro via hole 형성을 위해 Cu opening 작업 시 D/F 노광 과정에서 Art Work이 제품에 완전 밀착될 수 있도록 Art Work을 빡빡 문질러 줌.

3) 불량 발생 Mechanism

① 정상적인 Micro via hole 형성 과정

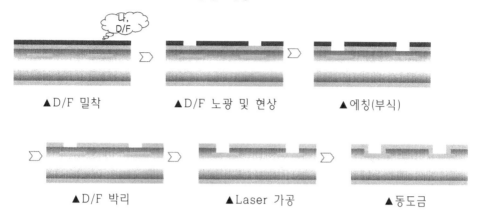

▲D/F 밀착   ▲D/F 노광 및 현상   ▲에칭(부식)

▲D/F 박리   ▲Laser 가공   ▲동도금

② 비정상적인 Micro via hole 형성 과정

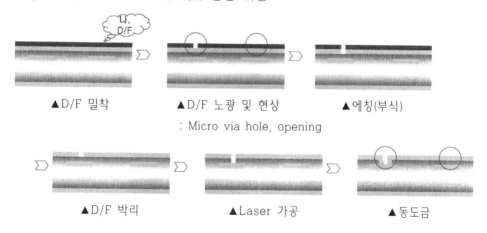

▲D/F 밀착   ▲D/F 노광 및 현상   ▲에칭(부식)

　　　　　　　　　: Micro via hole, opening

▲D/F 박리   ▲Laser 가공   ▲동도금

7. BUILD-UP 불량대책

1) conformal 노광 시 문제점

conformal 노광 시 미형성 문제는 노광 시 밀착불량과 E/T시 컨베어롤의
이물질에 의한 문제가 주종임

기본적으로 4mil의 경우 E/T을 가만하여 5mil로 작업을 함

그러나 현재 하이테크에서는 6mil도 형성이 안 된다면 노광 시 밀착불량으
로 개선하는 것이 빠르다고 판단됨.

2) IVH HOLE의 함침

Belt sand에서 Buff brush로 변경해야 함

변경 후 grade선정은 test를 통해 setup 해야 함

예전에 제가 해본 경험으로는 #200 + #400 + #600의 구조로 6축이면 헤꼬미가 발생하지 않음

3) Laser via의 Resin 잔존

① RCC의 LIFT TIME과 보관조건 확인

② Laser Drill의 Parameter 재확인

③ Desmear 조건 강화 (단 PTH의 Wicking 주의)

→ D사의 경우 수직 2회 또는 수직 (1회)+수평(1회)

4) 측면도금 부위의 텐팅터짐

① Deburring 조건에서 bur제거 반드시 되어야함

② D/F 현상 시 압력을 낮추어 작업하는 조건으로 재정립

8. BUILD-UP 품질문제

1) CONFORMAL 미형성

① 문제점

(a) CONFORMAL 노광(외층 작업)시 장비에서 제품과 Master film의 밀착력 저하로 진공 불량 발생.

· 자동 노광 장비 : 바하

(b) conformal film 작업 시 설계치 final size를 맞추기 위해 master film을 약 25μm 줄여 현장에 투입 해 진공 불량이 발생 함.(특히 0.15이하)

② Trouble shooting 내용

(a) conformal master film size 확대

· 0.1 이상 : 설계 크기보다 + 100μm 크게 작업(예) 0.15 제품 → 0.25로 작업

· 0.1 : 에눌러링을 편측 min 85μm만 확보하고 나머지 설계치수를 모두 hole로 작업.

(예) PAD size가 0.3mm일 때 master film size는 0.13mm로 작업.

(b) D/F 방법 변경

- 자동 노광 장비 변경 : 바하 장비에서 OTS 장비로 변경
- Dry film : 코오롱, 히타치 사용 검토.

③ TEST 예정 내용

(a) large window 방식으로 전환 test 예정.

- conformal 작업의 안정화와 도금시의 throughing power 개선
- 2003.06.02 ~ 2003.06.15일까지 투입 후 결론 도출
- 문제점 : laser drill시 설계 크기로 작업 시 편심에 따른 미drill 가능성.

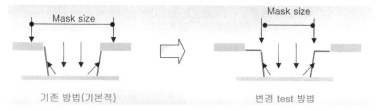

(b) 자동 노광 장비의 비교 test 예정.

- OTS 장비 작업 시 불량률 추이 기록.
- 2003.06.02~2003.06.15일 투입되는 Test 전제품

2) SKIP VIA 제품의 conformal 편심에 의한 land 터짐

① 문제점

(a) 1차 RCC 적층 부위와 2차 RCC 적층시의 신축 발생과 2차 Drill 편심과 1~2차 conformal 노광 편심 등의 이유로 SKIP VIA 제품의 land 터짐 문제가 발생.

- 타사에서는 전량 불량 처리 한다고 함.

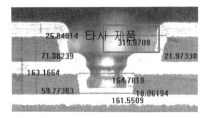

② Trouble shoothing 내용

(a) L1의 conformal film size를 편측 50μm씩 확대 작업

· 예: 0.25 → 0.35

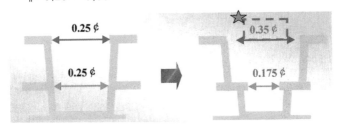

기존처럼 L2(1차 conformal)은 설계치보다 0.075μm 줄이고 L1(2차 conformal)만 원래 설계치 보다 100μm 늘려 작업

③ Test 예정 내용

(a) 타사처럼 2차 conformal 크기를 확대해 노광 작업 실시.

· 2003.05.23일 이후 master film과 설계치의 1:1 변경 적용 중
· trouble shooting 내용 test (100μm 확대)는 2003.06.02~2003.06.15 예정.

3) laser drill시 탄화된 resin dot 잔존

① 문제점

(a) laser drill 조건은 혹시 capture PAD에 잔존할 수 있는 resin의 완벽한 제거를 위해 타사에 비해 강하게 작업을 하고 있음.

· 그러나, 너무 강한 가공으로 capture PAD 주위의 고열에 의한 Resin의 탄화로 desmear 시 제거하기가 어려워지거나, 도금 전처리의 소홀시 미세한 resin dot 위로 shadow가 coating될 가능성도 내재 함.

(b) laser drill 가공 조건의 전반적인 재검토는 물론, 보유 laser drill M/C의 단점도 내재하고 있음.

Laser drill시 탄화된 resin dot 발생 가능성   도금 전처리 미흡에 따른 open 발생 가능성

② Trouble shooting

   (a) resin 두께별 laser drill 가공 횟수가 중요.

      · laser drill에서 제거되지 않은 resin은 desmear에서 제거되기 힘듦. 무엇보다 laser drill시 resin 제거가 최대로 이뤄져야 함.

      · 현제 기본 5 scan 보다는 다소 생산성이 떨어지지만 더 늘려 가공 조건을 잡아야 함.

   (b) RCC Maker 변경 검토

      · 현재 두산 RCC에서 LG RCC로 변경 검토(LG의 점유율이 훨씬 높음)

③ Test 예정 내용

   (a) laser drill 가공 조건 재검토와 타사 laser drill 가공 능력을 비교 분석하기 위한 test 진행 중(2003.05.28 ~ 06.10)

      · 이오테크닉스, 미쯔비시, 지멘스 등

   (b) laser drill 후 capture PAD Resin dot 형성 여부의 관찰용 현미경 구매 기안.

      · 2003. 06

4) 도금 전처리 방법의 문제점.

① 문제점

   (a) laser drill 후 발생된 resin(smear)의 완전 clear가 되지 못함.

   (b) laser hole capture PAD 부위 shadow층 과다 coating으로 cu층간 박리.

      · 현재 가장 issue화 되고 있는 문제점 항목

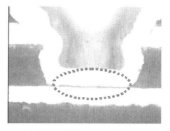

도금 전처리 시 Shadow 입자층의 clear 상태 미흡에 따른 홀 open 발생

② Trouble shooting

   (a) 도금 전처리 조건 강화.(현재 시행 중)

      · Desmear 처리 속도 및 방법 전환

        desmear는 type별로 달리 적용(A~B TYPE:2.6m/min 2회, C-TYPE:1.6m/min 2회)

        처리 방법은 1회 처리 후 2회 처리 시 PNL을 뒤집어 처리 함.(작업 표준 수정 등록)

· Shadow 처리 조건 강화

　shadow 이후 fixer/수세단 분사 압력 최대로 조절해 laser via bottom면의 shadow 잔존량을 최소로 관리.(현재 진행 중)

(b) laser drill 조건 재검증 TEST 요구 됨.

· laser drill에서 resin의 완전 clear가 되지 못해 resin이 잔존할 가능성이 있으므로 가공 횟수를 늘려 작업해야 함.(탄화된 resin 성분은 desmear에서 제거가 곤란 함.)

· 그러나, 잔존 성분인 "C"가 resin 성분임을 정확히 규명하기에는 어려움.(자문을 구하는 사람마다 각기 다른 주장 임)

③ Test 예정 내용

(a) laser drill 조건 재검증 test.

· resin 두께별 laser drill 가공 조건 재검증 test 및 skip via의 경우 cycle mode + burst mode의 혼합한 combination type으로 전환 test (2003.06.02 ~ 2003.06.15)

(b) 무전해 도금 처리 방법과의 제품 비교 TEST

· 무전해 도금 외주 업체(아센텍)에서 도금해 홀 속 관찰을 통한 장, 단점 비교 (현재 test PNL 진행 중)

(c) laser drill 후 그리고 desmear 후 capture PAD 부위 SEM 분석 정기 의뢰.

· laser drill 후 capture PAD의 resin 잔사의 처리 유무를 규명하기 위함. (현재 test PNL 진행 중)

5) 기타

① 문제점

(a) Belt-sanding 스크래치성 open 발생 문제.

(b) skip via bottom 부분의 무전해 금도금 skip 문제.

(c) working size의 확대 실시 문제(특히, RCC 수급의 문제.)

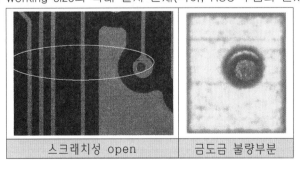

| 스크래치성 open | 금도금 불량부분 |

② Trouble shooting

(a) Belt- sanding 후 정면 처리 강화

· belt-sanding 후 표면 스크래치를 완화시키기 위해 외층 정면에서 soft-etching 실시 검토.

(b) skip via의 금도금 처리 시 조건 변경(업체의 특별 관리 당부)

· SBL과는 다른 처리 조건을 지정해야 함.(현재 정확한 원인 규명 중)

(c) Working size의 확대 변경 검토

· 생산성 향상을 목적으로 9등분에서 6등분으로 변경

· 두산 RCC 수급의 문제는 LG RCC로 전환 시 해결될 수 있음.

③ Test 예정 내용

(a) working size 확대 적용 test

· A-TYPE의 경우 : 6등분(608mm × 338mm, 508mm × 404mm)

· LG RCC는 수급 가능 여부 조사 후 sample 수령
  (2003.06.23 ~ 07.11)

22. BARE-BOARD 신뢰성 TEST 현황

1. 사양

제품명		MEMORY MODULE
LAYER		12
두께	cu	0.5 Oz
	기판	1.27T
표면처리	표면	OSP
	단자	HARD GOLD
VIA-HOLE	처리	메꿈
	구성	IVH
ARRAY		6
WORK SIZE		518 × 618
비고		IMP

2. STRUCTURE(구성)

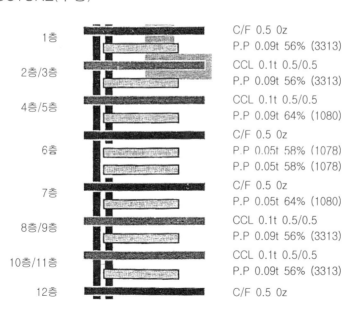

1층	C/F 0.5 0z P.P 0.09t 56% (3313)
2층/3층	CCL 0.1t 0.5/0.5 P.P 0.09t 56% (3313)
4층/5층	CCL 0.1t 0.5/0.5 P.P 0.09t 64% (1080)
6층	C/F 0.5 0z P.P 0.05t 58% (1078) P.P 0.05t 58% (1078)
7층	C/F 0.5 0z P.P 0.05t 64% (1080)
8층/9층	CCL 0.1t 0.5/0.5 P.P 0.09t 56% (3313)
10층/11층	CCL 0.1t 0.5/0.5 P.P 0.09t 56% (3313)
12층	C/F 0.5 0z

3. PROCESS(제조 공정)

1)작업방법

공정명	작업방법
B/O	흑화 처리 B/O ~ L-UP 작업시간 준수 관리기준 Over시 Baking실시 : 125℃ * 2Hr 항온항습관리 : 온도 23℃이하 습도 : 30% ~ 60%
BUILD UP	1-12 적층
LAY UP	적층코드 PP Maker : DSN(GREENTETRA) Rcc maker : ① PP ② C/F ③ RCC * AFLEX FILM 적용 1-12 적층
성형	성형조건유지 압력 : 일반 	온도	압력	자재	W/S
---	---	---	---
89	50	DS7402	518 ×618	
T.DRILL	특별특성 공정 베이킹 적용모델
TRIM	W/S : 518×618 Trim Size : 505×605 Target거리 : 595 A/R : 0.120 Target 센터 확인 B/O 제거, Brush 실시 Resin 제거 주의 (산처리 하지 말 것) 두께 측정부위 : C 특별특성 공정 | MIN	MAX	AVG	R1	R2
---	---	---	---	---
1.218	1.279	1.246	0.028	0.033
1.223	1.276	1.247	0.024	0.029
1.217	1.267	1.245	0.028	0.022
1.222	1.269	1.244	0.022	0.025
1.215	1.267	1.243	0.028	0.024	 TRIM : 505*605 두께관리 : 1.25±0.07
Resin 제거외층	아나우메 정면사용

공정명	작업방법
H-ETCH	MIN 12 관리
Resin 제거외층	H/E에 의해 단차 생기는 레진제거(아나우메)
STK	B/D 두께 : 1.230㎜ SVH : 0.2 Stacking수 : 2 LE SHEET 사용 FE SHEET (NEW BIT 적용) 0.2 ¢ Main drill (1~12) 가공 베이킹 조건 : 125℃ ★ 2Hr
DRILL	1/12층 Drill Tool No : Tool수 : 11 Hole수 : 66841 Drill 쏠림 주의 (X-Rav 검사 : 1PNL/Lot) FE SHEET (NEW BIT 적용)0.2 ¢ 드릴 완료 후 디스미어전까지 48Hr 이내 작업완료 관리 기준 Over 시 Baking 실시할 것 쏠림쿠폰 확인 후 제품가공
DESMEAR	Aspect Ratio : 5.950
PANEL	도금면적 C/S : 30.07 S/S : 30.07 ETC : 5.94 TOTAL : 66.08 도금두께 : 25㎛ 두께측정 (평균 : 50.3 최대 : 52.6 최소 : 46.3) FINISH : OSP +H -GOLD CAP 부위 도포 / 미 도포 혼용모델(외곽test 부위미도포)
H.P	아나우메 적용 Tool No.
외층정면	D/F Size : 23.75
D/F노광	회로폭 : 0(0-0) Space : 0.069㎜ Trim size : 505ᴧ605 DD두께 : 1.27
ETCH	회로폭 : 0.1㎜ (0.08-0.12) Space : 0.69㎜ A/R : 0.012㎜ 1 Pnl/Lot BOT 부위측정 도금 두께 확인 후 작업(속도 조정) 회로폭 : TAB PAD 관리 : 0.79±0.03 중앙 REGISTER 부위 BGA : 0.30±0.03 0.80㎜ Pitch BGA(±0.03) : 0.37

공정명	작업방법
외층AOI	AOI : 호기 VRS : 호기 검사층수 : 100% 검사 실시
PSR	PSR lnk : G25 회수 C : 1S:1 치구번호 TENTING PSR 떨어짐/센터 쏠림 확인 (1 PNL 확인 후 투입) SM구분 : [PSR] SM작업 : [SCREEN] PSR떨어짐/센터 확인
PSR노과	PAD to PSR 관리 주의 PAD to PSR : 0.075㎜ (recommand)
S-정면	
H-GOLD	SIDE : 도금종류 : TAB GOLD 면적 C:1.31 S:.31 단자도금 Au : min 0.762㎛, Ni 2.0㎛
M/K	회수 C:1 S:1 색깔 C: WHITE(S-200WD) S:WHITE(S-200WD) 재질 C:S-200WD S:S-200WD M/K 공용 툴 :0
FAB	구분 : ROUTER 면취 : 0도 Numbering : Yes 특별특성 공정 6up FAB 가공
DEWARP	
B/B	기종 : UNIVERSAL 관리번호:
두께측정	
OSP	
AFVI	
FINAL	
출하검사	BD두께 : 1.27(1.37~1.17) Tool No : 두께 측정부위 : CU TO CU 제품 Size : 151.2 * 191.8 디자인 : ADS36693-012 / 연배 : ADS42156
포장	model명 : 제품 Size : 151.2 * 191.8

2) 불량(WORST 5)

    ① 이물질 OPEN

    ② 내층 OPEN

    ③ SLIT

    ④ 표면 SCRATCH

    ⑤ 표면 오염

4. RELIABILITY(신뢰성)

1) 제품

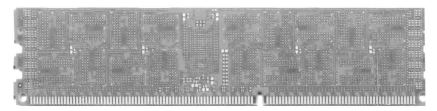

2) 적층 및 VIA HOLE 구조

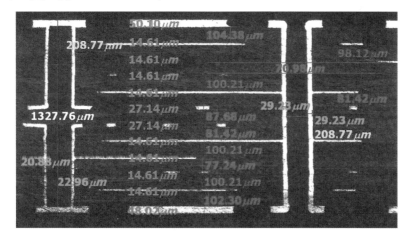

3) INSULATION LAYER

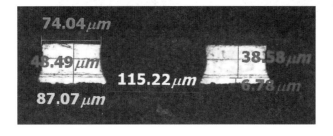

4) CU-PLATING THICKNESS

(Unit : μm)

No	Hole(S)	Results
1	41.75	OK
2	39.67	OK
3	31.32	OK
4	33.40	OK
5	31.32	OK
6	33.40	OK
7	39.67	OK
8	41.75	OK

Min	Max	Average
31.32	41.75	36.54

[Plating Thickness, Copper Surfaces and Hole-walls]: IPC 6013 3.2.6

5) LINE & SPACE

6) SIZE (BALL & PAD)

① BALL   ②PAD

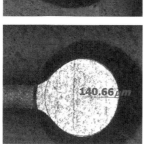
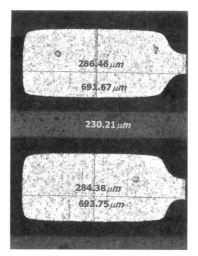

7) PSR INK THICKNESS

8) 표면처리 THICKNESS

	1	2	3	4	5
Au	1.01	0.96	0.98	0.98	0.99
Ni	4.19	4.14	4.05	4.27	4.43

23. ASSEMBLY BOARD TROUBLE

23-1. SOLDERING 불량사례

① 미납	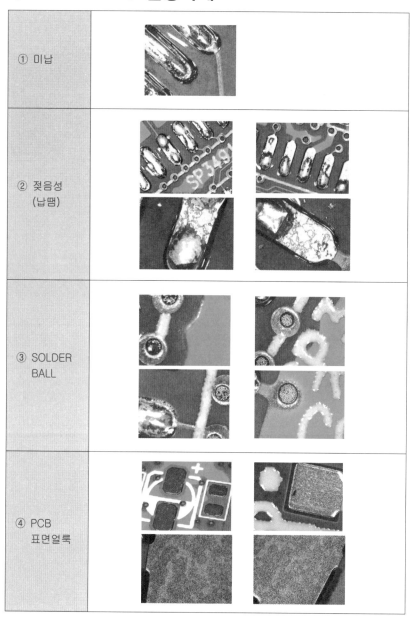
② 젖음성 (납땜)	
③ SOLDER BALL	
④ PCB 표면얼룩	

23-2. 냉땜(젖음성)①

1. 사양

LAYER	표면처리
2	OSP

2. 발생유형

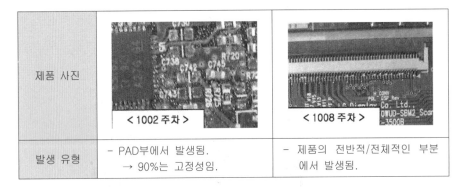

제품 사진	< 1002 주차 >	< 1008 주차 >
발생 유형	– PAD부에서 발생됨. → 90%는 고정성임.	– 제품의 전반적/전체적인 부분에서 발생됨.

3. 문제점 발생 가능 Process 파악

4. 발생 가능 Process의 분석 결과

분석 항목 및 Test	분석 방법	분석/평가 결과	첨부자료
제품 표면 이물 잔존	▷표면 SEM/EDX분석.	▷납땜 저해 유효성분 (Ink, 이물)이 검출 안됨.	사진 #1
표면 납땜 검증 (Soldering Test)	▷Reflow후 48hrs 방치 후 실시 ▷245±5℃ Solder Bath, 5초간 Dipping.	▷제품 표면에 납땜성이 우수함. →납땜 저해하는 이물질은 없음.	사진 #2
OSP공정 점검	▷공정Audit시 작업 표준의 준수 여부 확인.	▷작업표준 및 지침의 미준수 없음. →공정 관리에 이상이 없음.	사진 #3

5. 문제 시료의 확대경 분석.

1) A 주기

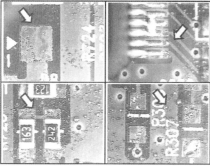

분 석

평 가

< 표 면 현 상 >

-. PAD에 납이 존재하지 않음.

-. PSR 표면으로 납이 도포되어 있음.

-. Reflow후 제품 표면 처리 후의
  OSP 색상에는 특이한 사항은 없음.

-. Reflow 초기 납의 튐 현상으로 발생된
  것으로 보이며, PSR Ink 위에 납이
  고착되었음.

< 현상 분석 결과 >

-. 제품 표면의 함습으로 인하여
  Cream-Solder의 튐 현상이
  발생된 것으로 판단됨.

2) B 주기

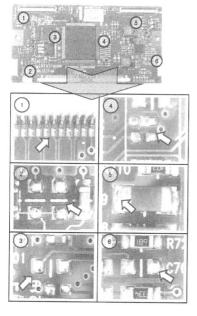

<1008주차와 다른 주차의 상이점.>

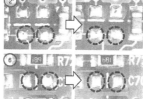

Cream-Solder의 Flux 성분이
우측으로 쏠려 있음.
→ Metal-Mask 정합 문제.

< 표 면 현 상 >

-. Cream-Solder가 우측으로 치우쳐 있음.

-. Cream-Solder의 Flux 성분이 우측으로 쏠려 있음.

-. Kit내에서 전체적으로 좌측만 납의 미도포 현상 발생.
  → 배열(8pcs) 된 제품에서도 동일함. (출장시 확인함.)

< 현상 분석 결과 >

-. 상기 문제점은 PCB에서 기인되는 현상은 아닌 것으로
  판단됨.

6. 분석결론.

① SEM/EDS 분석 결과로 보아, 납땜을 저해하는 물질이 검출되지 않음.

② OSP공정의 작업 표준 지침은 1월부터 현재까지 동일한 조건/주기로 관리되고 있음.

③ A주기제품은 PCB자체의 함습에 의한 납의 튐으로 확인이 됨.(환경에 의한 함습)

④ B주기제품은 Metal-Mask의 정합 문제로 인한 납의 쏠림으로 인한 문제로 판단됨.

⇒ PCB의 여러 가지 분석에서, 이번 납땜성 문제는 PCB품질과는 무관한 것으로 판단이 됨.

◆ 첨부 #1 : SEM/EDS 분석

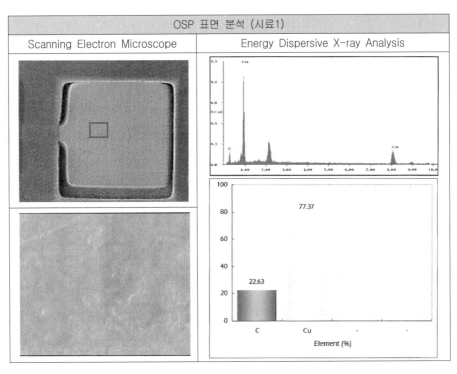

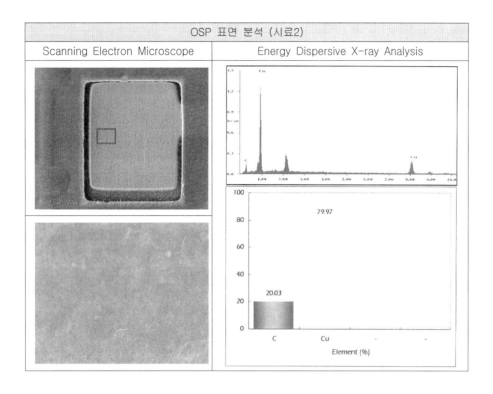

OSP 표면 분석 (시료2)

| Scanning Electron Microscope | Energy Dispersive X-ray Analysis |

◆ 첨부 #2 : 표면 납땜 Test

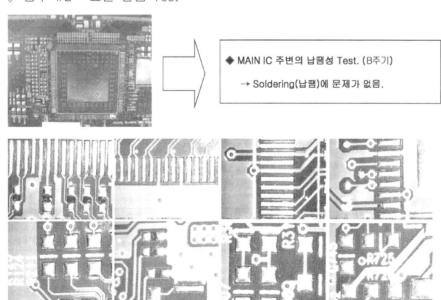

◆ MAIN IC 주변의 납땜성 Test. (B주기)

→ Soldering(납땜)에 문제가 없음.

◆ 첨부 #3 : OSP공정 Audit 결과

FLOW	항 목	조 건(spec)	현재 실측치	comment
FLUX (SOFT ETCH)	액 성분비	Etch Rate : 1.0 ~2.0㎛	1.6㎛	2회/일 분석, 보정 및 체크시트 작성
		Cu 농도 : 15~25g/l	22g/l	2회/일 분석, 보정 및 분석일지 작성
		과산화수소 : 65~105 g/l, 황산 : 90~210 g/l	과산화수소 : 91 g/l, 황산 : 158g/l	2회/일 분석, 보정 및 분석일지 작성
	작업온도	25~32℃	28℃	1회/일 측정 및 체크시트 작성
	콘베어 속도	2.0~2.5m/min	2.3m/min	수시 확인
FLUX (Acid dip)	액 성분비	유효성분 : 95~105%	유효성분:100%	1회/일 분석, 보정 및 체크시트 작성 (자외선 분광도계)
		PH:2.95~3.05	PH:3.01	1회/일 분석, 보정 및 분석일지 작성
	작업온도	35~45℃	40℃	2회/일 측정 및 체크시트 작성
	콘베어 속도	2.0~2.5m/min	2.3m/min	수시 확인
FLUX 약품	액 성분비	(Alkylbenzimidazole) 알킬벤즈이미다졸	0.30%	약품 Maker: Wiz Coat
		(Formic acid)의 산	5.30%	
		(Copper ion)동 이 온	370ppm	
		(Ammonia)암모니아	0.56%	
		(Water)물	93.84%	
수세	SOFT ETCH 수세	1~3kg/cm3	2kg/cm3	
	FLUX 수세	1~3kg/cm3	2kg/cm3	
건조	콘베어 속도	2.0~2.5m/min	2.3m/min	수시 확인
	작업온도	90~110℃	103℃	수시 확인

23-3. 냉땜(젖음성)②

1. 결과

① TEST 내용 → 광학 현미경에 의한 표면검사 및 사진촬영.

② TEST 수량 → ASS'Y BOARD → 3KITS, BARE BOARD → 5KITS

③ 사진촬영 : 16POINTS

④ 불량 유형 및 원인

구분	사진 No	불량명	원인
ASS'Y BOARD	1	SOLDER MASK INK 번짐	인쇄 작업 시 발생
	2	MARKING INK 번짐	인쇄 시 편심에 의해서 발생
	3	표면에 S/M 잔사 및 편심	표면 재처리 의심
	4	표면에 S/M 잔사 및 편심	표면 재처리 의심
	5	표면에 S/M 잔사	표면 재처리 의심
	6	표면에 S/M 잔사	표면 재처리 의심
BARE BOARD	7	PAD 위 S/M INK 튐	인쇄 작업 시 발생 배열 작업분 중 고정 발생
	8	ETCH(SIDE)부위 오염	인쇄 작업분 얇은 INK막 형성
	9	INK 번짐	인쇄 작업 시 발생
	10	INK 번짐	인쇄 작업 시 발생
	11	사진 7과 동일	
	12	INK번짐	인쇄 작업 시 발생
	13	사진 7과 동일	
	14	INK번짐	인쇄 작업 시 발생
	15	ETCH(SIDE)부위 오염	얇은 INK막 형성
	16	INK번짐	인쇄 작업 시 발생

2. 총평

① 전체적으로 동박면 거침

② 1차 인쇄 후 문제점 발생하여 INK 박리 후 재인쇄한 것으로 추측

③ SOLDER-MASK 및 MARKING 작업 시 부분적 편심 발생.

④ PAD와 S/M DAM 폭이 넓음으로 인하여 약간의 편심이 PAD위에 INK 오염 발생가능.

23-4. SOLDERING 후 DEWETTING (BGA)

1. PCB 사양

LAYER	표면처리
12	ENIG +HARD GOLD

2. 발생부위

· 불량 위치는 PCB 전체에서 BGA 부분만 발생하며, 또한 Edge 부분에 한정 이 됨

· 냉땜이 발생한 부분을 확대하면 납이 묻어 있지만, 적게 묻어 있음.

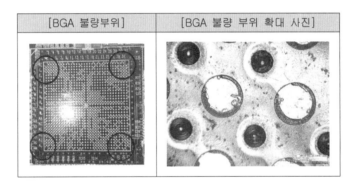

[BGA 불량부위]	[BGA 불량 부위 확대 사진]

3. 분석 내용

NO	항목	목적	결과
1	표면 성분 분석	BGA 냉땜 부분의 EDX 분석 실시 목적 : 냉땜 부위의 표면에 납이 묻어 있는지를 확인하기 위함임. 분석내용 : 표면에 Sn이 검출이 되는지? 검출이 되지 않는지를 판단하기 위함	현재 냉땜 부위에는 모두 납이 묻어 있는 것이 확인됨. 표면은 니켈면이 아니라, 납이 노출되어져 있으며, 이것이 산회된 것처럼 보이는 것임.
2	금도금 두께	BGA 부위의 주차별 금도금 두께 측정 목적 : 금도금 두께가 얇아서 냉땜의 원인이 될 수 있다. 분석내용 : 금도금 Spec : Min 0.03um	제품은 관리 Spec보다 0.01um이상 두꺼움. 따라서 이것은 금번 냉땜 불량 관련있는 인자가 아닌 것으로 판단됨

NO	항목	목적	결과
3	P(인) SHDEH	P농도의 측정	P 농도가 6.25~7.11% 극히 양호한 상태를 나타냄. 분석자료 : 하기의 File 참고 바람.
4	PEEL TEST		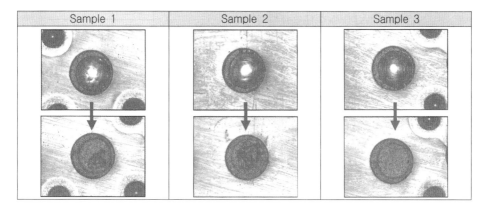 SEM 촬영

4. Epoxy와 Copper foil 계면에서 분리됨.

Sample 1	Sample 2	Sample 3
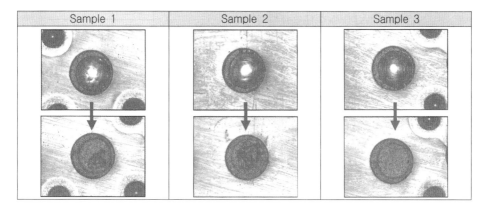		

5. 표면조직

Spectrum processing :
Peak possibly omitted : 9.703 keV

Processing option : All elements analysed (Normalised)
Number of iterations = 3

Standard :
C   CaCO3
P   GaP
Ni   Ni

Element	Weight%	Atomic%
C K	13.30	41.62
P K	5.04	6.12
Ni K	81.65	52.26
Totals	100.00	

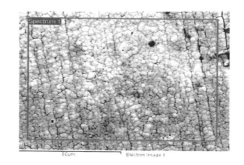

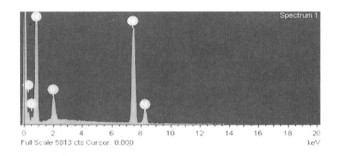

6. SOLDERING 후 SECTION

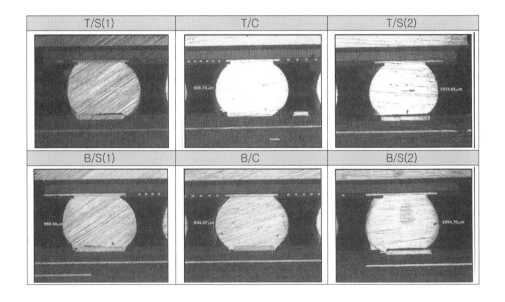

23-5. SOLDERING 후 DEWETTING (CHIP)

1. 형상

2. 원인

· 금도금 두께 얇음에 의한 Soldering 저하
· 금도금 표면오염으로 Soldering 방해

3. 대책

· 초기 도금 Spec : Au 0.03um, Ni 3.0um
  1차, 2차 변경 : Au 0.03um -> 0.06um -> 0.08um 이상
· X Ray 기능 보강 : 표준편차 및 정확도의 향상
  기존 ROI에서 FP 방식으로 전화 예정(검토중)
· DATA : 금도금 두께에 대한 SPC data 관리
· 금도금 수세 및 후처리기 순수 수세 보강
· 금도금 전용 최종 수세기 설치
· 신뢰성 : Wetting Balance 구입으로 정기 신뢰성 Test 실시

23-6. SOLDERING VOID → CERAMIC PCB

1. 목적

현 양산중인 PWM Ceramic PCB 상의 soldering 단자 void 발생을 Reflow oven 온도 profile의 최적 조건 적용을 통해 불량내용 확인

2. 내용

① Solder paste

▶ 모델명 : A TYPE, Lead free solder

▶ 제조사 : Nihon Handa, Japan

▶ Solder 조성

합금 Sn 96.5 : Ag 3.5 : Cu 0.5

고상 - 액상온도 218-220℃

Solder diameter 25~45㎛

② Reflow Oven

▶ 제조사 : Rehm Gmbh, Fermany

▶ 모델명 : SMS-V6-N2-B 4100

▶ 특성 : 질소 분위기 사용, Convection type[열풍 대류 방식], Top/
Bottom Heating 방식

Cooling : 수냉 순환 방식

Conveyor : Mesh conveyor

Control : PC-Base 실시간 온도 제어

- HMC 평가 기준 : 납땜 불량수 (VOID : 납땜면적의 10%이상 개수 + SOLDER
BALL : 지름 0.1mm 이상 개수 + 냉땜 +기타 이물질)/총 납땜수 ×100

→2%

③ 현 양상품

(a) Solder : PF-305 117HO Lead free solder

  (Sn 96.5 Ag 3.0 Cu 0.5, 218~220℃)

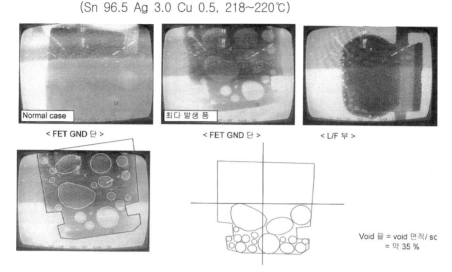

< FET GND 단 >   < FET GND 단 >   < L/F 부 >

Void 율 = void 면적/ sc
     = 약 35 %

(b) 현 양산 Profile

  R-D-R-P type[Ramp to Dwell Ramp to Peak]

  Preheating : 150± 10℃ ~ 190±10℃, 150± 10sec

  Peak 온도 250 ±5℃

  액상 구간[TSL] : over 220℃, 30~50 sec

  Rising rate : 3~5℃/sec

  전체 soldering 시간 : 300±20 sec

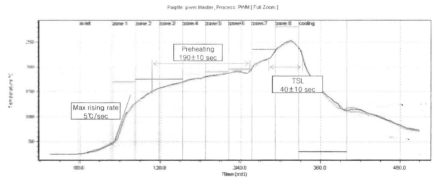

Paqfile pwm Master, Process: PWM [Full Zoom]

각 Zone 온도 설정

	단위 : ℃	Zone #1	Zone #2	Zone #3	Zone #4	Zone #5	Zone #6	Zone #7	Zone #8	Cooling
PWM	TOP	170	175	175	185	190	195	235	280	
	BOTTOM	170	175	175	185	190	195	235	280	
	Belt speed	1000 ±10mm/Min								30±10℃

23-7. 부품 이탈 분석

1. 개선대책 요약

현상	· PCM PTC & 터미널 단자 이탈 불량	
원인	· 무전해 Au도금 PCB의 Ni층과 Cu층의 박리 ☞ 국부적 오염에 따른 밀착력 저하 ※ 오염원 : PCB제조공정의 SILK INK 재처리 작업 시 오염(미세척) ※ 돌발불량의 입증 근거 1) 금도금불량인 경우, LOT성으로 발생은 가능하나 산발적 불량은 미 발생됨. 2) 금도금업체 및 PCB업체에서 밀착 TEST를 LOT별 시행함에 따라, LOT 불량 사전 예방 가능함.	
개선	· 응급조치 1) 잔량 H/Pack & S/Pack 재고 전수선별 (5회 낙하 후 Pack TEST) – 총 대상수량 83K[Hard Pack : 55K, Soft Pack: 28k] 2) Bare Board PCB 재고 33K 처리 : 전량 금도금 밀착 TEST 후 SMT LINE 투입 · 근본조치 개선 : SILK INK 재처리 공정 개선 준수 : ① PCB LOT Marking 삽입 개선 ② SILK INK 재처리 시 일지 기록 관리 검사 : ① 무전해 Au도금 PCB 입고 시 밀착 TEST 검사항목 추가	

2. 불량 정밀분석 결과

1) EDS 성분분석

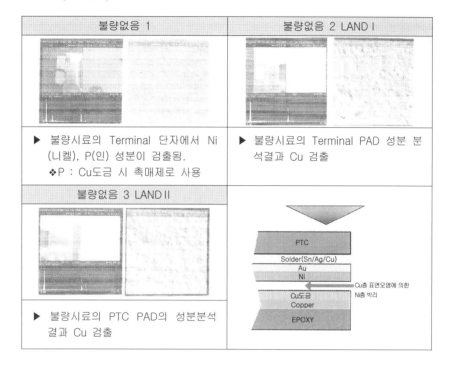

불량없음 1	불량없음 2 LAND I
▶ 불량시료의 Terminal 단자에서 Ni (니켈), P(인) 성분이 검출됨. ❖P : Cu도금 시 촉매제로 사용	▶ 불량시료의 Terminal PAD 성분 분석결과 Cu 검출
불량없음 3 LAND II	
▶ 불량시료의 PTC PAD의 성분분석 결과 Cu 검출	

2) Terminal 단자 단층촬영

▶ PCB의 Ni도금 성분이 발견됨 : PCB 도금층의 Cu층과 Ni층 사이가 박리됨.

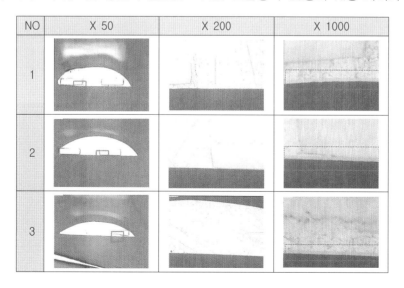

NO	X 50	X 200	X 1000
1			
2			
3			

3. 부품 인장강도 측정

▶ 도금 LOT별 접합강도 측정결과 측정시료 모두 관리 Spec. (5Kgf)을 만족함.

▶ 도금이탈 발생 안됨.

☞ 도금의 LOT성 문제는 아닌 것으로 판단, Cu도금의 국부작 요염원에 의한 불량으로 판단

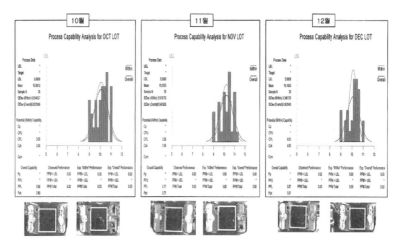

4. 불량원인 상세설명

▶ CU 도금 표면의 오염원에 의한 도금 신뢰성이 저하됨.

▶ 오염된 부분의 성분 분석결과 PCB 표면에 사용되는 SILK INK로 확인됨.

☞ 구성물질 중 Ci(염소)는 SILK INK에만 사용되는 물질임

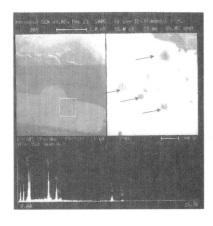

OX. Pct.
0.00
21.81(Na2O)
0.74(P2O5)
42.65(Cl2O7)
7.20(K2O)
14.65(Cu2O)
2.28(ZrO2)
6.27(MoO3)
1.08(In2O3)
0.04(Sb2O5)
3.27(Ta2O5)
100.00

5. PSR 오염 발생 FLOW

1) SILK 초기 Setting시 or 인쇄 후 취급 시 제품 Touch에 의한 번짐 /
   마모 / 편심발생으로 부적합 제품 panel발생
   · 불량 INK의 박리 재처리 과정 정확한 Cleaning 안됨으로 단자 표면상 국
   부적 INK잔존 CU와 NI + AU의 밀착 성 저하 발생

2) 불량 발생원인 FLOW - CHART(재현 실험)

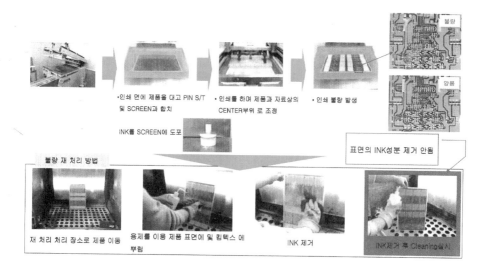

3) 대책안
   · Ink 제거 시 용제를 뿌려 ink제거 방법 => 세척 전용 => 세척 전용 box
   를 이용 침적 후 ink제거 실시

23-8. REFLOW 후 부품이탈

1. 불량현상 : 부품이탈

1) 불량 PCB

2) 부품 하단부

3) 단품 PAD

4) 부품 PAD 위 (Ass'y전)

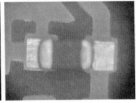

5) 치수 측정 DATA

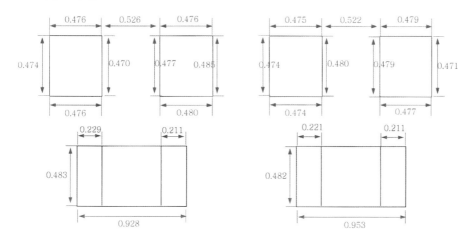

2. 원인

ENIG 두께 중 Au두께 OVER로 인하여 발생

3. 대책

1) PAD SIZE 대비 CHIP 치수 측정 비교

2) ENIG 두께 준수

① Ni : 3~7㎜

② Au : 0.03~0.08㎜

23-9. BGA 품질비교

NO	항목	A사	B사	비교사항
1	BGA S/R, WINDOW	LAND+	1:1 수준	B사제품은 MISREGISTRATION 가능
2	Cu, THICKNESS	1/2 Oz	1/30 Oz	미세회로일수록 1/3Oz 사용
3	HOLE SIZE	0.25ϕ	0.3ϕ	VIA-HOLE SIZE 적용은 업체 SPEC에 준함
4	PTH	1회 도금	2회 도금	B사 생산성저하 도금두께는 SPE에 준함
5	VIA HOLE 메꿈	20%	100%	VIA HOLE 메꿈은 80% 이상 되어야 함
6	S/R, THICKNESS	7.85mm	14.25mm	A사 얇음

■ BAG 표면

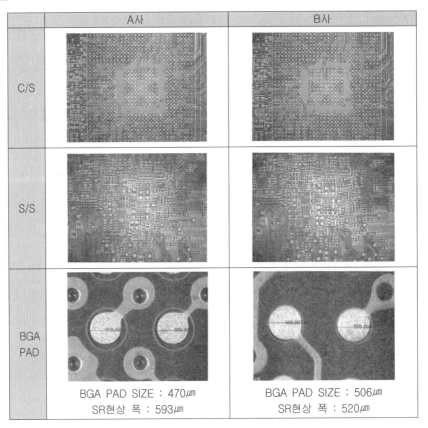

	A사	B사
C/S		
S/S		
BGA PAD	BGA PAD SIZE : 470μm SR현상 폭 : 593μm	BGA PAD SIZE : 506μm SR현상 폭 : 520μm

■ BGA 부위 VIA-HOLE

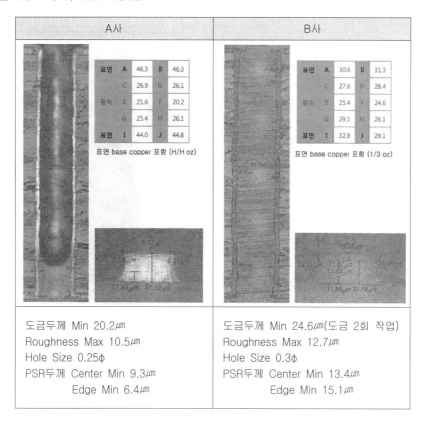

A사	B사

표면	A	46.3	B	46.3
	C	26.9	D	26.1
음속	E	21.6	F	20.2
	G	25.4	H	26.1
표면	I	44.0	J	44.8

표면 base copper 포함 (H/H oz)

표면	A	30.6	B	31.3
	C	27.6	D	28.4
음속	E	25.4	F	24.6
	G	29.1	H	26.1
표면	I	32.8	J	29.1

표면 base copper 포함 (1/3 oz)

A사
도금두께 Min 20.2㎛
Roughness Max 10.5㎛
Hole Size 0.25φ
PSR두께 Center Min 9.3㎛
　　　　 Edge Min 6.4㎛

B사
도금두께 Min 24.6㎛(도금 2회 작업)
Roughness Max 12.7㎛
Hole Size 0.3φ
PSR두께 Center Min 13.4㎛
　　　　 Edge Min 15.1㎛

23-10. SOLDERING 불량 사례 및 대책

자료 : 희성 소재(주)

Solder의 Pb Free화가 도입되기 시작한 지도 10년 이상이 경과 하였는데 그동안 다양한 문제점이 발생하여 대책을 강구하며 대응하여 왔습니다.
그러나 SMT 실장 현장에서는 새로운 문제가 계속해서 발생하고 있습니다.

여기에는, Soldering의 불량과 그 원인에 대해서 대표적인 사례 및 주로 Solder 재료의 선택에 의해서 발생되는 불량과 작업상의 문제점에 대해 정리 하였습니다.

1. Pb Free화 : Soldering 시 문제점

(유연 Solder에서도 자주 발생된 문제)

Manual 작업 시 문제점	Wave/Dip 작업 시 문제점	Reflow 작업 시 문제점
인두 Tip 먹힘·산화	Solder 납조의 내구성	Powder 산화 (Life Time)
Solder Ball	산화 Dross의 증가	Self Alignment성의 저하
Flux 비산	Cu Land 박리·먹힘	Chip 들뜸(Manhattan)
작업성의 열화	기판의 내열성	계면박리
틀의 고정	Lift Off	Chip 폭발에 의한 Bridge
	Micro Crack	BGA의 냉땜(Dewetting)

기판·부품의 내열성
기판의 표면 처리
Void의 발생·Blow-Hole의 발생
젖음성·퍼짐성 불충분(특히 TH에의 침투성 저하)
Cu먹힘(Leaching)
Bridge의 발생
신공법의 도입 등

2. Soldering 불량 발생 요인

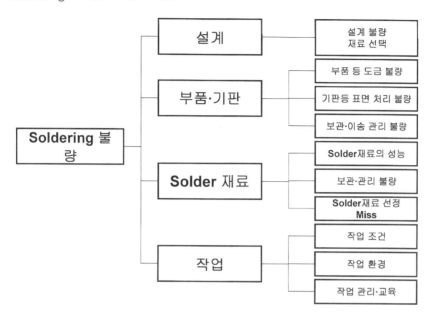

3. 표면 실장에서 불량과 공정의 상관관계

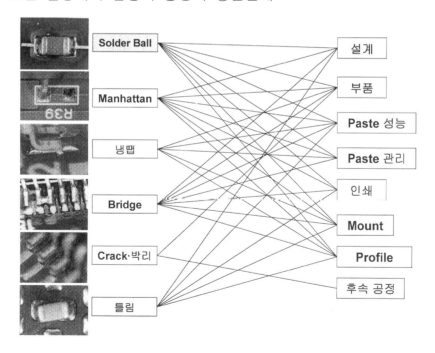

4. Solder Ball 발생원인(대표사례)

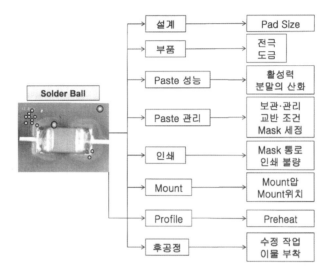

설계	Pad Size
부품	전극 도금
Paste 성능	활성력 분말의 산화
Paste 관리	보관·관리 교반 조건 Mask 세정
인쇄	Mask 통로 인쇄 불량
Mount	Mount압 Mount위치
Profile	Preheat
후공정	수정 작업 이물 부착

5. 불량발생사례

1) 인두Tip 먹힘

Pb Free Solder 금속의 사용 → Solder 인두 Tip의 먹힘이 큰 이슈가 되었다.

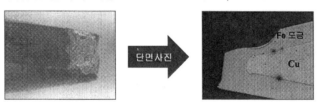

단면사진

인두 Tip의 Fe 도금이 크게 침식되어 있다.

사진 Pb Free 합금(Sn- 3.0 Ag-0.5 Cu)을 사용 한 인두 Tip.
(시험온도 350℃, 20000회 작업 후 공급량 10mm/회)

침식이 진행되면 중심부의 Cu도 침식

▶ 인두 Tip 먹힘이란?

인두 Tip의 Fe 도금, Cu가 Solder에 침식이 되는 현상!

→안정적인 Soldering이 불가능하게 되었다.

▶ 시험결과

인두Tip의 소모는 SnPb Solder의 약 3배(작업 온도에 따라서 다르다)
첨가물에 의해서 먹힘 속도는 개선된다.

초기품

시험 결과 인두Tip가 먹힘 깊이 (μm)

	SnPb	SnAgCu	SnAgCu+ α
350℃	22	210	55
380℃	50	294	78

시험 온도
380℃

60Sn-40Pb	Sn-3.0Ag-0.5Cu	Sn-3.0Ag-0.5Cu+α

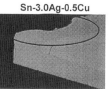

2) Cu먹힘에 의한 결함

① Cu 먹힘 현상이란?

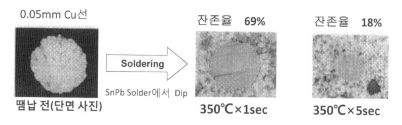

0.05mm Cu선

Soldering

SnPb Solder에서 Dip

땜납 전(단면 사진)

잔존율 69%

잔존율 18%

350℃×1sec

350℃×5sec

▶ 현상

· Soldering시에 동이 Solder 중에 녹아 내려 동선이 가늘어지는
현상

· Solder 합금 성분이나 Soldering 온도, Soldering 시간에 의해
서 구리선의 먹힘 양은 바뀐다.

▶ 동먹힘 양은

Sn%   많음 >적음

Soldering 온도 높음 >낮음

Soldering 시간 길다 >짧다

Pb Free Solder에서는 Cu 먹힘 비율이 커진다.

② Dip 작업 시에 Cu선이 가늘어지거나 소실된 사례

　　(코일선의 Soldering 실험 예)

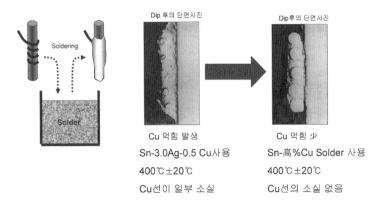

Cu 먹힘 발생　　　　　　　　　　Cu 먹힘 少
Sn-3.0Ag-0.5 Cu사용　　　　　　Sn-高%Cu Solder 사용
400℃±20℃　　　　　　　　　　400℃±20℃
Cu선이 일부 소실　　　　　　　　Cu선의 소실 없음

3) Cu 먹힘 대책

　　동세선 먹힘 대책으로서 高Cu량 Solder와 高Cu+Ni Solder가 있다. 먹힘 방
　　지의 원리에 차이가 있으며 Soldering 후의 조직에도 차이가 있다. 작업 조
　　건에 따라 Solder 조성을 선택한다.

　　▶ 시험조건

　　　180㎛φ의 Cu선을 Dip Soldering 480℃×3sec 단면에서 잔존율 및 조직
　　　의 관찰

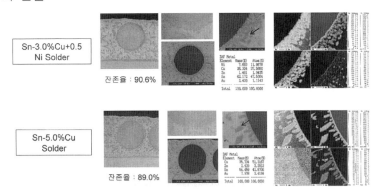

4) Cu 먹힘에 의한 결함

　　Pb Free화에 의해서 Cu 먹힘은 현저하게 많이 발생하게 되었다.

　　Cu 먹힘에 의해서 Cu가 없어져, 기판으로부터 Gas가 발생, Void가 되었다.

　　Flow·Dip 조건의 재검토나 기판의 Cu두께의 재검토가 필요하다.

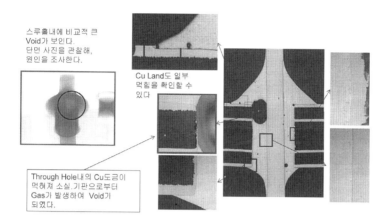

스루홀내에 비교적 큰
Void가 보인다.
단면 사진을 관찰해,
원인을 조사한다.

Cu Land도 일부
먹힘을 확인할 수
있다

Through Hole내의 Cu도금이
먹혀져 소실.기판으로부터
Gas가 발생하여 Void가
되었다.

5) 작업 직후 Crack 발생

SnPb Solder 사용 시의 불량 사례

SnPb Solder 사용 시에도 같은 문제가 발생하고 있었다.

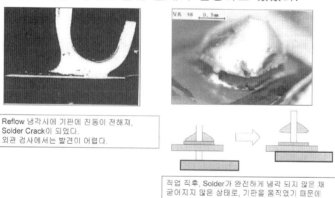

Reflow 냉각시에 기판에 진동이 전해져,
Solder Crack이 되었다.
외관 검사에서는 발견이 어렵다.

작업 직후, Solder가 완전하게 냉각 되지 않은 채
굳어지지 않은 상태로, 기판을 움직였기 때문에
Crack이 발생.

6) 대책 : 반드시 고정하여 작업한다.

Tip의 수정

작은 Chip에서는 가열 시에 반대측의 Solder까지 녹아
버려, 인두기로 재작업 시 Chip이 움직인다.

반드시 핀셋 등으로 고정하고 작업을 한다.

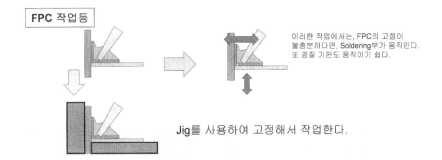

이러한 작업에서는, FPC의 고정이
불충분하다면, Soldering부가 움직인다.
또 경질 기판도 움직이기 쉽다.

Jig를 사용하여 고정해서 작업한다.

7) 작업 직후 Crack 발생

(Reflow/Wave의 양면 기판에서 발생한 Crack 예)

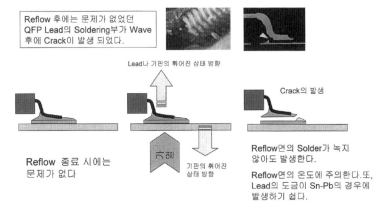

Reflow 후에는 문제가 없었던
QFP Lead의 Soldering부가 Wave
후에 Crack이 발생 되었다.

Lead나 기판의 휘어진 상태 방향

Crack의 발생

Reflow 종료 시에는
문제가 없다

기판의 휘어진
상태 방향

Reflow면의 Solder가 녹지
않아도 발생한다.

Reflow면의 온도에 주의한다.또,
Lead의 도금이 Sn-Pb의 경우에
발생하기 쉽다.

부품면의 기판 표면 온도 : 165~170℃이하 추천(설계나 기판의 종류에 의해서 차이가 난다)

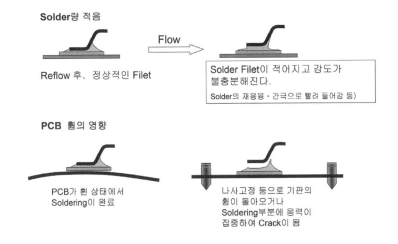

Solder량 적음

Flow

Reflow 후、정상적인 Filet

Solder Filet이 적어지고 강도가
불충분해진다.
Solder의 재용융 · 간극으로 빨려 들어감 등)

PCB 휨의 영향

PCB가 휜 상태에서
Soldering이 완료

나사고정 등으로 기판의
휨이 돌아오거나
Soldering부분에 응력이
집중하여 Crack이 됨

8) BGA의 젖음 불량 현상

　· BGA Ball과 Cream Solder가 접합되어 있지 않다.

　· BGA Ball과 Cream Solder는 양쪽 모두 용해되어 있다.

　· BGA Ball이 변형되어 있다.

　· 결합하고 있는 경우도 융합이 충분하지 않은 경우도 있다.

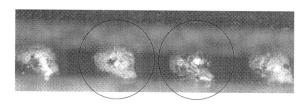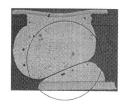

9) 불량의 형태 예

　기존의 Cream Solder

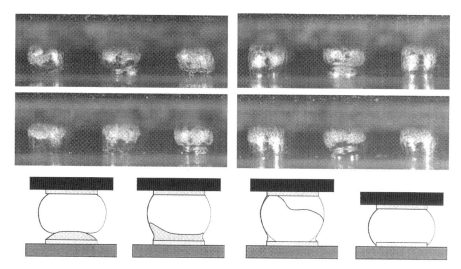

　→ 대략적으로 4개의 형태가 존재

6. 재현 TEST

1) 시뮬레이터에서 확인

① 젖음성 향상 Cream Solder (연속정지사진)

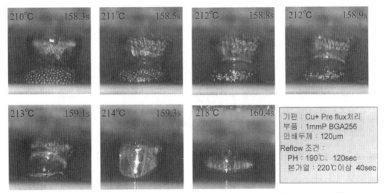

→ Ball, Cream이 순간적으로 녹아 일체화한다.(약2.0sec)

② 일반 종래 Cream Solder (연속정지사진)

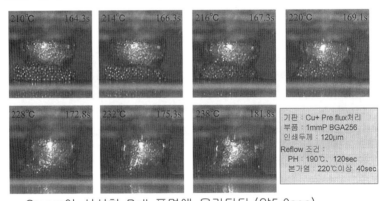

→ Cream이 서서히 Ball 표면에 올라탄다.(약5.0sec)

2) 미용융 발생의 원인

① BGA Ball의 산화

원래 BGA Ball이 산화되어 있는 상태에서 Pre-Heating시 산화가 진행된다.

② Cream Solder의 활성력 부족

Pre-Heating으로 Cream Solder가 산화하여 젖음부족이 발생한다.
(고온 Pre-Heating 등)
Solder 접합 타이밍에서 활성력이 부족하게 된다.

③ Package의 휨과 기판의 휨

　　Solder가 접합하는 타이밍에서 Cream Solder와 Ball과의 간격이 발생하여서 젖음 불량이 된다.

3) Ball의 산화와 Flux의 차이

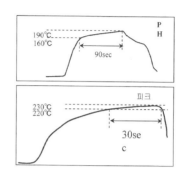

시험조건

PCB : FR-4 기판　1.　2mmT　OSP처리

인쇄 : 100μmT

BGA:1.0mmP　BGA256　(BallΦ0.5mm)
140℃1hr　가열처리 (산화)

Pre-Heat　160℃ ~ 190℃　90sec

Reflow : 220℃이상30sec 피크 230℃

결과	
젖음성 향상 Cream Solder	○‥100%
종래 Cream Solder	○‥66.8%　△‥31.6%

×‥1.6%

젖음성 향상 Cream Solder

종래 Cream Solder

시험조건

SnAgCu Ball을 40℃95%24hr에 가열가습처리강제산화)

시험기판에 Cream Solder를 120μm두께로

인쇄한 Cream Solder 위에 산화 처리한 Ball을 탑재.

Reflow 로 Soldering (Profile 오른쪽 그림)

고온 Pre heat 조건 : 200℃　120sec

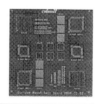

결과
젖음성 향상 Cream Solder는 완전하게 융합하고 있다.
기존 Cream Solder는 융합이 완전하지 않다.

젖음성 향상 Cream Solder　　기존 Cream Solder

4) 단면 사진 관찰

| 젖음성 향상 Cream Solder | 기존 Cream Solder |

7. BGA 미용융 정리

· BGA · CSP에서 미용융 보고가 증가하고 있다.

· X-ray 검사로는 발견이 어렵다.

· BGA · CSP Bump의 산화에 의해 증가하고 있다.

· BGA PKG 휨·기판의 휨에도 원인이 있다.

· 고온 Pre-Heat 대응 및 고활성의 Cream Solder를 적용하는 것으로 개선 가능한 경우가 많다.

· 기판의 휨이 큰 개소에 BGA를 배치하는 것은 피한다.

23-11. 무연 SOLDER 기술

자료 : SMT KOREA

1. Pb FREE (무연 SOLDER)

① 일반적으로 95% 이상의 Sn(주석)을 함유하고 있다.

② Sn은 다른 금속을 부식 시킨다.

③ 무연 SOLDER는 납 함유 합금을 전자 부품 ASS'Y 업계의 표준 합금으로 군림하게 만들었던 여러 가지 좋은 물리적 특성들을 갖고 있지 않다. 납함유 공융 솔더 합금을 간단히 바꿔치기 할 수 있는 대체무연 합금이 없다는 사실 때문에 무연규정을 준수하는 일이 더욱 더 어렵다.

④ 빠른 속도로 산화되기 때문에 솔더 대상 표면을 청결하게 유지하고 산화작용 없는 상태로 유지해야 한다. 산화작용이 없는 상태를 유지하기 위해서는 좀 더 강력하면서도 더 오래 견딜 수 있는 플럭스를 사용해야 한다. 무세정 플럭스를 사용할 경우 → 무세정 플럭스의 공정창이 작은 경우가 많기 때문에 어려움이 뒤따를 수도 있다. 무세정 플럭스가 고열에 타버리면 산화물이 즉시 형성되기 시작하며 그 결과 불량 솔더 조인트가 형성된다.

무연솔더를 사용할 때 로진이 함유된 플럭스는 로진이 함유되지 않은 플럭스를 사용할 때 보다 작업하기가 훨씬 더 쉽다 더 높아진 온도도 산화 촉진의 원인이 될 수 있다.

2. 무연 재료상의 문제점

재류와 공정면에서 많은 변화가 재작업과 수리 작업을 수행 할 경우에 발생한다. CCL 중 FR-4는 가격과 열 특성면에서 유리하기 때문에 PCB제조에 사용되는 표준 재료로 자리 잡았다.

PCB 재료의 등급은 재료의 유리전이 온도(T_g)에 의해 결정된다. 기판을 T_g 이상으로 가열하면 기판의 기계적 특성은 급격히 저하된다. 단단하고 부서지기 쉬운 재료는 변화되어 부드러운 고무처럼 바뀐다.

235℃~245℃의 피그 무연 REFLOW 온도는 개량형 FR-4 재료의 T_g를 훨씬 상회하기 때문에 기판은 열 손상을 받을 수 있는 모든 취약성 아래 놓이게 된다.

따라서 REFLOW 도중이나 나중에 재작업과 수리 작업 도중에도 기판이 열에 의해 손상을 받지 않도록 각별히 주의가 필요하다.

3. 무연부품현황

① 짧은 수명주기(5년) 제품에 사용되는 무광택 주석 니켈 보호층에 도금된 무광택 주석

② SOLDER BALL 부품에 사용되는 Sn 3Ag 0.5Cu 주석-구리, 주석-은 등이 있다.

③ 그 외 주석-비스무트, 주석-은, 니켈-팔라듐, 니켈-팔라듐-금

④ PTH 부품에는 주석도금 또는 주석 침지 기법 사용 예정

4. RoHS 지침의 의무적 이행으로부터 면제받는 항목

① 면제 항목 14개

② 면제 여부를 검토 중인 항목 8개

③ 면제 신청 계류 중인 항목 19개

5. 무연합금들 중 인정된 무연합금

① Sn/Cu

② Sn/Ag/Cu

③ Sn/In/Cu

④ Sn/Ni/Cu

6. 무연체제로 전환방법

① 전 방향/후 방향 중 선택

② 컴퓨터 및 관련 제품의 제조회사 → 후 방향 호환경로 선택가능

   (a) 초기에는 기존의 주석/납을 종전처럼 그대로 사용

   (b) SERVE, STORAGE ARRAY SYSTEM, 네트워크 백본 시스템의 제조회사들은 RoHS 규정을 준수하는 것을 2010년까지 면제 받는다.

③ 대부분의 무연처리는 전 방향/후 방향 호환이 가능하다. 그러나 SAC합금을 사용하는 BGA는 후 방향 호환이 안 된다.

   이유 : SAC SOLDER BALL은 낮은 SnPb REFLOW 온도에서는 완전히

REFLOW 되지 않기 때문이다. SAC BGA에 적용할 프로 파일 수정해야 할 필요가 있을 수 있다. 프로 파일을 수정하지 않는다면 SAC BALL을 제거해서 주석/납 볼로 대체해야 한다.

④ 전 방향 호환 경로에 의한 무연으로의 전환은 수많은 장애를 제공한다. 무연솔더를 사용한다는 것은 비록 부품과 기판에 주석/납을 사용할지라도 모든 재작업과 수리 작업에 요구되는 솔더링을 높은 무연 리플로 온도에서 수행해야 한다는 것을 의미한다.

높은 온도의 REFLOW는 주석/납 SOLDER BALL에 과도한 VOID가 형성될 수 있음을 의미 할 수 있다.

전 방향 호환경로에 의한 무연으로의 전환 방법을 채택할 경우 재작업 검사 시에 작업자는 솔더 젖음과 외관상의 변화를 추적하고 이에 대처할 수 있어야 한다. 재작업 키트를 구성할 때 해당 솔더 유형을 정확하게 식별해야 한다.

무연으로의 전환 과정에 BOM을 개발해야 한다. 납 또는 기타 납 함유 재료에 의해 무연 솔더가 오염될 가능성이 존재하기 때문에 오염 발생을 방지 할 수 있는 세부 재작업 절차를 마련해야 한다.

7. 질소의 보조를 받는 SOLDERING SYSTEM

① 질소는 가열장치를 통과하거나 우회한 다음에 작업 부위에 전달된다.

② 가열 장치는 작업 부위 주변을 예열시킴으로써 부품과 리드에 대한 열 손상을 감소시킨다.

③ 예열은 솔더링 팁을 좀 더 낮은 온도에서 좀 더 안전하고 효율적으로 사봉할 수 있게 한다.

④ 질소 공급방법

(a) TANK의 질소를 사용하는 방법 : 순수하다.

(b) 질소 수집기 사용방법 : 특수 필터를 사용해서 공기로부터 질소를 분리한다. 즉, 공기 중에 다른 원자들은 필터를 통과해서 강제로 빠져 나가도록 조치하고 순수한 질소만이 남도록 한다.

⑤ 질소를 사용하지 않을 경우

무연의 높은 솔더링 온도로 인해 산화작용이 촉진된다.

8. 현장의 문제점

1) 서로 다른 무연 합금을 채택함으로써 합금들 간의 호환성 문제 초래

① PCB의 재작업에 임하는 작업자가 자신에게 주어진 PCB에 사용된 합금의 유형을 육안으로 식별이 불가능

② 초기 제조에 사용된 솔더 합금

③ 작업대에서 사용된 솔더 합금

④ 부품 리드 도금에 사용된 합금

⑤ 인두팁에 사용된 합금

위의 사항이 모두 서로 호환성을 유지해야 한다.

이유 : 미지의 양이 미지의 솔더 합금들이 혼합될 경우 이러한 혼합 합금을 관리 할 수 있는 방법이 없기 때문

권고사항 PCB와 부품에 LABEL 부착

2) 기존 장비의 호환성

무연솔더가 솔더링도구와 재작업 장비에 특히 인두팁의 수명에 부정적인 영향을 미칠 것임을 의심할 여지가 없다.

무연솔더는 높은 비율의 주석을 함유하고 있는데 융해된 주석이 철과 접촉하면(즉, 솔더링 팁을 보호하고 있는 단단한 보호층인 철과 접촉하면) 철 자체가 마모되는 것 보다 도는 납 함유 솔더를 사용할 경우보다 더 빨리 마모되는 금속간화합물이 형성된다.

문제점1 보호층인 철이 용융주석에 의해 분해되면서 인두팁의 철 코팅의 수명이 단축된다.

문제점2 산화물이 빨리 형성되며 인두팁의 고온이기 때문에 산화물이형성은 가속된다. 주석 산화물이 일단 형성되면 인두팁은 솔더에 의해 젖어지는 능력을 상실한다.

3) 질소는 도움이 되는가?

질소의 보조를 받는 솔더링 장비를 사용하면 무연솔더를 사용할 때 발생하는 일부 문제들이 경감된다.

① 질소는 솔더링팁 주위에 비활성적 환경을 조성함으로써 팁의 산화 가능성을 감소시킨다.

② 질소는 솔더링 대상영역 주변으로부터 산소를 몰아냄으로써 작업부위에 산화물이 형성되는 것을 방지해준다. 즉, 플럭스의 사용량도 감소하며 젖음성과 퍼짐성이 개선되고 표면은 좀 더 밝은 빛을 띠게 되며 표면에 입자들이 퍼져있는 듯이 보이는 현상이 감소된다.

9. PCB 표면의 무연처리

PCB표면의 무연처리 선택은 선택에 따라 납땜성, 젖음성, 열특성은 무연재 재작업과 수리작업을 수행하는데 중요한 요소를 작용한다.

표면처리별 주요 문제점

NO	종류	문제점
1	ENIG	· Cu 표면에 무전해 Ni 처리를 한 것 · Ni은 Cu 마이그레이션을 방지 해주는 장벽의 역할을 하며 Cu 표면을 산화작용으로부터 보호해준다. Ni 표면에 도금된 Au는 기판공정이 끝날때까지 Ni의 산화를 방지해준다. 만약 Ni-Sn 금속간 화합물 층이 SOLDERING 도중에 부스러지거나 균열이 일어나면 BLACK PAD 현상이 발생 할 수도 있다. · BALCK PAD는 회색 또는 흑색 계통의 다양한 농도의 색상을 나타낸다.
2	Im Sn	· 주석 도금의 사용으로 발생하는 현상은 주석 위스커의 형성이다. · 지난 수십년간 주석 위스키는 대부분의 주석 도금층에서 최대 10㎜의 길이까지 성장 할 수 있으며 또는 1~2㎛의 포도송이 형태로 옆으로 성장할 수도 있다. · 주석 WHISKER는 주석 도금층에서 발생하는 압축 응력이 도금층의 약한 부분의 주석을 바깥 방향으로 밀어내기 때문에 형성되는 것이다. · 납도금에 사용되는 주석은 두가지 상태로 존재한다. 주석은 13.2℃이상의 온도에서는 백색을 띠기 때문에 백색주석이라고 불리다. 13.2℃ 미만으로 냉각되면 백색 주석은 회색 주석으로 바뀌면서 원래 밀도의 20%를 점진적으로 상실한다. 좀 더 오랜 시간동안 낮은 온도에 노출되면 회색 주석의 표면에 육안으로 볼 수 있는 혹이 발생되며 주석균(TIN PEST)이라 불리는 회색 분말이 생긴다.

10. 무세정 플럭스세정

1) 문제점

무연합금의 REFLOW 및 WAVE SOLDERING 온도는 더 높아졌고 WAVE에서 요구되는 접촉 시간도 더 길어졌기 때문에 FLUX가 고온에 그을려서 눌러 붙을 가능성이 커졌다.

이 문제로 플럭스를 제거하기가 더 어려워졌고 세정하지 않을 경우에는 미관상의 문제가 과거보다 더 많이 제기된다.

2) 무세정 플럭스 제조과정

전통적인 수용성(유기산) 플럭스와 비수용성(로진) 플럭스와는 달리 무세정 플럭스는 세정해야 한다는 전제 조건 아래서 제조 된 것이 아니라는 점 무세정 플럭스를 세정에 의해 제거하기가 다른 재료들보다 더 어렵다는 점 때문이다.

3) 표면 플럭스 잔사

무연솔더로 가면서 예산된 잔사이다. 그러나 잔사가 수용성인지 또는 잔사를 제거하기 위해 화학세정제의 도움이 필요한지 등은 더 검토를 해야 한다.

4) 세정기계

세정매체가 결정되고 장비요구 사항들이 결정되기 때문에 중요하다. 단지 물만을 사용하는 세정공정은 화학 세정제를 사용하는 세정공정과는 아주 다르다. 일괄 세정은 세정물량이 적고 대상 제품의 유형이 다양한 애플리케이션에 가장 적합한 방법이다. 일관 세정에 사용되는 장비는 일반적으로 저렴한 편이지만 보통 물량 내지 많은 물량의 세정 공정에는 적합하지 않다. 인라인 공정, 좀 더 구체적으로 말해서 스프레이-인-에어 인라인 세정 공정은 전자 어셈블리의 세정 및 건조에 성공적으로 사용되는 융통성 있는 공인된 방법이다. 그 밖의 세정 방법으로는 초음파 일괄 처리 기법, 증기에 의한 기름 제거 기법, 반수성 원심력 기법이 있다. 이들은 흔히 사용되는 방법은 아니지만 적합한 솔루션이 되어줄 수도 있다.

5) 세정이유

① 청결해 보이기 위한 미관상의 이유

② 제품의 장기적 신뢰성을 높이기 위한 이유

③ 공정면에서 요구사항(예를 들면, 표면 접착성이 매우 중요한 언더필 및 컨포멀 코팅 단계 같은)

6) 방법

제1단계	제2단계	제3단계	제4단계	제5단계	제6단계
예비세척	순환세척	화학적격리	순환헹굼	최종헹굼	건조

7) 결론

① 세정장치 공급회사들과 플럭스, 페이스트, 세정제 공급회사들은 끝없이 발전하는 재료들과 세정 장치들이 특히 무연시대에 서로 호환성을 유지하면서 업계에서 효과적으로 사용될 수 있도록 긴밀히 협조하면서 연구 개발을 진행시켜야 할 것이다. 장비 제조 회사들은 세정기술, 건조기술, 폐쇄 루프 기술을 더욱 발전시켜서 효율성을 극대화해야 할 것이다. 화학 세정제 공급 회사들은 세정 공정과 환경에 더욱 친화적인 세제제들을 개발해야 할 것이다.

② 세정과 관련해서 해결해야 할 문제들은 아직도 남아있다. 그러나 업게는 실증된 솔루션들을 오늘도 그리고 미래에도 제공할 수 있을 것이다.

③ 안정된 통합 세정 공정은 저비용과 신뢰성 외에도 다른 많은 장점들을 제공한다. 솔더링은 신뢰성 있는 연결 부위를 만드는 역할을 한다. 세정 공정 단계를 새로 추가할 경우 솔더 페이스트 및 플럭스의 활성화는 통한 유언싱을 깊게 된디. 유연성이 확대되면 솔더링 공정창이 확대된다. 즉, 솔더링 프로파일은 단축되며 공정 변화에 대한 허용오차는 개선된다. 솔더링이 제대로 되었는지를 점검하는 것도 중요하지만 어셈블리의 청결 수준을 점검하는 것은 무세정 공정에서는 두 번째로 중요한 일이다. 여러 가지 방법들을 비교해 볼 때 통합된 세정 공정을 채택한 세정방법은 더 큰 유연성을 제공한다는 사실을 알게 된다. 여기서 중요한 것은 각 공정 단계별로 출력을 증가시키고 불필요한 재작업은 감소시킬 수 있는 능력이다.

11. 유연/무연의 인쇄 정확성

1) 정의

무연 솔더 PASTE 인쇄공정이 주석/납 인쇄공정보다 더 정확해야 할 필요성이 있다.

2) 무연솔 더 PASTE의 문제점

리플로우 도중에 무연 솔더 페이스트의 젖음성이 주석/납 솔더 페이스트의 젖음성보다 떨어진다는 점이다. 작은 크기의 개구를 제공하는 스텐실을 사용하거나 패드에서 약간 벗어난 위치에 페이스트를 인쇄했을 경우에는 무연 솔더 페이스트가 PCB 패드를 완전히 덮지 못한다.

다양한 공급 회사들이 다양한 무연 솔더 페이스트를 제공하기 때문에 무연 솔더 페이스트들인 젖음 성능 면에서 다양한 차이를 보일 수 있다.

질소 분위기에서 수행되는 리플로우 공정에서도 무연 솔더 페이스트는 주석/납 페이스트에 비해 PCB 패드 젖음면에서 차이를 보인다.

3) 결론

① 무연 솔더 페이스트는 납 함유 솔더 페이스트보다 인쇄 변위에 더욱 민감하게 반응하는 듯하다. 이러한 사실은 무연 페이스트는 인쇄 오류에 대한 관용성이 주섭/납 페이스트보다 더 적다는 것을 말해준다.

② 주석/납 페이스트 솔더 마스크처럼 젖음성 없는 표면에 인쇄했을 때 리플로우 과정에 페이스트는 패드를 향해 흘러가지 않았다는 사실이다. 그러나 소량의 주석/납 페이스트가 젖음성 있는 표면(즉 패드)과 접촉하자 리플로우 과정에 페이스트는 패드 쪽으로 끌려들어가면서 젖음성 있는 표면(즉, 패드) 전체를 젖게 만들었다. 이것은 BGA 부품의 불량률이 더 높은 이유를 설명해 줄 수 있다. 무연 페이스트를 사용했을 때는 이러한 현상이 반대 방향으로 발생했다.

③ 무연 합금을 사용했을 때 인쇄 변위에 대한 민감성은 인쇄 대상 부품의 유형에 따라 좌우된다. BGA는 민감성이 거의 없는 것으로 밝혀진 반면에 QFP는 가장 많은 불량을 생산했으며 인쇄 정확성을 위한 추가 조치가 요구된다. 리플로우 편가 결과 특정 무연 솔더 페이스트는 리플로우 및 젖음 특성의 개선을 위해 질소 분위기를 요구한다는 사실이 밝혀졌다.

23-12. WETTABILITY(젖음성)

자료 : SMT KOREA

1. Wettability(젖음성)이란?

기름을 유리에 바른 후에, 그 위에 물방울을 떨어뜨리면 구체(球體)가 된다. 다음에 알코올을 이용해서 기름을 제거한 후에 물방울은 떨어진다. 이번에는, 물이 유리면에 퍼진다. 이것이 「Wettability」이다. 젖는다는 것은 표면장력 (Surface Tension)이 작은 것이다.

『Soldering부분의 관찰』

Soldering된 금속표면에 오염이 있는 경우, 예를 들면, 도금액의 잔류, 관리가 되지 않은 Pre-Flux, 지문, 국부적으로는 Silk인쇄의 번짐, 포장용 상자 및 고정용 고무로부터 나온 Gas의 흡착 등은 표면장력을 크게 한다. 표면이 오염된 Soldering면이 더욱이, 결로(結露)에 의해서 수분이 부착한 경우, 젖음성은 저하한다. 젖음성을 개선하기 하는 것이 Pre-Flux인지 한계가 있다.

Flux에는 활성제가, 소량이 첨가되어 있지만, 오염이 현저하면, 활성제에 의한 젖음성은 나빠진다. 실장현장에서 보관이 나쁘면 오염된 부품전극 및 Pad는 한층, Soldering 불량이 많아진다. 원인은 이러한 오염이 있는 데에 대해 Soldering 불량의 원인을 조사하지 않고, Flux의 개선을 요구한다고 하는 잘못된 판단을 해서는 안된다.

[그림 12.1] 오염의 Level

한 장의 기판에 1608과 0402의 Chip부품이 탑재된다고 하자. [그림 12.1]에 실물크기를 나타낸 것인데, 같은 크기의 오염물질이 Pad에 존재한 경우, 1608의 Chip부품은 Void가 발생해도, Fillet은 형성되지만, 0402의 Pad 흐르는 면적이 거의 없다. 이것은 아주 작은 Pad에 인쇄된 Cream Solder의 절대량이 적어지기 때문이다.

더욱이, 내열 Pre-Flux가 Coating되어 있는 경우, Pre-Flux가 Etching액으로 오염되어 있다고 한다면, 젖음성의 저하에 박차를 가하게 된다. 이와 같은 경우, Cream Solder의 활성제를 증가시키는 것이 정답인지? 그럴더라도 기판을 개선시키는 것이 정답인지? 결론을 말할 것까지도 없다. 압도적으로 Flux량이 적어지는 작은 부분의 Soldering에 있어서, 활성제의 양을 많게 하는 것은 위험하다. 즉, 오염물질의 성질을 알지 못하기 때문이다. 오염물질 중에 이온(Ion)물질이 존재해 있으면, Flux 중의 이온(Ion)물질이 더해져서, Flux잔사의 절연저항이 저하되기 때문이다. Chip부품 밑에 있는 Flux잔사 + 오염물질에 의해서 Migration이 발생하는 경우도 있다.

기판의 양부(良否)의 불량판정기준은 특별한 기준은 없지만, 최소부품 및 좁은 Pitch를 고려해야 한다. 큰 Pad에 두드러진 오염이 있는 경우, 그와 같은 오염이 그 기판의 최소 Pad 혹은 최소 Pitch간에 없다 하더라도, 다른 Lot에서 없다는 보증을 할 수 없기 때문이다.

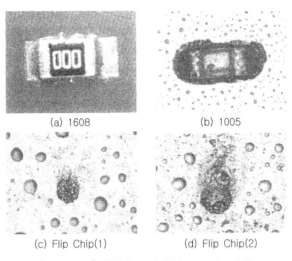

(a) 1608　　　　　(b) 1005

(c) Flip Chip(1)　　　　　(d) Flip Chip(2)

[사진 12.1] 동일한 기판상의 Soldering상태

[사진12.1]에 동일 기판상의 Soldering 상태를 나타낸다. [사진 12.1](a)는 실체현미경관찰, (b), (c)는 금속현미경의 화상(畵像)이다. [사진12.1](a)는 큰 부품이기 때문에, 기판면에 Pre-Flux가 도포되어 있어도 Fillet이 형성되고, 부품이 작아짐에 따라서, 기판에 도포되어 있던 Pre-Flux의 크기가 두드러진다. [사진 12.1](c)가 되면, Pad의 크기에 Pre-Flux의 크기가 근접해 있다. Solder Cream은 전혀 흘러있지 않다. [사진 12.1](d)에서는 Pre-Flux의 크기가 Pad의 크기가 되어, 흐르지 않았다. Solder Cream의 Flux비율과 비교해서 압도적으로 Pre-Flux가 많기 때문이다.

(a) Wetting불량　　　　　(b) (a)의 확대

[사진 12.2] Solder의 Cratering(곰보현상)

[사진12.2]는 실장현장에서 흔히 볼 수 있는 Solder Crater이다. Pad위에 Solder가 올려져있는 Leveler(HAL)기판이다. 이와 같은 것을 일으킨 기판의 제조현장의 세정에 대한 의식은 일반적으로 낮다. 세정 이외에도 관리가 부실한 공장이 많은 것도 사실이다.

기판의 Pad는, 세정부족의 원인으로 표면장력이 커지거나, Solder를 튀게 하고 만다. Leveler 직후의 뜨거운 기판을 회색으로 오염된 따뜻한 Tank에 넣었을 때, Solder표면이 부식한다. 그 후, 세정을 해도 깨끗해지지는 않고, 실장을 하면 [사진 12.2](b)의 상태가 된다.

2. Flux관련

Soldering에서는 Flux가 불가피하다. Flux는 Pad 및 부품의 표면오염물질을 제거해서 용융Solder가 접합금속의 흐름을 촉진하는 것이지만, 불량해석의 입장에서부터, 다른 현상을 알아둘 필요가 있다.

1) 열의 전달

열의 전달은 열원(熱源)이 직접 상대물질에 접촉하는 방식, 혹은 간접적으로 중간매체를 개입시켜서 전달하는 방식이 있다. 금속은 열의 양도체(良導體)이고, 유기물질 기체는 금속보다 떨어진다. 같은 물질이라도 고체와 액체는 열의 전달이 다르다.

『Soldering부분의 관찰』

① 열매체로서의 Flux

Soldering에 사용되는 열원과 그 전달방식은 많지만, 여기에서는 그런 내용에 대해서는 생략한다. 우리가 Soldering을 하는 경우, 특수한 Soldering

을 제외하고, Flux가 사용되는 것은 당연한 것으로 되어있지만, Flux의 중요성은 이 밖에도 있다는 것을 잊어버리면 안 된다.

보통, Flux는 접합금속면의 오염물질을 제거하는 면이 있지만, 실제로는 1장의 기판에 몇 천개에 이르는 부품을 한번에 Soldering하는 것이다. 각종 재료와 형상, 더욱이, 몇 층이라도 겹친 복잡한 기판내부, 복잡하게 얽힌 회로 등, 열의 전달은 똑같지 않다. 로(爐)의 능력에, 어느 정도의 차이는 있지만, Assembly상의 접합부를 균일한 온도영역으로 이행(移行) 시키는 역할을 하고 있는 것은 액상 Flux이다. 즉, 설정된 분위기는 팽대(膨大)한 열원이지만, 접합된 금속은 동(Cu)과 같이 열전달이 좋은 금속이 있는 반면에, 황동과 같이 동의 1/3인 금속도 있다. 이런 부품에 대해, 균일하게 온도를 높이는 역할을 Flux가 담당하고 있다.

Flux의 주성분에 송진(Rosin)이 있다. 실온에서 고체, 60℃이상에 연화점(軟化點)이 있고, 100℃를 넘으면서부터 액체가 된다. 연화에 의해서 형태가 바뀌고, 액체가 되어 퍼진다. 단순히 송진인데도 액체로 되더라도, 온도에 따라서 퍼지는 방식이 다르다. 온도가 높은 만큼 한층 더 잘 퍼진다. Assembly상, 온도가 높은 곳은 잘 퍼지고, 낮은 만큼 저하된다. 따라서, 실장 된 Assembly의 Flux잔사의 퍼지는 경향을 보면, 온도가 높았던 곳과 그렇지 않은 곳을 알 수 있다. 특히, Robot Soldering에 있어서는, Flux가 퍼지는 것을 보고 Soldering 속도를 결정하면 좋다. Reflow Soldering 및 Wave Soldering에 있어서는 Assembly전체를 가열하는 것에 비해서 Robot Soldering은 국부적인 Soldering이기 때문에 Flux가 퍼지는 상태를 관찰하는 것으로 조건을 도출해낼 수 있다.

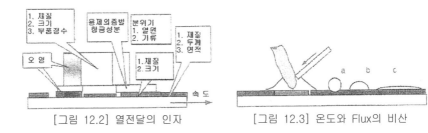

[그림 12.2] 열전달의 인자   [그림 12.3] 온도와 Flux의 비산

[그림 12.2]에 SMT에 있어서 열전달의 인자(因子)를 나타냈다. 중요한 인자라는 것은 알 수 없지만, 「오염」과 「증발」에 따른 냉각이다. 기체가 나오는 곳은 냉각을 동반한다. 이것은 현장에서는 중요한 것이다.

Flux의 확산, Flux의 비산(飛散), 연기가 나오는 상태를 보고, 인두의 온도를 맞추는 연습을 해 놓아야 한다. 매일 사용하고 있는 것이라면, 그 정도는 가능하다. 하나하나 온도계로 하지 않으면 안된다는 것은, 품질의 향상에 영향을 미친다.

[그림 12.3]은 수동 Soldering에서 발생한 비산(飛散)Flux를 나타낸다. 온도가 높은 순서로 c > b > a가 된다. 단, 활성제가 많아지면 온도가 낮아도 c의 형상을 나타낸다.

[사진 12.3] 화살표 부분   [사진 12.4] Open(화살표)

[사진 12.3]은, 붉은 실선부분에 화살표로 나타낸 끝의 Cream Solder의 퍼짐이 다르다. 회로에 따른 열부족, 억지로는 온도 Profile이 완성되지 않는다는 것이 원인이라고 판단된다.

[사진 12.4]는, 화살표부분이 완전히 Open되어있다. 이 같은 경우, 머리부분이 들뜨는 원인은, ① 온도 Profile, ② Cream Solder, ③ Lead의 들뜸의 3가지 항목이다. 노란색 화살표 부분의 Lead는 Open되지 않았다. Lead의 들뜸도 없다. 그런데, 온도 Profile은 정확한지? 문제가 있는지? 실제, 사진으로부터 판단해서 정확했다. 왜 정확했냐고 말하면, Flux잔사가 퍼진 것이 전체적으로 동일하기 때문이다.

[사진 12.4]의 SOP의 Lead는 Maker에서 Soldering을 하고 있다. 납품사양서의 기재사항에 Lead의 Flux잔사의 제거가 명기되어 있지만, 실제로, 세정은 행해지지 않았다. 2000만엔의 손해청구를 곧바로 인정하고 지불했다.

② 열에 관계된 여러 가지 현상

액상물질의 온도가 높아지면 다음과 같은 변화가 일어난다.

· 점성(黏性)은 작아진다.
· 비중은 작아진다.
· 용적(容積)은 커진다.
· 유동성이 증가한다(움직임이 빨라진다 → 큰 힘이 나온다).
  (F=mv, 여기에서 F:힘, m:질량, V:속도)
· 화학적으로 안정된다.(Flux의 수지화).
· 분해되어서 활성화된 물질이 된다(Halogen량의 증가).
· 잔류응력을 개방한다(Lead의 구부러진 부분).
· 접촉하고 있는 금속의 승온(昇溫)을 빠르게 한다.
· 증발량이 증가한다.

③ 점성(黏性:Wave Soldering)

힘은 질량과 속도의 곱으로 나타낸다. 점성이 작아지는 것은 움직임이 쉽다. 반대로, 낮아지면 움직임이 어렵다. Wave Soldering의 경우, Flux가 공급되지 않으면, short · Dewetting의 원인이 된다.

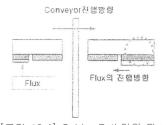

[그림 12.4] Solder Bath안의 Flux

[그림 12.4]의 점선으로 나타낸 곳의 Flux는, Assembly가 용융 Solder에 돌입한 시점에서 용융 Solder 표면에서부터 빠져나와서 Soldering부분에 공급되지 않는다. 반대로 온도가 낮아지면 움직임이 나빠지거나, Soldering 부분으로의 공급이 작아져서 Dewetting 등의 원인이 된다.

④ 점성(黏性:SMT)

Wave Soldering에서는 Bond로 부품을 고정하기 때문에, Chip의 어긋남 혹은 들뜸은 일어나지 않는다. 그러나, SMT에서는, Chip 부품은 Cream Solder위에 올라타는 것뿐이다. 그것만으로 급격한 상태의 변화는 마음에 들지 않는다. Cream Solder 중의 Flux성분이 액상화 할 때, 그리고 Cream Solder의 분말이 용융할 때는 어느 쪽도 완만하게 온도를 상승시켜서, 급격한 액상화 및 용융화를 피한다.

2) 증발과 여러 가지 현상

① 기화열(氣化熱)

액체는 융점에서 증발하면, 동시에 열을 빼앗긴다. 공간에 물이 존재하면, 그 온도에서 포화될 때까지 증발이 계속된다. 온도가 높은 만큼, 포화수증기의 양은 많아지고, 온도가 내려가면 결로(結露)한다.

IPA(Isopropyl Alcohol)의 기화열(氣化熱)은 83℃에서 160cal/g, 100℃에서 물은 539cal/g이 된다.

『Soldering부분의 관찰』

발포식(發泡式)의 Flux는 발포시에 공기와 접촉해서 수분을 흡수한다. Cream Solder에 있어서도 용제가 존재하기 때문에 증발에 의해서 냉각된다. 부품의 Cream Solder와 접촉한 전극면은 로(爐)안의 분위기의 영향을 직접 받지 않는 곳이기 때문에 증발에 따른 온도하강이 일어난다. 용제의 증발과 기화열로 생긴 수분과 그 수분의 증발의 영향으로 Void가 증가한다. 이 경우, 전극 혹은 Pad에 부식이 있으면, 부식부분에 존재하는 수분도 Void가 증가한다. 이 경우 전극 혹은 Pad에 부식이 있으면, 부식부분에 존재하는 수분도 Void의 발생을 가속화하는 인자가 된다.

[사진 12.5]는 미사용 BGA의 Ball을 강제박리 시킬 때의 경계면의 상태로써, 액상물질이 존재하고 있다. 이 액상물질과 박리면의 오염이 상승작용(相乘作用)으로 열전달의 저하를 초래한다. 그 결과, Cream Solder가 용해되기 어려운 사고가 일어난다.

[사진 12.5] 미사용 BGA의 박리면

[사진 12.6](a)의 화살표부분은 Pad에 연결되어 있 Through Hole이 Resist로 Hole이 막혀있다. Hole이 Resist로 막혀있지 않으면, 열풍이 들어가서 온도가 상승한다. 많은 경우, BGA의 Pad에 연결되어있는 Via Hole의 내경은 작아서, 세정부족이 일어나기 쉬운 곳이다. 이 작은 Hole에 도금액 혹은 Etching액이 잔류해서 열부족으로 된다. 사진 12.6은 대표적인 사례이다. 보통의 가열이 되면, 이 3단자의 부품은 온도가 올라가기 쉬운 부류(部類)이다. 그런 이유로, Pad와 부품사이에 온도차가 있으면, Flux는 온도가 높은 쪽으로 이동한다.

따라서, Pad에 퍼져야 할 Flux가 부품쪽으로 빠져나가서 Wetting불량으로 되었다. [사진 12.6]에서는 붉은 색 화살표로 나타낸 Through Hole이 Resist로 막혀있다. 막혀있으면, Through Hole에 열풍이 들어가서, Through Hole측으로부터도 열이 공급된다. 사용된 Solder의 조성은 3%Sn – 3%Ag – 0.5%Cu로써, Sn-Pb와 비교해서 용융온도가 높기 때문에 더욱 더 열부족으로 되어 Wetting불량을 일으켰다. 열전달의 이상(異常)은 아주 작은 부분에서도 일어나기 때문에 이 같은 지식이 없으면 온도 Profile의 변경도 할 수 없다. [사진 12.6]등의 불량은 기판측의 온도가 낮기 때문에 Flux가 Lead측으로 올라가면, 기판의 뒷면의 가열량이 많아져서, Pad로부터 Flux가 Lead측으로 올라가는 것을 방해한다. 그러나 그 결과 다른 부품으로 영향이 미치면, 그 상태로는 수정을 해도 튼튼하게 할 수 없다.

② 발생 Gas의 확인

Reflow로(爐) 및 Wave Soldering 장치의 내부벽면은 사용기간이 긴만큼 오염이 현저하게 된다. 노벽(爐壁)에 부착한 여러 물질은 Assembly로부터 나와 있다. 그것만으로 Assembly에서 발생한 Gas의 수준을 아는 것은 큰일이지만, 현장에서는 파악하지 않는다. 특히, 부품 및 기판으로부터 나온 Gas는 Void등, Soldering 부분에 직접 영향을 미치기 때문에, 그 실체를 알아둘 필요가 있다.

『Soldering부분의 관찰』

공기 중에 기체가 나와도 판별은 어렵다. [그림 12.5]는 부품으로부터 나온 Gas의 유무를 관찰하는 방법을 나타내고 있다. Beaker안에 고비점 (高沸点 : 화기에 주의하면, 튀김유가 좋다)의 액체를 넣고 180℃ 부근으로 가열한다. 다음에 기체가 나오기 시작한 온도, 양에 대해서 간단히 관찰할 수 있다. 또, 발생했다면 메이커의 관계자를 불러서 눈으로 보게 하고 기체가 발생하지 않는 부품을 납품시킨다. 출하검사로써, 이행하게 하는 것이 구매에서 할 일이다.

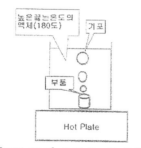

[그림 12.5] 발생 Gas의 확인

많은 경우 메이커의 영업에서는 「비용상승으로 연결된다」라고 역설하는 경우가 있다. 구매담당자는 거기에 기가 죽는다. 이 방법으로 메이커는 피해갔던 실적이 있어서, 「가격인상」으로 쟁점을 돌리는 메이커가 매우 많다.

(a) Wave Soldering의 경우

조명의 각도를 변화시키고 Soldering면을 관찰하는 것이 Wave Soldering에서는 중요한 항목이다. 담당자는 Assembly가 만족하고 있는지? 비명을 올리고 있는지? 혹은 꾸짖고 있는지? Assembly의 입장에서서 고려해보면 의외로 원인을 알 수 있다.

[사진 12.7] Flux의 모양

[사진 12.7]은 부품으로부터 나온 Gas가 원인인 미(未) Solder(Dewetting)이다. 조명의 각도를 변화시키는 것만으로 부품에서 나온 Gas의 궤적을 알 수 있다. 회로설계를 할 때 부품메이커의 특징, 부품자체의 특징 등을 이해하고 있으면, 이와 같은 문제는 일어나지 않는다. 단순한 대책은 고전적이지만 기판에 Gas를 빼는 Hole을 설치하면 좋다.

여기에서 가장 큰 문제는 문제가 일어나고 나서 대책을 세우는 것이 아니라 샘플 단계에서 문제점을 제기하고 해결해 놓는 것이다. [사진 12.6](b)의 경우도 Flux 잔사의 상태를 관찰하여, 온도가 적절했는지를 Check한 것이다.

(b) Leveler기판의 예

용융 Solder안에 기판을 삽입할 경우, 그 온도에 있어서의 용융 Solder가 Pad에 퍼지는 속도가 있다. 삽입속도가 퍼지는 속도보다 빠르면, 용융 Solder가 단순히 Pad에 덮어서 부착한 것뿐이다. 메이커가 기판의 온도와 퍼지는 속도를 파악하고 있는가? 하는 것은 품질에 직접적으로 관련이 있다. 삽입속도가 퍼지는 속도보다 느려도 덮는 경우가 있다. 그것이 [사진 12.8]의 BGA Pad의 부분 확대 사진으로, Hot Plate의 재가열로 밑에서부터 나온다.

부품에서부터 나온 Gas의 Check를 [그림 12.5]에 나타냈지만, Leveler기판의 경우는 Hot Plate에서 250℃로 가열해서 관찰하면 육안으로도 가장자리가 터지는 상태를 관찰할 수 있다. Pad의 내부를 [그림 12.6]의 상단에 나타낸다. 외관적으로 내부오염은 확인할 수 없다.

[사진 12.8] Solder 밑의 오염

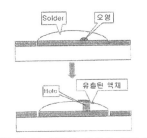
[그림 12.6] 오염의 위치와 이상상태

[사진 12.8]은 확대한 것이라고 알 수 있지만 예를 들면 분화한 화산의 용암이 유출된 상태이고, 화구(火口)에 해당하는 구멍도 존재한다. Solder Leveler기판에 BGA를 실장 할 때 발생한 거대한 Void의 원인의 한가지로 들 수 있다. 관찰은 금속현미경이 아니면 알 수 없는 것이다. 1 mol의 액체는 약 24 Liter의 용적 (Avogadro수 : 1mol에 해당하는 입자의 개수)이 되니까 방심은 할 수 없다.

(c) Cream Solder의 경우

Cream Solder에 용제가 사용되고 있는데, 이것이 부품 혹은 기판의 오염과 사용(相容)하면 Flux잔사는 고체화가 일어나기 어려운 상태가 되어 [사진 12.9]에 나타낸 풍선모양으로 된다. 어떻게 접합부로부터 Gas가 나오는지를 알 수 있다.

[사진 1.19] Gas의 발생   [사진 1.20] 원래의 화면   [사진 1.21] 화상처리 후

이 사진에서 Flux 잔사가 황색인 것이 특징이다. 황색으로 변한 Flux 잔사가 있는 경우 부품의 오염이 원인인지? 기판의 오염인지를 조사한다. 조사의 목적 이외에도 불량해석이라는 것은 이상(異常) 혹은 이변(異變)이 있는 경우는 그 마다의 원인을 조사하는 것을 습관적으로 하는 것이 좋다. 기판이 원인이라면 Assembly상 같은 상태의 곳은 필히 존재하고 부품이 원인인 경우 동일 부품을 꼼꼼히 조사하는 것으로 반드시 암시 또는 현상을 파악하는 것이 가능하다. 습관적으로 보이는 것이 가능하다.

기판의 오염이 원인이라면 Through Hole을 살피는 것이 좋다. Pad는 기판의 표면이어서, 표면은 세정하기 쉽다. 표면이 세정부족으로 오염되어 있으면 Through Hole보다 세정이 어렵다. 따라서 Through Hole을 조사하는 것이다 [사진 12.10]은 디지털카메라로 촬영한 화상이다. 컴퓨터를 이용하면 「명암」은 조정할 수 있다. [사진 12.11]은 확대해서 화상 처리한 것으로 표면이 세정 부족인 것은 설명할 필요가 없을 것이다. Fillet은 송진이 들어있는 Solder, Wave Soldering된 Solder 및 Cream Solder조성이 같기 때문에 Filler는 같은 표면을 나타낸다.

[사진 12.11]을 보면 Solder Lever의 표면은 좋은가? 라고 묻는다면 아마도 나쁘다고 할 것이다. 그것이 어떻게 해서 실장현장까지 왔는지? 어떤 판단기준으로 양부(良否)로 하는지? 매우 의심스럽다.

③ 그 외의 현상

    (a) 전기의 흐름

일반적으로 전기 도체의 표면을 흘러서 돌기부분에서부터 흘러간다. Sn-Pb공정(共晶) Solder는 동(Cu)을 100%로 했을 때 그 전기전도율은 약 10%이다. 따라서 전기는 흐르기 쉬운 곳을 선택한다. [그림 12.7]은 전기의 흐름을 나타낸다. 동의 노출부분은 표면이고 전기전도율이 낮은 금속간화합물이 존재해 있으면 동의 노출부분은 돌기부분에 해당한다.

[그림 12.7] 전기의 흐름

『Soldering부분의 관찰』

[사진 12.12]는 시장에서의 불합격품이고, [사진 12.13]은 그 미사용 기판이다. Pad에 팽창이 있고, 그것을 금속현미경으로 관찰한 곳이 [사진 12.14]이다. 부식도 존재하고 있다. 부식부분은 이온물질이 풍부하게 존재하기 때문에 흐름을 가속시킨다. [사진 12.15]는 변형기판으로 최소간격이 0.3㎜이다. 송진이 들어있는 Solder를 300℃로 수동땜을 해서 시험편으로 했다. 40℃ 95% 96시간, DC 100을 인가(印加)해서 전량, Migration이 발생했다. Pad의 팽창이 얼마나 무서운 가를 이해할 수 있을 것이다.

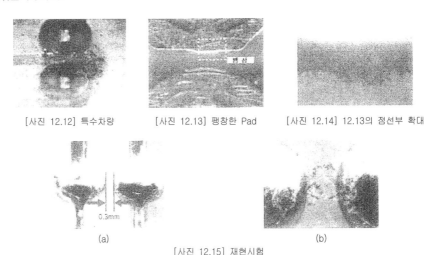

[사진 12.12] 특수차량   [사진 12.13] 팽창한 Pad   [사진 12.14] 12.13의 점선부 확대

(a)   (b)

[사진 12.15] 재현시험

(B) 포화수증기량(g/㎥)와 결로(結露)

밀폐공간에서는 그 온도에서 물은 증발해서 포화한다. 이때의 증기로 된 수분량을 포화수증기량이라고 한다. 포화가 된 분위기의 온도가 1℃라도 내려가면 결로해서 물이 된다. 밀폐공간은 결로해서 수분이 작아져도 포화상태이다. [표 12.1]에 온도와 포화수증기량을 나타낸다.

30m×50m×4m의 실장현장이 23℃ 50%로 관리되고 있는 경우 실장현장의 공기 중에는 61.48kg의 수분이 기체로 되어 존재한다. 어떻게 해서 공기 중에는 수분이 많은지를 수치로 알아 놓아야 한다.

[표 12.1] 온도와 포화수증기량(g/㎥)

0℃→4.486	5℃→6.794	10℃→9.395	15℃→12.823	16℃→13.626	17℃→14.472
18℃→15.362	19℃→16.300	20℃→17.287	21℃→18.325	22℃→19.416	23℃→20.563
24℃→21.768	25℃→23.031	30℃→30.350	35℃→39.574	40℃→51.089	45℃→65.334
50℃→82.296	55℃→104.052	60℃→129.693	65℃→160.409	70℃→196.944	75℃→240.107
80℃→290.987	85℃→349.924	90℃→418.355	95℃→497.706	100℃→588.580	

『Soldering 부분의 관찰』

ⅰ. 부품 등의 보관

실장현장에서는 온도와 습도의 관리는 중요하다. 부품 및 기판에는 미시적(微視的)으로는 100% 오염되어있다. 더욱 나쁜 것은 메이커도 실장현장도 오염의 정도를 전혀 파악하지 않고, 현실적으로 파악할 수 없는 내용이다. Soldering불량 혹은 시장(市場)사고로, 처음 알게 된다. 그것만으로 실장현장에서는 수분은 천적(天敵)이다. 습도관리를 철저하게 방어할 수밖에 없다. 여름 뜨거운 햇볕에 있던 부재(部材)를 그대로 22℃의 실장현장에 넣으면 어떻게 될 것인가? 심하게 추울 때 온도가 일정하게 유지된 공장 안에 있어도 창가에는 온도가 낮다. 예를 들면 [그림 12.8]과 같이 보관해서는 안 될 영역을 지정하면 좋다.

실장현장에 있어서 온도관리를 한다고 해도 온습도계가 있는 것뿐이다. 있다고 한다면 온도가 낮아지는 곳은 물건을 놓아서는 안된다는 것 밖에 없다. 온도변화는 팽창과 수축, 증발과 결로(結露)를 지배한다. 기체 및 액체는 순식간에 침입하고 침입하면 나오기 어렵다. Cream Solder를 냉장고에 넣는 경우, 덮개로 밀폐되었는지? 어떤지를 잘 살필 필요가 있다. Cream Solder를 꺼내는 경우도 동일하다.

ⅱ. 불합격품의 재현(再現)시험

　　Assembly의 신뢰성시험에서 85℃ 85% DC 50V의 시험이 있다. 절연불량의 불합격으로 이 조건을 적용하면 실패로 끝날 것이다. 또는 재현될 것으로 잘못된 판단을 하는 경우도 있다.

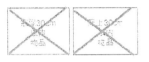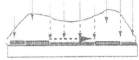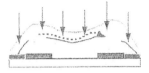

[그림 12.8] 보관금지　　[그림 12.9] 시장에서는 수분이 천천히 침투한다.　　[그림 12.10] 85도 85%는 급격히 가습한다.

　　왜 재현되지 않을까? 우선 시험하는 분위기에 있다. 85℃ 85%는 불량을 대상으로 한 시험규격에는 없다. 그것을 불량의 재현에 적용하는 것은 무리가 있다. 다음으로 현상이 근본적으로 시장과는 다르다. Assembly의 사용조건에 85℃ 85%는 없다. 반대로 있다고 해도, 방습처리를 실시하지 않고 사용할 의미가 없다. 덧붙여서 말하면 이 분위기 중에 295g의 물이 1㎥ 중에 존재하고 있다. 더구나 85℃는 송진이 연화(軟化)하는 온도영역이기 때문에 수분은 침투하기 쉬워진다. [그림 12.9]는 시장(市場), [그림 12.10]은 85℃ 85%의 분위기로써 절연열화(絶緣劣化)의 상태가 다르고 어느 것도 재현되지는 않는다.

　　Flux는 주로 브롬(Br)이 이용되고 있다. 무거운 물질이고 이 양이 많아지면 Flux가 용융상태일 때 밑으로 가라앉는다. 그 위를 절연체로서의 송진이 존재한다. 그래서 시장에서는 장기간에 걸쳐 절연불량으로 이어진다.

　　불합격품의 Flux잔사가 어떤 색상으로 되는지는 불량해석의 초기 착안점이다. 85℃에 장기간 노출된다면 Flux잔사는 흑색화(黑色化(炭火))가 진행된다. 그리고 85℃는 건조가 강하기 때문에 흡습은 자연 상태에서는 일어나기 어렵다. 반대로 그와 같은 환경에서 흡습이 진행되면 가수분해(加水分解)해서 뿌옇게 흐려진다. 85℃ 85%의 분위기가 어떻게 현상(現狀)으로부터 일탈(逸脫)한 분위기인지를 알게 될 것이다.

40℃ 95%, 인가전압은 제품과 동일하게 하고 장기적으로 실시는 것이 좋다. 출하를 위해서 선별하지 않으면 안 될 때는 Flux의 성질(활성제의 비중 등)을 알지 않으면 되는데 Analog Type의 절연저항계(計)를 이용해서 Probe를 측정할 곳에 가볍게 갖다 댄다. 절연저항계의 바늘이 움직여서 ① 몇 초간, 바늘이 높은 절연측으로 움직였다가 회복한다. 이 경우는 출하 OK ② 바늘은 회복하는 경향은 있지만 조금씩 또는 크게 진동하면서 회복한다. 이 경우는 출하정지. ③ 바늘은 완전히 회복하지 않는다. 이 경우도 출하정지. 이런 방법은 어디까지나 간이적인 방법이고, 실제로 행하기 전에 제품의 품질요구수준이나 사용 환경을 충분히 검토하고 나서 실시해야 한다.

23-13. THE UNDERFILL FOR BGA · CSP

자료 : (주) SMT KOREA

1. PACKAGE 동향

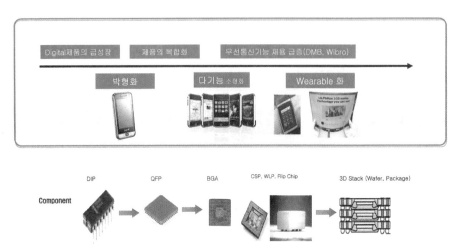

2. Underfill Resin 소개

1) Underfill?

BGA/CSP, Flip Chip등의 접속 신뢰
성 확보를 위하여 열 경화형 절연 수
지를 Package 밑면에 채우는 것으로
써, 언더필 수지의 색상은 검정색과
담황색이 있다.

2) Underfill resin 적용제품 사진

[삼성전자 Anycall 휴대전화]

3. Underfill 소개

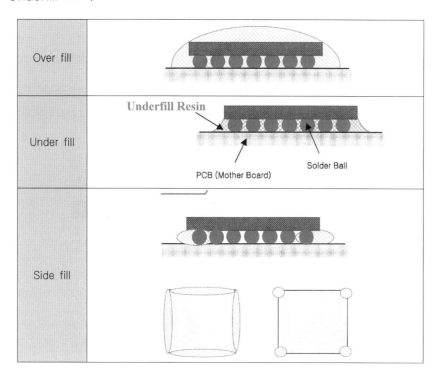

4. BGA, CSP 솔더링 신뢰성을 위한 Underfill의 필요성

1) Underfill을 해야 하는 이유?

물리적 충격의 내성 확보	화학적 충격의 내성 확보
- 낙하 충격 - PCB 변위 충격(Bend, Warpage) - 접착강도 5~7배 향상	- 사용 온도 변화에 의한 열 충격 - 먼지/흡습 등에 의한 전기적 Migration 예방

2) QFP와 BGA 비교

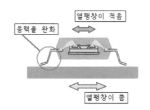
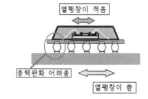

5. BGA, CSP 솔더링 신뢰성을 위한 Underfill의 필요성
Stress on solder connection of BGA·CSP

1) Thermal Stress

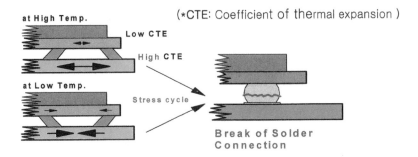

2) Mechanical Stress

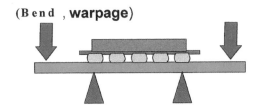

3) Drop Impact, Vibration

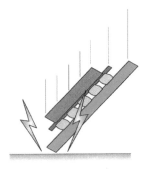

6. Underfill Resin의 요구 특성

1) 언더필의 재료 및 설비

① 언더필 수지가 갖춰야 하는 조건

   (a) 신뢰성(물리적/화학적 신뢰서)이 우수해야 한다.

   (b) 침투 속도(상온/고온 침투 속도)가 빨라야 한다.

   (c) 보관/취급성(보관수명 및 상온 사용 수명)

   (d) Syringe 안에 기포가 함유되어 있지 않아야 한다.

   (e) Repair가 잘되는 것이 좋다.

② 언더필 장치

   (a) 정량 도포가 잘되는 설비가 좋다.

   (b) 침투 속도를 빠르게 하기 위해 예열장치를 갖는 설비가 좋다.

   (c) Array 기판의 언더필 속도를 향상시키기 위해 Multi-Nozzle을 가지는 설비가 좋다.

   (d) PCB의 휨을 바로 잡아주는 장치가 있으면 정량 도포에 유리

③ 경화장치

   (a) In-Line 및 Off-Line 경화장치가 있다.

   (b) Off-Line 경화 Chamber를 사용하기 위해서는 PCB 수납용 내열 Magazine이 필요

   (c) In-Line 경화장치를 사용할 경우 경화시간이 짧으면 별다른 문제가 발생하지 않으나 경화 시간이 길 경우에는 Vertical Type의 경화 장치가 좋다.

7. Underfill resin 적용 시 검토항목

작업성	신뢰성	Repair	보관성
유동성	변위량	온도	상온 보관성
예열온도	Shear Test	세척제	냉장·냉동보관성
경화온도·시간	BGA 강제분리		Syringe 보관성
토출 안정성	낙하 충격		
기포발생	열 충격		

8. Underfill 공정 과정

1) Type 1

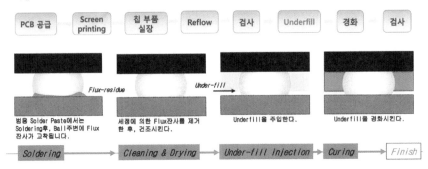

2) Type 2

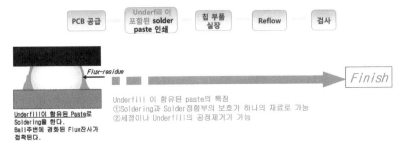

9. 부품크기에 따른 dispensing method

1) 언더필의 여러 가지 방법

   - 부품의 크기에 따라 4가지 중 하나의 방법 선택

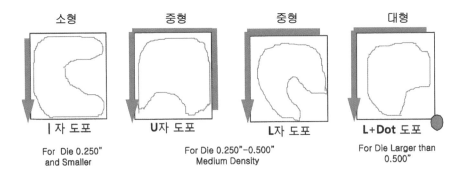

2) 언더필 할 때 주의해야 할 점

- Air Trapping이 발생하지 않도록 할 것

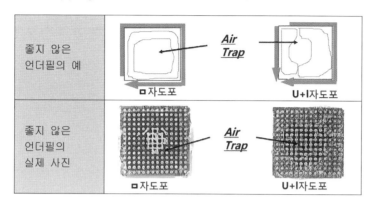

좋지 않은 언더필의 예	**Air Trap** ← □자도포	**Air Trap** → U+I자도포
좋지 않은 언더필의 실제 사진	**Air Trap** → □자도포	U+I자도포

10. Repair Process

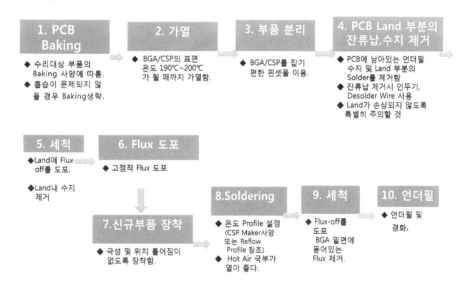

1. PCB Baking
◆ 수리대상 부품의 Baking 사양에 따름.
◆ 흡습이 문제되지 않을 경우 Baking생략.

2. 가열
◆ BGA/CSP의 표면 온도 190℃~200℃가 될 때까지 가열함.

3. 부품 분리
◆ BGA/CSP를 잡기 편한 핀셋을 이용.

4. PCB Land 부분의 잔류납,수지 제거
◆ PCB에 남아있는 언더필 수지 및 Land 부분의 Solder를 제거함
◆ 잔류납 제거시 인두기, Desolder Wire 사용
◆ Land가 손상되지 않도록 특별히 주의할 것

5. 세척
◆Land에 Flux-off를 도포.
◆Land내 수지 제거

6. Flux 도포
◆ 고점착 Flux 도포

7.신규부품 장착
◆ 극성 및 위치 틀어짐이 없도록 장착함.

8.Soldering
◆ 온도 Profile 설정 (CSP Maker사양 또는 Reflow Profile 참조)
◆ Hot Air 국부가 열이 좋다.

9. 세척
◆ Flux-off를 도포 BGA 밑면에 묻어있는 Flux 제거.

10. 언더필
◆ 언더필 및 경화.

11. 향후 Underfill의 발전 방향

1) Underfill Resin 개선 및 고객 요구사항

① 공정 중 냄새문제

② 속경화 대응 물성

③ Underfill이 없는 공정

④ Solder paste내에 언더필 수지가 함유되어 있어 SMT 공정 심플화

23-14. 이방성 도전 접속제용 전도성 미립자

자료 : SMT KOREA

1. 연구개발 목표

인터커넥션용 도전체 개발 및 사업화

↓

인터커넥션용 볼

↓

· 전극사이의 분산도 조절 (1 < 개수 < 5)
· 전도성 볼 입자 크기 (편차 < 20%)
  – 고분자 중합을 통하여 크기가 균일한 구형의 polystyrene을 제조
  – 무전해 도금을 통하여 polystyrene 표면에 금을 코팅시켜 독립적으로 존재하는 전도성
   입자를 제어

· 고분자볼의 균일한 금코팅을 위한 조건 확립
· 전도성볼의 전도도 향상 (저항(Ω) < 3)
  – 균일한 금코팅을 위한 조건에 대한 연구와 이를 통한 높은 전도도를 얻기 위한 연구도
   같이 수행할 예정

· 전도성볼 제조과정에서 잔류 금속 양 최소(< 5%)

2. Dispersion polymerization

① Reagents

Styrene	Glicydyl methacrylate	EGDMA
CH_2 CH ⬡	CH_3 $CH_2 = C$ $C=O$ $O - CH_2 - CH - CH_2$ O	H_2C O CH_3 CH_3C $O-CH_2-CH_2-O$ C CH_2 O O

② Process

(a) Styrene, Glicyidyl methacrylate, EGDMA, PVP, AIBN을 Ethanol에 녹여 질소 분위기 하에서 65℃/24hr 동안 교반시킨다.

(b) 반응이 끝난 1의 샘플을 세 번의 washing 과정을 거친다.

(c) 샘플을 38㎛ sieve에 걸러 뭉치거나 입자가 큰 particles을 걸러준다.

(d) 만들어진 Seed particle 표면에 아민기를 주기 위해, Ethylene diamine을 첨가하여, 70℃/24hr 동안 교반 시킨다.

■ Electroless Ni/Au plating

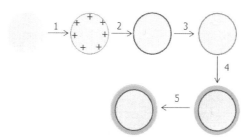

Fig. 1 Scheme of electroless Ni/Au plating on the surface of PS particle

① Etching & conditioning
   - Surface area가 커지며 hydrophobic한 표면을 hydrophilic하게 한다.
   - Conditioning을 하여 촉매가 원활히 흡착 될 수 있게 한다.
② Catalyst
   - 촉매(Palladium)를 부여하는 공정
③ Accelerator
   - 강산이나 강염기를 이용하여 Sn^{2+}를 많이 함유한 안정화 층을 제거
④ Electroless Ni plating
   - 촉매가 부여된 PS 입자 표면 위에서만 코팅이 진행
⑤ Immersion plating of Au
   - 이종금속의 이온화 경향의 다름 (용액 중에 있어서 이종금속의 전위
     차)을 이용하는 것

▶ Polystyrene particles

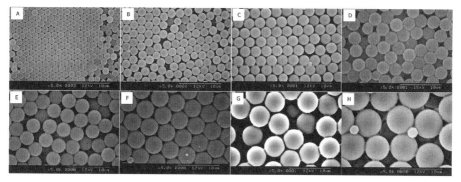

Fig.1 SEM images of Polystyrene micro spheres wit different size,
        a) 1.5, b)2.0, c)2.5, d)3.0, e)3.3, f)4.1, g)5.0, h)6~10(μm)

· 다양한 조건을 변화시키면서 Polystyrene particle 사이즈를 조절가능
  – 대체적으로 단량체의 농도가 높아질수록, 분산안정제의 농도가 작을수록,
    개시제의 농도가 클수록 온도가 높을수록 사이즈 증가
· Styrene의 경우 1~5㎛ 사이에서 단분산도가 굉장히 높음 (CV < 5%)

▶ Ni/Au plating

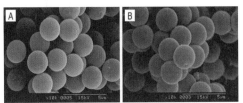

Fig.2 (A) after electroless Ni plating on PS
(B) followed by immersion plating of Au

· 입자 간의 응집이 발생하지 않고 균일한 코팅이 이루어진 것을 확인
· 무전해 니켈 도금 시 도금액의 pH와 농도를 조절하여 코팅막의 두께 및 물
  성을 변화

3. 성균관대학교 도전볼 사용 ACF

1) 분석결과

	단위	측정치
건조감량	%	1.78
도포량	g/㎡	30.22
외관	–	도전볼 뭉침으로 인한 외관 검정색 라인 발생
밀도	ea/㎟	측정불가

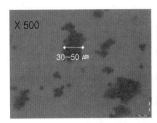
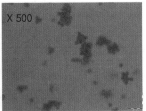

→ 기타 기초 특성은 Spec In이지만 도전볼 뭉침으로 인해 외관불량 및 도전볼의 밀도,
  도전볼 크기, 입자면적율 등의 특성 측정이 불가
→ 도전볼 뭉침은 약 30~50㎛ 정도의 크기로 전반적으로 뭉쳐서 분산이 안됨
  (200 ~ 300㎛ 크기의 도전볼 뭉침 현상이 일부 발견됨 → 다음 페이지 참조)

2) 분석결과

① 08년 09월 입고분

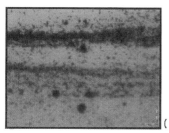 (X 50)
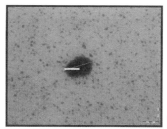 (X 50)

(a) 외관
· 도전볼 뭉침 현상이 발견됨(검은색 줄무늬로 보임)

(b) OM분석
· 200 ~ 300㎛ 크기의 도전볼 뭉침 현상이 발견됨

② 09년 03월 입고분

 (X 50)
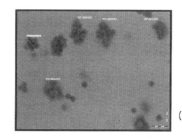 (X 500)

(a) 외관
· 줄무늬 등의 큰 뭉침 현상은 발견되지 않음
· 도전볼 분산 정도는 타사 도전볼 사용시에 비해 떨어져 보임

(b) OM 분석
· 도전볼이 30㎛ 정도의 사이즈로 응집된 채 분산되어 있음

4. 결론

1) 개발된 도전볼의 Product Data

NO	Item		Unit	Product data	비고
1	Particle Size		μm	5.3	*(4.8)
2	Specific Gravity			2.88	
3	Metal Content	Ni	wt.%	42.54	
		Au	wt.%	18.91	
4	Metal Thickness	Ni	μm	0.155	0.15
		Au	μm	0.095	0.05
5	Particle Resistivity		Ω	4	

(*Diameter before Plating)

2) 분산성 대비 문제

에폭시 바인더 내에 분산시켰을 때 도전볼의 분산성 향상을 위해 계면 활성제의 변화를 준다.

① 계면활성제 첨가 방법의 변화

: 기존에 도금과정 중에 계면활성제를 첨가하는 방법 대신 도금을 마친 후, 계면활성제에 분산시켜 건조 시키는 방법을 사용

② 계면활성제 종류의 변화

24. ASS'Y BOARD 후 문제점 대책

질문 NO	문제점	대책
1	WARP 발생	1. 배열을 바꾼다. $\boxed{A}\boxed{A}\boxed{A}\boxed{A} - \boxed{A}\boxed{A}\boxed{B}\boxed{B}$ 변경 전　　　　　변경 후 2. v-cut 대신 ASS'Y 후 ROUTING한다. 3. 제품사이의 DUMMY SIZE 변경
2	제품취급	1. 제품포장 시 주의점 　① BOX 안에서 흔들림 없을 것 　② 습기 방지를 위한 실리카겔 사용 　③ 제품의 SIZE 및 구조에 따라 제품포장 변경 2. 운반시(ASS'Y 후) MAGAZINE 사용
3	수리제품보관	외부로부터 또는 취급 시 Scratch 및 부품, PCB 등의 CRACK를 방지하고자 PCS 단위로 관리
4	MANHATTAN	근본적인 원인조사 필요 　① PCB 표면처리 　② PARAMETER 　③ 제품취급
5	Cu 없어짐	SOLDERING 작업문제이며 신뢰성문제 발생
6	LED MODULE WARP	1. 배열을 바꾼다. $\boxed{A}\boxed{A}\boxed{A}\boxed{A} - \boxed{A}\boxed{A}\boxed{B}\boxed{B}$ 변경 전　　　　　변경 후 2. v-cut 대신 ASS'Y 후 ROUTING한다. 3. 제품사이의 DUMMY SIZE 변경
7	냉땜(젖음성)	1. PARAMETER 조정 필요

질문 NO	문제점	대책
8	SHORT	1. BARE SHORT면 BBT 안한것임 → CLAIM 대상 2. ASS'Y SHORT면 PARAMETER 또는 먼지, 이물질로 인하여 발생
9	WHITE INK 뭉침 및 벗겨짐	1. PCB 회사 문제 2. LED용은 전부 WHITE를 사용하여 PCB 회사의 노광 현상조건 및 정면작업 주의 요
10	PCB 표면관리	1. 절대 맨손으로 만지면 안됨 2. 장갑(면)을 착용했어도 장갑에 습기가 남아 있으면 안됨 (뽀송뽀송 요) 3. BARE BOARD 취급 시 표면에 산화 발생 필히 세정필요
11	PCB 수압검사	1. SAMPLING 검사 실시 2. 주요검사항목 선정 ① BBT 확인표시　② WARP & TWIST ③ V-CUT 확인　④ PSR & MK COLOR ⑤ 표면처리 COLOR　⑥ 이물질 부착 여부 ⑦ 외형가공 상태　⑧ HOLE 구성 ⑨ 편심　⑩PRESS & ROUTER 가공 ⑪ MICRO-SECTION
12	BBT 검사	전 BARE-BOARD 100% BBT 실시해야 함
13	REFLOW TEST	1. 1-2회 TEST 가능 2. 회를 거듭할수록 표면 산화 발생가능
14	PCB 압력	1. 별 규격 없음 2. 충격을 가할 시 변화가 없어야 함
15	진공포장제품 OPEN 후 사용잔량보관	1. OPEN 상태 보관 나쁨 2. 가능한 VIA'YL BAG 사용재포장 3. 포장재는 습기방지제가 좋음
16	LVH SMEAR	① LASER DRILL 가공 시 EPOXY 잔사잔류 ② DESMEAR 처리 강화
17	층간 들뜸 및 SOLDERING 부위 VOID	① RF PCB 경우 성형조건 ② PCB 기본 CCL품질 ③ SOLDERING 시 PARAMETER ※ 유형별 원인이 각자 다르므로 현품별 비교 분석이 필요함

문제점 SAMPLE

NO	사진
1	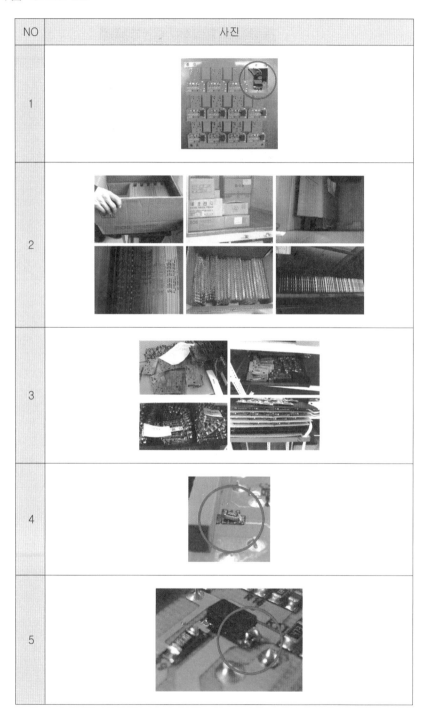
2	
3	
4	
5	

NO	사진
6	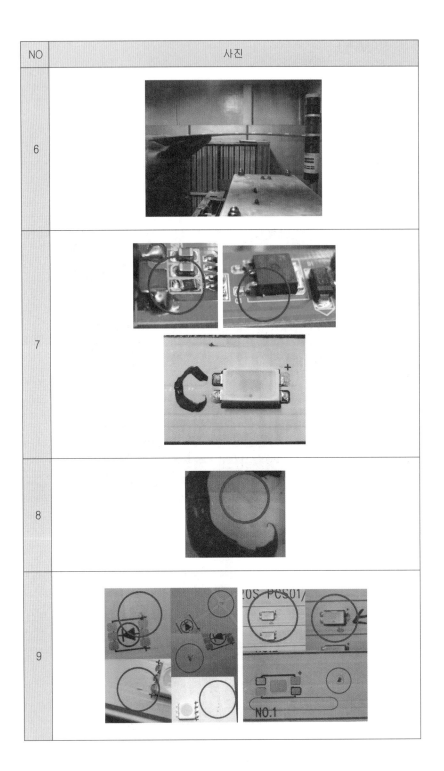
7	
8	
9	

NO	사진

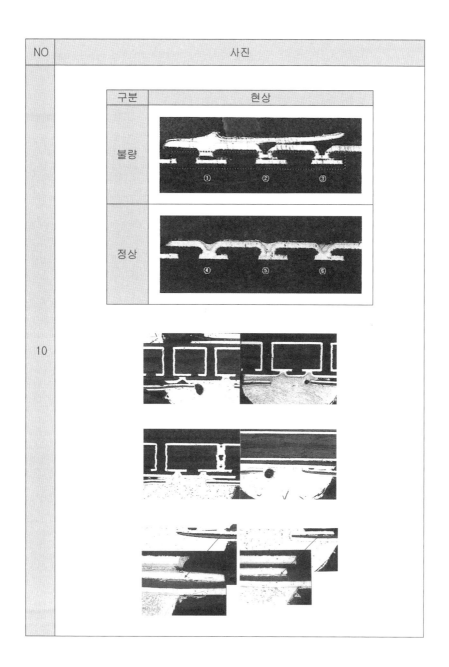

구분	현상
불량	① ② ③
정상	④ ⑤ ⑥

25. PCB가 SMT 품질에 미치는 영향

25-1. Annular -Ring & Land open

1. 불량 유형 : 도금 완료 후 도금액 침투로 인한 신뢰성 저하 및 저항값 범위 벗어남

  1) 그림

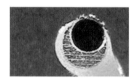

  2) 원인

    ① HOLE 터짐

        (a) 외층 노광 작업 시 편심, 신축 등에 의하여 발생

        (b) Drill 편심에 의하여 발생

    ② 찍힘/떨어짐

      열충격/물리적 충격에 의하여 떨어짐

    ③ Film 배열작업 시 Miss로 인하여 발생

  3) 대책 및 조지사항

    ① HOLE 터짐

      - Film 관리 철저

      - 외층 노광룸 항온 항습 유지

      - FAI 철저

      - 작업자 숙련도 향상

② 찍힘/떨어짐

    - 제품 취급 부주의

    - 표면 처리 조건 준수(특히 Hasl 공정)

③ 기본 SPEC

25-2. ACF 밀착불량(1)

1. 불량 유형 : ACF Bonding 불가

 1) 그림

 2) 원인

   ① SMT 작업 시 맨손 작업으로 인한 이물질 흡착.

   ② 내열성 tape 박리 시 TCP PAD 이물질 잔존

   ③ PCB외형 가공 후 수세불충분

   ④ 제품 취급 부 주의

 3) 대책 및 조치사항

   ① 포장 전까지 제품 취급 시 면 장갑 사용

   ② SMT 작업 시 면 장갑 사용

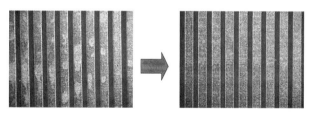

   ③ 표면 이 물질 발생 시 표면 세척 재처리

25-3. ACF 밀착불량(2)

1. 불량 유형 : ACF Bonding 불가

 1) 그림

 2) 원인

    ACF bonding 시 TCP PAD와 PSR과의 GAP 적어 밀착불량 발생.

 3) 대책 및 조치사항

    편측 Gab 50㎛ 키워 밀착 증가시킴.

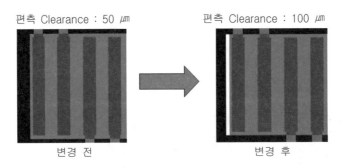

변경 전 → 변경 후

편측 Clearance : 50 ㎛   편측 Clearance : 100 ㎛

25-4. Au 표면오염

1. 불량 유형 : 납땜성 저하

1) 그림

2) 원인

- Au도금 후 수세 부족
- 맨손 취급

3) 대책 및 조치사항

① Au 도금 수세 강화

=> 교환 주기

순수 사용

수세량 강화

② PCB 공정 및 SMT 시 필히 장갑 착용 후 작업

25-5. 금도금 유광

1. 불량 유형 : 금도금 유광으로 인한 인식 불가

 1) 그림

 2) 원인
  ① 무전해 금도금 시 Ni 도금 두께 두꺼움
  ② Ni 활성화 이상으로 인한 Ni 층도금

 3) 대책 및 조치사항
  ① Ni도금 액 점검
  ② Ni 도금 시간 점검 및 표준 준수
  ③ Ni 도금 두께 관리
    (a) 업체 SPEC 준수
    (b) 무전해 금도금 시 0.03 ~ 0.08㎛ 관리
  ④ SMT 조건에 따라 유광/반광/무광 선택처리

25-6. Au 도금두께 OVER

1. 불량 유형 : Solderability 저하/ MANHATTAN / TOMSTONE 발생

 1) 그림

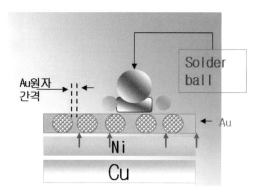

 2) 원인

  ① Au 원자와 원자 간격이 좁기 때문에 Ni의 확산 즉, Ni이 Au속으로 들어
   가 합금층을 형성하기가 어려움. 상대적으로 Ni의 량이 적어 합금층에서
   적절한 비율이 맞지 않아 Solder- Ability을 저하

  ② 금도금액의 금농도가 낮고, 치환 금도금 시간이 길게 되면 하지 니켈피
   막이 산화되어 솔더링성이 저하된다.

 3) 대책 및 조치사항

  ① 무전해 금도금 두께 0.03 ~ 0.08㎛ 관리

    - 표준작업관리 지침 준수

    - 도금 시간 관리 철저

    - Au 액 농도 관리 철저

  ② Spec Over시 재처리 금지

 4) 비고

  도금 두께가 정상일 경우 - 원자와 원자 사이에 틈이 적당해 Ni이 쉽게 Au
  속으로 침투되어 합금층(Au-Ni-Sn-Pb)를 형성하기 쉽다.

25-7. Au 도금두께 미달

1. 불량 유형 : 납 퍼짐성 저하 및 냉땜 발생

 1) 그림

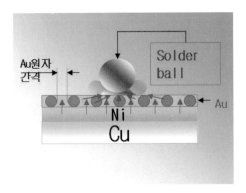

 2) 원인
  ① Au원자와 원자사이에 간격이 넓어 SMT 시 열에 의한 산화 발생
  ② 도금두께가 0.01μ이하일 경우 무전해 Ni도금의 표면은도금처리 공정내
    이후 실장 시 열에 의해 산화되기 쉬워지고 납볼의 미부착이나 냉땜 발
    생한다.

 3) 대책 및 조치사항
  ① 금도금 두께 0.04~0.08㎛ 관리
    - 표준작업관리 지침준수
    - 도금 시간 관리 철저
    - Au 액 농도 관리 철저
  ② Spec 미달 시 재처리 전 사전 확인 후 실시

25-8. Au 도금 Skip

1. 불량 유형 : 납 땜성 저하

  1) 그림

  2) 원인

    ① Catalyst 처리 미흡

    ② 도금 처리 중 Bubble 로 인한 PAD에 보호 막 생김

    ③ 금도금시 약품의물성관계로 부분적으로 PAD에 금도금 안됨.

  3) 대책 및 조치사항

    ① Catalyst 공정 조건 검토

      – 온도

      – 농도

      – 처리 시간

    ② Catalyst 조 vibrator 처리 철저

    ③ Skip 부분 수작업 Au처리 또는 OSP처리 후 사용

25-9. 금도금 얼룩

1. 불량 유형 : : SMT 시 냉땜 유발 및 떨어짐 발생

 1) 그림

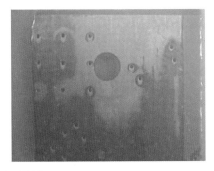

 2) 원인

   ① 금도금 전 처리 부족

   ② 하지 동박 오염

 3) 대책 및 조치사항

   ① 금도금 전 처리 강화

    – 전처리단 약품 관리 철저

    – 전처리단 작업 조건 준수

   ② 하지 동박 오염 최소화

25-10. BBT Pin 찍힘

1. 불량 유형 : PAD 동 노출 유발로 인한 신뢰성 저하

 1) 그림

 2) 원인

   ① BBT Pin Tension 부족

   ② BBT Pin 부러짐.

   ③ Fixture의 Unbalance

 3) 대책 및 조치사항

   ① 작업 전 BBT 지그 확인

   ② 초도품 검사 강화

   ③ BBT 작업 시 고정 부위 결손 발생 시 JIG (Fixture) 확인

25-11. Blow-Hole

1. 불량 유형 : HOLE 신뢰성 저하 및 SHORT 유발

 1) 그림

 2) 원인

   ① 동 도금 후 Hole 속 도금 미도금 또는 Void 발생

   ② 완제품 보관 시 장기 보관으로 인하여 Hole속 습기가 있을 경우 발생

   ③ 실장 부품의 LEAD 산화

 3) 대책 및 조치사항

   ① 도금 두께 관리(MIN 20㎛ 이상관리)

   ② 장기 보관 후 사용 시 사전 POST Baking 처리 또는 표면 재처리 실시

    POST BACKING 조건 : 150℃, 1HOUR

25-12. Black Pad

1. 불량 유형 : SMT 시 부품 떨어짐 발생(TOMSTONE/MANHATTERN)

 1) 그림

 2) 원인

　① Ni 도금액의 농도 관리 미흡 (특히 인의 함량관리 실패)

　② 도금(Ni,Au)속도 조절실패 (온도,Ph 관리 부재)

　③ Ni 도금액 불순물 관리실패 (Br Cr등의 불순물 다량 함유)

　④ 금도금 두께 관리

　⑤ Au 도금층의 균열로 Ni 층 부식 발생

 3) 대책 및 조치사항

　① 도금 중 Carrier 사고 방지

　② 재 도금 금지

　③ Ni 자동 보급기에 의한 보충

　④ 무전해 금도금 신뢰성 강화

　　(a) Au 박리 후 Ni 싱태 획인

양품	불량

light Black	Dark Black

(b) Peel Test

Peel Test 시 Copper 까지 Peel 되어 표면상 Epoxy 노출 시 양품

(c) SMT 완료후 SAMPLE DROP TEST 실시

25-13. Bevelling(단자면취)

1. 불량 유형 : 면취 가공 각도 불량으로 Connector 삽입불량

 1) 그림

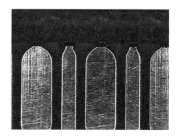

 2) 원인

   ① 업체 SPEC 확인 미실시

   ② Spindle 관리 미흡

   ③ 엔드 밀 BIT 관리 미흡

   ④ 이중 가공

 3) 대책 및 조치사항

   ① 업체 SPEC 확인 후 작업 실시 (주문 시 각도 확실하게 할 것)

    엔드 밀 BIT 교체 주기 준수 및 관리 표준 설정

   ② 제품 투입 간격 준수

   ③ 초도품 작업 후 SPEC CHECK 실시

   ④ 양품/불량 기준

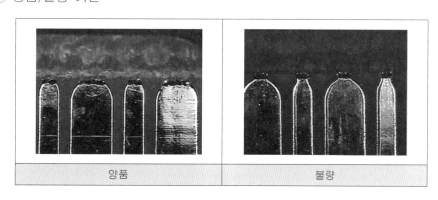

양품	불량

25-14. Carbon 인쇄 후 저항 값

1. 불량 유형 : KEY PAD 접촉 저항 증가 하여 저항 값 이상 발생

 1) 그림

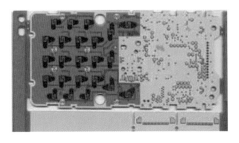

 2) 원인

   ① 동박 부위의 산화로 카본과 동박 사이의 저항값 증가.

   ② Carbon INK 두께 미달로 발생

 3) 대책 및 조치사항

   ① Carbon 인쇄 시 chemical 정면 실시 후 작업

   ② 출하 전 Carbon 저항치 측정 후 납품

   ③ Carbon INK 표면 두께 관리

25-15. DELAMINATION

1. 불량 유형 : 층과 층 사이 떨어져 신뢰성 저하

1) 그림

2) 원인

① 적층 작업 시 Pre-Preg 자체 흡습

② Hot Press 작업 시 작업 조건 미 준수

③ OXIDE 처리 불 충분

3) 대책 및 조치사항

① 원재료 보관 철저

　　(온 습도 관리)　온도 조건 : 22℃ ± 2℃

　　　　　　　　　　 습도 조건 : 50% ± 5%

② Press 시 조건 준수 및 열 Cycle Check

③ Oxide 작업 조건 준수

※ 비슷한 불량 유형
　Measling/Blister/Crazing/Weave Exposure/Weave Texture

25-16. Fiducial Mark 축소

1. 불량 유형 : SMT 작업 시 인식불가

 1) 그림

 2) 원인

   ① 외층 형성 후 Brush 정면 과다로 인하여 하단 Copper 깎임.

   ② Hasl 처리 시 온도 과다로

     Mark 축소 또는 없어짐 발생

 3) 대책 및 조치사항

   ① 외층 후 Brush 작업 금지

     Chemical 및 JET 정면 권장

   ② Fiducial Mark 선정 시 보호 장치 구성

25-17. HASL 처리 후 표면두께

1. 불량 유형 : 냉땜/부품 틀어짐 유발 Metal Mask처리 시 Cleam번짐
발생

 1) 그림

 2) 원인

　① 용해물이 치구 등에 의해 혼입

　② 수산화 제2철이 발생하여 부착

　③ Ph가 높다.

　④ 처리농도가 매우 높다.

　⑤ 촉매 금속이 혼입되어 Ni 핵으로 부착한다.

　⑥ 설비의 청소 및 정비 불충분

 3) 대책 및 조치사항

　① 여과를 실시하고 치구를 박리한다.

　② 첨가제를 반드시 희석하여 보충한다.

　③ Ph를 보정한다.

　④ 농도를 적정치로 보정한다.

　⑤ 부분적으로 발생 시 재처리 보다는 수작업으로 재처리 후 SMT작업

25-18. HOLE 누락

1. 불량 유형 : IMT 불가 및 전기적 단락

1) 그림

2) 원인

① 업체에서 DATA 접수 시 누락

② 사양 검토 후 cam 작업 시 누락

③ Gerber DATA input시 error 발생.

④ Drill 작업 시 Drill bit 파손으로 인하여 발생

3) 대책 및 조치사항

① 사양 관리 철저

② CAM 작업 후 Gerber 확인 후 작업

③ Drill 작업 시 Bit 파손 및 분실 상태 확인

④ Hole 누락 검사 실시

  - 자동 검사기

  - Green Film 을 이용하여 육안 검사 실시

25-19. INK BALL

1. 불량 유형 : Solder Paste인쇄 시 표면 불균일에 의한 Short 유발

1) 그림

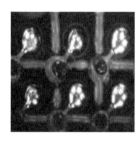

Section 사진

2) 원인

① 인쇄 작업 시 Hole 속에 잔존되어있는 Gas 로 인하여 Ink가 Hole 외부로 배출되어 발생

② PRE 또는 POST BAKING조건 불충분

3) 대책 및 조치사항

① 작업 조건 준수(특히 건조 조건)

② STEP 건조하여 GAS 방출 최소화

③ 표면에 과다로 발생 시 재처리

25-20. IMMERSION GOLD Thickness

1. 불량 유형 : 납 퍼짐성 불량

1) 그림

2) 원인

① Au 도금 두께 관리 Miss

② 무전해 Au도금의 경우 0.03 ~ 0.08㎛ SPEC 미달 또는 Over 경우

③ 표면 이물질 및 산화

3) 대책 및 조치사항

① Au 도금 두께 SPEC 준수

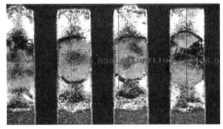

SPEC : (a) 전해 도금 – HARD GOLD 0.3 ~ 1.3㎛

SOFT GOLD 0.3 ~ 0.5㎛

(b) 무전해 금도금 – Immersion Gold 0.03 ~ 0.08㎛

Electroless Gold 0.5 ~ 1.0㎛

4) 기타 : 재처리 금지

25-21. LEAKAGE

1. 불량 유형 : BARE PCB에 SPK(스피커) 부착 후 TEST 시 묵음, 음
질 이상 등 발생

1) 그림

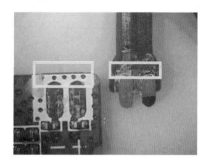

2) 원인

사양변경(SILK-CUT)에 의한 SILK 하부의 Via Hole corner 부위에 PSR이
얇게(3㎛) 도포 되어 SPK(스피커) FPCB 가 PAD 부위에 접촉되어 LEAKAGE
발생.

3) 대책 및 조치사항

① 업체의 사양대로 100%처리가 원칙이며 작업의 원활성을 위해서 변경 시
사전협의 후 처리

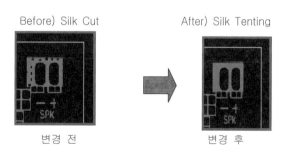

Before) Silk Cut   After) Silk Tenting

변경 전   변경 후

② PCB Design 시 특수 부위는 사전 PCB 업체에 통보

25-22. LVH conformal 미형성

1. 불량 유형 : conformal이 형성되어 LVH 미 가공

 1) 그림

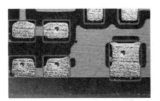

 2) 원인

   ① conformal 노광(외층 작업)시 장비에서 제품과 필름의 밀착력 저하로 진
    공 불량 발생.

   ② conformal master film size 축소

 3) 대책 및 조치사항

   ① conformal master film size 확대.

   ② hole point 검사 강화

    검사용 positive film을 이용 하여 초도품 검사 강화

   ③ D/F 방법 변경

    노광량 단수 낮추어 작업

25-23. Laser hole bottom 금미도금

1. 불량 유형 : LVH 금도금 안 됨

 1) 그림

 2) 원인

   ① 금도금 시 활성화 부족

   ② Laser Hole 속 이물질 잔존

 3) 대책 및 조치사항

   ① 금도금 약품 조건 점검

   ② 금도금 전처리 강화

     산화/얼룩/이물질 제거

25-24. LASER-DRILL HOLE VOID

1. 불량 유형 : LVH 가공 시 Void 로 인한 전기적 단락

 1) 그림

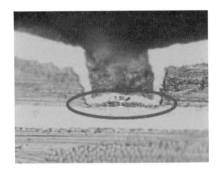

 2) 원인

　① LVH 가공 시 resin dot 잔존

　② desmear 처리 미흡으로 인한 smear 잔존

 3) 대책 및 조치사항

　① Laser Drill 조건 재조정 및 표준 확립

　　－ Beam Power 조절

　　－ 장비 maintenance

　　　(focus 조절, 렌즈 청결유지)

　② 디스미어단 ,약품 농도, 온도 관리범위 내에 작업 진행

　③ 디스미어단 속도 하향 작업

　④ 초음파단 정기적인 점검

　　초음파 암페어 점검(2.0±1.0A)

　⑤ 신뢰성 강화

　　Hot oil 必 실시

25-25. MARKING 번짐

1. 불량 유형 : SMT 시 부품 위치 확인 불가

 1) 그림

 2) 원인

   ① 제품의 정전기

   ② 작업 후 건조 전 제품 겹침

   ③ 취급 부주의

   ④ Silk 망 파손

   ⑤ 싸매기 작업 시 Tension 문제

 3) 대책 및 조치사항

   ① 정전기 방지장치 사용

   ② 제품 Racking 시 주의

   ③ FAI(First Acticle Inspection) 必 실시

25-26. NICKs on Pattern

1. 불량 유형 : 열 충격 시 OPEN 우려

1) 그림

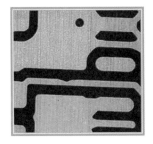

2) 원인
   ① D/F 이물질 흡착
   ② D/F 밀착불량
   ③ 표면 Scratch

   ▶ NICK 유형
   ① SLIT
   ② Nodule(돌기)
   ③ PIN-HOLE
   ④ 회로의 전기동도금 상태 없어짐
   ⑤ PIT
   ⑥ DENT

3) 대책 및 조치사항
   ① LAMINATION 조건 검토 및 초도품 검사 강화
      수시 검사 강화
   ② PNL Clean Roller 통과 후 노광 실시
   ③ 작업 전 표면 관리
   ④ Bare Board 상의 회로 구성에 따라 A.O.I 조건 변경
   ⑤ 외층 회로 형성 후 가능한 100% A.O.I 검사 필요

25-27. OPEN

1. 불량 유형 : 전기적 단락 생김

1) 그림

2) 원인
① 고정 open : 설비 및 자제 문제(film)에 의하여 연속으로 발생 하는 결손
② 긁힘 open : 제품 취급, 운반 등의 문제로 발생하는 결손
③ 찍힘 open : 설비의 고장, 부품의 파손 및 운반 시 제품 낙하로 인하여
　　　　　　　발생
④ 이물질 open : 회로 형성 전 Film 및 Board 표면에 먼지 Film 가루 등
　　　　　　　에 의하여 발생
⑤ 내층 open : 내층 회로 형성 시 발생하는 결손

3) 대책 및 조치사항
① PCB 제조 기본 작업조건 준수
② 유형별 원인 소사. 3現 2원에 입각해서 실시
③ 제품 취급 방법 표준화
④ 제품 흐름의 공수 절감
⑤ Clean Room 조건 준수

25-28. Punching 제품 이물질

1. 불량 유형 : SMT 시 냉땜유발

1) 그림

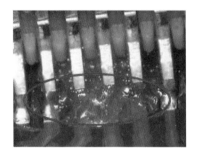

2) 원인

① Press Punching 시 발생.

② Punching 후 표면에 Glass
   Epoxy 잔사 잔존

③ 금형의 마모로 인하여 Edge 부의 잔사 발생

3) 대책 및 조치사항

① 금형 STROKE 관리 준수 및 연마 관리

   (a) 연마 회수 관리 : 평균 5회

   (b) 총 금형 수명 : 200, 000~300, 000 STROKE

② Punching 시 각도 Control

③ Punching 후 표면 nylon Brush 처리로 표면 세척

④ 제품 취급 주의

⑤ 최종 수세 시 초음파 수세

25-29. PAD 누락

1. 불량 유형 : PAD Skip 되어 SMT 작업 불능

 1) 그림

 2) 원인

　　① 외층 FILM 출력 시 Skip

　　② GERBER 접수 시 누락

　　③ 표면처리가 Hasl 시 설비 및 온도 조건 관리 Miss로 떨어짐 발생

　　④ 취급부주의

 3) 대책 및 조치사항

　　① CAM 작업 시 DATA 삭제

　　② GERBER 접수 시 검도 철저

　　③ Hasl 작업 시 설비 및 온도 관리 준수

　　④ 표면처리가 Hasl 시 재 처리 방지

　　　(QFP, RGA 제품)

25-30. PAD 이물질

1. 불량 유형 : PAD 이물질에 의한 냉땜 발생

 1) 그림

 2) 원인

   ① 이물질 흡착된 상태로 인쇄

   ② 재판망 이물질 흡착

 3) 대책 및 조치사항

   ① PSR 전처리 강화

   ② PSR 인쇄 전 Clean Roller 이물질 흡착 후 인쇄

   ③ 재판망 관리

25-31. PSR QFP DAM 처리

1. 불량 유형 : SMT시 Short 유발

1) 그림

2) 원인

① PSR 과현상에 의하여 under Cut 발생 후 HASL 공정 시 열충에 의한 Dam 떨어짐 발생.

② DAM 폭이 100㎛ 이하일 경우 발생률 높음.

3) 대책 및 조치사항

① PSR 현상 작업 표준 준수

② DAM CLEARANCE 확보

불량 제품 → Under Cut 발생	양품

③ PSR MASK 선택 신중

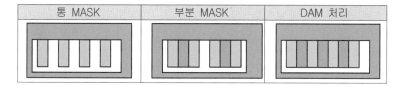

통 MASK	부분 MASK	DAM 처리

25-32. PSR INK 떨어짐

1. 불량 유형

1) 그림

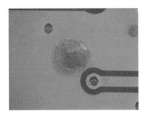

2) 원인

- 하지 동박 산화
- 표면 처리 시 열/약품에 의한 충격
- 정면 작업 시 표면 및 Hole 속 미 건조 상태에서 PSR 작업
- BAKING처리 불충분

3) 대책 및 조치사항

① PSR 전처리 강화

=> 정면 작업 시 산화 방지 및 표면 미 건조 방지

② 표면 처리 조건 준수

(a) 무전해 금도금 : 액 농도 조건 준수

Dip Time 준수

(b) Hasl : Hasl조 온도 준수

청소 주기 관리

(c) OSP (PRE-FLUX) : 과다 SOFT Etching 방지

(d) Tin & OIL Fusing : 작업 조건 준수

25-33. PSR 미현상

1. 불량 유형 : SMT 시 부품과 PAD면 확보 하지 못하여 냉땜 발생

1) 그림

2) 원인
- 노광 시 Film 밀착력 저하
- Seml Cure (표면 건조)시 과 건조
- 현상 부족

3) 대책 및 조치사항
- 노광 시 진공 압력 점검 및 조건 준수
- 건조기 온도 및 시간 점검
- 현상 시간 및 현상 액 농도 점검

25-34. PSR 편심

1. 불량 유형 : SMT 시 냉땜 및 부품 실장 불가

 1) 그림

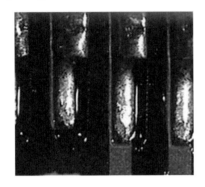

 2) 원인

   ① PSR 노광 필름 신축

   ② PNL 신축

   ③ 노광 작업 시 shift

 3) 대책 및 조치사항

   ① PSR 노광룸 항온 항습 유지

   ② Tg 높은 원판 사용

   ③ 초도품 검사 강화

25-35. PINK RING

1. 불량 유형 : 도금 완료 후 도금액 침투로 인한 신뢰성 저하

1) 그림

2) 원인

① Press 조건 불량

② Drill 작업 시 물리적 충격에 의한 내층 손상

③ Oxide 작업 조건 미흡

④ Black Oxide 처리

3) 대책 및 조치사항

① Press 조건 점검 및 표준 준수

② Drill 조건 검토

　　－ BIT 재질

　　－ BIT 연마도

　　－ 회전수(RPM)

　　－ 회전 속도

③ Brown Oxide 변경

25-36. Router 후 Burr 잔사

1. 불량 유형 : : connector 부위 Burr로 인한 short 유발

 1) 그림

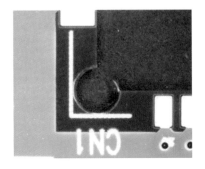

 2) 원인

   Connector 부위 단 방향가공에 의하여 Burr 발생

 3) 대책 및 조치사항

   connector 부위 2차 가공으로 Burr 제거

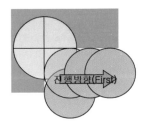

   1차 가공   2차 가공 : Burr 제거 Program

25-37. Short

1. 불량 유형

1) 그림

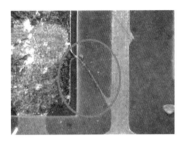

2) 원인

① 고정/긁힘/이물질/, 내층 Short

: OPEN 불량 원인 유형 동일

② 진공 SHORT

: D/F 노광 작업 시 진공불량으로 발생 및 밀착불량으로 발생하는 결손

3) 대책 및 조치사항

① PCB 제조 기본 작업 조건 준수

② 유형별 원인 조사 3현 2원에 입각해서 실시

③ 제품 취급 방법 표준화

④ 제품 흐름의 공수 절감

⑤ Clean Room 조건 준수

25-38. SOLDER-BALL

1. 불량 유형 : REFLOW 시 Short 유발

1) 그림

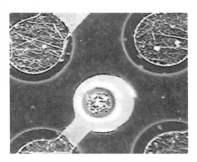

2) 원인

VIA HOLE 100%TENTING 미처리로 수직/수평 HASL 처리 시 Hole 속 또는 Hole 주위에 BALL 형태의 SOLDER 잔존

3) 대책 및 조치사항

① Hole 속 메꿈 처리

  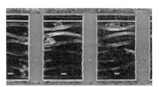

WET-WET	Multi-printing	Hole-Plugging
Hole 속 INK 처리 => :80%이상	Hole 속 INK 처리 => :90%이상	Hole 속 INK 처리 => 100%

② 표면처리 방식 변경

HASL → OSP, 무전해 금도금, 무전해 TIN/Ag

③ Via-Hole Size 선택의 단일화

25-39. Shrinkage

1. 불량 유형 : 표면실장불가

 1) 그림

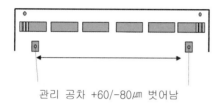

관리 공차 +60/-80㎛ 벗어남

 2) 원인

① 원판 신축

② 외층 Film 신축

③ 제품 보관 온도/습도 관리

④ 직각 사각형 제품(TFT LCD 제품)에서 발생률 높음.

 3) 대책 및 조치사항

① 열 변화율 적은 원판 사용

② 외층 노광실 항온 항습 유지

③ 계절별 외층 Film 변화율 TEST 후 보정값 적용

④ 공정별 신축율 TEST 후 보정값 적용

⑤ 완제품 완료 후 발생 시 별도 재처리

25-40. SKIP VIA 제품의 conformal 편심에 의한 land 터짐

1. 불량 유형 : 2차 Laser 가공 시 LAND 터짐 발생

1) 그림

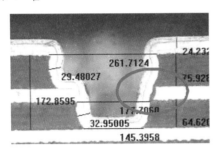

2) 원인

① 1차 RCC 적층 부위와 2차 RCC 적층시의 신축 발생

② 2차 Drill 편심과 1~2차 conformal 편심

3) 대책 및 조치사항

- 2차 conformal 크기를 확대해 노광 작업 실시

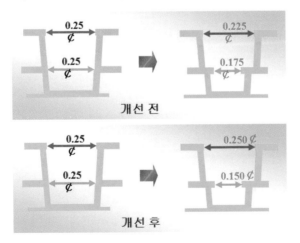

25-41. TIN 도금 미 수세

1. 불량 유형 : SMT 시 신뢰성 저하 및 Hole속 진행성 불량가능

 1) 그림

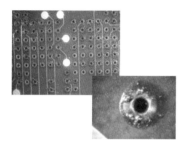

 2) 원인

　① TIN 도금 시 수세 및 건조 불충분으로 인하여 HOLE 속 TIN 성분 잔존

　　하여 REFLOW 시 열에 의하여 분출함.

　② Tenting 처리 된 VIA-HOLE에서 발생

 3) 대책 및 조치사항

　① HOLE OPEN : HOLE 속 OPEN 하여 TIN 잔존 방지

　② HOLE 막음 : HOLE 속 막음 처리하여 TIN 잔존 방지

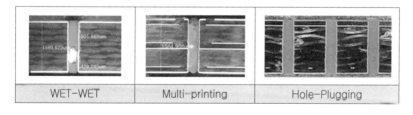

| WET-WET | Multi-printing | Hole-Plugging |

　③ 수세 및 건조 기능 강화

25-42. Pad 잔사

1. 불량 유형 : ACF Bonging 시 Short 유발

1) 그림

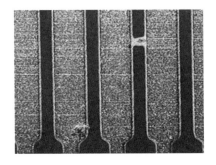

2) 원인

① 금도금 전

- Etch factor 저하

② 금도금 공정

- Catalyst 과 활성화

- Ni 도금액 노후화

3) 대책 및 조치사항

① 금도금 전

- 외층 현상 조건 점검

② 금도금 공정

- Catalyst / Ni 액 조건 점검

- Catalyst / Ni Make-up 주기 점검

25-43. Pad 찍힘

1. 불량 유형 : ACF Bonding 시 진공 불량 유발

 1) 그림

2) 원인
  ① 취급 부주의
  ② BBT PIN 찍힘

3) 대책 및 조치사항
  ① 금도금 전
    - 외층 현상 조건 점검
  ② 금도금 공정
    - Catalyst / Ni 액 조건 점검
    - Catalyst / Ni Make-up 주기 점검

25-44. Pad Scratch

1. 불량 유형 : ACF Bonging 시 Short 유발

 1) 그림

 2) 원인

   ① 금도금 전

     - Etch factor 저하

   ② 금도금 공정

     - Catalyst 과 활성화

     - Ni 도금액 노후화

 3) 대책 및 조치사항

   ① 금도금 전

     - 외층 현상 조건 점검

   ② 금도금 공정

     - Catalyst / Ni 액 조건 점검

     - Catalyst / Ni Make-up 주기 점검

25-45. Pad 금도금 번짐

1. 불량 유형 : ACF Bonging 시 Short 유발

1) 그림

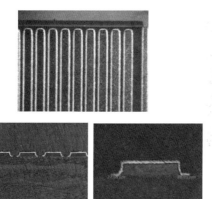

2) 원인

① 금도금 전

- Etch factor 저하

② 금도금 공정

- Catalyst 과 활성화

- Ni 도금액 노후화

3) 대책 및 조치사항

① 금도금 전

- 외층 현상 조건 점검

② 금도금 공정

- Catalyst / Ni 액 조건 점검

- Catalyst / Ni Make-up 주기 점검

25-46. Pad PSR 올라탐

1. 불량 유형 : ACF Bonging 시 진공불량 유발

 1) 그림

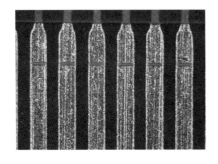

 2) 원인
  - Film Scratch

 3) 대책 및 조치사항
  - Film 관리 철저
    : Film AOI 실시

25-47. VOID

1. 불량 유형 : SMT완료 후 HOLE 전기적 단락 및 신뢰성 저하

1) 그림

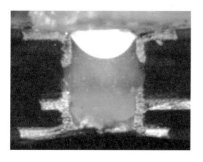

2) 원인

① 전 처리

- 제품 겹침으로 인한 전처리 미흡
- 디스미어 중화단 압력저하
- 건조 미흡
- 무전해/세도우 처리 미흡

② 전기동

- 농도 관리 미흡

3) 대책 및 조치사항

① 전처리

- 전처리단 컨베어 단 축, 롤러 점검/조치
- 중화단 노즐 막힘 유무 점검/조치
  압력게이지 고장유무 점검/조치
- 무전해/세도우 약품 농도 관리범위 철저

② 전기동

    - 전기동 농도 관리 철저

양 품	업체 협의 후 진행	불량

4) 기타

  Void 유형 : RING, CORNER, 미 도금, 100%

25-48. V-Cut 처리

1. 불량 유형 : SMT 작업 후 Cutting 시 Epoxy 잔존

 1) 그림

2) 원인

   ① V-CUT장비의 SUB FLAME이 열린 상태에서 작업되어 V-CUT 편심 발생됨.

   ② 두 장 겹쳐서 Input 시 발생

   ③ B/D 두께에 따라 편차 발생

3) 대책 및 조치사항

   ① 일반적 V-Cut 가동 치수 (1.6T 기준)

V-cut 단면	재질	가공 치수				비고
		A	B	C	D	
	Phenol	0.4	0.6	0.8	30 or 40도	
	Glass Epoxy	0.6	0.6	0.4	30 or 40도	

   ② 박판(0.8T)이하는 Missing Hole 처리로 대치한다.

   ③ V-CUT 작업 여부 판단 TEST Coupon 삽입

25-49. Warp/Twist

1. 불량 유형 : SMT 시 부품 이탈 및 들뜸 발생

1) 그림

2) 원인

Cu/Epoxy 수지간의 열팽창 계수 차이에 의하여 Baking 공정 진행 시 발생.

3) 대책 및 조치사항

① 출하 전 POST-Baking 처리(150℃ 1HOUR

② 표면 처리 HASL를 대치한다.

③ 휨 검사 일반 규격

절연기판두께	허용치(%)					측정 기준
	S/S	D/S	M/L	SMD		
				S/S	D/S	
1.0 T 이하	1.5	1.5	1.0	1.0	0.7	제품 대각선길이
1.6 T 이하	1.0	1.0	0.7	0.7	0.7	
2.4 T 이하	1.0	1.0	0.7	0.7	0.7	
3.2 T 이하	1.0	1.0	0.7	0.7	0.7	

※ 특수 B/D 별도지정

    1. MOUDLE의 경우 - 단품 0.5 %

                연배열 0.6% (148X155 이하)

                연배열(180X160 이하) 0.5%

    2. Reflow - 전 0.36 %

                후 0.5% 4. SMT시 가능한 JIG를 사용한다.

25-50. 외각 동 노출

1. 불량 유형 : 라우터 시 외각 동노출로 인한 short 유발

 1) 그림

 2) 원인

   ① 제품 신축

   ② 라우터 작업 시 Shift 됨

   ③ Cam 작업 시 동박 scratch 미적용

 3) 대책 및 조치사항

   ① 열 충격 변화율 적은 원판 사용

   ② 라우터 시 정도 check

25-51. 동박 주름

1. 불량 유형 : 신뢰성 저하

1) 그림

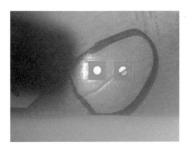

2) 원인

① 동박면과 에폭시 수지면의 Resin flow 불규칙으로 주름 유발.

② Press 조건 미 준수

③ 수분 함유 상태로 적층

3) 대책 및 조치사항

① 내층에 Resin 흐를 수 있는 통로 설계

② Press 조건 준수

③ Oxide 후 건조 상태 확인

25-52. 기판 두께 불량

1. 불량 유형 : SMT 시 Solder Paste 도포 불량/부품 조립 불가

1) 그림

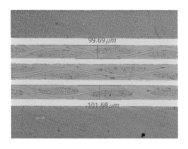

2) 원인

① LAY-UP 구조 오류

② P.P 투입 오류

③ CCL 투입 오류

3) 대책 및 조치사항

① 두께 계산 시 Simulation 철저

② 작업 시 작지 必 확인 후 작업

③ 적층 완료 후 두께 확인(업체 SPEC 확인)

　(a) EPOXY TO EPOXY

　(b) GOLD TO GOLD

　(c) METAL TO METAL

　(d) PSR TO PSR

25-53. 내층 Board 뒤집힘

1. 불량 유형 : PCB 기능불량

 1) 그림

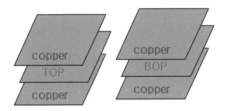

 2) 원인

   ① LAY-UP 시 TOP/BOT 반대로 작업

   ② DRILL 작업 시 TOP/BOT 반대로 작업

 3) 대책 및 조치사항

   ① LAY-UP 구조 확인 철저

   ② 작업 시 동일 방향 적제 후 작업 진행

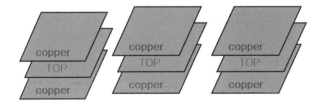

25-54. SMEAR

1. 불량 유형 : SMT 완료 후 기능성 test시 내층회로 접촉 불량으로
   Ass'y로써 기능 상실

1) 그림

2) 원인

① 드릴 작업 시 온도상승에 의한 resin의 변화

② 디스미어단 온도, 농도의 관리미흡

③ 디스미어단 초음파 error로 인한 홀 속 desmear 처리 미흡

3) 대책 및 조치사항

① 드릴 조건 재정립

 - BIT 재질

 - BIT 연마도

 - 회전수(RPM)

 - 회전 속도

② 디스미어단 약품 농도, 온도 관리 철저

③ 초음파단 정기적인 점검

 : 초음파 암페어 점검(2.0±1.0A)

25-55. HOLE속 도금두께 변화

1. 불량 유형 : HOLE의 도금두께 감소로 저항치 이상발생

 1) 그림

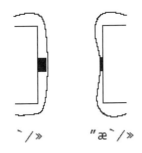

 2) 원인

   ① PCB 표면처리 시 VIA-HOLE부위

   ② SOFT ETCHING과다로 발생

 3) 대책 및 조치사항

   ① 동도금두께 MIN 25μ유지

   ② 표면처리 시 재처리방지

   ③ 재처리 시 SAMPLE로 MICRO-SECTION

25-56. SLANT

1. 불량 유형 : HOLE속 PRESS PIN 작업 시 쏠림발생

 1) 그림

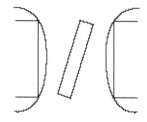

 2) 원인

   ① DRILL 작업 시 HOLE속 불균일

   ② 도금 및 표면처리 시 두께 불균일

 3) 대책 및 조치사항

   ① DRILL 작업 전 허용공차 필히 확인 후 BIT선정

   ② 도금두께 BALANCE유지

   ③ 가능한 표면처리 HASL 방지하고 OILFUSING으로 처리.

   ④ 가능한 표면처리, ENIG 처리한다.(무전해 도금 시 두께관리 필요)

25-57. MISSING HOLE 처리

1. 불량 유형 : DESIGN MISS로 인하여 휨 발생 및 부러짐 발생

 1) 원인

   ① DESIGN MISS
   ② 외형가공 시 파손발생

 2) 대책 및 조치사항

   ① DESIGN 시 MISSING HOLE위치 선정주의 할 것
   ② 파손 시 부분적으로 EPOXY COATING하여 재처리 실시
     (MOLDING 작업)
   ③ 특히 기판두께가 박형인 관계로 HOLE 작업 시 주의

25-58. REVISION관리 MISS

1. 불량 유형 : PCB기능 100% 손실

1) 원인
① SAMPLE 연속작업 과정에서 발생
② PCB형체가 바뀔 때마다 REV 관리 MISS
③ DATA 관리 MISS

2) 대책 및 조치사항
① MODEL별로 전산관리 한다.
② 동일 MODEL에서 수정사항이 발생할 때마다 REVISION관리를 한다.
③ 사례(동일 MODEL 시)

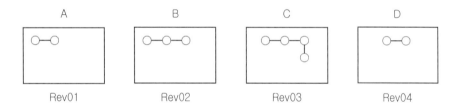

처음 설계 시 A(Rev01)로 시작해서 여러 차례 Rev된 후 여러 가지 이유로 DESIGN이 다시 A TYPE으로 될 시 Rev는 04를 사용한다.

25-59. 원판투입 시 표면 동박두께 관리 MISS

  1. 불량 유형 : PCB기능 100% 손실

   1) 원인

     ① 작업투입 시 확인업무 MISS

     ② 제품 투입 시 혼입

     ③ 임의선택투입(1/3 & 1/2 OZ)

     ④ 단위확인 MISS (OZ, μ)

   2) 대책 및 조치사항

     ① 확인업무 준수

     ② 임의로 변경 시 사전 승인 필요

     ③ 단위확인 필히 할 것.

25-60. IMPEDANCE측정 오차

1. 불량 유형 : 저항값 문제발생

 1) 원인

   ① 측정 시 사용하는 PROBE관리 MISS

   ② PROBE에 대하여 probe별로 Calibration 미실시

 2) 대책 및 조치사항

   ① CALIBRATION주기 지킬 것

   ② PROBE별로 구분해서 사용

25-61. BGA부위별 REFLOW조건

1. 불량 유형 : 냉땜 발생

1) 그림

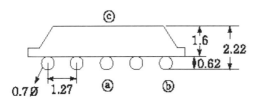

▶ BGA의 REFLOW SOLDERING온도 PROFILE

BGA 부품의 SOLDERING에 있어 중요한 것은 Reflow온도 Profile이다.

특히, BGA가 미세피치화 및 대형화 되어갈 때 PACKAGE의 내부와 외부의 온도
차이 또는 이면에 대형부품의 유무에 따라 납땜 품질의 차이는 커다란 변화를 가
져온다.

▶ BGA 부위별 온도 Profile특성(119BGA, 316BGA)

구분 내용	119BGA	316BGA
내부온도(a)	218℃	199℃
외부온도(b)	220℃	204℃
표면온도(c)		210℃
온도 편차	2℃	5℃
열 흡수용향	218℃ ~ 220℃	119℃ ~ 204℃
열 흡수량 편차	약 16℃ ~ 19℃	
기타	1. 316BGA온도 : 119℃ ~ 204℃ 2. 일반 부품온도 : 290℃로 약 50℃편차발생	

25-62. Au도금 문제점

1. 불량 유형 : Manhattan, Tom stone

▶ 표면처리 Au도금의 장점
SOLDER의 젖음력이 좋고 전기 전도도가 좋으며 내부부식성이 좋다.

▶ PCB불량 내용
BLACK PAD

1) 원인

① Ni 도금액의 농도 조절 실패
(특히 인의 함량 관리 실패)

② 도금 (Ni, Au) 속도 조절 실패
(온도, ph 관리부재)

③ Ni도금액 속의 불순물 관리 실패
(Br, 코발트 등 불순물 다량 함유)

④ 금도금 두께관리 실패(지나치게 두꺼우면 위험)

⑤ PCB 내부의 잔류 응력 혹은 충격에 의한 금도금 층의 균열로 Ni층의 부식 발생.

2) 대책 및 조치사항

① 인 성분에 따른 영향

(a) 인 농도 성분이 저하 될 경우 : 2% 이하

인농도가 너무 낮을 경우 무전해 도금 시(무전해 금도금은 통상 치환용) Ni 도금층을 심하게 침식시키기 때문에 내부식성이 저하되어 외부의 산, 알카리 온·습도, 열 등의 영향을 받기 쉬운 도금피막이 형성된다.

- 정상 : 금도금을 용해하면서 금이 석출된다. 니켈도금 표면의 침식은 심하지 않다.
- 이상 : 니켈도금표면의 침식은 심하고, 핀홀상이 된다.

(b) 무전해 니켈도금 피막속의 인 농도 성분이 매우 높아진 경우

12% 이상 니켈도금 피막이 굳어져 물성적으로 무르고 약한 피막이 된다.

② 무전해 니켈도금 조건에 따른 영향

    (a) 니켈도금욕의 ph가 높다.

    (b) 니켈도금액의 교반이 너무 강하다.

    (c) 니켈도금액의 금속 니켈 농도가 높다.

    (d) 니켈도금액의 불순물

      – 도금액중의 S/M 성분이 용출해서 도금액을 오염시킴.

      – 도금 피막 중 그 성분이 잔존하여 Solder 젖음성을 저하시킴.

③ 무전해 금도금 표면에 이물 부착 시

    수세시에 유기물이나 Ca2+, Mg2+, Cl–, K+ 등의 무기물이 부착 유기물
또는 무기물이 금도금 표면에 부착된 경우 납미착이 생기기 쉬워진다.

④ 무전해 니켈, 금도금 두께 SPEC

    (a) 일반적 SPEC : 니켈 3 ~ 7㎛ , 금 0.03 ~ 0.08㎛이 표준임

    (b) SMT 실장의 장해를 고려해 니켈 5μ이상(목표 7μ), 금 0.03 ~ 0.08μ(목표
0.06μ)을 권장한다.

⑤ 무전해 니켈 금도금 재처리 시 문제점

    – 니켈층 핀홀 생성으로 인한 원인

    (a) 니켈도금 후 Au도금 시 니켈은 Ni2+로 Au원자
로 치환반응으로 도금이 된다.

    (b) 이때 니켈도금층은 치환반응으로 인한 핀홀이
생성된다. 특히, 이 핀홀은 산화 잘 됨.

    (c) 핀홀은 산화 시 열충격 후 peel-off가능성.

25-63. HOLE CRACK

1. 불량 유형 : ASS'Y 후 신뢰성 검사 시 OUT

1) 그림

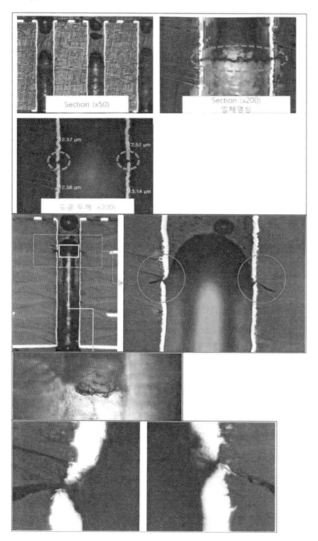

2) 원인

① HOLE 속 동도금 두께 불안정

② VIA-HOLE TENTING 처리 시 BUBBLE(기포)발생

③ 표면산화로 인하여 OSP(FLUX) 재처리 시 SOFT ETCHING이 PSR ETCH 부위에 스며들어 발생

④ VIA-HOLE 속 PSR TENTING 처리 미흡

3) 대책 및 조치사항

① 대책

(a) HOLE 속 동도금 두께 SPEC 유지

※ 1.6T 기준 20-25㎛

(b) VIA-HOLE 속 메꿈처리

(c) OSP(FLUX) 재처리 방지

- 1회 처리 시 약 1-2mm동도금 소멸

(d) LOT별 검사 실시

- 동도금 두께

- 재처리 LOT에 대한 동도금 표면 및 HOLE 속

② 조치

(a) AQL 0.65 G-II 까다로운 검사 실시 후 MRB

※ MRB : MATERIAL REVIEW BOARD

(b) 문제 발생 LOT에 대한 ASS'Y 후 철저한 신뢰성 검사

(c) LOT 불합격처리(폐기)

25-64. ROUGHNESS

1. 불량 유형 : BLOW HOLE & 냉땜불량

 1) 그림

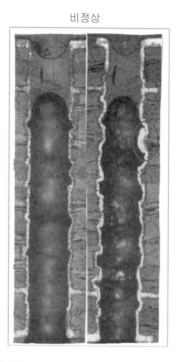

	정상		비정상	
① 표면(MIN)	57.46㎜	58.96㎜	42.52㎜	44.78㎜
② HOLE 속(MIN)	27.61	26.12	13.43	16.42
③ ROUGHNESS(MAX)	8.96	5.22	37.31	41.04

 2) 원인

   ① DRILL 작업조건

     - STACKING

     - PARAMETER

   ② CCL 재질문제

     ※ CCL : COPPER CLAD LAMINATE

   ③ BIT 재질문제

3) 대책 및 조치사항

　① 대책

　　(a) CCL 품질검사

　　(b) DRILL 작업조건 설정

　　(c) BIT 품질검사

　② 조치

　　(a) MICRO SECTION TEST 증가

　　(b) ROUGHNESS가 발생하여도 HOLE 속 도금두께 SPEC범위면 MRB

　　(c) ROUGHNESS SPEC

　　　　$\phi \leqq 25mm$

25-65. LASER HOLE (DESMEAR 처리상태 비교표)

1. 그림

1) 1회 실시

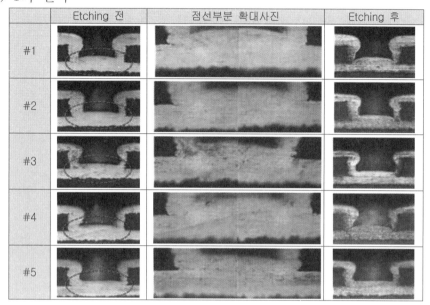

	Etching 전	점선부분 확대사진	Etching 후
#1			
#2			
#3			
#4			
#5			

2) 2회 실시

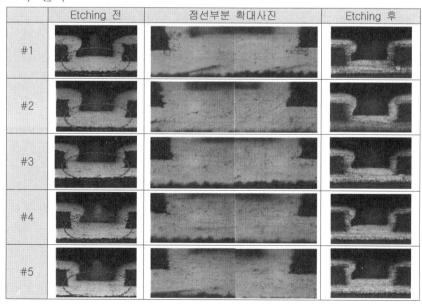

	Etching 전	점선부분 확대사진	Etching 후
#1			
#2			
#3			
#4			
#5			

2. 검토결과

① Desmear 1회 vs. 2회 진행제품 비교 時 hole 속의 별다른 차이점 없음

② 타사에서 Build-up 제품에 대하여 BBT 저항값을 낮추어 진행하는 것은 Laser 가공 後 smear에 의한 불량보다는 Laser 가공 中 target pad에 열산화 피막에 의한 도금 들뜸에 의한 것으로 추정됨

③ 現 수평 Desmear Line 구성 時 중화이후에 soft-etching 처리하여 target pad에 대하여 etching 처리를 강화하는 추세임(D, L사)

④ 그러나 이러한 현상은 basket type의 화학동 진행 時 LVH에 대한 etching 처리가 부족하여 발생하는 것으로 판단됨

⑤ 당사의 수평 PTH line 의 경우, 수평방식의 soft-etching 공정진행 되므로 desmear 後 추가설치는 불필요할 것으로 사료되어 사양에서 제외하여 진행함

⑥ 上記 내용에 대하여 現 모든 약품업체에서도 정확한 data를 제시하지 못하고 있는 실정이며, 단지 경험상 soft-etching을 추가하여 처리 時 LHV 내 도금 들뜸 현상이 발생되지 않는다고들 합니다.

25-66. 신뢰성 분석

1. 그림

1) BARE BOARD

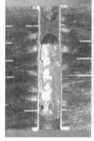  

2) ASSEMBLY BOARD

[micro-section point]

부품제거 전	부품제거 후
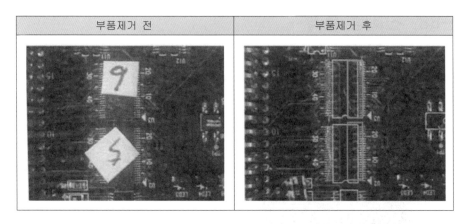	

#1 point	#2 point	#3 point
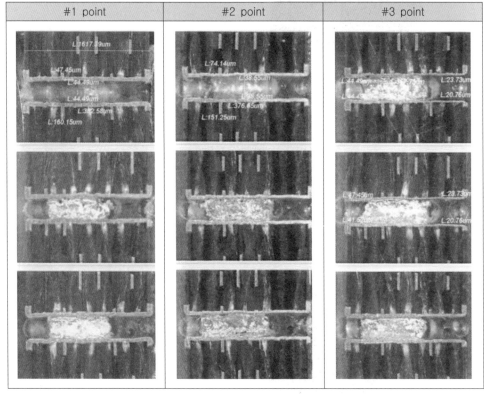		

2. 대책 및 조치사항

1) 신뢰성 검사 FLOW

    ① BARE BOARD & ASS'Y BOARD 중 부적합 BOARD 선정 및 표시

    ② 부적합부위 CUTTING

    ③ CUTTING 부위 SANDING처리

    ④ MOLDING 및 GRINDING

    ⑤ MICRO SCOPE 확인

    ⑥ 부적합 부위 사진 촬영

    ⑦ 결손부위 확대 촬영(ROUGHNESS, 동도금두께, HOLE 속 SMEAR 등)

2) 보고서 작성

    ① 시료 내용

    ② 사진 내용

    ③ 부적합 내용에 대한 원인, 대책

    ④ 의견서

25-67. ASS'Y TROUBLE

1. 그림

1) TROUBLE 사진

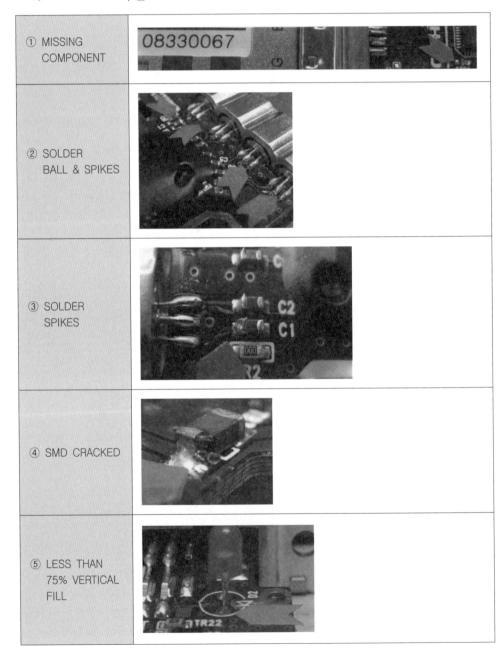

① MISSING COMPONENT	
② SOLDER BALL & SPIKES	
③ SOLDER SPIKES	
④ SMD CRACKED	
⑤ LESS THAN 75% VERTICAL FILL	

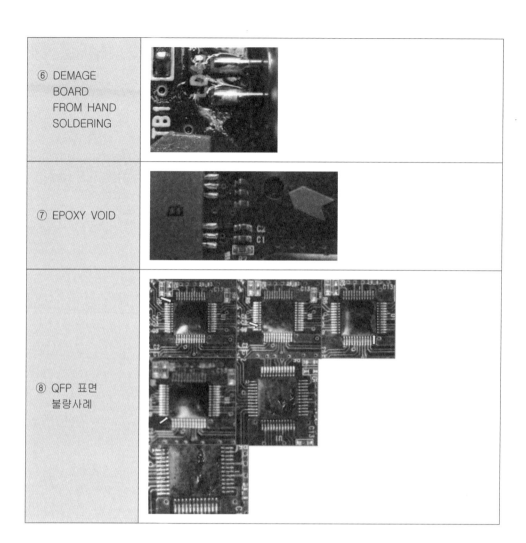

⑥ DEMAGE BOARD FROM HAND SOLDERING	
⑦ EPOXY VOID	
⑧ QFP 표면 불량사례	

2. 대책 및 조치사항

1) 부적합제품 원인 및 대책

NO	DEFECT	구분	POINT	원인	대책
1	BROKEN COMPONENT	C	1	1. 취급부주의 2. 연배열 제품 조립 후 CUT시 부품 침범 3. 출하 전 검사 미실시	1. 제품취급 교육 2. 100% 현미경 또는 A.O.I에 의한 검사
2	PART CRACKED AT I TERMINATION	C	2		

NO	DEFECT	구분	POINT	원인	대책
3	SOLDER BALL BRIDGING BETWEEN 2 LEADS	C	1	1. SMT 및 수작업 시 작업 MISS에 의한 SOLDER BALL 발생 2. 미세정	1. 작업조건 재검토(업체변경) 2. 세정실시 3. 표면검사
4	SOLDER SPLASH BRIDGING BETWEEN 2 NON-COMMON CONNECTORS	MA	1		
5	DAMAGE BOARD FROM SOLDERING IRON	MI	2	1. SMT 및 수작업 시 IRON 조건 및 취급 부주의 2. 미세정	1. 취급관리 교육 2. 수작업조건 재설정 3. 표면검사
6	DAMAGE BOARD LOOSE SOLDER MASK&SOLDER BALL	MI	1		
7	LESS THAN 75% VERTICAL FILL IN ONE HOLE	MI	1	1. 수작업 SOLDERING MISS	1. 수작업 방법개선 2. 표면검사
8	SOLDER BALL AND SOLDER SPIKES	MI	1	3,4,5,6 동일	3,4,5,6 동일
9	SOLDER SPIKE ON COMPONENT TERMINATION	MI	7		

NO	DEFECT	구분	POINT	원인	대책
10	VOID IN POTTING MATERIAL	MI	5	1. PCB HOLE 가공 시 2. 제품취급 부주의 3. 실제품 미확인으로 더 이상 원인 추적 불가	1. PCB HOLE 가공 시 조건 조정 2. 취급주의
	범례 : ① C : CRITICAL ② MA : MAJOR ③ MI : MINOR	MI			

2) IPC-A-610D ACCEPTABILITY OF ELECTRONIC ASSEMBLIES 참고사항

NO	PAGE NO		항목	내용
1	3.3		HANDLING CONSIDERATION	
		3-3-1		GUIDE LINES
		3-3-2		PHYSICAL DAMAGE
		3-3-3		CONTAMINATION
		3-3-4		ELECTRONIC ASSEMBLY
		3-3-5		AFTER SOLDERING
2	5		SOLDERING	
		5-2-6-1		SOLDERING ANOMALIES-EXCESS SOLDER → SOLDER BALLS SOLDER FINES FIGURE 5-47
		5-2-6-1		SOLDER → BRIDGING
		5-2-6-3		SOLDER → SOLDER SPLASHES
3	7-5-5-1		VERTICAL FILL(A)	ACCEPTABLE → MINIMUM 75% FILL

3) 일반적인 ASSY 표면검사항목

NO	검사항목	기준치
1	냉납	PCB 90% 이상 FILLET 형성될 것
2	들뜸(리드)	최대 1mm 허용
3	뒤집힘	허용안됨
4	틀어짐	LEAD부위 20%이내 허용
5	미납	PCB 90%이상 FILLET 형성 될 것
6	미장착	허용안됨
7	오장착	허용안됨
8	역장착	허용안됨
9	이물질	허용안됨
10	일어섬	허용안됨
11	파손	허용안됨
12	SHORT	허용안됨
13	도장 날인 상태 (누락, 지워짐)	허용안됨

◈ 참 고 문 헌 ◈

1. 각종 NEWS PAPER

- 전문지 → 전자신문, 디지털타임스
- 경제지 → 매일경제, 한국경제, 서울경제, 머니투데이
- 일간지 → 중앙일보, 조선일보, 동아일보

2. 각종 MAGAZINE

- NIKKEI ELECTRONICS ASIA
- 표면 실장 기술
- 전자기술, 전자 엔지니어
- 글로벌 SMT/PACKAGING
- 반도체 네크워크
- SMT PACKAGING FOCUS
- SEMICONDUCTOR/DISPLAY
- ECN ASIA
- 일본 → 표면실장기술
- CIRCUIT ASSEMBLY
- KPCA MAGAZINE
- Display Asia
- OPTICAL TEST & MEASUREMENT
- 월간 전자부품

3. PCB 전시회 자료

- KPCA, JPCA, CPCA, TPCA, HKPCA

4. ETRI

5. 산업교육연구소 관련기술자료

6. (사)한국마이크로조이닝연구조합 운영위원사 기술자료

7. JPCA 세미나 자료

8. 일본 PCB 공업회 발행, PCB 실전 품질보증

◈ 저 자 약 력 ◈

장동규 / 부회장

· 학력 : 명지대학교 경영학과 졸업, 숭실대학원 AMP 과정 수료
· 경력 : FAIRCHILD SEMICONDUCTOR(KOREA) - 반도체
　　　　대우통신 - 통신
　　　　대덕전자(주) ┐
　　　　(주)하이테크전자 ── PCB
　　　　현우산업(주) ┘
· 현재 : 한국산업기술협회 PCB 분과 수석교수, (사)한국마이크로조이닝연구
　　　　조합 부회장, PSP/경영기술연구소 소장(PCB, SMT, PACKAGE)
· 저서 : PCB핵심기술핸드북, PCB실무공정 관리기술, PCB디지털 용어사전,
　　　　PCB/SMT 품질관리, Pb FREE, LEAD, FREE, HALOGEN FREE 채
　　　　택에 의한 GREEN PCB, 2006년 이동통신 휴대폰 총람, PCB산업총
　　　　람(2006, 2007, 2008, 2009, 2010, 2011, 2012), 무연마이크로 솔더링
　　　　입문/응용, 종합인쇄회로기판공정

신영의 / 박사

· 학력 : Nihon University 정밀기계공학석사, Osaka University 마이크로
　　　　접합 공학박사
· 경력 : 대우중공업 기술연구소 연구원, Osaka University 공학부 연구원, 삼성
　　　　전자연구소 수석연구원
· 현재 : 산업자원부, 공업진흥청, 특허청 자문위원, 대한기계학회 간사, 과학재단
　　　　마이크로접합 위원장, 중앙대학교 기계공학부 교수(학부장), (사)한국마
　　　　이크로조이닝연구조합 명예회장

박사옥 / 사장

· 학력 : 2001. 01 KAIST 최고 정보경영자과정 수료(AIM13기)
　　　　2003. 08 서울대 경영대학원 최고 경영자과정 수료(AMP55기)
　　　　2009. 07 전경련 부설 국제경영원 글로벌최고경영자과정 수료(IMI59기)
· 경력 : 1979. 06 희성금속㈜ 입사, 1982. 02 희성금속㈜ 대구영업 소장,
　　　　1984. 04 희성금속㈜ 영업 과장, 1990. 01 희성금속㈜ 영업 부장,
　　　　1990. 05 희성금속㈜ 관리 부장, 1993. 04 희성금속㈜ 영업 부장,
　　　　1998. 01 희성금속㈜ 선임부장, 1999. 01 희성금속㈜ 이사,
　　　　2001. 01 희성금속㈜ 상무이사, 2003. 01 희성금속㈜ 전무이사
· 현재 : 2005. 07 ~ 희성소재㈜ 대표이사 취임, (사)한국마이크로조이닝연구
　　　　조합 회장

최명기 / 박사

- 학력 : 성균관대학교 금속공학박사, 성균관대학교 신소재공학 박사
- 경력 : (주)퍼시픽콘트롤즈 기술연구소 책임연구원, 국제산업정보실 기술개발실 연구소장, 한국산업기술협회 교수, 한국산업기술연구소 수석연구원, 중앙대학교 기계공학부 겸임교수, (사)한국마이크로조이닝연구조합 이사, 한국산업 용접기술사(Welding RE)인력공단 수석위원, 한국플랜트정보기술협회 감사, 산자부 기술표준원 NT 마크 심사위원

신연필 / 사장

- 학력 : 한양대학교대학원 화공재료 석사, 서울공과대학 AIP 수료, 인하대 고분자공학 박사과정중
- 경력 : KIST 위촉연구원 역임, 화공, 독극물, 위험물, 환경, 방사선, 기술사의 20여 국가의 국가기술자격 소지, 한국기초금속 소재분야 위킹그룹위원, 대한체육회 경기도 바이애슬론 회장, 표면실장기술 편집자문위원
- 현재 : 청솔화학환경(주) 대표이사, (사)한국마이크로조이닝연구조합 부회장, 한국산업기술대학교 생명화학공학과 겸임교수

이어화 / 사장

- 학력 : 1982년 조선대학교 전자공학과 졸업, 1984년 중앙대학원 전자공학 졸업
- 경력 : 1984~1999년 삼성전자(주) 생산기술연구소 실장기술팀 삼성전자(주), 삼성전기(주) 실장기술 강사
- 현재 : (주)SMT Korea 대표이사, (사)한국마이크로조이닝연구조합 부회장

남원기 / 박사

- 학력 : 인하대학교 화학공학과 졸업, 인하대학교 화학공학과 박사과정
- 경력 : SINKO 전기 근무(일본), LEAD FRAME 제조, 새한전자 PCB 제조 15년
- 현재 : 선진하이엠(주) 대표이사, 혜전대학 PCB과 겸임교수 공학박사

PCB & SMT 불량해석

발 행 일	2012년 4월 30일
공 저	장동규 신영의 박사옥 최명기 신현필 이어화 남원기
발 행 인	박승합
발 행 처	노드미디어
등 록	제 106-99-21699 (1998년 1월 21일)
주 소	서울특별시 용산구 갈월동 11-50
전 화	02-754-1867, 0992
팩 스	02-753-1867
홈페이지	http://www.enodemedia.co.kr
I S B N	978-89-8458-263-7-93560

정가 65,000원